Dalia.

D1470930

© Editions Magnard, 2003
20, rue Berbier-du-Mets
75647 Paris cedex 13

**DANGER**
**LE**
**PHOTOCOPILLAGE**
**TUE LE LIVRE**

Le photocopillage, c'est l'usage abusif et collectif de la photocopie sans autorisation des auteurs et des éditeurs.
Largement répandu dans les établissements d'enseignement, le photocopillage menace l'avenir du livre, car il met en danger son équilibre économique. Il prive les auteurs d'une juste rémunération.
En dehors de l'usage privé du copiste, toute reproduction totale ou partielle de cet ouvrage est interdite.
Aux termes du Code de la propriété intellectuelle, toute reproduction ou représentation intégrale ou partielle de la présente publication, faite par quelque procédé que ce soit (reprographie, microfilmage, scannérisation, numérisation...) sans le consentement de l'auteur ou de ses ayants droit ou ayants cause est illicite et constitue une contrefaçon sanctionnée par les articles L.335-2 et suivants du Code de la propriété intellectuelle.
L'autorisation d'effectuer des reproductions par reprographie doit être obtenue auprès du Centre Français d'exploitation du droit de Copie (CFC) – 20, rue des Grands-Augustins – 75006 PARIS - Tél. : 01 44 07 47 70 – Fax : 01 46 34 67 19.

*Crédits iconographiques*

**Couverture :** SPL /Cosmos - **p. 10-11 :** © Corbis - **p. 12-13 :** © SPL/Cosmos - **p. 17 :** © AKG Paris - **p. 19 :** 4. © G. A. Rossi/Altitude ; 5. © Kevin Kallaugher/The Economist - **p. 21 :** 7. © A. Christidolo/Top ; 8. © Siragusa/contrasto/Réa - **p. 23 :** 11. © Business Week - **p. 24 :** 1. © Bridgeman ; 2. © Éditions Fayard ; 3. © Fondation pour une civilisation européenne ; 4 et 5 © Serguei ; 6. © Newsweek/ D. Bejar - **p. 30 :** © Courrier International - **p. 31 :** © Communautés européennes - **p. 35 :** © 5. L. Van den Stockt/Gamma - **p. 37 :** 9. © DR ;10.© Steve Mac Curry / Magnum - **p. 39 :** © Zullo/WostokPress - **p. 41 :** 3. © Réa. - **p. 43 :** 8. © Thierry Dalby/Le Monde du 10/12 /2002 ;9 © Pavlosky/CorbisSygma - **p. 46 :** Lounes/Gamma, Bof - **p. 47 :** Markgraph Gmbh-ho/AFP, Libération - **p. 50 :** 2. © M. Nascimento/Réa - **p. 51 :** 3. © Alternatives Economiques ; 4. © Sergueï - **p. 52 :** 8. © F.Horvat/Corbis Saba - **p. 53 :** 9. DR; 10. © Iturria - **p. 55 :** 1. © Ajubel - **p. 57 :** 7. © Der Spiegel/DR ; © La Stampa/DR - **p. 59 :** 9. © Pessin ; 10. © Communautés européennes ; 12. © Plantu - **p. 62 :** 2. © N. Broquedis - **p. 63 :** 4. © Pessin ; 5. © Christophe L ; 7. © Agence Socrates / Leonardo da Vinci - **p. 64 :** 1. © Commission Européenne ; 2. © Commission européenne - **p. 65 :** 7. © AC Poujalat-Pig/AFP - **p. 66 :** 1. © Van Cappellen/Reporters-Rea - **p. 70-71 :** © Der Spiegel/DR ; © M. Gottschak/Altitude ; © Sunset - **p. 75 :** 3. © Réa - **p. 77 :** 4. © Hoa-Qui ; 7 . © Courrier international/DR - **p. 78 :** 1. © Volkswagen – **p. 79 :** 5. © Volkswagen/DR - **p. 81 :** 8. © DR ; 9. © M.Fourmy/Réa ; 10. © Getty images - **p. 83 :** © 11. Collection Christophe L. ; 12. © Getty images - **p. 85 :** 5. © S. Cagnoni/Report Digital/Réa ; 6. © Pancho ; Plantu - **p. 87 :** © De Jaeghere/Diaf ; © DR - **p. 91 :** 1. © L. Cavelier/Sunset ; 3. © M.Gonzales/Laif/Réa - **p. 93 :** 4. © Réa - **p. 94 :** 1. © R. Ghillarde/Gamma - **p. 95 :** 3. © G. A. Rossi/Altitude ; 4. © Y. Arthus-Bertrand/Altitude - **p. 97 :** 7. © W.Manning/Corbis ; 9. © Corbis/Sygma ; ©J.Leynse/Réa - **p. 99 :** 10. © Géo/DR. ; © Jerrican/Fuste Raga ; 12. © G. A. Rossi/Altitude - **p. 101 :** 2. © Bonaventura/Contrasto-Réa ; Cl. Durbiano - **p. 102-103 :** © IGN - **p. 104-105 :** © T.W. Sullivan III & Hansen planetarium/SPL/Cosmos. - **p. 108 :** © Y. Arthus-Bertrand/Altitude - **p. 109 :** 3. © Gianni/Corbis Sygma ; © Sunset - **p. 110 :** 5. © H. Langlois urba/images ; 6. © DR ; 7. © DR - **p. 111 :** 8. © Gamma ; 9.© M.-J. Jarry/J.-F. Tripelon/Top - **p. 113 :** 1. © Y. Arthus-Bertrand/ Altitude - **p. 118 :** 1. © Institut géographique national belge - **p. 119 :** 4. © Y. Arthus-Bertrand/Altitude - **p. 120 :** 1. © Zapa Bordeaux/J. Thomas - **p. 121 :** 3. © carte IGN - **p. 122 :** 1. © F. Bocquet/Phot'R ; 2. © DR - **p. 123 :** 4. © IGN - **p. 124-125 :** © Massimo Sestini/Gamma - **p. 129 :** 4. © Pancho - **p. 131 :** 6. © Smith Gavin/Spooner/Gamma - **p. 133 :** 13. © Libération - **p. 134 :** 2. © Cambio - **p. 135 :** 4. © R. Perales/Sipa - **p. 137 :** © F. Bocquet/Phot'R - **p. 141 :** 2. © Photorail/Diaporama - **p. 142 :** 6. © Medialp/Francedias - **p. 143 :** 9. © Murier/Francedias.com ; 10. © DR - **p. 145 :** 4.© DR - **p. 147 :** 5. © Rail et Transports ; 7. R. Francom, extrait de L'express Grand Sud-ouest, 17 octobre 2002 - **p. 149 :** 9. © Documents les chambres de commerces et de l'industrie d'Aquitaine - **p. 150 :** 1. © La vie du Rail ; © couverture de l'Express - **p. 151 :** 5. © Pays d'Aix - **p. 153 :** 10. © Aérial ; © DR - **p. 154 :** ©Hekimian/Corbis Sygma ; 2. © Ludovic/Réa - **p. 155 :** 5. © SNCF-CAVSC - **p. 157 :** 4. © Y. Arthus-Bertrand/Altitude - **p. 158 :** © Port 2000, Le Havre - **p. 160 :** IGN - **p. 164-165 :** © F. Lechenet - **p. 166-167 :** © Ciel & Espace/Euro images/M-Sat France - **p. 171 :** 3.© DR - **p. 173 :** 4. © Y. Arthus-Bertrand/ Altitude - **p. 175 :** 6. © P.Gleizes/Réa ; 7. © J.C.Moschetti/Réa - **p. 177 :** 8. © DR ; 10. © DR - **p. 179 :** 3. © DR - **p. 180 :** 8. © Roger- Viollet - **p. 182 :** 1. © Photoblot.com - **p. 184 :** 7. © Pelissier/Reuters - **p. 185 :** 11. IGN - **p. 186 :** 1. © IGN. ; 2. © Y. Arthus-Bertrand/ Altitude - **p. 189 :** 3. © Y. Arthus-Bertrand/ Altitude - **p. 193 :** © IGN - **p. 196 :** 1. © IGN - **p. 197 :** 2. et 3. © IGN - **p. 198 :** 6. © Rozé/Andia - **p. 199 :** 10. © P. Brard , architecte ; 10 © Le Rennais/DR - **p. 205 :** 7.Urba images - **p. 207 :** 11. © N. Tavernier/Réa ; 13. le vent du Sud/DR - **p. 209 :** 3. © R. Tixador/Agence Tol - **p. 210 :** 6. © DR ; 8. © DR ;9. © DR - **p. 218-219 :** © B ; Stichelbaut - **p. 222 :** 1. © Disney - **p. 223 :** © IGN - **p. 224 :** 3. © Disney - **p. 225 :** 7. © Ph. Guignard/Auba/Air Images ; 8. ©Disney - **p. 227 :** 1. © Réa ; 3. © Alternatives Economiques - **p. 229 :** 6. © DR ; © DR - **p. 233 :** 13. © DR - **p. 234 :** 1. © Y. Arthus- Bertrand/Altitude - **p. 235 :** IGN - **p. 237 :** Y. Arthus-Bertrand/Altitude - **p. 238 :** 9. © Daudier Jerrican - **p. 239 :** © B.Decout/Réa - **p. 240 :** © IGN - **p. 242 :** 1 © Y. Arthus-Bertrand - **p. 244 :** 1. © S. Dhote - **p. 245 :** 4. © IGN ; 5. © DR - **p. 249 :** © R. Damoret/Réa ; © Corbis - **p. 252 :** © Mairie de Nantes, S.Ménoret, R.Routier. **p. 255 :** © Mairie de Nantes, S.Ménoret, R. Routier - **p. 257 :** © Y. Arthus-Bertrand - **p. 259 :** 5. © Sergueï : 6. DR - **p. 261 :** 9. © A.Guilhot ; 11. DR - **p. 265 :** 5. © Ludovic/Réa ; 6. © J.-Ph. Arles - **p. 266 :** © 9. © Grand Toulouse. **p. 267 :** 10. DR ;© 11© G.Rolle/Réa - **p. 269 :** 5. DR ; 7. DR - **p. 270 :** © Cl.Thiriet - **p. 271 :** © Val de Lorraine Infos - **p. 272-273 :** © Airdiasol - **p. 275 :** © Photoblot.com - **p. 278 :** 1. © Rossini ; © DR - **p. 280 :** 8. © DR - **p. 282 :** 12. © Région Centre - **p. 283 :** 13. © DR - **p. 284 :** 18. © DR - **p. 285 :** 19. © Région Centre ; 21. © Région Centre - **p. 287 :** 2. © Région Basse-Normandie ; 3. © DR ; A. Le Bot/Gamma - **p. 289 :** 5. © RD ; 6. © Régions Île-de-France et Haute-Normandie ; 7. © Région Rhône-Alpes - **p. 291 :** 10. © Pancho - **p. 293 :** 5. DR - **p. 297 :** © Région Alsace - **p. 300 :** 2. © RegioTriRhena - **p. 301 :** 4. DR ; 5. DR – **p. 302 :** 9. Réa - **p. 303 :** 11. © Michelin - **p. 305 :** 1. © Europe locale ; 2. © Région Picardie ; 4. © R. Gaillarde/Gamma - **p. 311 :** 14 et 16. DR - **p. 312 :** 1. © DR - **p. 313 :** © Photoblot.com/ANA-Aeroportos de Portugal - **p. 314 :** © Journal de la Marine marchande.


**Édition :**
Guillaume Picon

**Couverture :**
Décimale 618

**Conception maquette :**
Laurent Romano et Studio Magnard

**Mise en page et aménagement maquette :**
Écriture – Malesherbes

**Iconographie :**
Maryvonne Bouraoui

**Cartographie :**
Marie-Christine Liennard (coordination),
Valérie Goncalves,
Christel Parolini,
Carl Voyer

**Relecture :**
Claire Marchandise

**Photogravure :**
AGN

**Imprimeur :**
Stige (Italie)

ISBN : 221010340 1
Dépôt légal : Avril 2003
N° éditeur : 2003/233
Achevé d'imprimer en Avril 2003

# L'Europe, la France

## GÉOGRAPHIE 1res / ES, L / S


Coordination : **Jacqueline JALTA**
**Jean-François JOLY**
**Roger REINERI**

**Nicole ANQUETIL,** *Lycée Gabriel-Touchard – Le Mans*
**Richard D'ANGIO,** *Lycée Thiers – Marseille*
**Laurent CARROUÉ,** *Université Paris VIII*
**Marie-Christine DOCEUL,** *Lycée Edouard-Herriot – Lyon*
**François DURAND-DASTÈS,** *Université Paris VII*
**Bernard ELLISALDE,** *Université de Rouen*
**Jean-Marc HOLZ,** *Université de Perpignan*
**Jacqueline JALTA,** *Agrégée de Géographie*
**Jean-François JOLY,** *Lycée Claude-Monet – Le Havre*
**Roger REINERI,** *Lycée Jean-Aicard – Hyères*
**Claude RUIZ,** *Lycée Georges-Clemenceau – Reims*
**Pierre-Jean THUMERELLE,** *Université de Lille I*

**Avec la collaboration de :**

**Florence BOCOGNANI,** *Lycée Jean-Macé – Vitry-sur-Seine*
**Jean-Michel ESCARRAS,** *Lycée du Coudon, La Garde et Lycée Dumont D'Urville – Toulon*
**Laurent RESSE,** *Collège Gérard-Philipe – Le Havre*
**José RIQUIER,** *Lycée Louis-Thuillier – Amiens*
**Georges ROQUES,** *IUFM – Montpellier*
**Georgette ZRINSCAK,** *Université Paris I*

# Programmes de Géographie

## Classes de 1res ES, L et S

# L'Europe, la France

| ES, L | S |
|---|---|
| **Introduction : Qu'est-ce que l'Europe ? (3 h.)** | |
| **I. L'Europe des États (12 h.)**<br>1. Le morcellement en États et les grands ensembles géopolitiques<br>2. Une communauté d'États en débat : l'Union européenne<br>3. Deux États dans l'Union européenne au choix :<br>– l'Allemagne ou le Royaume-Uni ;<br>– l'Espagne ou l'Italie. | **I. L'Europe des États et des régions (10 h.)**<br>1. Qu'est-ce que l'Europe ?<br>2. L'Europe des États et l'Union européenne<br>3. Le fait régional : une région en France ou dans un autre État de l'Union européenne |
| **II. Réseaux et flux en Europe et en France (10 h.)**<br>1. La métropolisation et les réseaux urbains<br>2. Les réseaux de communication et les flux de transport<br>3. La mobilité des hommes | **II. Réseaux et flux en Europe et en France (8 h.)**<br>1. Les réseaux urbains et de communication<br>2. La mobilité des hommes |
| **III. La France et son territoire, métropole et DOM-TOM (17 h.)**<br>1. Peuplement et répartition de la population<br>2. Des milieux entre nature et société<br>3. L'espace économique<br>4. Disparités spatiales et aménagement des territoires | **III. La France et son territoire, métropole et DOM-TOM (14 h.)**<br>1. Des milieux entre nature et société<br>2. L'espace économique<br>3. Disparités spatiales et aménagement des territoires |
| **IV. Les régions en France et en Europe (8 h.)**<br>1. Le fait régional : une région d'Europe, de préférence celle du lycée<br>2. Disparités régionales en France et en Europe | |

# Du local à l'Europe...

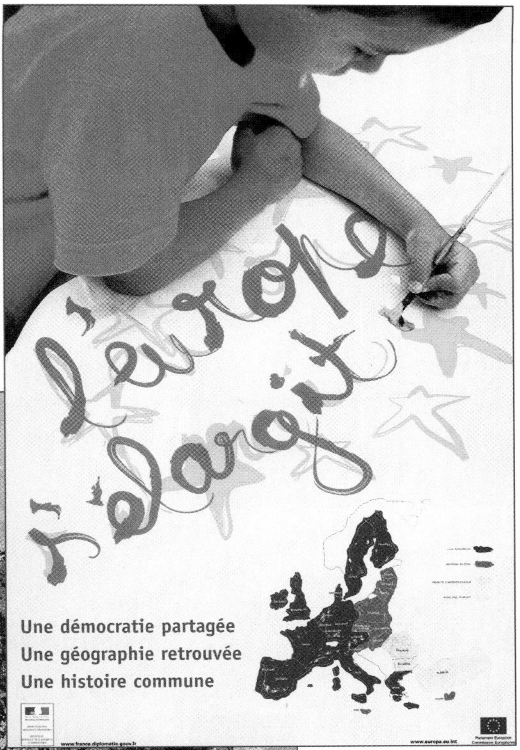


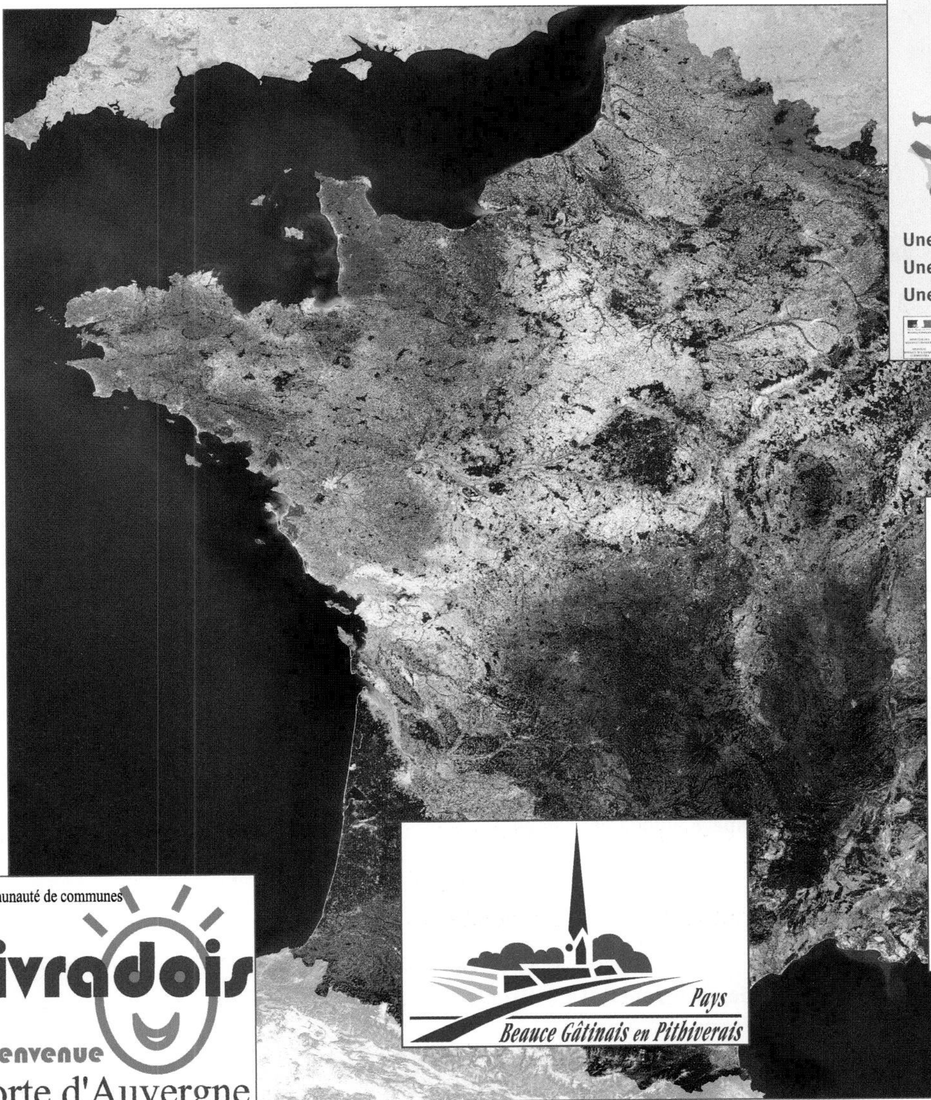

**Des territoires en mouvement.**

Le programme de géographie explore des territoires proches des citoyens : de la commune à l'Europe, en passant par la région et par la France.
De multiples acteurs aménagent et transforment ces cadres de vie qui sont en profonde mutation et recomposition.
Découvrir ces territoires vécus au quotidien est un enjeu civique majeur.

# ...les territoires de vie

# Sommaire

ES, L

ES, L



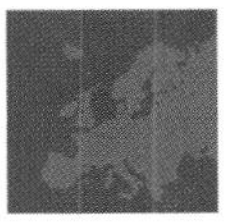

ES, L / S



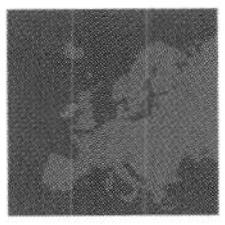

ES, L / S

ES, L / S

# Partie 3 La France et son territoire

ES, L / S

# Partie 4 Les régions en France et en Europe 272

ES, L

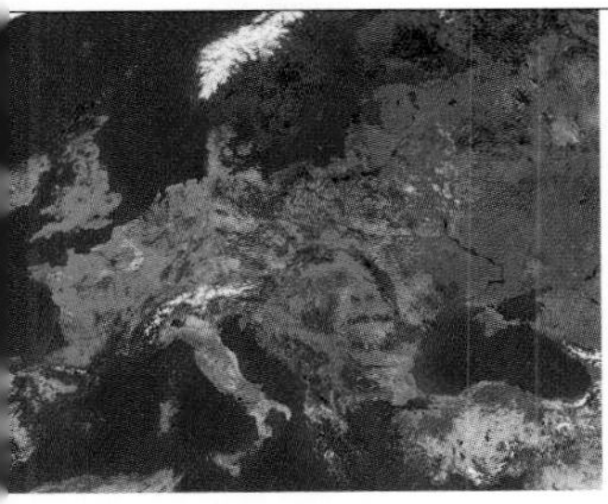

## Atlas

# L'Europe

# Partie 1

# des États

**Conseil de l'Europe, palis des Droits de l'homme, à Strasbourg.** Le Conseil de l'Europe a été fondé en 1949 pour promouvoir les valeurs culturelles de l'Europe, affirmer son identité, assurer la défense des droits de l'homme et le fonctionnement de la démocratie à l'échelle du continent européen. Associant 10 pays au départ, il s'est élargi plus que toute autre organisation européenne. En 2002, le Conseil de l'Europe compte 44 membres, c'est-à-dire la plus grande partie des pays inclus dans les limites classiques de l'Europe. Son siège est à Strasbourg. Il ne doit pas être confondu avec l'Union européenne, dont le parlement siège aussi à Strasbourg.

Chapitre 1

# Qu'est-ce que l'Europe ?

Espace sans limites claires, l'Europe se singularise par un ensemble de caractères culturels, sociaux et économiques hérités de son histoire. Originale par son peuplement et la grande diversité de ses paysages, elle constitue l'un des pôles de puissance économique du monde.

- **Qu'est-ce qui fait l'identité de l'Europe ?**
- **D'où viennent sa diversité et ses disparités ?**

**L'Europe en été.** Les données enregistrées par les satellites météorologiques NOAA, à environ 1 500 km d'altitude, dans les gammes de longueurs d'ondes du visible et de l'infrarouge, ont été traitées pour mettre en évidence les principaux types d'occupation du sol en Europe, observables en été.
De l'Ouest à l'Est, on identifie les prairies en vert, les céréales en jaune-vert, les massifs montagneux en vert-bleu.
Du Nord au Sud, toundras, forêts et prairies en bleu-vert laissent la place aux régions méditerranéennes où le passage du brun au jaune évoque l'aridité.

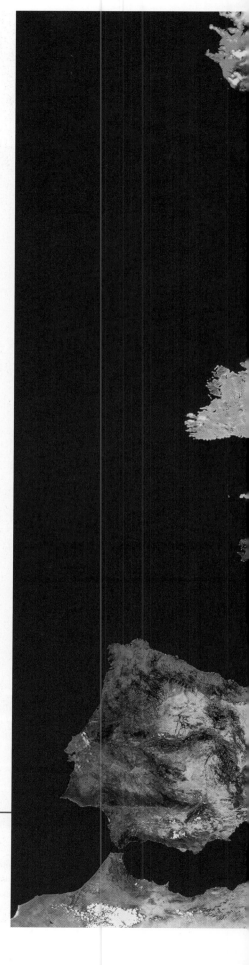

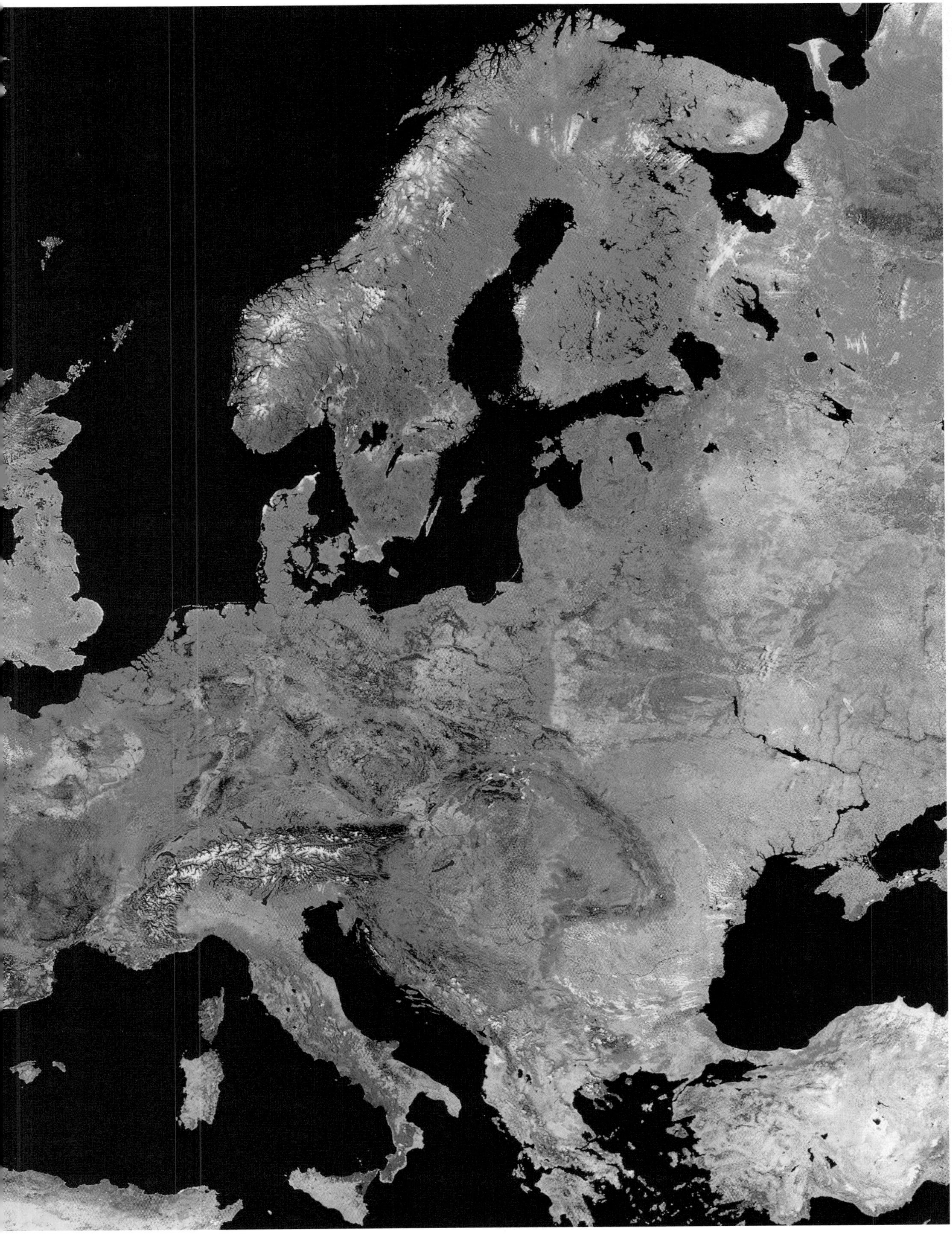

Cartes Enjeux

# Europe : quelle répartition spatiale de la population ?

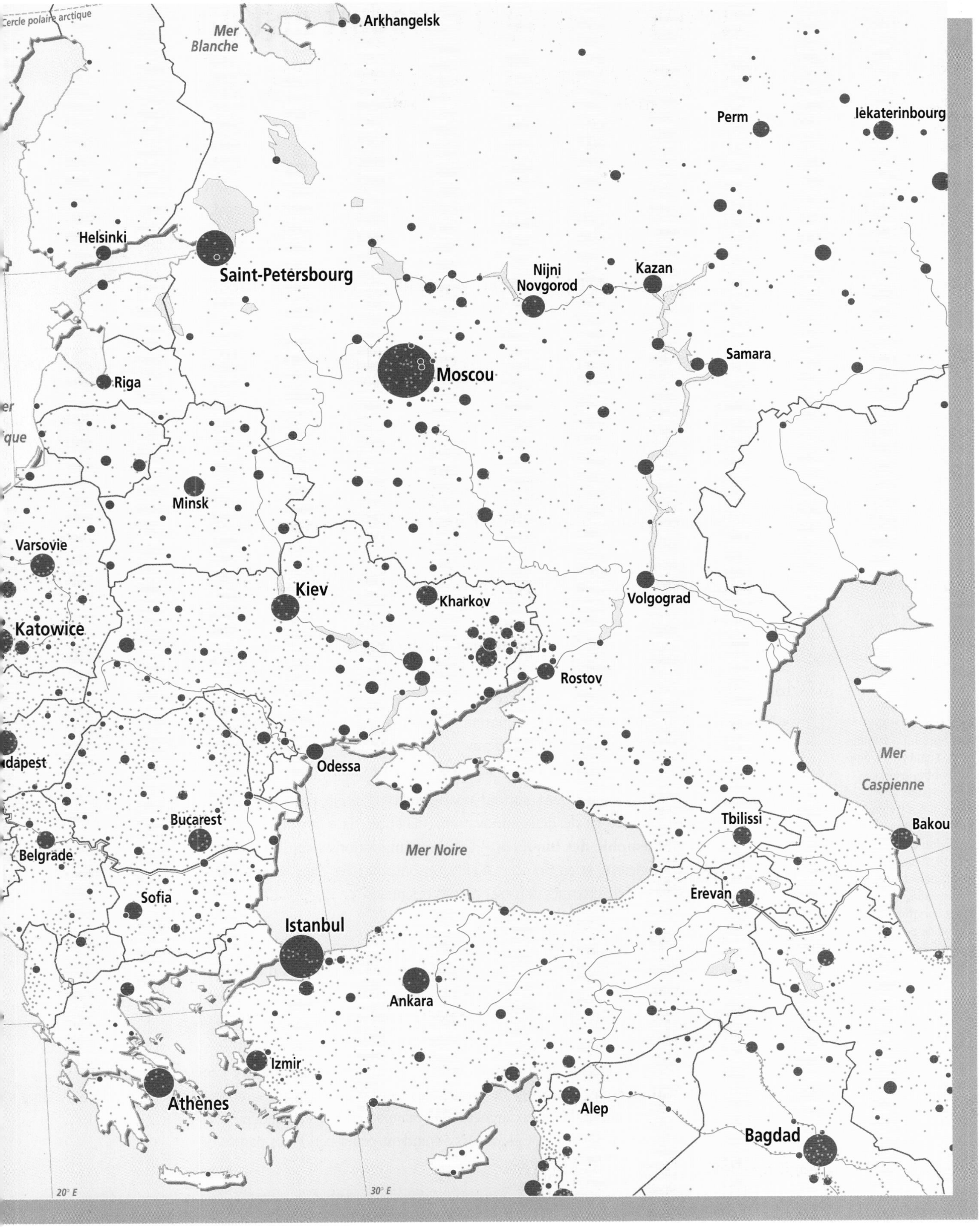
Cercle polaire arctique
Mer
Blanche
Arkhangelsk
Perm
Iekaterinbourg
Helsinki
Saint-Petersbourg
Nijni
Novgorod
Kazan
Samara
Riga
Moscou
Minsk
Varsovie
Kiev
Kharkov
Volgograd
Katowice
Rostov
Mer
Caspienne
dapest
Odessa
Bucarest
Tbilissi
Bakou
Belgrade
Mer Noire
Erevan
Sofia
Istanbul
Ankara
Izmir
Athènes
Alep
Bagdad
20° E
30° E

# 1 L'Europe est d'abord un produit de l'histoire

## 1. L'invention d'un nom et de limites

• **L'Europe a été nommée dans l'Antiquité, par les Grecs et les Assyriens.** Le nom désigne tout l'espace situé au Nord-Ouest de la Méditerranée, distingué de deux autres domaines anciennement définis, l'Afrique et l'Asie. Tout au long de l'histoire, l'Europe a acquis des caractères communs, et ses habitants ont eu largement conscience d'appartenir à une partie du monde originale.

• Cependant, **les limites de l'Europe n'ont été définies que tardivement et restent floues** : c'est au XVIII^e siècle que le tsar de Russie, Pierre le Grand, soucieux d'affirmer le caractère « européen » de son empire, fit adopter la modeste chaîne de l'Oural comme limite orientale de l'Europe, et inclure le Caucase et même une partie des plaines qui le bordent au Sud. Cette limite assez arbitraire a été consacrée par l'usage depuis 300 ans. Les liens étroits de quelques îles avec des parties du continent ont conduit à les rattacher à l'Europe, bien qu'elles soient parfois plus proches d'autres domaines. C'est le cas de l'Islande, de Malte, de Chypre (1, 2).

## 2. La longue gestation de l'identité européenne

• **Ainsi délimitée, l'Europe a acquis une certaine unité par apports successifs tout au long de son histoire** (1). À partir du III^e siècle avant notre ère, la diffusion de la civilisation gréco-romaine a donné à l'Europe une partie de ses langues, de ses alphabets, des corps de lois et des modes de pensée.

• **La christianisation**, élément fondamental de l'identité européenne, a été plus rapide à l'Ouest qu'à l'Est, si bien que c'est le **christianisme orthodoxe**, diffusé après le schisme de 1054, qui domine en Europe orientale. Né au XVI^e siècle de la Réforme, le protestantisme est un élément d'originalité de l'Europe du Nord.

• **L'influence de l'Islam** a joué un rôle important sur les marges méridionales, mais avec de forts décalages dans le temps : il a été éliminé de l'Espagne au XV^e siècle, au moment même où il progressait dans les Balkans, où il a laissé des traces importantes (3).

• L'histoire de l'Europe a été marquée, surtout à partir du XVIII^e siècle, par l'apparition et la diffusion quasi simultanée de deux innovations majeures, la « révolution industrielle* » et la « **philosophie des lumières** ». Ces deux innovations sont d'abord apparues à l'Ouest, en Angleterre et en France ; si elles se sont diffusées dans l'ensemble de l'Europe, leurs effets ont été atténués dans ses parties orientales.

## 3. L'Europe : clivages et valeurs communes

• **Les grandes phases de l'histoire de l'Europe ont imprimé de grandes différences du point de vue politique, social et culturel.** Celles-ci se sont exprimées par de durs conflits entre peuples et entre États, notamment par les deux guerres mondiales, nées dans une Europe divisée, pour laquelle elles ont eu des conséquences catastrophiques.

• **Dans les dernières décennies, les relations internationales tendent à mettre l'accent sur l'unité européenne**, et tentent de fonder des institutions politiques, économiques et militaires communes, faisant référence à des valeurs partagées : démocratie, liberté individuelle, droits de l'homme. Ces valeurs s'étendent peu à peu à des parties de plus en plus grandes de l'Europe classique.

### Mots-clés

**Orthodoxie :** si le terme signifie étymologiquement « le dogme correct », il est employé pour désigner l'une des trois formes du christianisme, celle qui apparut dans l'Empire byzantin. Dès la division de l'Empire romain, au IV^e siècle, se développent des différences entre les christianismes romain et byzantin, mais la séparation ne fut consacrée qu'en 1054, avec l'excommunication, par le pape de Rome, du patriarche de Constantinople.

**Philosophie des lumières :** cette philosophie, développée au XVIII^e siècle, se caractérise par une conception du monde et de l'homme fondée sur le libre exercice de la raison, la critique des dogmes, la défense de l'individu et de sa liberté. Avec la révolution industrielle, elle a été à l'origine de modes de pensée scientifiques et rationnels, de l'essor du libéralisme et de l'État-nation.

* voir Lexique

**Dossier**

Images de l'Europe
*(pages 24-25)*

**Atlas**

Annexe 1
*(pages 320-321)*

## 1. Les grands ensembles linguistiques et religieux

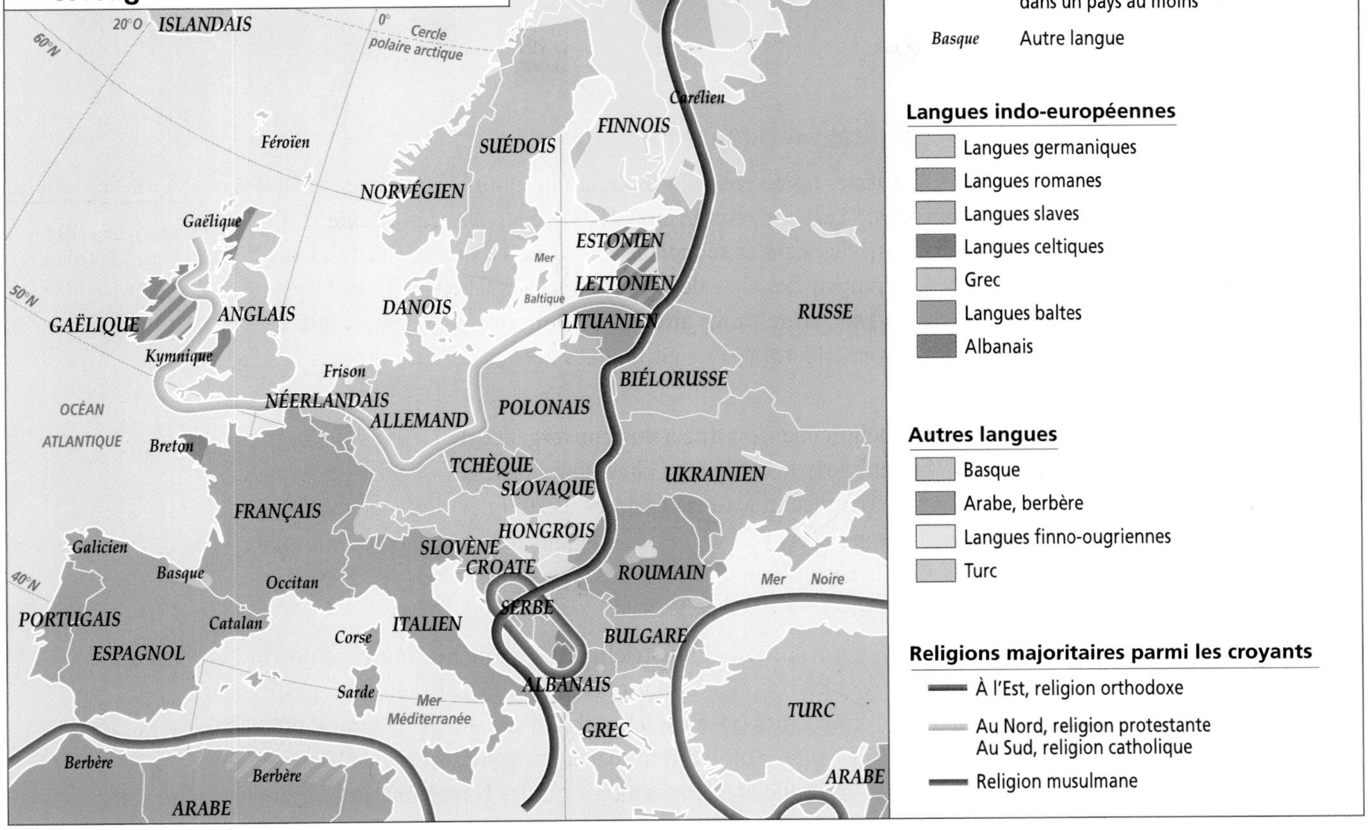


## 2. L'Europe, jusqu'où ?

Sous l'angle géographique, l'Europe n'est qu'une péninsule, la plus occidentale du continent eurasiatique. Si elle est bien délimitée de trois côtés par des mers – Atlantique, Méditerranée, Arctique – elle se trouve en continuité avec le continent asiatique. La montagne Oural, qui par commodité et convention, lui sert de frontière à l'Est, n'a aucun caractère de barrière, de rupture. Elle n'a jamais été une limite de peuplement ou d'économie. Les autres limites conventionnelles vers le Sud-Est : le fleuve Oural, la mer Caspienne, sont encore plus problématiques.

Tout compte fait, avons-nous besoin d'une frontière de l'Europe ? La « frontière » orientale peut rester floue et l'espace européen s'arrête là où les phénomènes dominants de civilisation, ayant une permanence historique et une densité territoriale, s'estompent ou deviennent ponctuels dans le temps et l'espace.

D'après J. Limouzin, *Une histoire européenne de l'Europe*, Privat – 1999.

## 3. L'Europe dessinée par Willem Blaeu

Sur le plan artistique, cette carte constitue un des chefs-d'œuvre de la cartographie hollandaise du XVII^e siècle. Inspirée des partitions antiques, la limite orientale de l'Europe est placée sur le fleuve Don. Ce n'est qu'au XVIII^e siècle qu'elle sera repoussée à l'Oural.

# 2 Un grand foyer de population de la planète

## Mots-clés

**Transition démographique :** évolution qui fait passer un pays d'une « situation traditionnelle » à croissance lente avec des taux de natalité et de mortalité également élevés, à une « explosion démographique » due à une baisse de la mortalité plus rapide que celle de la natalité, et enfin à une nouvelle phase de croissance lente où les deux taux se rapprochent à nouveau, mais avec des valeurs faibles.

**Vieillissement de la population :** augmentation de la part relative des personnes âgées, et diminution de celle des jeunes. Elle est due à l'allongement de la durée moyenne de la vie, ou espérance de vie à la naissance, et aussi à la diminution de la natalité.

* voir Lexique

## 1. Plus de 500 millions d'Européens

• **L'Europe, sans la Russie, représente 9,5 % de la population mondiale sur 4,4 % des terres émergées.** L'espace européen, dont la densité moyenne est de 92 habitants/$km^2$, est un des espaces mondiaux les plus continûment peuplés sur de grandes superficies. La plupart des États de l'Europe occidentale ont des densités supérieures à 100 habitants/$km^2$, et de vastes **aires métropolitaines*** dépassent 400 habitants/$km^2$. Les densités inférieures à 30 sont limitées aux grandes montagnes et aux confins septentrionaux.

**Carte Enjeux**
**Europe : quelle répartition spatiale de la population ?**
*(pages 14-15)*

• **L'importance de ce peuplement est due à une convergence de facteurs.** Le peuplement est ancien ; les conditions historiques et climatiques ont permis le développement précoce de systèmes de production agricole efficaces. L'extrémité du continent eurasiatique qui constitue l'Europe a reçu des vagues de migrants tout au long de son histoire, notamment avec les mouvements de population des grandes phases du IV$^{e}$ au VI$^{e}$ siècle, puis des VIII$^{e}$ et IX$^{e}$ siècles.

• **Cependant, ce sont les révolutions industrielle et agricole qui ont joué un rôle décisif dans la croissance de la population européenne** en fournissant des ressources accrues et en multipliant les possibilités d'emploi. Aujourd'hui encore, la force de l'économie européenne attire des immigrants en provenance de régions moins développées : dans l'Union européenne, 19 millions de personnes n'ont pas la nationalité de l'État où elles résident.

**Leçon**
**L'Europe, terre d'accueil**
*(pages 130-131)*

## 2. Le « vieux continent »

• **En raison d'une transition démographique précoce, l'Europe a pris une certaine avance dans le monde.** L'explosion démographique s'y est produite au XIX$^{e}$ siècle, faisant doubler la population avec un gain de 150 millions d'habitants ; dans le même temps, 50 millions d'Européens émigraient vers le reste du monde. L'essor de la population européenne s'est maintenu jusqu'aux années 1960, mais actuellement, avec la baisse de la **fécondité***, la plupart des pays ont une croissance lente et **la population tend à vieillir** (5). Une décroissance s'amorce même dans des pays comme l'Allemagne ou en Scandinavie.

• **Il y a eu quelques décalages, dus à des facteurs économiques et culturels,** comme des différences dans le développement industriel, ou la force de l'influence des Églises. Ils sont à l'origine de différences sensibles dans les caractères démographiques : ainsi, la baisse de la fécondité forte et précoce, entraînant un fort **vieillissement**, s'observe dans un domaine qui s'étend de la Grande-Bretagne et de la Scandinavie à l'Italie.

## 3. Le plus urbanisé des continents

• **L'urbanisation généralisée et la richesse des réseaux urbains* marquent le continent européen.** Dès le Moyen Âge, il est doté d'un ensemble de fortes villes marchandes, ensuite renforcé, dans l'Ouest surtout, par l'industrialisation, puis par le développement des services. Le réseau de villes anciennes a été complété par des villes issues directement de la révolution industrielle.

**Cartes Enjeux**
**Un monde d'urbains**
*(pages 106-107)*

• **La ville européenne se singularise par son organisation interne et ses paysages ;** des centres-villes préservés et rénovés expriment les identités nationales et régionales, tandis que les périphéries – grands ensembles, lotissements pavillonnaires – tendent à plus d'uniformité (4, 6).

**Perspective Bac**
**Bordeaux : l'espace central d'une métropole régionale**
*(pages 120-121)*

**4. Rome, une des villes emblèmes de l'Europe**

La ville possède une richesse considérable en monuments, depuis les vestiges antiques jusqu'aux monuments religieux et civils de toutes les périodes.

**5. L'Europe : le « vieux continent »**

Couverture du magazine *The Economist* – 24 août 2002.

## 6. Le patrimoine des villes européennes

En Europe occidentale, la cathédrale, l'hôtel de ville, le parlement, la place d'armes, le marché, l'université parfois, le boulevard circulaire, la gare, les demeures aristocratiques et bourgeoises, l'organisation de l'espace de la ville en quartiers, la qualité du bâti urbain sont autant de repères que tout Européen saura reconnaître au-delà des particularismes locaux dans les villes visitées.

On aurait pu penser que la première révolution industrielle avait enseveli ces paysages témoins, et avec eux cette puissante symbolique européenne de la ville. On aurait pu imaginer que l'urbanisation généralisée du XX$^{e}$ siècle en effacerait jusqu'à la mémoire, en noyant le tout dans ce « rurbain », que l'on sait mal nommer. Certes, dans tous les pays d'Europe occidentale, les modes de vie ont changé, les paysages des périphéries urbaines se sont souvent développés suivant des schémas voisins d'un pays à l'autre. Pourtant, profondément attachées à la ville, les sociétés européennes auront, au cours de ce dernier quart de siècle, beaucoup œuvré pour la réhabilitation et l'extension de leur patrimoine urbain et pour son embellissement.

*Géographie universelle, France, Europe du Sud,* Reclus – 1990.

# 3 Un environnement précieux et fragile

## Mots-clés

**Environnement :** l'ensemble de tous les éléments, naturels ou artificiels qui entourent les sociétés humaines, et avec lesquels elles entretiennent des rapports. L'environnement influence la vie des hommes, mais ceux-ci mettent en œuvre des techniques capables de le modifier, parfois de le dégrader. L'expression est souvent appliquée, à tort, au seul environnement naturel.

**Développement durable :** cette notion, apparue à la fin des années 1980 et reprise au " sommet de Rio " de 1992, vise à promouvoir un mode de développement qui répond aux besoins du présent, sans compromettre la capacité des générations futures à répondre à leurs besoins; le developpement durable suppose la prise en compte globale de facteurs économiques, sociaux et environnementaux.

* voir Lexique

## 1. Un espace très habitable

• **La péninsule européenne est largement ouverte sur l'Atlantique et les mers qui le prolongent.** Cette ouverture a favorisé la vie maritime, et cette configuration, associée à la position aux latitudes moyennes et à la disposition de relief, permet à l'Europe de disposer de **climats tempérés**. Comme les vents d'Ouest dominent, les masses d'air venant de la mer lui assurent des hivers relativement doux et des étés modérés ; des caractères qui s'atténuent cependant assez rapidement d'Ouest en Est. Les perturbations, qui se déplacent dans le champ des vents d'Ouest, assurent des apports d'eau abondants pendant toute l'année, sauf sur les abords de la Méditerranée, que les perturbations n'atteignent plus pendant l'été.

**Atlas**
**Annexe 13**
*(page 335)*

• **Cette variété se retrouve dans l'architecture des reliefs.** Le Nord de l'Europe est le domaine de moyennes montagnes, de plaines et de plateaux, résultant du travail de l'érosion sur un socle de terrains anciens, plus ou moins soulevés ou recouverts de terrains sédimentaires. Le Sud appartient au système alpin, avec ses grandes chaînes, aérées par des dépressions et de longs couloirs, encadrant des bassins ou surplombant d'étroites plaines littorales.

**Atlas**
**Annexe 1**
*(pages 320-321)*

• **Le soubassement géologique de ce relief offre des ressources minérales moins abondantes que dans d'autres régions du monde.** Les gisements de charbon des formations anciennes ont eu une grande importance historique, mais ils sont en grande partie épuisés ; les gisements de pétrole et de gaz exploitables sont pour l'essentiel limités aux abords de la mer du Nord.

## 2. Des milieux intensément aménagés

• **L'espace européen a été profondément modifié par une mise en valeur multiséculaire intense :** les paysages sont des créations humaines profondément artificialisés. Nulle part ailleurs dans le monde, on ne trouve une telle diversité de milieux aussi maîtrisés pour répondre aux besoins des sociétés citadines (7).

• **Les données naturelles contribuent à diversifier l'espace européen.** Elles orientent les activités agricoles, et cela de plus en plus depuis que le développement des transports modernes a permis d'accentuer la spécialisation des productions en fonction de la nature des sols et des caractères du climat. La technologie de la construction des routes et des voies ferrées a permis la mise en place d'un réseau de communication dense, mais les coûts de construction varient en fonction du relief, si bien que les caractéristiques de la nature jouent encore un rôle important.

**Étude de cas**
**Traverser les Alpes**
*(pages 140-143)*

## 3. La nature toujours présente

• **La profonde transformation de la nature crée des problèmes liés à la surexploitation des ressources, aux pollutions diverses.** Ils ont fait émerger des préoccupations liées à l'**environnement**, et le souci de rendre possible un **développement durable**.

• **La vigueur et les irrégularités des processus naturels se manifestent avec des conséquences graves, parfois tragiques.** Les séismes, et plus localement le **volcanisme** (8), affectent surtout les régions du domaine alpin ; les conséquences des sécheresses sur l'agriculture sont assez bien maîtrisées grâce aux disponibilités financières des États européens, mais les inondations occasionnent des dégâts d'autant plus considérables que l'accroissement de la population et sa concentration dans des domaines limités a entraîné des implantations dans des zones inondables.

**Dossier**
**Natura 2000 : une politique européenne de l'environnement**
*(pages 64-65)*

**Dossier**
**Le Sud-Est de la France face aux innondations**
*(pages 182-185)*

**7. Rudensheim dans la vallée du Rhin**

Un environnement* patiemment transformé et aménagé au fil des siècles.

**8. Coulée de lave de l'Etna le 19 juillet 2001**

L'Italie est le pays européen le plus menacé par les séismes et les éruptions volcaniques.

# 4 Un pôle de prospérité de la planète

## Mots-clés

**Mégalopole :** étymologiquement, « ville gigantesque ». On a pris l'habitude de désigner par là un espace d'urbanisation très forte, avec de très grandes villes assez proches les unes des autres pour que l'urbanisation puisse être considérée comme continue. La mégalopole européenne englobe le bassin de Londres, le Benelux, l'Ouest de l'Allemagne et la région parisienne.

**Triade :** expression récente qui désigne les trois groupes de pays qui dominent l'économie mondiale : États-Unis et Canada, Europe (de l'Ouest surtout), Japon. Ils représentent une part très importante de la production industrielle, des capitaux investis, des pouvoirs de décision.

* voir Lexique

## 1. Une des puissances économiques mondiales

• **L'Europe appartient à la « triade », dont elle constitue le premier pôle** (11) avec 25 % du produit mondial, soit un peu plus que celui des États-Unis et deux fois et demie celui du Japon. **Les sources de cette prospérité sont anciennes** : l'Europe a pris des avantages par rapport au reste du monde à partir des XV^e^ et XVI^e^ siècles, quand les États de l'Ouest ont commencé à accumuler des profits considérables grâce à la maîtrise des mers. Cette phase « d'accumulation primitive » a facilité le démarrage de la révolution industrielle*.

• **Cet avantage initial dont a bénéficié l'Europe a fait l'objet de tentatives d'explication variées** ; on a invoqué notamment des caractères anciens de la société européenne, la contribution d'une agriculture efficace, la présence de gisements de charbon, base essentielle de la révolution énergétique, etc. Mais un phénomène aussi important que les origines de la place de l'Europe garde un certain mystère.

• **L'Europe a conforté sa position en dominant le monde lors de la grande phase des impérialismes du XIX^e^ siècle.** Elle s'est trouvée confrontée à des crises graves au XX^e^ siècle, avec les deux guerres mondiales et la décolonisation. Elle a pu les surmonter grâce au savoir et à la puissance accumulés, mais **elle a perdu sa prépondérance** au profit des États-Unis, et doit aujourd'hui, dans un monde multipolaire, affronter d'autres concurrents (Japon, nouveaux pays industriels...).

## 2. Une opposition Ouest-Est persistante

• **Un classement des pays du monde selon l'indice de développement humain* place tous les pays d'Europe dans une relativement bonne position** (10). Ce classement montre la situation très privilégiée d'un groupe d'États, de la Scandinavie aux péninsules méditerranéennes. Quelques pays, situés surtout au centre de l'Europe, occupent une position intermédiaire. À l'Est et au Sud, les indices atteignent des valeurs faibles, inférieures à celles de pays encore qualifiés de pays « en voie de développement ».

**Perspective Bac**

**L'Union européenne : contrastes de peuplement et de richesse**
*(pages 68-69)*

• **Ces inégalités tiennent à des différences enracinées dans les temps longs.** L'Europe de l'Est a souffert de l'insécurité due aux invasions et à la fragmentation politique. À la différence de l'Ouest, l'Est a connu une persistance de structures féodales paralysantes qui ont entraîné un retard de l'industrialisation et de la modernisation de la société. Pour finir, les économies de type « socialiste », ont manqué, après 1945, d'efficacité dans le développement des activités modernes, et la sortie du communisme a provoqué de graves crises, notamment dans le domaine agricole.

## 3. Une région « centrale » dominante

• **Une « région centrale » européenne se développe suivant un axe qui joint le Sud de l'Angleterre au Nord de l'Italie** (9). Ce « centre » associe une véritable **mégalopole** qui contrôle les flux d'hommes et de capitaux et développe des activités multiples, avec des secteurs moins peuplés, des villes moyennes, des zones d'industrie diffuse, et même des montagnes actives et traversées par de nombreuses voies de communication.

• **À l'Est et à l'Ouest de cette région**, les centres de commandement forment un réseau plus lâche et sont moins puissants. Les industries sont moins développées et l'agriculture occupe une place plus importante (10).

## 9. Les types d'espaces en Europe

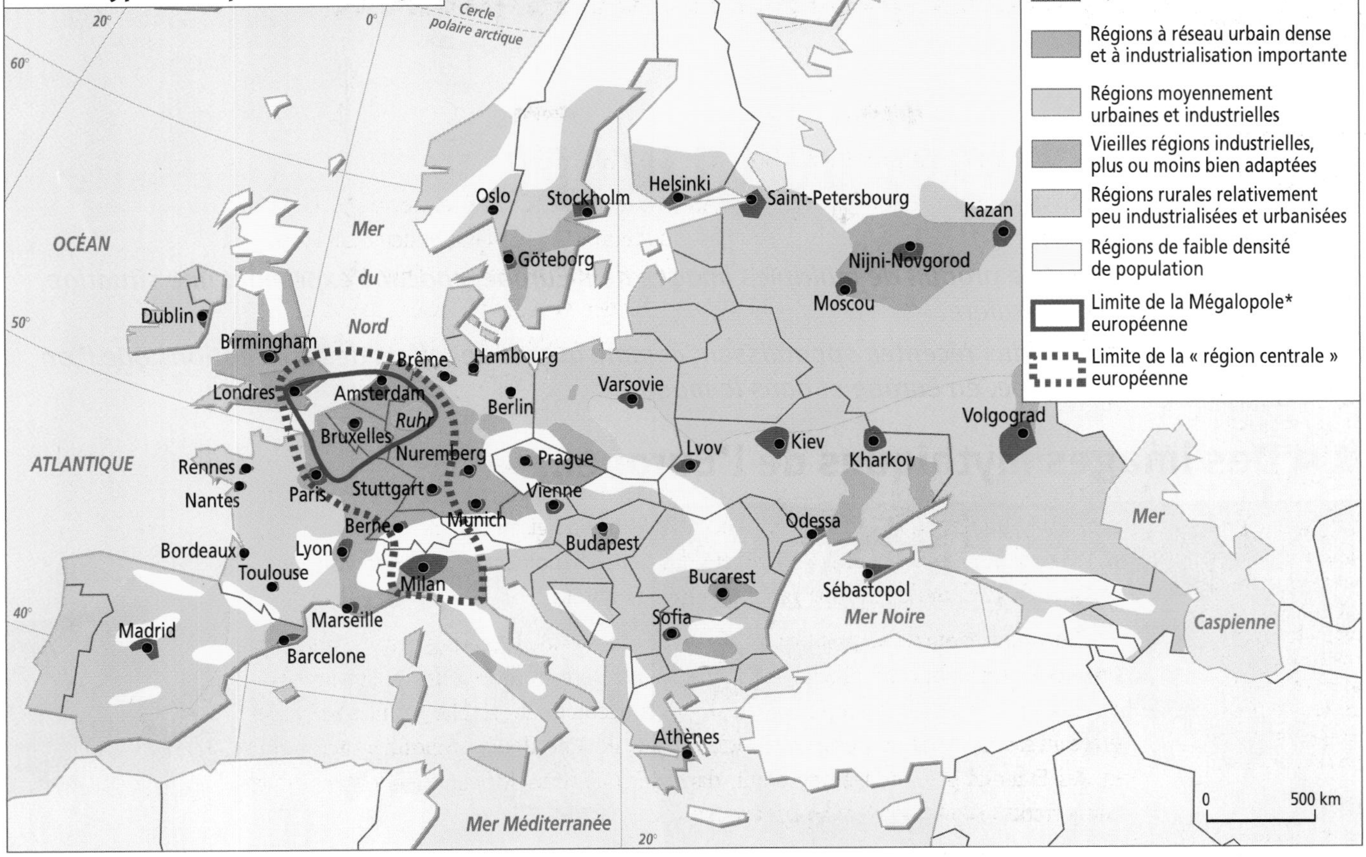


## 10. Comparaison des indices de développement humain (IDH) en 2002

| Pays | Rang dans le monde | Valeur de l'IDH | Pays | Rang dans le monde | Valeur de l'IDH |
|---|---|---|---|---|---|
| Norvège | 1 | 0,942 | Slovaquie | 36 | 0,835 |
| Suède | 2 | 0,941 | Pologne | 37 | 0,833 |
| Belgique | 4 | 0,939 | Estonie | 42 | 0,826 |
| Islande | 7 | 0,936 | Croatie | 48 | 0,809 |
| Pays-Bas | 8 | 0,935 | Lituanie | 49 | 0,808 |
| Finlande | 10 | 0,930 | Lettonie | 53 | 0,800 |
| Suisse | 11 | 0,928 | Belarus | 57 | 0,788 |
| France | 12 | 0,928 | Russie | 61 | 0,781 |
| Royaume-Uni | 13 | 0,928 | Bulgarie | 63 | 0,779 |
| Danemark | 14 | 0,926 | Roumanie | 64 | 0,775 |
| Autriche | 15 | 0,926 | Macédoine | 66 | 0,772 |
| Luxembourg | 16 | 0,925 | Arménie | 77 | 0,754 |
| Allemagne | 17 | 0,925 | Ukraine | 81 | 0,748 |
| Irlande | 18 | 0,925 | Georgie | 82 | 0,748 |
| Italie | 20 | 0,913 | Turquie | 86 | 0,742 |
| Espagne | 21 | 0,913 | Azerbaïdjan | 89 | 0,741 |
| Grèce | 24 | 0,885 | Albanie | 93 | 0,733 |
| Chypre | 26 | 0,883 | | | |
| Portugal | 28 | 0,880 | **Derniers pays classés :** | | |
| Slovénie | 29 | 0,879 | | | |
| Malte | 30 | 0,875 | | | |
| Rép. tchèque | 33 | 0,849 | Niger | *174* | *0,277* |
| Hongrie | 35 | 0,835 | Sierra Leone | *175* | *0,275* |

## 11. L'Europe, un pôle de prospérité

Couverture du magazine américain *BusinessWeek* – 18 novembre 2002.

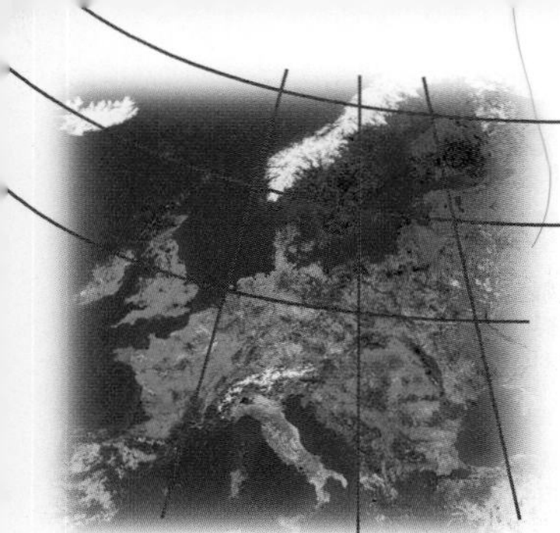

# Dossier

# Images de l'Europe

*Chaque période a produit de multiples images de l' Europe, chacune exprimant une situation historique particulière.*

*Les images les plus récentes apparaissent comme autant de reflets des conceptions que l' on se fait de l' Europe, en Europe et dans le monde.*

## 1 ■ Des images mythiques de l'Europe...

### 1. Un mythe fondateur : l'enlèvement d'Europe

Cette mosaïque du pavement de la villa romaine de Lullingstone, en Grande-Bretagne, évoque la légende célèbre selon laquelle le nom d'Europe viendrait d'une princesse originaire de Tyr, enlevée par un taureau blanc (Zeus) qui l'aurait transportée sur l'île de Crète. Europe, mère de Minos, roi de Crète, fut à ce titre considérée comme la génitrice de la plus ancienne des civilisations de la Méditerranée. Ce mythe fondateur a été très souvent repris, de l'Antiquité à nos jours, comme l'atteste ce timbre émis par le Conseil de l'Europe en 1972.

### 2. Une vision du XVI^e siècle d'une Europe unie ?

L' idée d'intégrer le continent européen dans un corps de femme apparut dès le Moyen Âge. Au XVI^e siècle, cette représentation de S. Münster, à l'usage des Habsbourg, nous montre l'Europe sous les traits d'une souveraine couronnée : l'Espagne figure la tête couronnée, la Bohême le cœur, et la Sicile le globe chrétien. Cette vision suggère une identité européenne.

Cette carte a été reprise en couverture de l'ouvrage de Michel Foucher, *Fragments d'Europe,* paru en 1993 aux éditions Fayard, pour signifier l'unité enfin possible de l'Europe après les transformations survenues en 1989.

## 2 ■ ... Aux images de l'Europe d'aujourd'hui

### 3. Une Europe attractive ?

Cette encre d'Enzi Cucchi (1999) montre une Europe frileuse, vers laquelle se tournent cependant les pays pauvres. Une passerelle, qui est aussi une échelle, est jetée pour les relier.

### 4. Symboliques européennes (dessin de Serguei)

Le bleu est la couleur de l'Europe depuis le Moyen Âge, et c'est l'anneau bleu qui représente l'Europe sur le drapeau olympique. Les douze étoiles ne représentent pas des pays, mais symbolisent l'union et la perfection ; le nombre 12 est privilégié depuis l'Antiquité : il évoque les douze travaux d'Hercule, les douze apôtres, les douze heures du jour... La colombe annonce l'espoir du règne futur de la paix entre les nations européennes.

### 5. Les limites d'une Europe en construction

Dessin de Serguei, *Le Monde* – 16 avril 2001.

### 6. L'Europe, prochaine superpuisance ?

« Après l'Amérique, d'où va surgir la prochaine superpuissance économique ? De la plus grande fable de notre époque : la naissance de l'Europe unie. »

*Newsweek* – 16 au 23 septembre 2002.

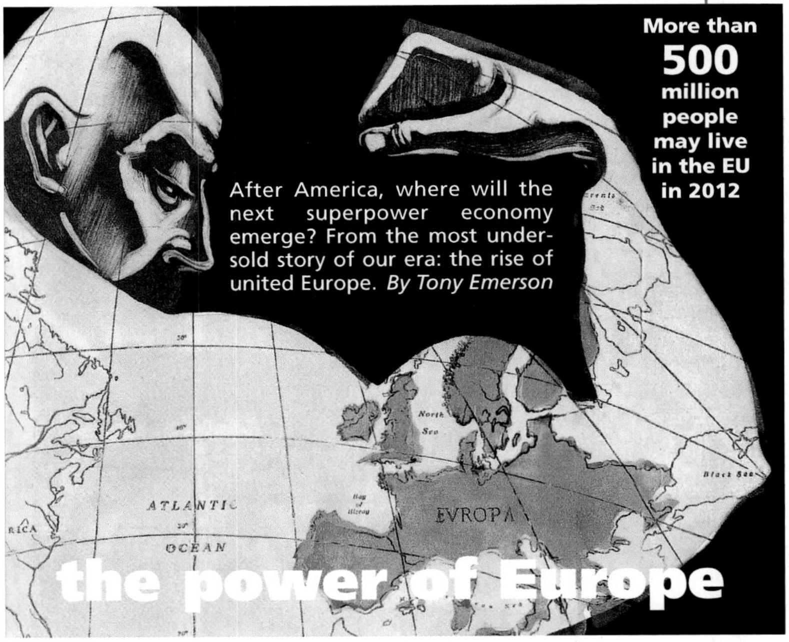


## Questions

1. Selon le document 1, quelle serait l'origine du nom « Europe » ?
2. Quelles idées, quels symboles anciens et actuels de l'Europe les images 2, 3, 4 véhiculent-elles ?
3. Comment l'Europe est-elle perçue depuis les États-Unis (5, 6) ?

Perspective **BAC**

# Repères et représentations de l'Europe

**Cartes**

## Utiliser les coordonnées géographiques, les échelles, les projections

### 1. Le continent européen

1/30 000 000

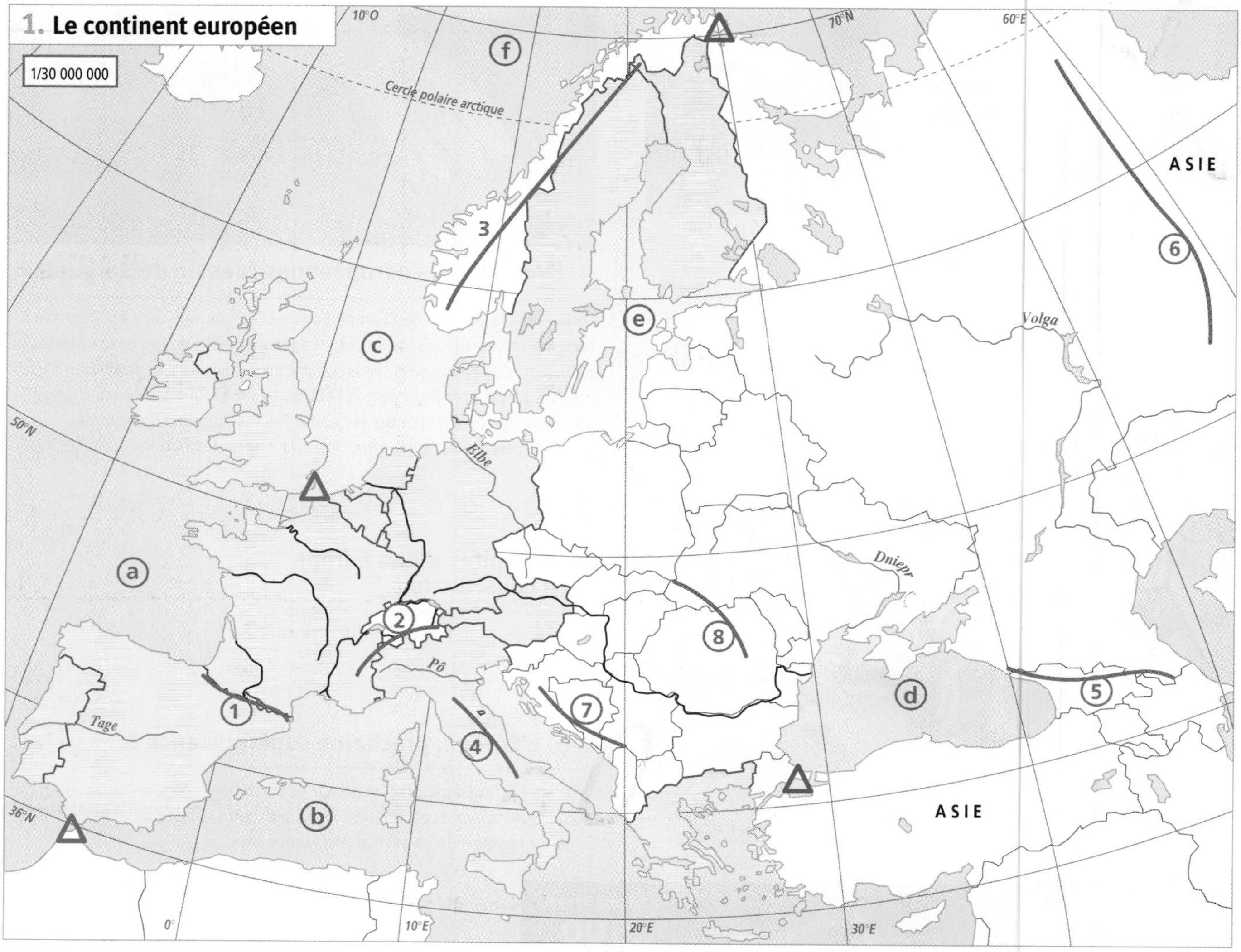


**Exercices**

### 1. Se repérer en Europe

**Carte 1 (utilisez les annexes 1 et 2).**

- Quels sont les noms des océans et des mers indiqués par les lettres ⓐ à ⓕ ?
- À quoi correspondent les lieux marqués par un triangle vert ?
- Quels sont les noms :
  - des fleuves tracés en violet ?
  - des montagnes repérées par les numéros ① à ⑧ ?
- Quelle montagne limite conventionnellement l'Europe à l'Est ?
- Quels États composent l'Union européenne ?
- Entre quelles latitudes et quelles longitudes l'Union européenne est-elle comprise ?

### 2. Situer l'Europe sur le planisphère

**Planisphères A, B et globe 4.**

- Dans quels hémisphères sont situés :
  - l'Europe ?
  - les DOM* et TOM* français ?
- À quel continent l'Europe est-elle rattachée ? Quel nom donne-t-on à cet ensemble continental ?
- De quelles couleurs et avec quels types de traits a-t-on tracé :
  - l'équateur ?
  - les tropiques ?
  - les cercles polaires ?
  - le méridien origine ?

# Point Méthode

**Pour situer un lieu, un espace sur le globe, il faut utiliser des cartes.**
Il est nécessaire de connaître :
- les noms des grands ensembles continentaux, des océans et des mers ;
- **les coordonnées géographiques*** d'un lieu.

**La carte permet aussi de comparer des espaces : forme, dimension, position...**
Pour cela il faut savoir utiliser l'**échelle** de la carte afin de :
- calculer des distances ;
- comparer des cartes à différentes échelles.

La projection* du globe sur une surface plane (la carte), déforme inévitablement l'allure et la disposition des continents et des océans.
Pour choisir une projection il faut tenir compte de l'information que l'on souhaite transmettre par la carte.

**2. Planisphère A**

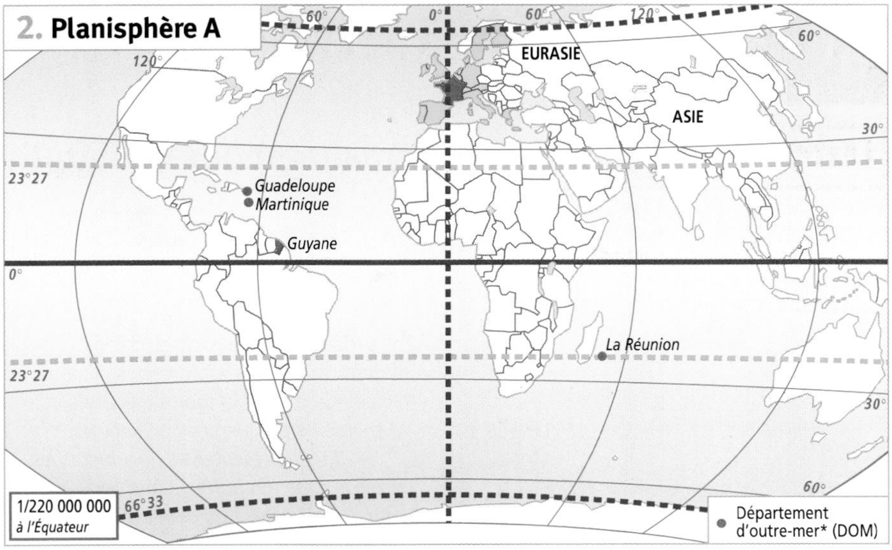


**3. Planisphère B**

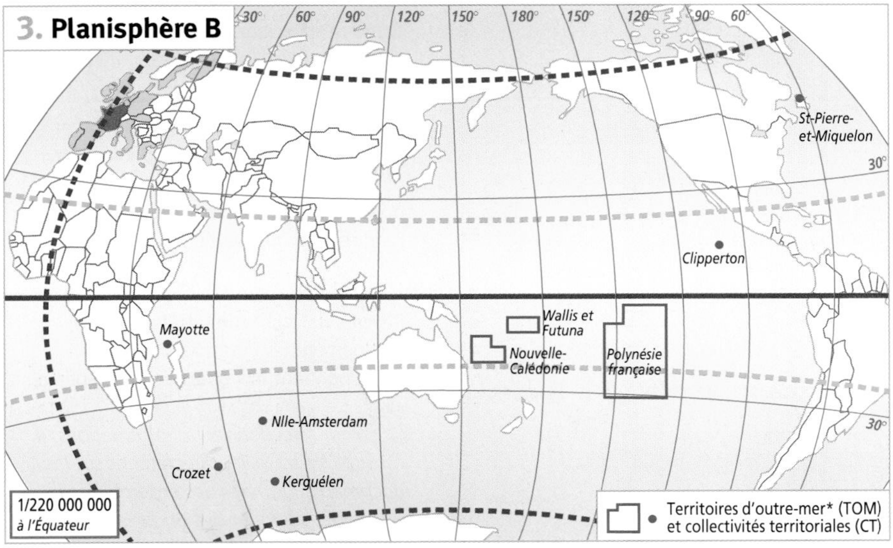


**4. Globe terrestre**

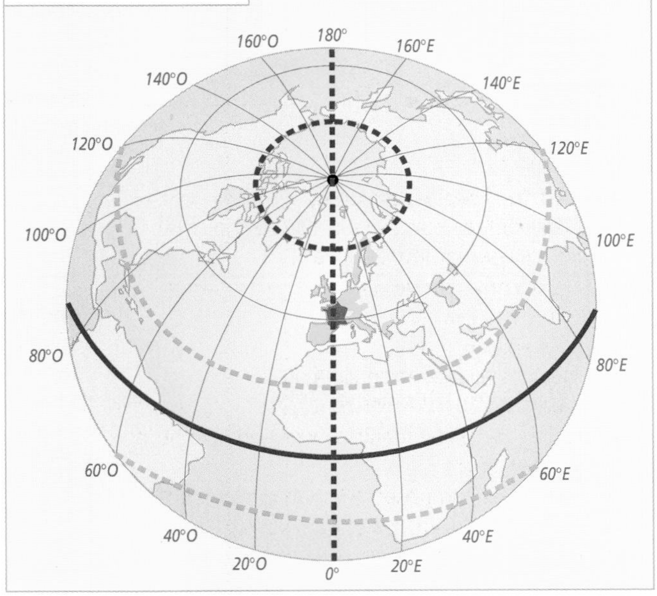


## Exercices

### 3. Observer l'Europe à des échelles différentes

- Quelles sont les échelles de la carte 1 et du planisphère A ? Dans quel cas les distances réelles sont-elles moins réduites (voir Perspectives BAC p. 158-159) ?
- Pour étudier la situation de l'Europe dans le monde et de la France en Europe, utiliseriez-vous la carte 1 ou le planisphère A ? Pourquoi le changement d'échelle est-il utile ?

### 4. Choisir une représentation de l'Europe ?

- Recopiez et complétez le tableau ci-dessous en indiquant les cartes qui conviennent pour montrer les phénomènes suivants :

| Phénomènes | Cartes 1 | 2 | 3 | 4 |
|---|---|---|---|---|
| L'Europe : un petit cap de l'Asie | | | | |
| L'Europe : au cœur des terres émergées | | | | |
| Les DOM et les TOM français | | | | |
| La position de l'Europe en latitude | | | | |
| La situation de l'Europe par rapport au Pacifique | | | | |

Perspective **BAC**

# L'Europe, continent riche

## Étude de documents — Acquérir la méthode de l'étude de documents

| Les étapes de l'épreuve | Méthode | Application |
|---|---|---|
| **1** Présenter les documents | **Identifier les principaux caractères des documents**<br>Préciser la nature, la source, la date, le thème de chacun des documents.<br>→ *Éviter de présenter les documents les uns à la suite des autres. Chercher à les regrouper en fonction de leur nature, de leur source…*<br><br>**Évaluer l'intérêt des documents par rapport à la problématique du sujet** | ■ Pour chaque document, relevez quelle est sa nature (type de carte, graphique, texte, tableau…), sa source, sa date ainsi que le sujet qu'il traite.<br><br>■ Rédiger la présentation en classant les document par nature. |
| **2** En fonction du sujet, sélectionner, classer, confronter les informations et les regrouper par thèmes | **Analyser le sujet**<br>Identifier la question posée par le sujet.<br>→ *Le plus souvent les informations des documents permettent de nuancer la réponse à la question posée.*<br><br>**Sélectionner les informations**<br>Relever, dans chacun des documents, uniquement les informations correspondant à la question posée par le sujet.<br>→ *Pour sélectionner les informations, il est utile de travailler directement sur les documents : repérer des ensembles sur une carte, surligner des phrases…*<br><br>**Regrouper les informations par thèmes**<br>Pour cela il faut confronter les informations retenues et dégager 2 ou 3 thèmes formant une réponse au sujet.<br>→ *Les thèmes et les informations peuvent être présentés dans un tableau.* | ■ Quel est le mot important du sujet ?<br>■ Des documents permettent-ils de nuancer la réponse à la question posée ?<br><br>■ Pourquoi, sur le document 1, a-t-on entouré en rouge l'Europe ?<br>■ Quelles informations tirez-vous des phrases surlignées en jaune dans le texte 2 ?<br>■ Relevez dans les documents 3 et 4, les informations qui montrent que l'Europe est un continent riche.<br>■ Quels documents traitent des contrastes de richesse à l'intérieur de l'Europe ?<br><br>■ Reproduisez le tableau ci-après et complétez-le en classant toutes les informations se rapportant à chacun des thèmes retenus. |
| **3** Rédiger une synthèse | **Rédiger, de façon synthétique, une réponse à la problématique définie par le sujet**<br>À réaliser à l'aide de l'ensemble des informations sélectionnées.<br>→ *La synthèse peut être organisée en paragraphes correspondant aux thèmes*<br>→ *La longueur de la synthèse est d'environ une page (300 mots).* | ■ En vous appuyant sur les informations de la colonne 1 du tableau, rédigez un paragraphe montrant les aspects de la richesse de l'Europe.<br><br>■ En vous appuyant sur les informations de la colonne 2, rédigez un paragraphe illustrant la diversité des situations en Europe. |

| Docs. | Thème 1 L'Europe, un pôle de richesse | Thème 2 Des limites à cette richesse |
|---|---|---|
| 1 | | |
| 2 | | |
| 3 | | |
| 4 | | |

## 1. Répartition de la richesse mondiale en 2001

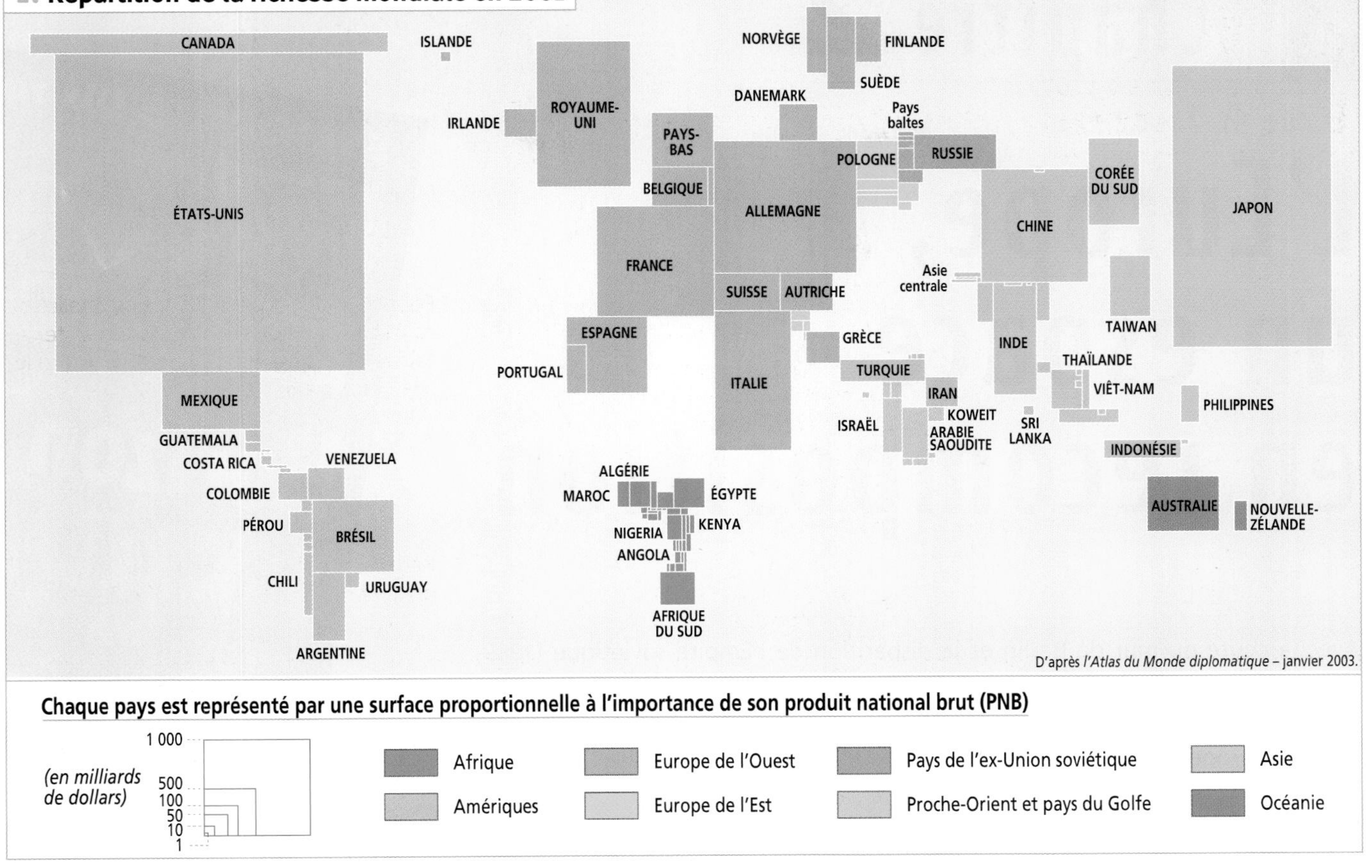


## 2. Les exportations de marchandises

*(en % du total mondial)*

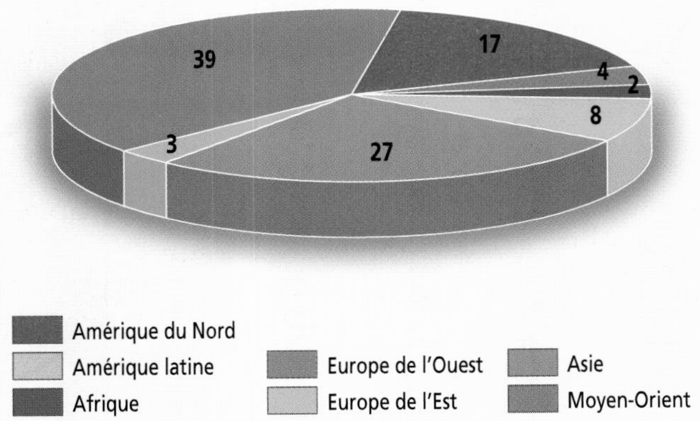


## 3. Des États inégalement riches

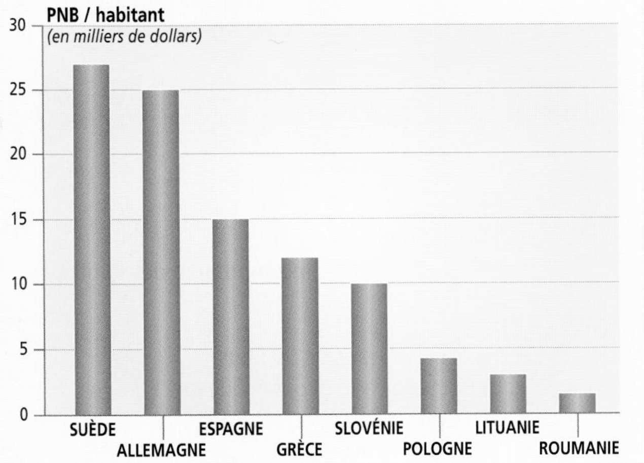


## 4. Puissance et fragilités de l'Europe

L'Europe représente entre 35 % et 40 % de la production marchande mondiale, un peu plus que l'Amérique du Nord et beaucoup plus que le Japon.

Elle occupe des positions favorables dans l'agriculture, l'automobile, les industries ferroviaires, la machine-outil, l'aéronautique, les téléviseurs, la téléphonie, la presse et le tourisme, malgré une concurrence sévère qui lui a fait délaisser ou même abandonner des secteurs entiers : les appareils photographiques ou les motos au Japon, le cinéma et les pellicules aux États-Unis, la sidérurgie et les chantiers navals à l'Asie orientale, l'essentiel de l'informatique (composants, ordinateurs et logiciels) aux États-Unis, au Japon et aux nouveaux pays industriels d'asie. L'Europe se révèle très attractive pour les investisseurs, mais ni Steve Jobs (fondateur d'Apple), ni Bill Gates (PDG de Microsoft) ne sont Européens.

D'après J. Lévy, *Europe une géographie*, Hachette – 1997.

# Chapitre 2

# L'Europe, un espace en recomposition

Avec la chute du mur de Berlin et la disparition de l'Empire soviétique (1989-1991), une nouvelle Europe est en gestation. La question de l'élargissement de l'Union européenne n'est qu'un des éléments majeurs de la recomposition de l'espace européen.

- **Quelle nouvelle carte de l'Europe se dessine ? Quels en sont les grands ensembles ?**
- **Quels problèmes, à l'Est, la nouvelle organisation de l'Europe pose-t-elle ?**

**L'élargissement : une question majeure pour l'avenir de l'Europe.**

Ces deux documents témoignent des débats et des réflexions en cours :

- une affiche diffusée en France (janvier 2003) à l'initiative de la Commission européenne ;
- la une de *Courrier international* (n° 611 – 18-24 juillet 2002), reproduisant un dessin de David Bromley paru dans le *Financial Times*, Londres.

Cartes Enjeux

# Demain, quelle Europe ?

## 1. Avant 1989 : une Europe bipolaire

20°O
0°
20°E
40°E
60°N
50°N
40°N
ISLANDE
NORVÈGE
SUÈDE
FINLANDE
ESTONIE
LETTONIE
LITUANIE
BIÉLORUSSIE
URSS
UKRAINE
MOLDAVIE
GÉORGIE
IRLANDE
ROYAUME-UNI
DANEMARK
Mer du Nord
Mer Baltique
PAYS-BAS
BELGIQUE
LUX.
RFA
RDA
POLOGNE
TCHÉCOSLOVAQUIE
HONGRIE
ROUMANIE
AUTRICHE
SUISSE
FRANCE
OCÉAN ATLANTIQUE
PORTUGAL
ESPAGNE
ITALIE
YOUGOSLAVIE
BULGARIE
ALBANIE
GRÈCE
TURQUIE
Mer Noire
Mer Méditerranée
0
500 km
Alliances militaires
États membres du Pacte de Varsovie*
États membres de l'OTAN*
Hors des alliances
Autre État d'obédiance communiste
États neutres
« Rideau de Fer »
Communautés économiques
États de la CEE (Communauté économique européenne)
États membres du CAEM* (Conseil d'assistance économique mutuelle)

## 2. Demain : un espace organisé autour de l'Union européenne ?

**L'espace économique européen (EEE)**

- Union européenne (UE)
- Limite de l'Union européenne à 15
- Pays de l'Association européenne de libre-échange (AELE) ; ne souhaitant pas intégrer l'UE

**Pays désignés pour l'élargissement**

- Première vague d'adhésion en 2004
- Limite de l'Union européenne à 25
- En attente d'adhésion

**Pays en marge de l'Union**

- Pays des Balkans encore fragiles
- Communauté des États indépendants (CEI)
- Pays de la zone euro-méditerranéenne

**Membres de l'OTAN**

- 1982 Date d'entrée
- ☐ Autres pays candidats

### Questions

- Dans l'Europe de 1989, quels grands ensembles apparaissent **(carte 1)**.
- Quels sont les changements intervenus à l'Est du « Rideau de fer » **(carte 2)** ?
- Dans l'Europe en recomposition, quels sont les nouveaux grands ensembles **(carte 2)** ?

# Étude de cas

# Europe centrale : la recomposition des territoires

*Dans la nouvelle Europe centrale, on compte six petits États : l'Autriche, la Hongrie, la République tchèque, la Slovaquie, la Slovénie et la Croatie. Les quatre derniers sont apparus après 1989, poursuivant ainsi le démembrement de l'Empire austro-hongrois amorcé au lendemain du premier conflit mondial.*

*En dépit des multiples remaniements territoriaux au cours du XXe siècle, les questions ethniques y sont toujours d'actualité.*

## 1 ■ Des territoires, fragments de l'Empire austro-hongrois

La non-coïncidence entre les frontières politiques et les limites ethniques a provoqué à plusieurs reprises (après 1918, 1945 et 1989) des modifications de frontières et des déplacements massifs de population.

**1. L'Empire d'Autriche-Hongrie en 1914**

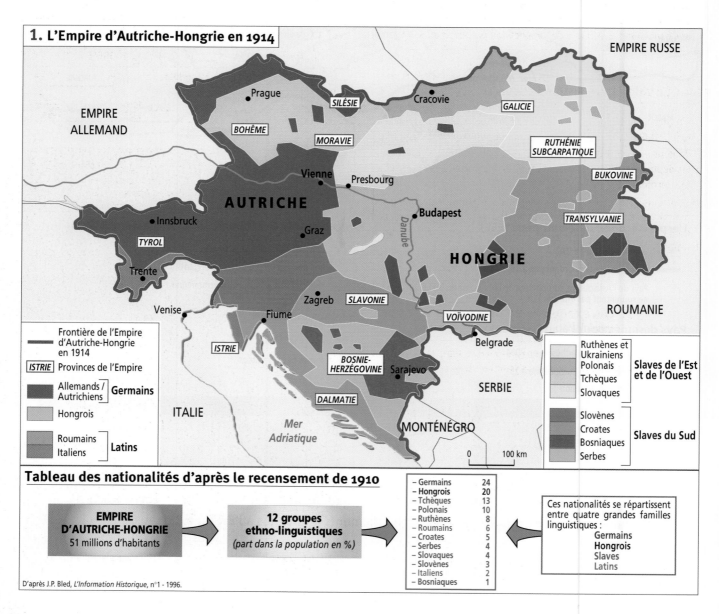

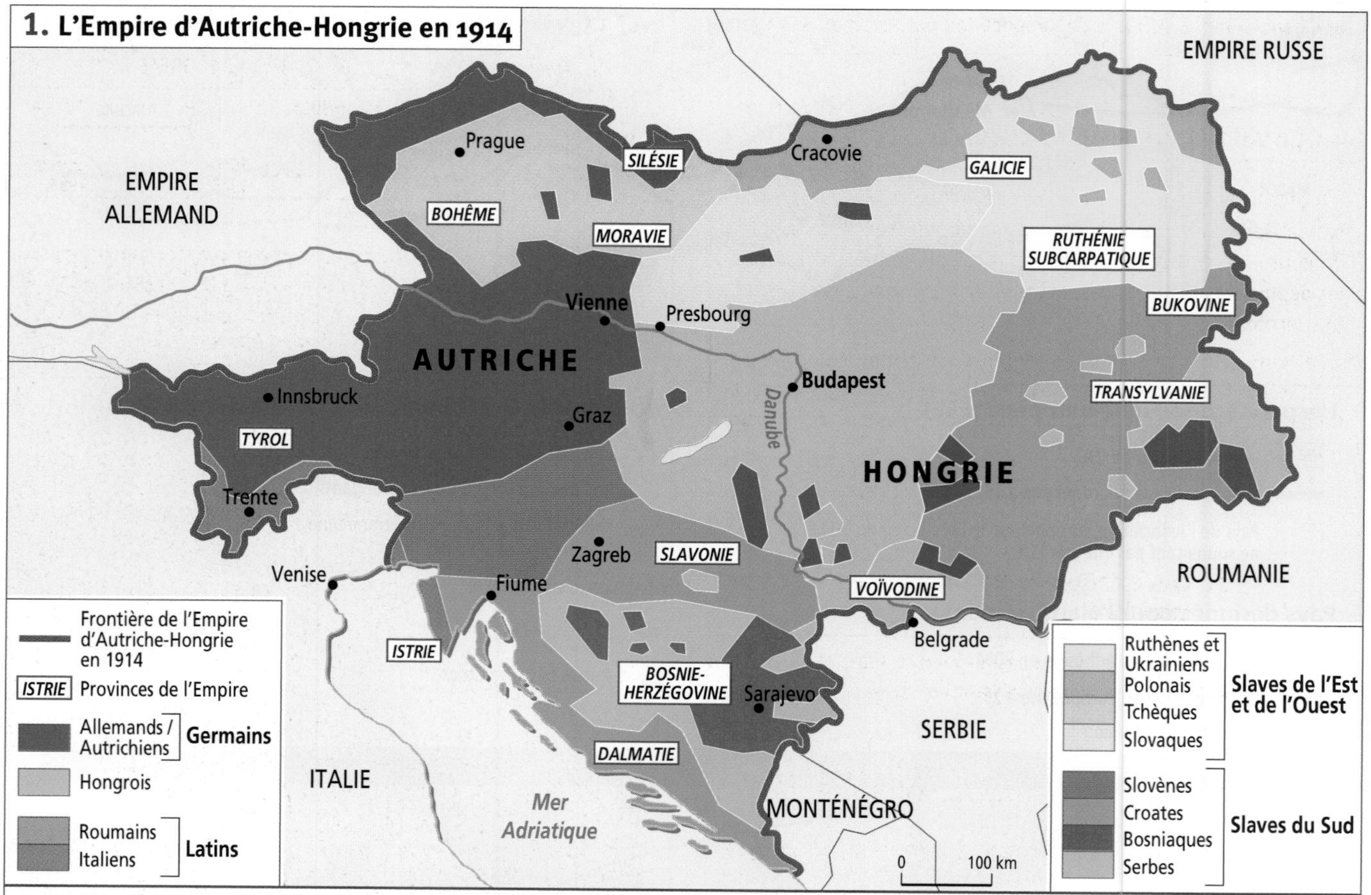


**Tableau des nationalités d'après le recensement de 1910**

**EMPIRE D'AUTRICHE-HONGRIE**
51 millions d'habitants
→ **12 groupes ethno-linguistiques**
*(part dans la population en %)*

| | |
|---|---|
| – Germains | 24 |
| – Hongrois | 20 |
| – Tchèques | 13 |
| – Polonais | 10 |
| – Ruthènes | 8 |
| – Roumains | 6 |
| – Croates | 5 |
| – Serbes | 4 |
| – Slovaques | 4 |
| – Slovènes | 3 |
| – Italiens | 2 |
| – Bosniaques | 1 |

Ces nationalités se répartissent entre quatre grandes familles linguistiques :
Germains
Hongrois
Slaves
Latins

D'après J.P. Bled, *L'Information Historique*, n°1 - 1996.

## 2. En 2003, les groupes nationaux de deux États

| République tchèque 10,3 millions d' habitants | | Slovaquie 5,4 millions d' habitants | |
|---|---|---|---|
| *(en pourcentage de la population totale)* | | | |
| **Tchèques** | 90,07 | **Slovaques** | 85,18 |
| **Moraves** | 3,63 | **Hongrois** | 9,62 |
| **Slovaques** | 1,78 | **Roms** | 1,66 |
| **Polonais** | 0,49 | **Tchèques** | 0,83 |
| **Allemands** | 0,37 | **Ruthènes** | 0,44 |
| **Roms** | 0,11 | **Moraves** | 0,43 |
| **Silésiens** | 0,13 | **Ukrainiens** | 0,2 |
| **Autres** | 3,42 | **Autres** | 1,64 |

D'après les recensements de population tchèque et slovaque de 2001.

**Citoyenneté et nationalité**

En Europe centrale, les recensements de population comptabilisent tous les citoyens, mais en les catégorisant selon leur nationalité, identifiant ainsi des minorités nationales. On peut être citoyen tchèque et de nationalité polonaise, ou citoyen slovaque et de nationalité hongroise. Cette dissociation peut être appréhendée comme un indicateur de l'inachèvement de l'État-nation et une conséquence partielle de l'application du « droit du sang ».

## 3. Les frontières en Europe centrale en 2002

## 4. Le vain effort de simplification ethnique

Tout le XX^e^ siècle a été marqué par un immense effort de simplification de la mosaïque ethnico-nationale, dans la violence et la douleur : d'abord en jouant sur les tracés frontaliers, ensuite sur les déplacements de population, avec un fractionnement croissant des territoires politiques. [...]

Certains États sont devenus presque « ethniquement purs », d'autres sont restés beaucoup plus mélangés [...]. Malgré cet ajustement politique [...], la logique de l'État-nation paraît toujours prise en défaut d'efficacité.

V. Rey, *Géographie Universelle*, tome 10, Belin-Reclus – 1996.

## 5. Les exodes de population en Europe centrale

À la suite de la guerre croato-serbe de 1995, 150 000 Serbes de Krajina (Croatie) envahissent les routes de Bosnie.

# Questions

**1.** Comment se présente l'Empire austro-hongrois en 1914 **(1)** ?

**2.** Quels sont les États actuels issus de l'empire **(1)** ? Précisez leur date de création.

**3.** Quelles ont été les modalités de création de ces États **(4, 5)** ?

**4.** Quels sont les finalités et les résultats de ces transformations territoriales **(2, 4, 5)** ?

## 2 ■ Des problèmes persistants : frontières et minorités nationales

Les ajustements politiques récents n'ont supprimé ni les litiges frontaliers, ni les revendications identitaires. La Slovénie et la Croatie illustrent quelques-unes de ces tensions.

### 6. Les nouveaux États croate et slovène

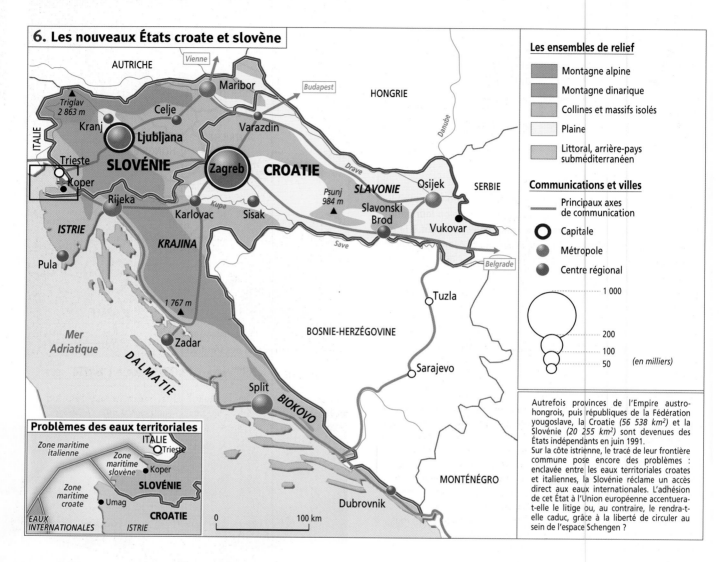

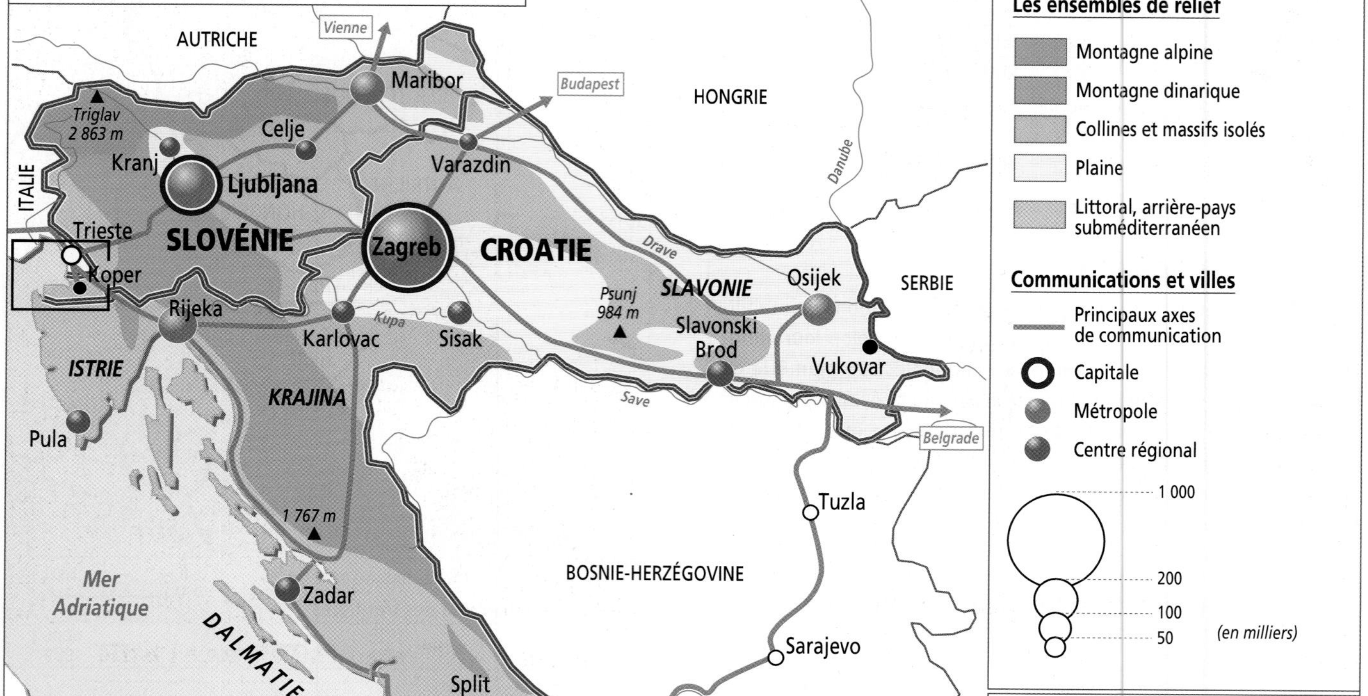


Autrefois provinces de l'Empire austro-hongrois, puis républiques de la Fédération yougoslave, la Croatie *(56 538 km²)* et la Slovénie *(20 255 km²)* sont devenues des États indépendants en juin 1991.
Sur la côte istrienne, le tracé de leur frontière commune pose encore des problèmes : enclavée entre les eaux territoriales croates et italiennes, la Slovénie réclame un accès direct aux eaux internationales. L'adhésion de cet État à l'Union européenne accentuera-t-elle le litige ou, au contraire, le rendra-t-elle caduc, grâce à la liberté de circuler au sein de l'espace Schengen ?

### 7. La diversité des populations de Slovénie et de Croatie

| **Croatie** *4,4 millions d'habitants* | | **Slovénie** *2 millions d'habitants* | |
|---|---|---|---|
| *(en pourcentage de la population totale)* | | | |
| **Croates** | 89,62 | **Slovènes** | 87,55 |
| **Serbes** | 4,54 | **Croates** | 2,74 |
| **Bosniaques** | 0,46 | **Serbes** | 2,4 |
| **Italiens** | 0,44 | **Bosniaques** | 1,36 |
| **Hongrois** | 0,37 | **Hongrois** | 0,43 |
| **Albanais** | 0,33 | **Monténégrins** | 0,22 |
| **Slovènes** | 0,29 | **Macédoniens** | 0,22 |
| **Tchèques** | 0,23 | **Albanais** | 0,18 |
| **Roms** | 0,21 | **Italiens** | 0,18 |
| **Monténégrins** | 0,11 | **Roms** | 0,12 |
| **Autres** | 3,4 | **Autres** | 4,6 |

D'après les recensements de population croate et slovène de 2001.

### 8. Les problèmes liés aux minorités nationales

Contrairement au peuplement de la Slovénie, celui de la Croatie a subi, dans les années 1990, de considérables bouleversements. À la suite de la guerre « croato-serbe », on estime que les trois quarts des Serbes ont fui le pays (où ils représentaient 12 % de la population en 1991), en particulier ceux de la Krajina. Cette région, peuplée en majorité de Serbes avant 1995, correspondait aux anciens confins militaires de l'Empire austro-hongrois, où l'administration viennoise avait implanté aux XVIIe et XVIIIe siècles des réfugiés serbes, affectés à la défense de la frontière impériale face à l'ennemi ottoman.

V. Rey, ouvrage cité.

## 9. Quelques marques de l'identité istrienne

Glas Istre

HYPO-Leasing. Jasno stvar.

HYPO ALPE-ADRIA-BANK Leasing

NEZAVISNI DNEVNIK

Pula, 27. siječnja 2003. • Broj 25 • GODINA LX

PONEDJELJAK

CIJENA 6,00 KUNA • SIT 90 • 1,20 EUR

JE LI 50 POSTO POVRATA STANARINE JAK MAMAC ZA LEGALIZACIJU PODSTANARSTVA? str. 3

**Podstanari se još ne prijavljuju**

**Mesić: O svojoj vojsci sami odlučujemo** str. 2

Gabrić: Realno povećanje plaća liječnika do 18 posto str. 3

Banac: LS vjeruje u detuđmanizaciju str. 4

OD 1994. DOSAD U UREĐENJE ZGRADE ŽUPANIJSKE SKUPŠTINE I POGLAVARSTVA U PAZINU ULOŽENO 1,83 MILIJUNA KUNA

**I nakon gotovo desetljeća »zgrada župana« - nedovršena** str. 5

SPORT

SNJEŽNA KRALJICA, USPRKOS ZDRAVSTVENIM POTEŠKOĆAMA I NEPROSPAVANOJ NOĆI, DRUGA U MARIBORU

**Hrabroj Janici slalomski globus**

FINAC PALANDER DOČEKAO TRIJUMF U SLALOMU SVJETSKOG KUPA, IVICA KOSTELIĆ ČETVRTI

**Pogreške izmaknule postolje**

SVJETSKO PRVENSTVO RUKOMETAŠA

**Hrvatska – Mađarska 30:29**

ČETVRTIM TRIJUMFOM AMERIKANCA IZ LAS VEGASA ZAVRŠEN AUSTRALIAN OPEN

**Andre Agassi poput vina**

ŠETNJA PO SEDAM PULSKIH BREŽULJAKA

**Luka Belić: Pula je uvijek malo davala sportu**

GOVEDA IZ RAŠKE DOLINE I DALJE TERORIZIRAJU BARBANŠTINU

**Ne propagirajte agroturizam dok imamo terorizam!** str. 17

**Pula: Izgorjela cvjećarnica na gradskom groblju** str. 33

**Powell: SAD spreman za solo rat protiv Iraka** str. 11

Une du quotidien *Glas Istre (La voix de l'Istrie)*. Ce quotidien est le plus lu dans la région depuis plusieurs décennies ; il arrive largement en tête devant les journaux nationaux croates. Depuis le milieu des années 1990, une double page y est incluse, rédigée en dialecte istrien. L'utilisation ainsi « officialisée » de ce parler régional est révélatrice de l'évolution récente de l'identité istrienne. La revendication de cette différence se manifeste par d'autres signes culturels (après la radio istrienne, une chaîne de télévision régionale a été créée en 1996 : NIT, Télévision istrienne indépendante), et surtout politiques. Plusieurs partis se sont constitués après 1991, représentant les intérêts de la population istrienne : le plus important, l'IDS (Parti démocrate istrien) dispose de quatre élus au parlement croate (composé de 151 membres). L'institutionnalisation des spécificités istriennes s'est notamment traduite, lors du découpage administratif du pays en 1993 en 21 régions, par la création d'une région istrienne. Elle occupe 2 820 km$^2$ (5 % du territoire national) et compte 204 000 habitants en 1991 (soit 4,3 % de la population totale).

## 10. Rovinj : l'ambiance vénitienne de l'Istrie

Avec ses maisons blanches aux tuiles rouges, serrées le long d'étroites ruelles qui mènent à son célèbre campanile, la petite ville de Rovinj (13 000 habitants) est l'une des plus importantes stations balnéaires de Croatie, à l'Ouest de l'Istrie.

## Synthèse et prolongements de l'ÉTUDE DE CAS

- Qu'est-ce qui caractérise l'évolution politique récente de l'Europe centrale ?
- Quels types d'héritages peut-on distinguer en Europe centrale ? Dans la perspective de l'élargissement de l'Union européenne, quelles sont les différences majeures entre ces États et ceux de l'Europe de l'Ouest ?
- En quoi la situation de l'Europe centrale est-elle représentative de l'ensemble des pays de l'Europe orientale ?

## Questions

**1.** Comparez ces deux jeunes États (6, 7, 8).

**2.** Quel problème frontalier pose la partition entre les territoires slovène et croate (6) ?

**3.** Quelles sont les manifestations culturelles de l'identité istrienne en Croatie (9, 10) ?
Quelles en sont les conséquences politiques récentes ?

# 1 Une Europe, près de 50 États

## 1. L'Europe est politiquement morcelée

• **À l'échelle mondiale, comparée à l'Amérique du Nord ou à l'Asie du Sud et de l'Est, l'Europe apparaît comme un espace fragmenté.** Elle compte **47 États souverains**, de taille et de poids démographique variés. Cette fragmentation a des origines anciennes, inscrites dans la longue histoire du peuplement, dans la diversité des peuples, des langues et des cultures.

**Carte**
**Annexe 2**
*(page 322)*

• **Le morcellement a été accentué lors des dernières décennies** par l'éclatement de l'URSS en 1989, puis par celui de la Fédération de Yougoslavie à la suite d'années de crises violentes (de 1991 à 1995, puis de 1997 à 1999). Ainsi, se sont formés **13 nouveaux États**, auxquels il faut ajouter l'apparition de la **Slovaquie**, issue de la division pacifique de la Tchécoslovaquie en 1993 (**2**). Au-delà de ce morcellement, des considérations relatives à l'histoire culturelle et géopolitique permettent de distinguer trois grands ensembles.

## 2. Au sein de l'Europe, trois ensembles culturels

• **À l'Ouest et au Nord, des États-nations* de taille moyenne**, nés par agrandissement progressif de noyaux anciennement établis, présentent des frontières stabilisées pour l'essentiel dans la première moitié du XX$^{e}$ siècle (**4**). Cette configuration peut être un reflet d'une diversité relativement limitée des peuples et de leurs cultures, avec une moindre imbrication de leurs territoires : une situation résultant en grande partie de la position de l'Europe occidentale par rapport aux grandes vagues d'invasion issues de l'intérieur de l'Eurasie.

• **À l'Est, sous la forme de l'Empire russe, puis de l'URSS, une entité politique de grande dimension**, en partie européenne, s'est construite selon une expansion progressive à partir du XV$^{e}$ siècle. La désagrégation de l'Union soviétique a entraîné la naissance de nouveaux États indépendants sur ses marges et de profondes transformations internes.

• **Un espace « entre deux », qui fut celui des démocraties populaires de l'Europe orientale et balkanique**, dominé par l'URSS de 1945 à 1989, marqué tout au long de l'histoire, et particulièrement au XIX$^{e}$ siècle, par de fréquents changements des limites politiques. C'est là une conséquence de l'enchevêtrement des peuples et des cultures issus des vagues successives de migrations et d'invasions juqu'au XV$^{e}$ siècle, puis de la domination exercée par des puissances extérieures, notamment les États germaniques et russe (**1, 2**).

**Étude de cas**
**Europe centrale : la recomposition des territoires**
*(pages 34-37)*

## 3. Avant 1989, une Europe bipolaire

• **Après la Seconde Guerre mondiale, des regroupements sont mis en place entre les États européens.** Ils sont alors marqués par le clivage entre l'Ouest, souvent assimilé à l'Europe, avec ses régimes libéraux capitalistes, et l'Est, dans l'orbite du communisme soviétique. De part et d'autre du « rideau de fer », on a établi des alliances militaires tournées contre l'autre partie de l'Europe et des zones de coopération, afin de créer des ensembles économiques capables de rivaliser avec les autres marchés de la planète (**2**).

• **Ainsi, se dessinait un ensemble d'oppositions** : à l'**OTAN**, correspondait le **pacte de Varsovie**, à la communauté économique européenne (CEE, devenue Union européenne en 1993) et à l'**Association européenne de libre échange** (AELE*) répondait le **Conseil d'aide économique mutuelle** (CAEM*).

**Cartes enjeux**
**Demain, quelle Europe ?**
*(pages 32-33)*

### Mots-clés

**OTAN (Organisation du traité de l'Atlantique Nord) :** coopération militaire entre les pays signataires du pacte de l'Atlantique Nord, signé en 1949, dans le contexte de la confrontation entre les États-Unis et l'URSS. Elle associe le Canada et les États-Unis à un ensemble de pays européens de l'Ouest et à la Turquie. Des pays du Nord ont souhaité garder leur statut de neutralité, ainsi que la Suisse. L'OTAN a récemment coordonné des interventions militaires dans l'ancienne Yougoslavie. Elle a été élargie à l'Est, notamment par l'entrée, décidée en novembre 2002, de sept pays des anciennes « démocraties populaires ».

**Pacte de Varsovie :** pacte militaire signé, en 1955, entre l'URSS et les « démocraties populaires » de l'Europe orientale, en réponse au pacte de l'Atlantique. Fortement dominé par l'URSS, il a été dissous en 1991.

* voir Lexique

## 1. La diversité culturelle de l'Europe balkanique

À Prizren (Kosovoà), la mosquée de Sinan Pacha et le monastère orthodoxe de Saint-Spas se côtoient.

## 2. De l'Europe des Empires à l'Europe des États

En 1914, l'Europe centrale, où se mêlaient des populations d'origines différentes (Slaves, Germains, Roumains, Magyars...), était dominée par quatre vastes empires. Aujourd'hui, elle est fragmentée en une multitude de petits États.

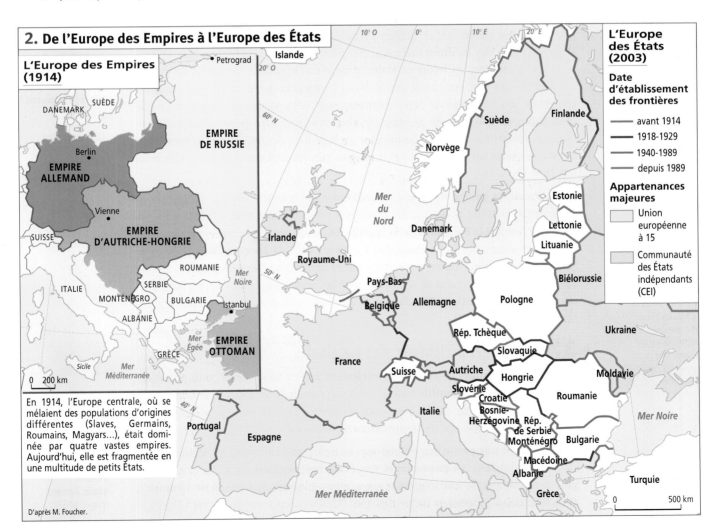

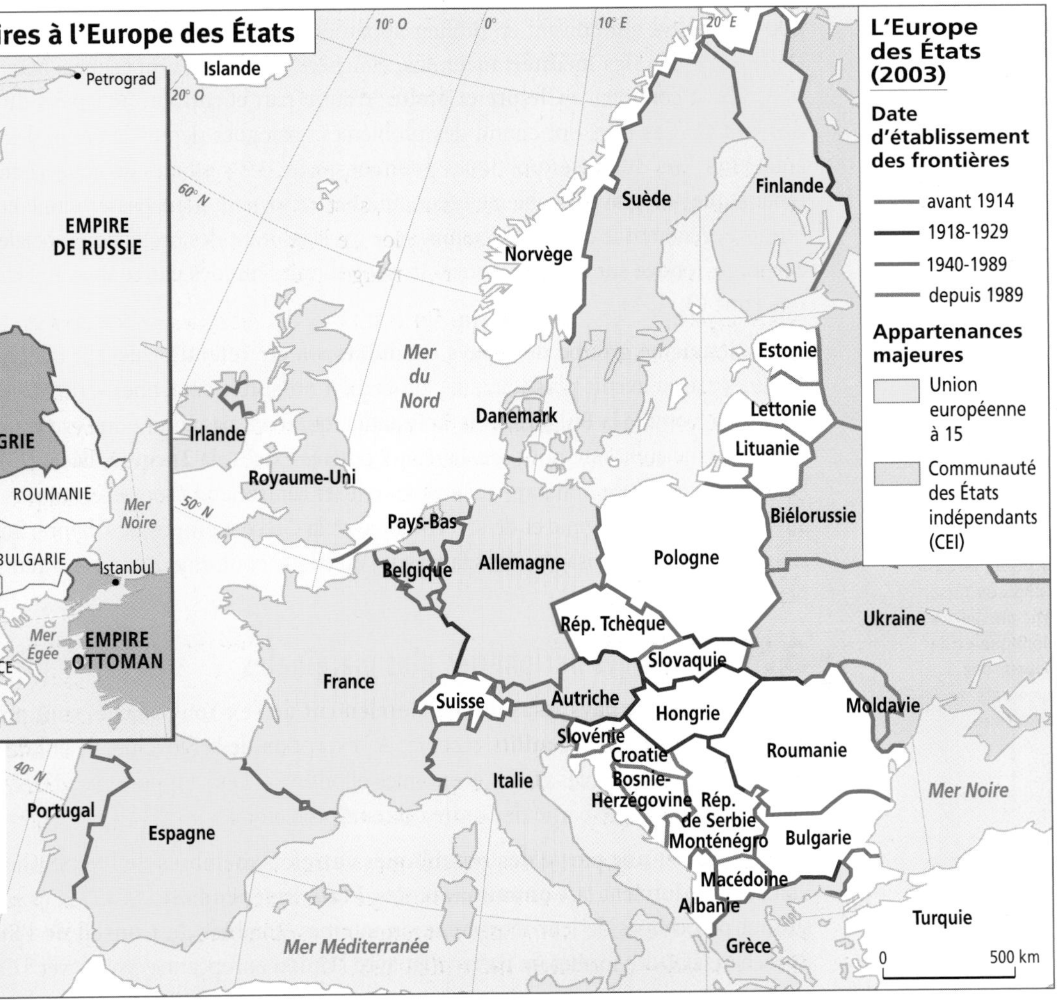


D'après M. Foucher.

# 2 La nouvelle carte géopolitique de l'Europe

## Mots-clés

**Communauté des États indépendants (CEI) :** ensemble des États issus de l'éclatement de l'URSS, à l'exception des Pays baltes. Fondée en 1991, elle groupe douze États, anciennes républiques soviétiques. Elle est fortement dominée par la Russie.

**PECO (Pays de l'Europe centrale et orientale) :** sigle utilisé par les instances européennes ; il englobe les anciennes démocraties populaires et les pays de la CEI. Huit pays retenus pour une entrée prochaine dans l'Union européenne appartiennent au groupe des PECO : la Slovénie, la République tchèque, la Slovaquie, la Hongrie, la Pologne, et les trois États baltes (Lituanie, Estonie, Lettonie). Ces trois derniers avaient une place particulière au sein de l'URSS en raison de leur prospérité économique et de la vigueur des mouvements de protestation.

* voir Lexique

## 1. L'Europe s'est recentrée sur l'Ouest

• **Depuis la disparition des États communistes européens entre 1989 et 1991, une nouvelle géographie politique de l'Europe est en gestation.** Avec la dissolution du CAEM* et du pacte de Varsovie*, l'Union européenne et l'OTAN* sont les institutions vers lesquelles se tournent les attentes des pays de l'Europe centrale et orientale.

• **En termes de niveau de développement et de puissance, l'Union européenne apparaît comme un « centre » par rapport à des périphéries situées à l'Est.** Celles-ci cherchent à entrer – ou à rentrer – en Europe en s'intégrant à ce centre, au prix de la mise en conformité à des normes imposées (**3**).

• **Plus de dix ans après la sortie du communisme, une grande diversité subsiste en Europe orientale** dans les situations économiques, les comportements politiques, et les types de rapports avec l'Union européenne. Certains pays sont concernés par l'élargissement de l'Union, voire de l'OTAN, d'autres par le simple établissement d'accords de partenariat, ou même par le maintien de liens de dépendance vis-à-vis de l'Europe de l'Ouest.

## 2. Des périphéries « intégrables »

• **Un élargissement de l'Union européenne, préparé de longue date, est décidé pour 2004.** Les pays qui doivent en profiter appartiennent à deux catégories très différentes. D'une part, **des îles méditerranéennes**, éloignées des côtes européennes, mais en relation avec le continent : **Chypre et Malte** ; d'autre part et surtout, huit **pays du groupe des PECO**. Ces pays ont connu des problèmes analogues depuis la chute des régimes antérieurs ; des difficultés politiques pour construire des systèmes de gouvernement démocratique ; de graves problèmes économiques et sociaux pour passer d'une économie dirigiste, génératrice d'une faible croissance mais assurant des protections sociales, à une économie fondée sur la concurrence. Ils sont aujourd'hui des partenaires de l'Union européenne (**3, 4, 5**).

• **Un deuxième groupe de « pays candidats » a été retenu**, mais leur intégration est repoussée à un avenir plus lointain : un certain nombre d'anciennes « démocraties populaires », comme la **Bulgarie** et la **Roumanie**, qui n'ont pas connu une évolution considérée comme suffisante pour satisfaire aux critères exigés ; la **Turquie**, liée à l'Europe de l'Ouest comme alliée militaire, qui s'est vu refuser l'entrée en raison de certains caractères autoritaires de son régime et de son conflit avec la Grèce à propos de Chypre. Son adhésion pourrait être envisagée, dans la mesure où elle se conformerait aux « critères de Copenhague » (**6**).


**Cartes enjeux**

**Demain, quelle Europe ?** *(pages 32-33)*

**Quel territoire pour l'Union européenne ?** *(pages 48-49)*

**Documents**

**L'élargissement : une question majeure pour l'avenir de l'Europe** *(pages 30-31)*


## 3. Au-delà : des périphéries plus marginales

• **L'Albanie et les pays issus du démantèlement de l'ex-Yougoslavie, sont profondément marqués par les conflits récents.** À l'exception de la Slovénie, ils ont des conditions politiques instables et des économies effondrées. Leur rapport avec l'Union européenne est en grande partie de l'ordre du semi-protectorat.

• **La Russie et une partie des républiques autrefois membres de l'URSS** (hormis les États baltes) forment la **Communauté des États indépendants (CEI)**. Ces pays sont surtout préoccupés de leur réorganisation interne. Membres du **Conseil de l'Europe***, ils recherchent des formes de partenariat avec l'Union européenne, voire avec l'OTAN.


**Cartes enjeux**

**Demain, quelle Europe ?** *(pages 32-33)*

## 3. Des multinationales européennes à la conquête de l'Est

Danone et Leclerc à Varsovie, Alcatel à Bratislava : Les investissements européens sont une des formes de l'articulation des économies de l'ex-Europe de l'Est à celles de l'Europe de l'Ouest.

## 4. Les investissements étrangers en Europe centre-orientale

| | Investissements étrangers | | Les deux premiers investisseurs |
|---|---|---|---|
| | Valeur cumulée (1988-2000) *(en dollars par habitant)* | Valeur en 2000 *(en millions de dollars)* | |
| **Hongrie** | 1967 | 1957 | **Allemagne, États-Unis** |
| **Rép. Tchèque** | 1612 | 4600 | **Allemagne, Pays-Bas** |
| **Estonie** | 1430 | 398 | **Finlande, Suède** |
| **Lettonie** | 836 | 400 | **Danemark, Russie** |
| **Croatie** | 793 | 1330 | **Autriche, Royaume-Uni** |
| **Slovénie** | 681 | 180 | **Autriche, Croatie** |
| **Pologne** | 527 | 9460 | **États-Unis, Allemagne** |
| **Lituanie** | 523 | 350 | **États-Unis, Suède** |
| **Slovaquie** | 384 | 2075 | **Autriche, Allemagne** |
| **Roumanie** | 243 | 990 | **France, Corée du Sud** |
| **Bulgarie** | 209 | 975 | **Belgique, Allemagne** |
| **Albanie** | 138 | 100 | **Italie, Grèce** |
| **Macédoine** | 108 | 160 | **Autriche, Italie** |
| **Bosnie** | 42 | 120 | **Croatie, Slovénie** |

Source : *Commission européenne* – 2001.

## 5. Des rythmes d'évolution économique différents

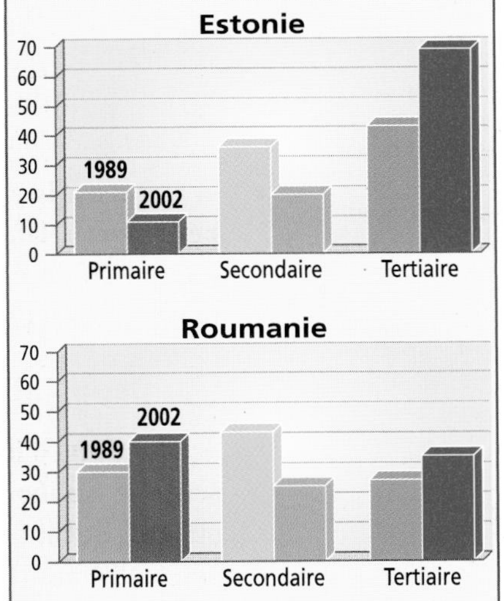


Source : *Commission européenne*.

## 6. Les critères d'adhésion à l'Union européenne

Le Conseil européen, réuni à Copenhague en 1993, a déclaré que l'adhésion d'un pays à l'Union peut avoir lieu dès que ce pays est en mesure de remplir les conditions politiques et économiques requises. Le pays candidat doit :

– être une démocratie stable, garantissant le respect des droits de l'homme et la protection des minorités ;

– posséder une économie de marché viable, en mesure de faire face à la pression concurrentielle et aux forces du marché à l'intérieur de l'Union ;

– pouvoir remplir les obligations législatives liées à l'adhésion ; le Conseil européen de Madrid, en 1995, a précisé que ceci implique l'incorporation des règles et de la législation de l'Union dans la législation nationale, et leur application efficace au moyen de structures administratives appropriées.

*Politique étrangère*, n° 2 – 2001.

# 3 L'Europe unifiée : une utopie ?

## 1. Quelles frontières, quelles limites pour quelle Europe ?

• **La constitution d'un ensemble économique de plus de 450 millions d'habitants** est de nature à permettre à l'Europe de **peser d'un poids suffisant** pour tenir sa place dans la concurrence à l'échelle mondiale. Mais l'élargissement à des pays dont une partie a des produits nationaux et des niveaux de vie faibles par rapport à ceux de l'Europe des Quinze suscite **des réticences et des craintes** devant une hétérogénéité difficile à gérer, ainsi que le risque de voir l'institution perdre beaucoup de son contenu.

• **Le problème des frontières de l'Europe unifiée a des aspects multiples.** Le report des frontières de l'Union européenne vers l'Est suppose **une réorganisation des rapports des nouveaux entrants avec leurs voisins qui restent en dehors de l'Union**, pour un temps au moins. Le débat sur les limites redevient actuel (7, 8). Il porte notamment sur l'entrée de la Turquie ; à propos de celle-ci, on a évoqué **la signification qu'il convient de donner aux définitions traditionnelles des limites de l'Europe et de l'Asie.** Certains se demandent s'il est légitime d'étendre l'Union européenne au-delà de ces limites. La Roumanie et la Bulgarie, voire des États de l'ex-Yougoslavie en tirent argument pour obtenir des promesses d'intégration prochaine.

## 2. Il existe d'autres solidarités au sein de l'Europe

• **L'organisation de l'Europe nouvelle a une histoire relativement courte** et n'a pas pu gommer des solidarités plus enracinées dans l'histoire : des **associations régionales** coordonnent les politiques économiques et les grands travaux d'aménagement entre des groupes de pays ; l'Association européenne de libre échange (AELE)*, qui rassemble des pays désireux de rester en dehors de l'Union européenne, n'a plus que quatre membres : la Norvège, la Suisse, le Lichtenstein et l'Islande.

• **Des accords en matière de stratégie et d'armement tissent, entre des pays européens, des relations différentes de celles qui sont fondées sur l'économie.** C'est le cas de l'**Union de l'Europe occidentale**, liée à l'OTAN*, et devenue en 2000 la Politique étrangère de sécurité collective.

## 3. Des problèmes de minorités, parfois graves, subsistent

• **Les efforts d'unification européenne connaissent aussi des limites dues à la présence de « minorités ».** Dans un certain nombre de pays, des groupes contestent le sort qui leur est fait dans les entités politiques où ils se trouvent. De telles minorités posent des problèmes dans des pays anciennement constitués de l'Europe de l'Ouest, par exemple en **France** et en **Espagne** (Pays basque) (9). De son côté, la Belgique a du mal à surmonter les effets de sa diversité linguistique (conflits entre Wallons et Flamands).

• **Les problèmes sont plus graves dans les parties centrale et balkanique de l'Europe,** où les frontières mouvantes et l'imbrication de populations très différentes les unes des autres ont multiplié les situations difficiles, voire tragiques : le cas des **minorités hongroises** de Roumanie et de Slovaquie fait l'objet de négociations, mais deux guerres (Bosnie et Kosovo) sont nées des **tensions entre les peuples slaves du Sud**, un temps regroupés dans une Yougoslavie créée après la Première Guerre mondiale. Dispersés dans de vastes régions de l'Europe centrale, les **Tziganes** se plaignent de la discrimination dont ils sont l'objet.

### Mots-clés

**Associations régionales :** regroupement de pays suivant des critères géographiques. Par exemple, le Conseil nordique et le Conseil des États de la mer Baltique comprennent en particulier les pays scandinaves. La Coopération économique de la mer Noire inclut la Grèce et tous les riverains.

**Union de l'Europe occidentale :** organisation militaire et diplomatique très différente de l'Union européenne ; formée en 1954 avec 10 membres, elle s'est élargie en 1992, et elle est devenue en 2000 la Politique étrangère de sécurité collective (PESC).

* voir Lexique

### Débat

**Quelle Europe voulons-nous construire ?**
*(pages 50-53)*

### Étude de cas

**Europe centrale : la recomposition des territoires ?**
*(pages 34-37)*

## 7. Jusqu'où repousser les frontières de l'Europe ?

L'introduction de nouveaux pays pose des problèmes graves à propos des critères de choix et de la nature des relations intra-européennes. Plus localement, elle crée des difficultés en changeant la nature des frontières.

**L'Europe sans frontières ?**

La question turque relance le débat sur les frontières de l'Europe ; l'Union européenne est-elle condamnée à s'agrandir sans limites vers l'Est et vers le Sud ? Après la Turquie, pourquoi pas le Maroc ou Israël, dont les lettres de créance européennes valent bien celles d'autres pays ?

Déjà, la perspective d'une entrée des républiques de l'ex-Yougoslavie laisse-t-elle entrevoir une Union à plus de trente.

Les critères sont-ils géographiques ou sont-ils purement politiques : la démocratie, l'État de droit, l'économie de marché... ? Mais alors, des pays non européens pourraient faire acte de candidature.

Il faut avoir le courage d'affirmer que la construction européenne est avant tout un projet politique qui n'a pas de définition géographique. On peut être européen sans appartenir à l'Union européenne ; c'est le cas de la Suisse et la Norvège.

D. Vernet, *Le Monde* – 10 novembre 2002.

**Élargissement et frontières**

Les pays candidats craignent que l'élargissement ne crée, par une frontière trop rigide, un nouveau « rideau de fer » entre voisins centre-Est européens. Pour la Pologne, c'est sa relation privilégiée avec l'Ukraine et la Lituanie qui importe. Pour la Hongrie, il est nécessaire de maintenir des frontières ouvertes avec la Roumanie où se trouvent de nombreuses minorités hongroises. Autrement dit, la perspective de l'élargissement pose la question des rapports entre les « in » et les « out » de l'élargissement.

L'élargissement pose aussi le problème des limites orientales de l'Europe : celui de l'inclusion de la Russie et DE la Turquie.

J. Rupnik, *Géopolitique et mondialisation*, Université de tous les savoirs, Odile Jacob – Octobre 2002.

## 8. Élargir l'Europe : jusqu'où ?

Dessin publié dans *Le Monde Économie* – 10 décembre 2002.

## 9. Manifestation au Pays basque espagnol

Certains pays de l'Europe de l'Ouest ont aussi des minorités non satisfaites.

Perspective **BAC**

# L'Europe, un continent uni ?

## Composition — Acquérir la méthode de la composition

| Les étapes de la démarche | | Méthode |
|---|---|---|
| **1** Analyser le sujet | **Étudier le sujet** → | **Lire** attentivement le sujet pour le délimiter dans l'espace et éviter les hors sujets ; chercher les implications des mots de liaison (et, dans…).<br>**Relever** les mots-clés du sujet afin d'en indiquer la signification, la portée… |
| **2** Poser la problématique | **Dégager la problématique du sujet** → | **Rechercher** la ou les questions que la formulation du sujet induit :<br>– quel problème géographique pose le sujet ?<br>– quelle est la traduction spatiale du phénomène géographique abordé par le sujet (contrastes régionaux…) ?<br>– quels sont les fondements (historiques, naturels, économiques…) de ce phénomène ?<br>– des éléments permettent-ils de nuancer, de limiter la question ou l'affirmation du sujet ? |
| | **Formuler la problématique** → | **Formuler** les questions (trois au maximum) qui seront le fil conducteur de la composition. |
| **3** Organiser le plan | **Mobiliser les connaissances** → | **Faire** la liste, au brouillon, de toutes les informations indispensables au traitement de la problématique du sujet.<br>**Éliminer** toutes les connaissances sans rapport avec le sujet. |
| | **Classer les connaissances** → | **Rassembler** les informations retenues en 2 ou 3 grands thèmes formant une réponse cohérente au sujet. Le plus souvent, on peut commencer par décrire le phénomène géographique, puis on l'explique, et enfin on termine en s'interrogeant sur ses limites, ses nuances. |
| **4** Rédiger la composition | **L'introduction** → | **Elle doit :**<br>– montrer l'intérêt du sujet, définir les mots clés ;<br>– mettre en évidence l'idée ou les idées-forces du sujet ;<br>– annoncer le plan de la composition. |
| | **Le développement** → | **Le structurer** en 2 ou 3 parties, elles mêmes composées de paragraphes présentant un ensemble d'arguments accompagnés d'exemples. |
| | **La conclusion** → | **En quelques lignes :**<br>– faire le bilan du devoir en rappelant brièvement les réponses apportées au problème posé ;<br>– élargir les perspectives du sujet dans le temps ou dans l'espace. |

## Travail sur le sujet

## Application

**Analyse du sujet** →

| L'Europe, | un continent uni ? |
|---|---|
| *Un continent d'une grande diversité* | *Des frontières qui s'effacent ? Vers une « Europe » ?* |

**Problématique du sujet** →

**L'analyse du sujet induit les questions suivantes :**

- Quels sont les grands contrastes du continent européen ?
- Comment l'ensemble du continent a-t-il évolué récemment ?
- Peut-on parler aujourd'hui « d'une Europe » ou « des Europe » ?

**Mobilisation des connaissances** →

**En fonction de la problématique, à l'aide des chapitres 1 et 2, rassemblez des informations et des exemples à partir des questions suivantes :**

- L'Europe est-elle politiquement morcelée ? (Leçon p. 38 - Dossier p. 24-25)
- Quels sont les ensembles culturels de l'Europe ? (Leçon p. 38)
- Qu'appelait-on Europe bipolaire ? (Leçon p. 38)
- L'Europe a-t-elle des minorités de population ? (Leçon p. 38)
- Où les frontières de l'Europe s'arrêtent-elles ? (Leçon p. 42)
- Jusqu'où l'Union européenne va-t-elle s'élargir ? (Leçon p. 40)
- Quels sont les contrastes de richesse et de développement ? (Leçon p. 24 et Perspective Bac p. 28-29)
- Peut-on parler d'une identité européenne ? (Leçon p.16)
- Décrivez le peuplement de l'Europe. (Leçon p.18 et Carte p.14-15)

**Organisation du plan** →

**Afin de répondre au sujet, classez ces informations autour de trois thèmes :**

- La diversité et les contrastes du continent
- L'évolution de l'Europe
- Les obstacles à surmonter pour constituer une Europe unie

## Rédaction de la composition

## Application

**Introduction** →

- *L'Europe est un continent d'une grande diversité tant par les populations qui l'habitent, que par les langues et les cultures ou les niveaux de développement économiques. Mais ces contrastes tendent progressivement à s'estomper.*

***Problématique*** →

- *Quelles transformations le continent européen connaît-il ? Peut-on d'ores et déjà parler d'un continent uni ?*

***Plan du devoir*** →

- *Après avoir montré la diversité de l'Europe et dégagé les évolutions récentes, nous nous interrogerons sur la réalité d'une Europe unie.*

**Développement**

***Partie 1*** →
La diversité du continent

- Une Europe, mais près de 200 États – Des contrastes de peuplement et de civilisation – Des décalages économiques

***Partie 2*** →
Un continent en recomposition

- Hier, une Europe bipolaire – Depuis le début des années 1990, de profondes mutations – L'Union européenne, moteur de l'unification du continent ?

***Partie 3*** →
L'Europe unie, un avenir encore incertain

- Quelles limites géographiques pour l'Europe ? – Quel contenu donner à l'Europe du futur : marché économique, Europe politique ? – Le problème des minorités

**Conclusion**

***Bilan*** →

- *L'Europe a surmonté ses divisions et constitue désormais une puissance qui compte*

***Perspectives*** →

- *L'Europe continent uni n'est peut être plus une utopie. Mais le projet demandera du temps et de nombreux débats.*

# Chapitre 3

# L'Union européenne : quelles réalités, quel avenir ?

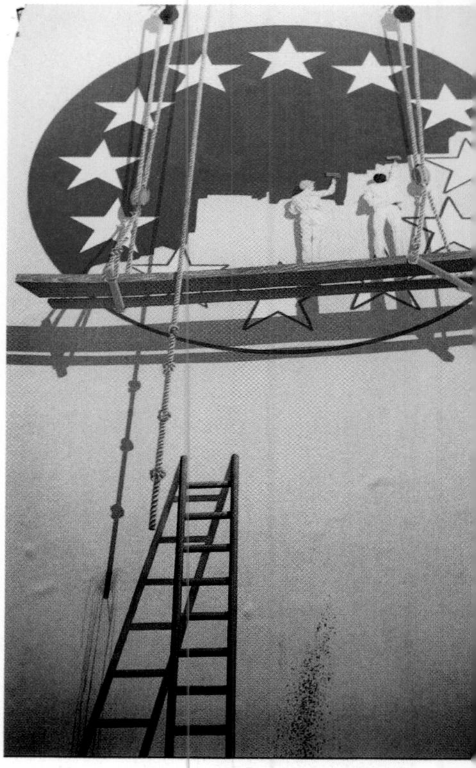

45 ans après la naissance du Marché commun, l'Union européenne est devenue l'horizon incontournable de 380 millions d'Européens. C'est avant tout un ensemble économique qui doit relever aujourd'hui le double défi d'approfondir sa construction et de réussir un élargissement inédit par son ampleur.

- **Quelles sont les réalités de l'Europe dans notre vie quotidienne ?**
- **Située au cœur d'une Europe en recomposition, quels défis l'Union européenne doit-elle relever au début du XXIe siècle ?**

**Quel avenir pour l'Union européenne ?**

L'Union européenne est à un tournant de son histoire : douze pays utilisent désormais la même monnaie et dix nouveaux pays vont rejoindre l'Union en 2004. Plus que jamais, l'Europe suscite débats, espoirs, mais aussi interrogations et scepticisme.

L'Europe décore les murs, tandis que l'euro s'affiche sur les immeubles du quartier des affaires de Francfort le 1er janvier 2002.

Dessin publié par le quotidien *La Voix du Nord*, décembre 2002. Une du journal *Libération* du 14 décembre 2002

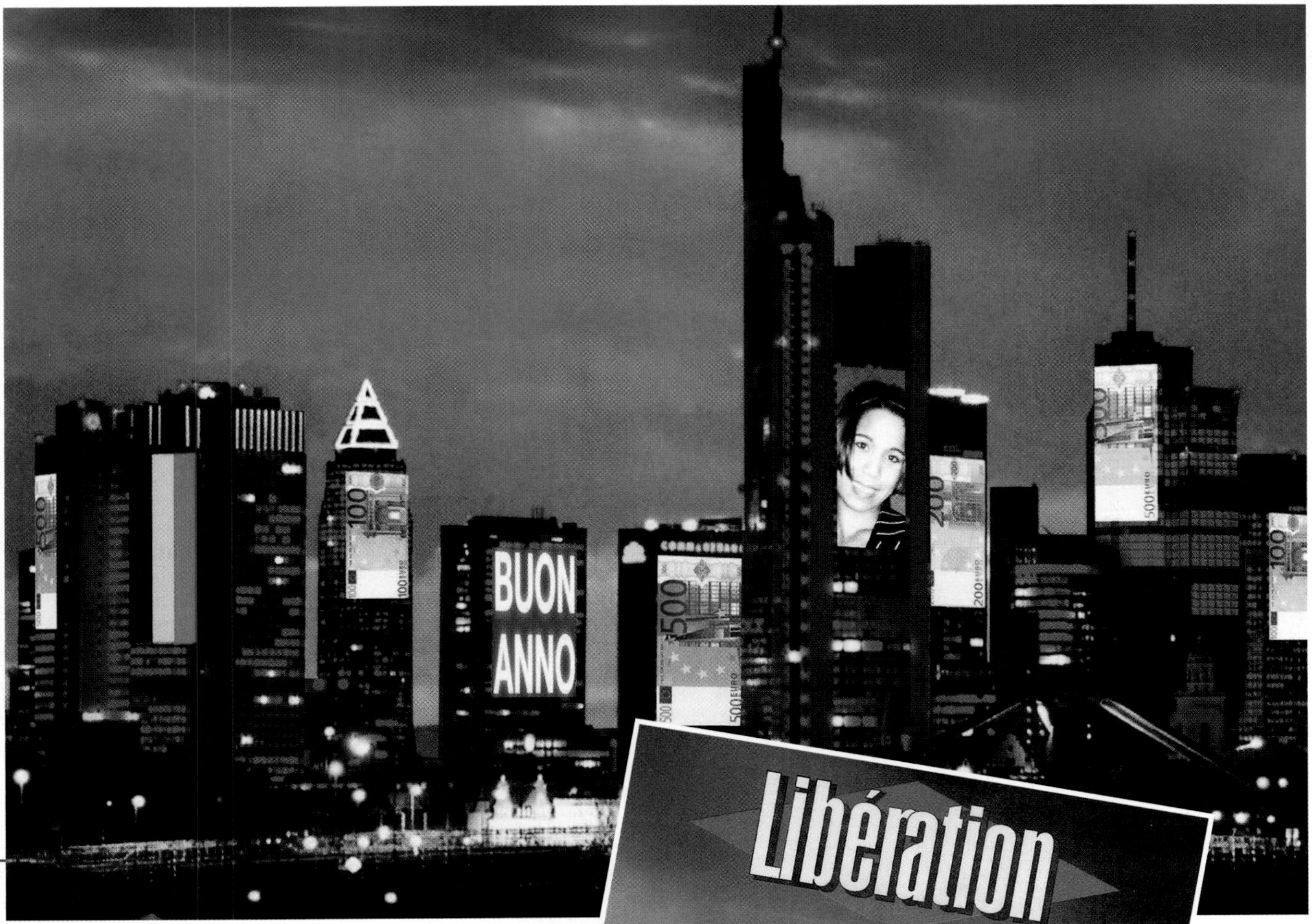

Libération

vitaj ★
witajcie ★
üdvözöljük ★
tere tulemast ★
sveika atvykusi ★
laipni lūdzam ★
dobrodosli ★
kalos orisaté ★
merħba ★
vítej ★
★ bienvenue

Dix nouveaux pays rejoindront l'Union européenne en 2004. La candidature de la Turquie ne sera examinée que dans deux ans. Page 2

«Bienvenue» en slovaque, polonais, hongrois, estonien, lituanien, letton, slovène, grec chypriote, maltais

Cartes Enjeux

# Quel territoire pour l'Union européenne ?

## 1. Du Marché commun à 6 à l'Union européenne à 25

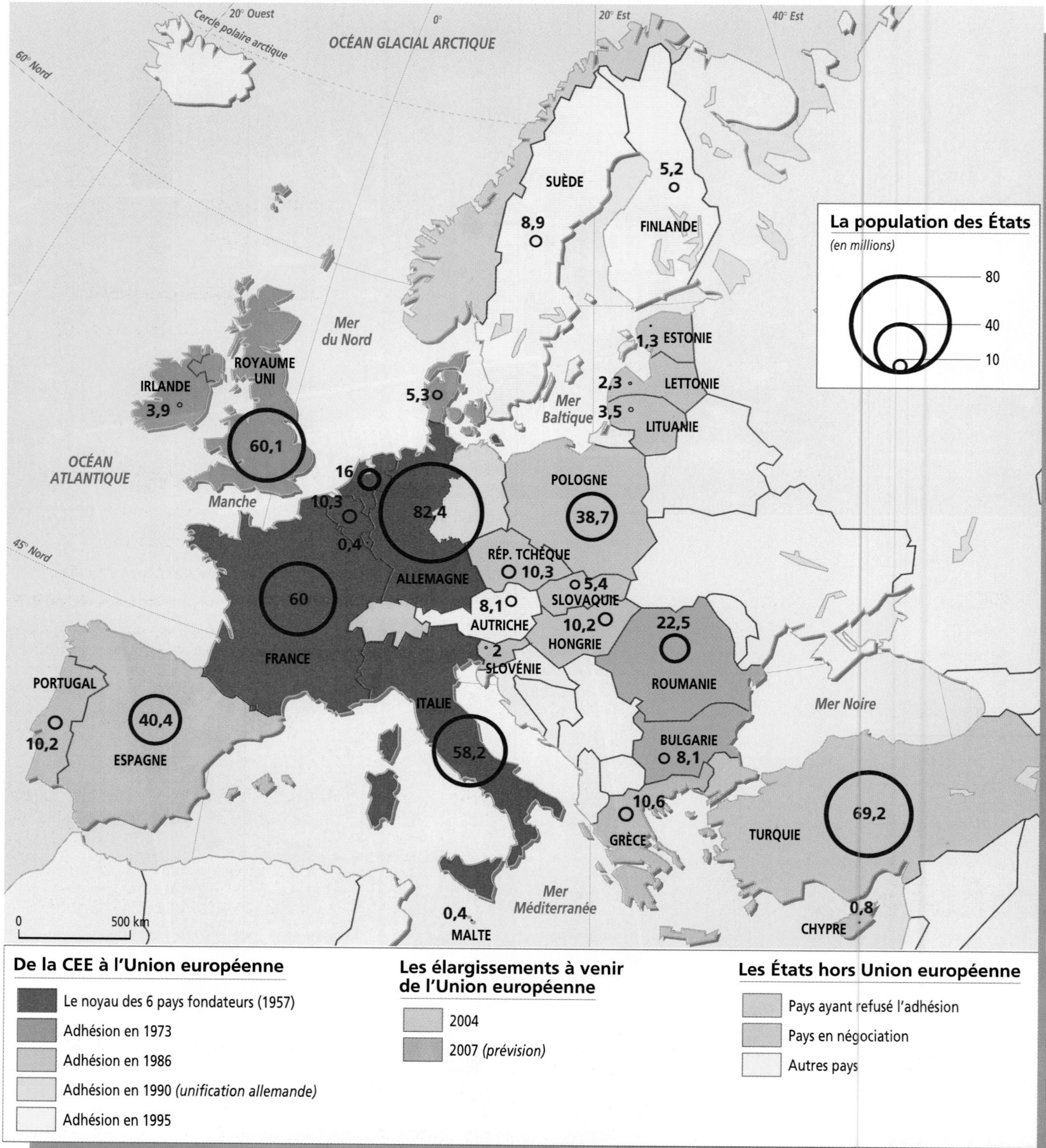

## 2. L'Europe à géométrie variable

**Questions**

- Qu'est-ce qui caractérise le cinquième élargissement (2004) par rapport aux précédents **(carte 1)**.
- Quels pays restent à l'écart de l'Union européenne **(carte 1)** ?
- Montrez que l'Union européenne ne se compose pas d'un espace et d'une capitale uniques **(carte 2)** ?

Débat

# Quelle Europe voulons-nous construire ?

*En quinze ans, l'Union européenne a connu une mutation décisive : elle forme un espace unique doté d'une monnaie commune. Il est pourtant encore nécessaire d'approfondir cette construction : l'Europe politique et sociale n'est pas aussi avancée que l'Europe économique.*

*L'Europe des Six, fondée en 1957, a ensuite par trois fois accueilli trois nouveaux membres. L'élargissement de 2004 concerne, lui, dix pays simultanément : ce défi majeur à relever pose aussi la question des limites, de l'identité et de la puissance de l'Union de demain.*

## 1 ■ Approfondir la construction européenne : pourquoi ? comment ?

L'Union européenne ne peut échapper à un débat sur les priorités de son renforcement et sur son fonctionnement futur si elle veut être davantage qu'un simple marché économique.

### 1. Les attentes prioritaires des jeunes européens

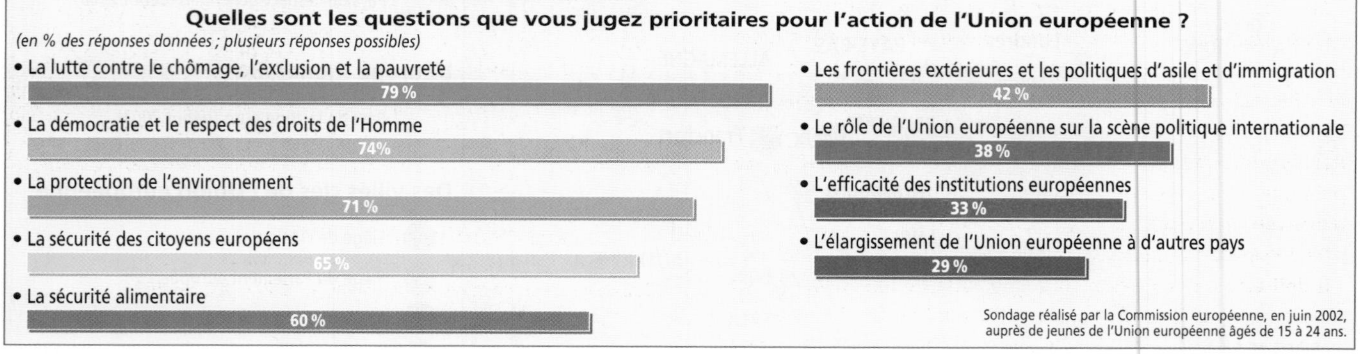
Quelles sont les questions que vous jugez prioritaires pour l'action de l'Union européenne ?
(en % des réponses données ; plusieurs réponses possibles)
• La lutte contre le chômage, l'exclusion et la pauvreté
79 %
• La démocratie et le respect des droits de l'Homme
74%
• La protection de l'environnement
71 %
• La sécurité des citoyens européens
65 %
• La sécurité alimentaire
60 %
• Les frontières extérieures et les politiques d'asile et d'immigration
42 %
• Le rôle de l'Union européenne sur la scène politique internationale
38 %
• L'efficacité des institutions européennes
33 %
• L'élargissement de l'Union européenne à d'autres pays
29 %

Sondage réalisé par la Commission européenne, en juin 2002, auprès de jeunes de l'Union européenne âgés de 15 à 24 ans.

### 2. L'Europe sociale à la traîne

La dimension sociale de l'Europe a été sacrifiée sur l'autel du Marché commun. L'Union économique et monétaire a accentué le parti pris ultra-libéral, entraîné la refonte des structures sociales européennes sur le modèle anglo-saxon (déréglementation, flexibilité) et renforcé les effets les plus nocifs de la concurrence. Or, avec 18 millions de sans-emploi et plus de 50 millions de pauvres, la situation sociale de l'Europe n'était déjà pas très brillante.

L'article 2 du traité d'Amsterdam insiste sur la nécessité de promouvoir le progrès économique et social, un haut niveau d'emploi, une protection sociale élevée, et l'Union européenne s'engage à éliminer discriminations et inégalités entre hommes et femmes dans toutes les décisions prises au sein de l'Union. Cet acquis n'est certes pas négligeable, mais les obligations imposées par le droit communautaire sont minimales. Elles restent en retrait par rapport aux législations les plus avancées au sein des Quinze.

D'après Le Monde diplomatique.net – Janvier 2003.

Euro komt eraan... en onze job
Voor een Sociaal en Solidair Europa

Manifestation à Laeken (Belgique), en faveur de l'Europe sociale, en décembre 2001 à l'appel de la Conférence européenne des syndicats.

## 3. Un Président, un gouvernement pour l'Europe ?

**Propositions pour un gouvernement de l'Europe**

Le système actuel de présidence tournante de l'Union, exercée à tour de rôle pour une période de six mois par chaque État, serait une aberration pour une Europe de 25 ou 30 membres. Il faut à l'Union un président qui l'incarne aux yeux du monde. Sur proposition du Conseil européen, le Parlement élira donc le président de l'Union européenne. Il exercera une fonction symbolique et morale, non un rôle politique.

Le Conseil des ministres, composé de membres du gouvernement de chaque État, deviendra un organe permanent siégeant à Bruxelles. Il appartiendra à la Commission européenne d'assurer la « bonne gouvernance » de l'Union. Dès lors que le Conseil des ministres et la Commission assument ainsi, chacun pour sa part, le gouvernement de l'Union, leur action commune, pour être efficace, doit être conduite par une même autorité : le Premier ministre de l'Union. Pour asseoir sa légitimité, le Premier ministre sera lui aussi choisi par le Conseil européen, et sa désignation soumise à l'investiture du Parlement européen.

R. Badinter, *Le Nouvel Observateur* – 10 octobre 2002.

**Il faut un Président à l'Europe**

*Cela nous donnerait-il plus de poids sur le plan diplomatique ?*

C'est exactement comme si vous vous demandiez si les États-Unis auraient plus ou moins de poids s'ils n'avaient pas de président ! Il faut un président pour l'Europe, il faut un capitaine pour l'équipe. Il faut un fédérateur pour la fédération. C'est comme ça depuis que le monde est monde. Et c'est comme ça, *a fortiori*, depuis que les démocraties existent. On a besoin d'un visage et d'une voix pour porter la volonté commune [...]

*Ce président européen, comment doit-il être élu ?*

Il doit être enraciné dans la démocratie européenne. Comme tous les chefs d'État, un jour, il sera élu par tous les Européens.

Interview de F. Bayrou, *L'Express* – 12 décembre 2002.

**Le président de la Commission à la tête de l'Europe ?**

La Commission européenne a fait connaître ses propositions : maintenir la présidence tournante du Conseil européen et faire élire le président de la Commission par le Parlement.

Même affirmation de la part de l'Espagnol E.B. Crespo, président du groupe parlementaire du Parti socialiste européen : « Nous plaidons pour une Commission forte, capable de remplir son rôle de gouvernement européen », ce qui suppose l'élection de son président par le Parlement « pour renforcer la légitimité démocratique, l'autorité et l'efficacité de la Commission et pour revivifier l'intérêt des citoyens de l'Union dans les élections européennes ».

*Le Monde* – 6 décembre 2002.

Alternatives Economiques
Porto Alegre II, l'autre mondialisation page 6
NUMÉRO 199 JANVIER 2002 3,50 €
Gazprom, ou la transition à la russe page 26 Comment se forment les salaires page 70
Label social : la Belgique à l'avant-garde page 34 Chômage : le flou statistique page 64
L'Europe après l'euro page 38
L'Europe peut-elle devenir autre chose qu'un grand marché ?

## 4. L'euro : une étape nécessaire mais pas suffisante

Couverture d'*Alternatives économiques*, n° 199 – Janvier 2002.

## 5. Le dessinateur Serguei invite au débat

*Le Monde* – 25 septembre 2002.

## Questions

**1.** Quelles sont les attentes prioritaires des jeunes Européens **(1)** ?

**2.** Dans quels domaines l'Europe devra-t-elle renforcer son action **(1, 2, 4, 5)** ?

**3.** Quel sont les termes du débat sur l'avenir politique de l'Union **(3)** ?

## 2 ■ Élargir l'Union européenne : jusqu'où ? quels effets ?

L'élargissement de l'Europe des Quinze est historique ; il soulève des questions essentielles sur l'identité de l'Union européenne, ses limites, sa cohérence interne et sa puissance future.

### 6. L'élargissement : le sens de l'Histoire ?

**En avant, mais sans enthousiasme**

*Alternatives économiques*, n° 209 – Décembre 2002.

ÉLARGISSEMENT

**Le big bang de l'Union**

*L' Express* – 12-18 décembre 2002.

À Copenhague s'est achevé le XX$^{e}$ siècle, qui avait commencé à Sarajevo en juillet 1914. En donnant leur feu vert à l'élargissement de l'Union à dix nouveaux pays, dont huit issus de l'ancien bloc communiste, le sommet européen a tourné le dos à un siècle qui a plongé le Vieux Continent dans la barbarie, et enterré définitivement la fracture de la Guerre froide.

Comment dès lors expliquer qu'un événement si chargé de passé et si riche d'avenir provoque dans l'opinion moins de passion et même d'intérêt qu'un éphémère match de foot ou tournoi de tennis ? La grande faute en revient à Bruxelles, qui paie son opacité bureaucratique, et aux gouvernements nationaux, peu soucieux d'ouvrir de vrais débats avec leurs citoyens. N'ayant pas été consultés ni vraiment informés sur un choix déterminant pour leur avenir, les citoyens des anciens pays membres sont au mieux indifférents, au pire inquiets quant aux conséquences économiques et sociales de l'élargissement.

Ce qui est irréfutable, en revanche, c'est l'« européennité » des nouveaux entrants. Budapest en 1956, Prague en 1968, Varsovie en 1980 : c'est dans la rue, face à la dictature soviétique, autant que dans le respect des fameux critères de Copenhague, que les pays de l'Est ont acquis le droit de retrouver leur place en Europe. Et, selon l'élégante formule du Polonais Bronislaw Geremek, « de réconcilier l'histoire et la géographie ».

*L' Expansion* – 18 décembre 2002.

### 7. L'Europe, quelle identité ?

Jusqu'où va l'Europe ? La géographie ne suffit plus pour répondre à ces questions. D'autant qu'il y a un autre danger qui se profile, celui d'une définition culturelle de l'Europe dont certains disent qu'elle serait chrétienne, occidentale, blanche...

L'Europe est en train de découvrir sa véritable identité à travers des valeurs communautaires partagées : croyance en la démocratie, croyance dans les droits de l'homme, croyance dans un certain humanisme. C'est bien cela qui rassemble les États de l'Union européenne, et seul ce principe peut en dernière instance gouverner l'élargissement de l'Europe. L'Europe n'a d'autre identité à construire que dans l'invention d'une communauté nouvelle qui n'est ni culturelle, ni même économique, mais qui est politique.

B. Badie, *Géopolitique et mondialisation*, O. Jacob – 2002.

### 8. La Turquie devra patienter aux portes de l'Europe

**Débat**

**L'Europe avec ou sans la Turquie ?**

Pour les uns, l'adhésion de la Turquie est le seul moyen de lui faire partager les valeurs de la démocratie ; de plus la Turquie est un pays laïc depuis 90 ans, déjà intégré à l'Europe et membre de l'OTAN.
Pour les autres, l'essentiel du territoire turc est en Asie. Ce pays est étranger aux héritages européens, romains, chrétiens, à ceux de la Renaissance et des Lumières. Sa laïcité est maintenue par les militaires, mais les 70 millions de Turcs musulmans sont-ils laïcs ? De plus, l'Europe ne peut se définir comme un club des démocraties et l'adhésion turque serait très coûteuse.

*L' Express* – 12-18 décembre 2002.

**La défense de l'adhésion de la turquie.** Document publié dans *Le Monde* du 10 décembre 2002 par trois organismes turcs (Union des Chambres de Commerce et d'industrie, Association des industriels et des entrepreneurs, Association des agences de voyages) avec les arguments suivants (extraits) : « Nous siégeons au Conseil de l'Europe ; notre équipe de football a gagné la coupe de l'UEFA ; nous sommes un pilier de l'OTAN ; nous connaissons une démocratie multipartite depuis 1946 ; nous sommes un pays politiquement stable, jeune, dynamique, et d'une grande richesse culturelle. Nous sommes prêts à apporter une vraie contribution à la paix et à la prospérité européenne. »

## 9. Les candidats à Strasbourg

Couverture du magazine municipal (novembre 2002) à l'occasion de l'accueil, par le Parlement européen et les élus locaux, de délégations des pays candidats.

## 10. L'élargissement vu par le dessinateur Iturria

*Sud-Ouest* – 14 décembre 2002.

## 11. L'Union plus large et moins puissante ?

L'Europe à 25 ne sera pas une Europe-puissance capable de faire contrepoids sur la scène internationale à l'hégémonisme des États-Unis. Elle sera à la fois un grand marché, censé assurer la prospérité de ses membres, et un club de « gens bien », attachés aux valeurs démocratiques et aux droits de l'Homme.

Les pays candidats sont « plus intéressés par l'intégration économique que par l'intégration politique ». Ils sont pratiquement toujours restés à l'écart, ces dernières années, des débats « sur la finalité de l'Union et le rôle de l'Europe dans le monde ». Pour ces anciens satellites de l'URSS, l'Alliance atlantique, dominée par les Américains, est seule à même d'assurer la sécurité collective du Vieux Continent. Ils ne voient pas très bien comment l'Union européenne pourrait prétendre être un acteur dans le jeu international, et ils sont franchement réticents quant à l'idée même d'une défense européenne.

*L' Express* – 19 décembre 2002.

## 12. Imaginer une Union à géométrie variable ?

Sauf à s'étendre sans fin, l'UE ne peut pas avoir que l'adhésion à proposer à tous les États sur lesquels elle veut exercer une influence bénéfique, qu'elle voudrait stabiliser et démocratiser.

L'Union a besoin de retrouver une identité claire, certes politique, mais aussi territoriale. Les autorités de l'Europe devraient examiner la possibilité de proposer à la Russie, à l'Ukraine, à la Turquie, à chaque pays du Maghreb, un partenariat de voisinage stratégique, politique et économique. Qu'on décrète que l'élargissement est accompli et que l'on mette en place, autour de l'Union élargie cet « anneau de pays amis » qu'a proposé Romano Prodi.

Il faudra veiller dans le même temps, à une souplesse qui permettra aux plus volontaires d'aller plus loin, de travailler ensemble dans divers domaines de leur choix sans attendre que tous les États ne soient prêts à s'engager.

H. Védrine, *Le Monde* – 6 décembre 2002.

## Questions

**1.** Autour de quels éléments d'identité l'Europe s'élargit-elle **(6, 7, 9)** ?

**2.** Quels sont les termes du débat sur l'intégration de la Turquie **(8)** ?

**3.** Quels peuvent être les effets de l'élargissement sur la puissance future de l'Union européenne **(10, 11 )** ?

**4.** Quelles solutions peut-on envisager dans l'avenir pour concilier approfondissement et élargissement de l'Union européenne **(12)** ?

## Synthèse et prolongements du DÉBAT

- Dans quel domaine l'Union européenne a-t-elle acquis de fortes compétences ?
- Quelles sont les limites de la construction politique et sociale européenne ?
- En quoi l'élargissement oblige-t-il à réformer les institutions européennes ?
- Quelles sont les bases de l'identité de l'Union européenne ?

# 1 Une Union aux compétences accrues

## Mots-clés

**Erasmus :** programme communautaire européen qui cofinance des actions de coopération entre établissements d'enseignement supérieur, ainsi que la mobilité des étudiants en Europe depuis 1987.

**IFOP :** Instrument financier d'orientation de la pêche, créé en 1993. Il vise à compenser les effets des restructurations dans ce secteur.

**PAC :** Politique agricole commune présente dès le traité de Rome (1957). Elle constitue le premier poste de dépenses de l'Union (45 % des crédits communautaires).

**Schengen :** convention signée en 1995 par sept pays, qui prévoit la disparition des frontières internes entre les pays signataires. En 2003, 15 pays forment l'espace Schengen.

* voir Lexique

## 1. Une construction économique unique au monde

• **L'Union européenne représente un des trois grands espaces économiques mondiaux (1, 2).** Avec ses 3,2 millions de km$^2$ et ses 380 millions d'habitants, elle a un revenu national brut légèrement inférieur à celui des États-Unis. Sa construction, très progressive, a d'abord été économique : **CECA*** en 1951, **Euratom*** et surtout **Marché commun** en 1957, qui a supprimé définitivement les droits de douanes intérieurs en 1968. Le **traité de Maastricht de 1993** a fondé **l'Union européenne** dont la construction monétaire est couronnée par l'arrivée d'une **monnaie commune** le 1er janvier 2002.

• **Cet approfondissement s'accompagne d'un élargissement géographique** du fait de l'attraction exercée sur les autres pays européens : de 6 à 15, bientôt 25 pays. Chaque élargissement renforce globalement l'Union, mais représente de nouveaux défis pour préserver son fonctionnement et mettre à niveau les nouveaux arrivants.

## 2. Des politiques communes à l'échelle de l'Union

• **L'agriculture est la première activité pour laquelle une politique commune a été instaurée :** dès 1962, la **PAC** a permis un spectaculaire essor des productions agricoles qui fait de l'Union européenne un des grands exportateurs de produits agricoles. Cependant, le coût de cette politique, son succès qui a engendré des surproductions, ses conséquences environnementales rendent depuis dix ans une réforme inévitable.

• **Depuis 1983, la pêche dispose aussi d'une politique commune** établie sur la base de réglementations des zones de pêche et des captures de poissons. L'**IFOP** établit des quotas de pêche car elle donne la priorité à la gestion durable des espèces menacées de disparition, au prix d'une restructuration socialement douloureuse du secteur (3).

• **Cependant, une politique commune n'existe pas dans tous les secteurs économiques :** dans l'industrie et l'énergie, des accords ponctuels de coopération donnent de belles réussites (Airbus, Ariane), malgré l'absence d'une politique européenne de recherche et de développement. L'Europe surveille également si les aides allouées et les concentrations d'entreprises ne faussent pas les règles de la concurrence.

## 3. L'Union européenne s'ancre dans le quotidien

• **La construction d'un réseau transeuropéen de transports,** depuis 1994, traduit la volonté de doter l'ensemble du territoire européen d'un réseau de voies rapides : 25 grands projets bénéficient de fonds européens. Ils concernent l'Union et les pays d'Europe centrale et orientale qui l'intégreront dans les prochaines années (4).

• **La disparition des frontières permet la libre circulation des hommes.** Toute entrave à la liberté du travail est interdite, comme l'a prouvé **l'arrêt Bosman*** pour les sportifs. Des programmes européens, tels **Erasmus**, Eureka* favorisent les échanges à l'intérieur de l'Union. Cependant, les **accords de Schengen** n'ont pas été ratifiés par tous les pays et les politiques d'immigration, de droit d'asile, de lutte contre la criminalité ne sont pas harmonisées.

• **L'Union prend en charge de nouveaux domaines :** elle se dote de nombreuses agences spécialisées : ainsi, l'Agence européenne de l'Environnement émet des directives qui s'imposent aux législations nationales, quitte à créer des conflit comme dans le cas des dates de chasse en France.

**Cartes Enjeux**
**Quel territoire pour l'Union européenne ?**
*(pages 48-49)*

**Débat**
**Quelle Europe voulons-nous construire ?**
*(pages 50-53)*

**Perspective Bac**
**La Politique agricole commune (PAC) : une réforme inévitable ?**
*(pages 66-67)*

**Dossier**
**Étudier librement en Europe**
*(pages 62-63)*

**Dossier**
**Natura 2000 : une politique européenne de l'environnement**
*(pages 64-65)*

## 1. L'Union européenne : un géant économique ?

Extrait du *Wall Street Journal*, publié dans *Courrier international*, 20-22 mai 2002 ; dessin d'Ajubel, *El Mundo*, Madrid.

## 2. L'Europe des 15 dans le monde en 2000

Source : *Banque mondiale*.

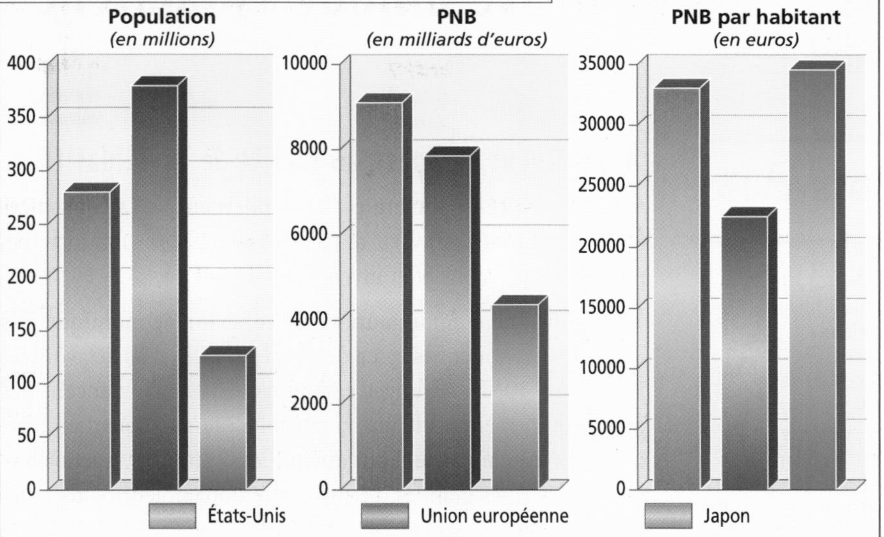


| | Exportations de marchandises | | Importations de marchandises | | Exportations de services commerciaux | | Importations de services commerciaux | |
|---|---|---|---|---|---|---|---|---|
| | (en millions d'euros) | (en % du monde) | (en millions d'euros) | (en % du monde) | (en millions d'euros) | (en % du monde) | (en millions d'euros) | (en % du monde) |
| **États-Unis** | 870 | 15,7 | 1 401 | 23,9 | 298 | 25 | 216 | 18 |
| **Union européenne** | 957 | 17,3[1] | 1 076 | 18,3[1] | 291 | 24,4[1] | 287 | 23,9[1] |
| **Japon** | 533 | 9,6 | 422 | 7,2 | 74 | 6,2 | 125 | 10,4 |

1 En incluant le commerce interne à l'UE, sa part mondiale atteint 36 % des exportations et 35 % des importations mondiales de marchandises, 42 % des exportations, 41 % des importations de services commerciaux.

## 3. Pêche « explosive »

F. Fischler, Commissaire européen de l'agriculture et de la pêche, se félicitant du consensus au Sommet pour le développement durable de Johannesburg (juillet 2002) pour limiter les prises mondiales à des niveaux compatibles avec le renouvellement des ressources halieutiques, a émis le souhait que les ministres européens de la pêche montrent qu'ils partagent cette prise de conscience internationale.

L'épuisement de certaines ressources halieutiques prouve que l'on pêche trop dans les eaux européennes et qu'il faut diminuer la surcapacité de la flotte. Dans quelles proportions ? Tout est là.

Dans les six pays les plus concernés (Espagne, France, Italie, Portugal, Grèce, Irlande), on a surtout vu dans les projets de la Commission la volonté de mettre à la casse 8 600 navires entre 2003 et fin 2006, opération qui se solderait par la disparition de 28 000 emplois directs.

*Le Monde* – 17 septembre 2002.

## 4. Les infrastructures de transport : une des priorités de l'UE

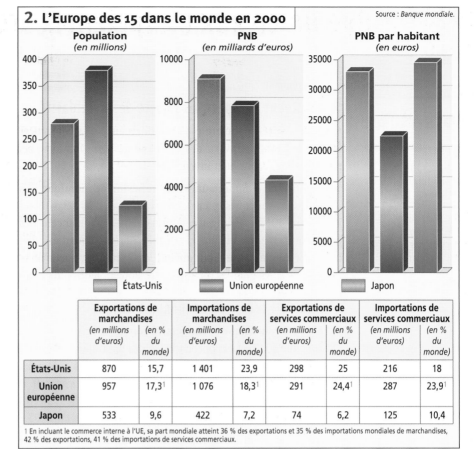

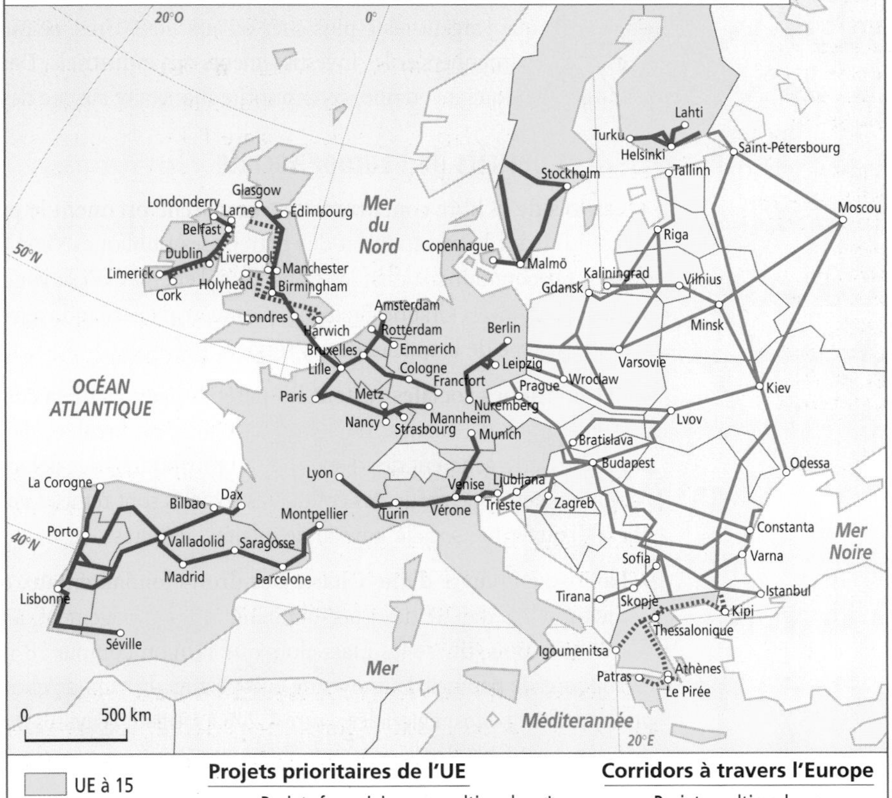

# 2 Un espace unique en marche

## Mots-clés

**Fonds structurels :** crédits qui financent la politique économique et sociale de l'Union européenne visant la réduction des inégalités régionales. Ils se décomposent en quatre ensembles : le FEDER*, le FEOGA*, le FSE* et l'IFOP*.

## 1. L'argent européen au service de la solidarité

• **La solidarité financière est un fondement de la construction européenne** ; elle se traduit toujours au niveau des États par des contributions inégales : certains donnent plus qu'ils ne reçoivent et inversement (8).

• **La politique communautaire de cohésion économique et sociale** vise à réduire les disparités économiques et à aider les régions les plus défavorisées. Les **fonds structurels** mobilisent 30 % du budget communautaire et cofinancent des projets aussi différents qu'un équipement portuaire, la réhabilitation d'un quartier urbain ou la salle polyvalente d'une commune rurale. Pour autant, les écarts continuent de se creuser ; les régions les plus riches et les grandes métropoles renforcent leur poids économique.

**Leçon**

**L'Europe : quelle politique régionale ?**
*(pages 308-309)*

**Leçon**

**Les régions de l'Europe : de fortes disparités**
*(pages 306-307)*

## 2. Le défi réussi d'une monnaie unique

• **L'Union économique et monétaire constitue une étape décisive de la construction européenne** (5, 7). Le rapprochement des politiques économiques a permis le renoncement aux monnaies nationales auxquelles les peuples s'identifiaient fortement. Les États ont abandonné leur pouvoir monétaire à la **Banque centrale européenne (BCE*)** qui siège à Francfort. Trois pays cependant n'ont pas adhéré à l'euro : après le rejet danois, Suédois et Britanniques seront appelés à se prononcer en 2003.

• **Les préoccupations monétaires sont de ce fait prioritaires** : le Pacte de stabilité budgétaire oblige les États à limiter leurs déficits publics (à 3 % du PIB) et leur endettement, ce qui conditionne le niveau de leurs dépenses, notamment sociales (éducation, santé, équipements...). La Banque centrale européenne veille à la stabilité de la monnaie, quitte à ce que l'argent reste plus cher qu'aux États-Unis, ce qui handicape la consommation des particuliers et les investissements des industriels. Dans un contexte de croissance économique incertaine, cette priorité monétaire suscite des critiques.

## 3. Les déficits de l'Europe sociale

• **Les lois de la libre concurrence et du marché prennent le pas sur la notion de services publics** : la privatisation des entreprises publiques s'étend dans des secteurs tels que les télécommunications, les transports, l'énergie, où la concurrence doit désormais exister. Pourtant, la Grande-Bretagne, pionnière dans ce mouvement, a enregistré une dégradation réelle de la qualité de ces services.

• **Les politiques sociales restent les parents pauvres de la construction européenne.** Les différences de salaires, de charges sociales, de fiscalité, de protection sociale d'un pays à un autre génèrent des disparités qui provoquent des délocalisations internes à l'espace européen. Une partie des conquêtes sociales sont remises en cause dans un contexte libéral (couverture sociale, niveau de salaires, retraites...).

**Débat**

**Quelle Europe voulons-nous construire ?**
*(pages 50-53)*

• **La mise en œuvre d'une Charte des droits fondamentaux de l'Union,** qui garantirait le droit à la dignité de la personne humaine, au logement, à un salaire équitable et à l'accès aux soins, divise les États alors que l'Union compte 18 millions de chômeurs et 60 millions de pauvres. La moyenne européenne du taux de chômage, 7,6 %, masque de profondes inégalités régionales, entre 1,2 % à Utrecht (Pays-Bas) et 25 % en Calabre (Sud de l'Italie) où 59 % des jeunes sont chômeurs (6).

* voir Lexique

## 5. « L'euro, pour être plus fort ensemble »

Campagne de communication de l'Union européenne et de l'État français.

## 6. Un taux de chômage très inégal dans l'UE

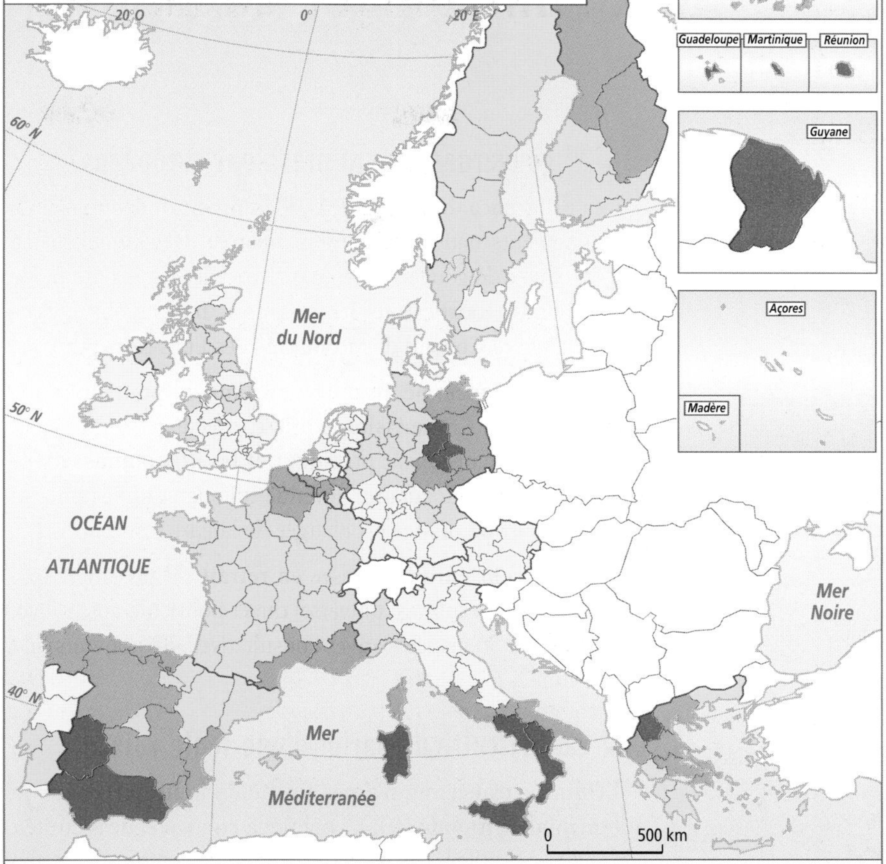


**Taux de chômage**
*(en % de la population active en avril 2001)*
5 10 15

Source : *EUROSTAT.*

## 7. L'Euro

Un événement majeur pour l'Union européenne.

## 8. À qui bénéficie l'UE en 2002 ?

Source : *EUROSTAT.*

**Participation au budget de l'UE**
*(en %)*

| | |
|---|---|
| Grèce | 1,6 |
| Portugal | 1,5 |
| Espagne | 7,7 |
| Irlande | 1,4 |
| Italie | 13 |
| Finlande | 1,5 |
| Allemagne | 24,4 |
| Royaume-Uni | 14,3 |
| France | 16,7 |
| Suède | 2,7 |
| Autriche | 2,5 |
| Luxembourg | 0,2 |
| Pays-Bas | 6,5 |
| Belgique | 4 |
| Danemark | 2 |
| UE à 15 | 100 |

**Solde de la participation financière à l'UE**
*(en euros par habitant)*

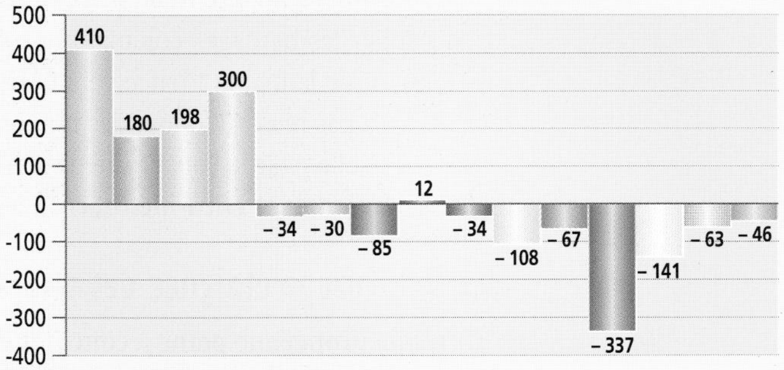


**Fonds structurels reçus de l'UE (période 2000-2006)**
*(en euros par habitant)*

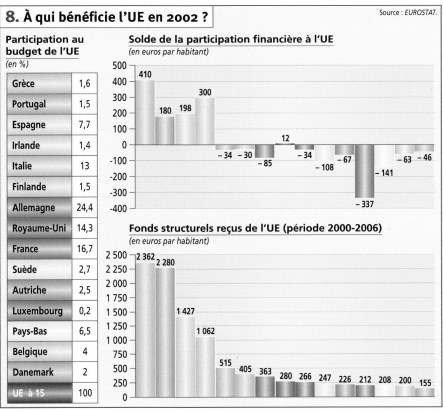

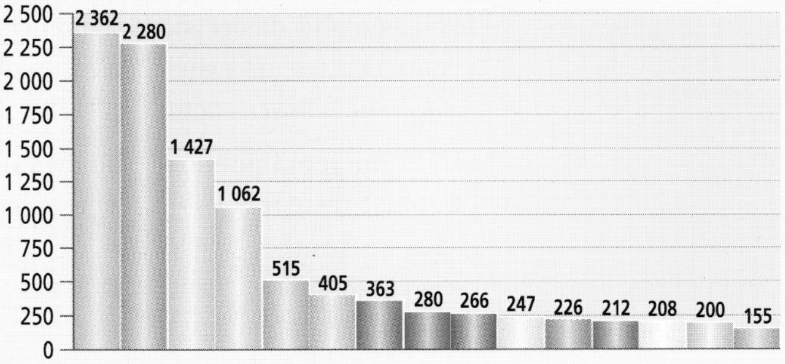

# 3 L'UE : une construction politique limitée

## 1. Ni gouvernement, ni président européens

• **À la différence des États-Unis, l'Union européenne n'est pas un État fédéral*** : les gouvernements nationaux gardent un rôle décisionnel majeur (**12**). Rassemblant les chefs d'État et de gouvernement au moins deux fois par an, le **Conseil européen, dont la présidence tourne tous les six mois,** fixe les objectifs politiques essentiels. Il est complété par le **Conseil des ministres** des États siégeant par spécialité.

• **L'Union européenne se dote pourtant de pouvoirs supranationaux** de plus en plus étendus. La **Commission** propose, exécute et contrôle les décisions et gère les crédits communautaires. Son **président et les 20 commissaires** n'y représentent pas leur pays. La loi communautaire, devenue unique et obligatoire, prime sur les droits nationaux ; la **Cour de justice** est chargée de la faire respecter.

• **Le Parlement européen reste en retrait** ; il rassemble 626 députés élus dans leurs pays respectifs au suffrage universel direct pour cinq ans. S'il vote le budget de l'Union, il dispose de fonctions législatives consultatives, de pouvoirs de contrôle et de codécision encore limités.

## 2. La difficulté de parler d'une seule voix

• **L'Union européenne n'a pas un poids politique comparable à son poids économique dans le monde** (9). La politique étrangère, de sécurité et de défense européenne commune est difficile à mettre en œuvre ; le Royaume-Uni s'aligne systématiquement sur les États-Unis alors que des pays comme la France souhaiteraient une politique communautaire plus autonome.

• Malgré la création de l'**Eurocorps***, il n'y a **pas de force militaire européenne indépendante de l'OTAN**, commandée par les États-Unis ; par ailleurs, l'Irlande, l'Autriche ou la Suède souhaitent garder leur tradition de neutralité.

• **La politique étrangère demeure encore celle de chaque État.** L'histoire des nations, en particulier les héritages coloniaux, explique les liens actuels : l'Espagne est tournée vers l'Amérique latine, la France vers l'Afrique et le Bassin méditerranéen... L'Union européenne n'a pas réussi à fonder des rapports Nord/Sud équilibrés malgré les **accords de Lomé** (**11**) : elle retarde l'ouverture de son marché aux produits agricoles d'Amérique latine et le **partenariat euro-méditerranéen** piétine.

## 3. Une Europe éloignée des citoyens

• **L'Union européenne peine à concilier efficacité et transparence.** À la tête d'une machine bureaucratique de 20 000 fonctionnaires, la Commission, soumise aux groupes de pression, dispose de pouvoirs étendus alors que ses membres ne sont pas élus.

• **De plus en plus de décisions se prennent à l'échelle européenne** mais, fruits de négociations secrètes, de marchandages et de compromis entre États, elles apparaissent lointaines à des citoyens pour lesquels les élections au Parlement demeurent marginales.

• **Auprès du grand public, l'écho du Conseil économique et social* et du Comité des régions* reste très faible,** même si ces organismes consultatifs ont été instaurés en 1994 pour rapprocher les citoyens de l'Europe. La **citoyenneté européenne** se réduit au vote aux élections municipales et européennes et les débats européens intéressent encore peu les opinions publiques (**10**).

### Mots-clés

**Accords de Lomé :** signés en 1975 et reconduits par périodes de cinq ans, ces accords avec des pays d'Afrique, des Caraïbes et du Pacifique (ACP) ouvrent le marché européen aux produits des pays signataires ; ceux-ci bénéficient aussi d'un financement de projets de développement. Les accords de Lomé ont été actualisés en 2000 par l'accord de Cotonou, qui concerne désormais 77 pays ACP.

**Partenariat euro-méditerranéen :** structure de coopération, mise en place en 1995, qui associe les quinze pays de l'UE et l'ensemble des autres pays du pourtour de la Méditerranée. Ce partenariat a une vocation économique (création d'une zone de libre échange en 2010), culturelle, politique et de sécurité.

**Supranational :** qui se situe au-dessus du niveau des États et s'impose à leur souveraineté.

* voir Lexique

### Débat

**Quelle Europe voulons-nous construire ?**
*(pages 50-53)*

## 9. Un pouvoir à la tête de l'Union pour parler d'une seule voix ?

Unes du journal *Le Monde*, de mai à décembre 2002 et dessin de Pessin.

La Commission veut devenir un vrai gouvernement de l'Europe

« Il faut un président de l'Europe qui ait du pouvoir »

L'Europe est à la recherche d'un véritable président

L'Europe, un géant sans tête ?

ET PLUS NOUS SERONS NOMBREUX, PLUS NOUS DEVRONS PARLER D'UNE SEULE VOIX
PESSIN


## 10. Citoyen européen : une réalité encore floue ?

*Sondage réalisé en octobre 2002, auprès d'un échantillon de 7 500 habitants de 15 pays de l'Union européenne (Eurobaromètre) (en %).*

| **Êtes-vous familier avec :** | | | |
|---|---|---|---|
| | Oui | Oui, mais pas sûr de la signification | Non |
| – le terme « citoyen de l'Union » ? | 31 | 37 | 32 |
| – la Charte des droits fondamentaux de l'Union européenne ? | 8 | 35 | 57 |

| **Les citoyens de l'Union européenne qui résident dans le pays ont le droit d'être candidat aux élections** | | |
|---|---|---|
| | Oui | Autre |
| – municipales | 50 | 50 |
| – européennes | 70 | 30 |

| **Dans quelle mesure sentez-vous que vous êtes informés sur vos droits en tant que citoyen européen ?** | | | |
|---|---|---|---|
| Très bien | Bien | Pas bien | Pas du tout |
| 1 | 22 | 54 | 23 |

## 11. Une aide au développement en panne

Personne ne se faisait d'illusions sur la capacité des ministres de parvenir à une démarche collective pour se rapprocher de l'objectif, arrêté en 1969 par l'ONU, prévoyant de consacrer 0,7 % du PNB des pays riches aux pays en développement. La Commission propose que les États membres qui se situent sous la moyenne communautaire (0,33 %) s'engagent à atteindre celle-ci en 2006, ce qui permettrait de hausser la moyenne des Quinze à 0,39 %. La tentation serait grande de rappeler que l'Europe n'a pas à rougir de son bilan : les États-Unis ne consacrent que 0,10 % de leur PNB à l'aide au développement, le Japon, 0,27 % et le Canada 0,25 %. Mais un tel rappel ne peut masquer la faillite de la communauté internationale dans son ensemble.

*Le Monde* – 12 mars 2002.

## 12. Les difficiles prises de décision en Europe

Dessin de Plantu, *Le Monde* – Décembre 2002.

# 4 Élargissement : une nouvelle Union à bâtir

## Mots-clés

**Confédération :** regroupement de plusieurs États qui conservent une large autonomie et où les décisions les plus importantes doivent être prises à l'unanimité.

**Convention européenne :** assemblée qui rassemble, depuis décembre 2001, des représentants des gouvernements, des parlements nationaux, du Parlement européen et de la Commission européenne. Son but est de proposer des adaptations de l'Union européenne, en particulier un projet de Constitution pour l'Europe. Son président est l'ancien président de la République française, Valéry Giscard d'Estaing.

**Majorité qualifiée :** modalité de vote dans laquelle chaque pays dispose d'un nombre de voix variant entre 2 et 10 ; la majorité est atteinte à partir de 62 voix, sur un total de 87 voix.

* voir Lexique

## 1. Faire cohabiter grands et petits pays

• **L'Union à 15 agglomère des États de poids très différents** (14). À eux seuls six États constituent 75 % de la surface communautaire, cinq États regroupent 80 % de la population totale, les quatre économies les plus puissantes assurent 72 % du PIB européen. Avec l'élargissement de 2004, la superficie de l'Union européenne va croître de 23 %, sa population de 20 %, mais le PIB de seulement de 4,5 %.

• **L'influence dont dispose chaque État au sein de l'Union** est directement liée à son poids démographique et économique. Le mode de prise de décision (vote à l'unanimité ou à la **majorité qualifiée** suivant les sujets) oblige en permanence les grands États à passer des compromis avec des petits États.

## 2. L'approfondissement de l'Union est donc source de débat

• **L'Union européenne peut demeurer un dispositif minimal et une vaste zone de libre échange** à plusieurs vitesses (euro, Schengen...) selon les vœux britanniques ; elle peut devenir une **Union fédérale*** très intégrée sur le modèle allemand ; elle peut aussi se transformer en une **Confédération d'États** où certains domaines sont de la responsabilité européenne et d'autres toujours de chaque État.

• **Les travaux de la Convention européenne devraient arbitrer cette division des États** en proposant un texte ayant valeur de Constitution (13). De fait, une réforme des institutions, clarifiant la répartition des pouvoirs et le système de décisions est nécessaire pour fonctionner à 25 pays.

## 3. Assumer un élargissement inédit

• **L'élargissement à 10 nouveaux pays en 2004 constitue une rupture géopolitique majeure.** Les pays baltes ou Malte posent la question des frontières d'une Union européenne qui entre en contact direct avec la Russie et le Proche- et Moyen-Orient.

• **Il s'agit d'un défi économique et social :** les pays concernés ont un niveau de vie très inférieur (23 %) à la moyenne communautaire (15) ; la transition des anciens pays communistes vers la démocratie politique et l'économie de marché est chaotique ; les réformes brutales y ont engendré un choc social : chômage et pauvreté ont explosé, tout comme les inégalités régionales. Selon la Commission économique de l'ONU, la mise à niveau demandera de 15 à 40 ans selon les pays et nécessitera d'importants flux financiers.

• **Le coût de l'élargissement remet en cause les financements actuels,** car le budget communautaire est bloqué à 1,27 % du PNB de l'Union. Cette mobilisation vers l'Est obligera à **réorienter les financements des aides agricoles et régionales** : selon les critères actuels, 80 % des aides devraient partir à l'Est, mais le sommet de Berlin limite l'enveloppe destinée aux pays candidats à 40 milliards d'euros pour la période 2002-2006 (plafonnés à 4 % de leur PIB) et à 45 milliards après 2006 (16).

• **Les disparités spatiales seront donc très fortes,** exploitées par les investissements étrangers qui, déjà, valorisent les bas salaires dans des industries de moyenne ou bas de gamme (montage automobile, textile, appareils électriques) en Hongrie, Pologne et République tchèque, alors que des migrations de main-d'œuvre pourront se faire dans le sens inverse.

**Débat**

Quelle Europe voulons-nous construire ? *(pages 50-53)*

**Leçon**

L'Europe unifiée : une utopie ? *(pages 42-43)*

**Débat**

Quelle Europe voulons-nous construire ? *(pages 50-53)*

**Leçon**

La nouvelle carte géopolitique de l'Europe *(pages 40-41)*

## 13. Les enjeux de la Convention sur l'avenir de l'Europe

*Création de la Convention européenne : Valérie Giscard d' Estaing, président de la Convention – février 2002*

[...] Le processus d'union de l'Europe donne des signes d'essoufflement [...]. Les mécanismes de décision se sont compliqués, au point de devenir illisibles pour l'opinion publique. Depuis Maastricht, les derniers Traités ont été difficiles à négocier : les discussions au sein des institutions ont souvent donné le pas à des intérêts nationaux, sur la considération du bien commun européen. Enfin, le taux d'abstention aux élections européennes atteint un niveau inquiétant, dépassant pour la première fois en 1999 le seuil de 50 % !

L'inadaptation touche l'Europe dans sa géométrie actuelle. Elle sera encore plus critique dans l'Europe élargie...

Le piétinement actuel de l'Europe tient à plusieurs facteurs, notamment l'enchevêtrement des compétences, la complexité des procédures, et peut-être aussi l'affaiblissement de la volonté politique ; mais surtout à la difficulté de conjuguer un fort sentiment d'appartenance à l'Union européenne, et le maintien d'une identité nationale...

Le Conseil européen a donc décidé de créer la Convention sur l'avenir de l'Europe en lui assignant comme mission de préparer la réforme de ses structures et de nous engager sur la voie d'une Constitution pour l'Europe.

## 14. Le faible poids des candidats dans la future Union

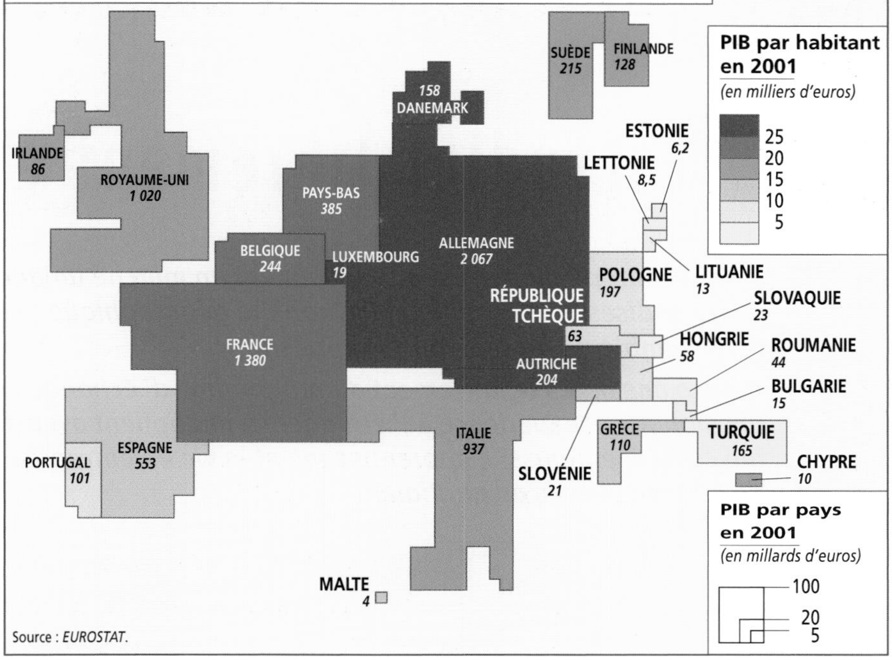


Source : *EUROSTAT.*

## 15. Les risques d'un élargissement mal préparé

C'est la première fois que l'Union ouvre la porte à autant de gens pauvres. Le revenu par tête des pays candidats n'atteint en moyenne que 40 % de celui des Quinze, avec des disparités internes très fortes. On peut craindre deux risques majeurs : un afflux d'immigrés si les revenus à l'Est ne se rapprochent pas de ceux de l'Ouest; une augmentation du chômage à l'Ouest si les entreprises délocalisent leurs usines...

La « pauvreté » relative des candidats les qualifie normalement pour toutes les aides structurelles : 51 régions sur 53 dans ces pays devraient recevoir des subventions bruxelloises. Avec deux conséquences : Espagne et Portugal craignent de perdre cet argent qui les a considérablement aidés jusque-là; d'autre part les pays entrants n'auront pas droit aux milliards d'euros qu'ils espéraient. Ces pays ont conservé une agriculture archaïque et des paysans nombreux. La Commission a donc proposé de limiter au départ les aides aux revenus à 25 % de ce que reçoivent les paysans de la Beauce ou de la Bavière.

*Le Monde* – 14 octobre 2002.

## 16. L'avis des Européens sur l'élargissement

*Sondage réalisé en novembre 2002, auprès d' un échantillon de 15 000 habitants dans 15 pays de l' Union européenne (Eurobaromètre).*

**Êtes-vous plutôt d'accord ou plutôt pas d'accord avec les propositions suivantes ?** *(Réponses « plutôt d' accord » en %)*

| | | | |
|---|---|---|---|
| **L'élargissement va permettre à nos entreprises de se développer sur de nouveaux marchés.** | 84 | **Nous avons un devoir moral de réunifier l'Europe après les divisions dues à la guerre froide.** | 66 |
| **Avec l'élargissement, l'Union européenne sera plus forte sur la scène internationale.** | 80 | **L'élargissement va coûter très cher à notre pays.** | 65 |
| **Il sera plus difficile de prendre des décisions dans une Union européenne élargie.** | 76 | **Avec l'élargissement, beaucoup de citoyens des nouveaux États membre vont venir s'installer dans notre pays.** | 65 |
| **L'élargissement va réduire les risques de guerre et de conflits en Europe.** | 69 | **L'élargissement fera accroître le chômage en notre pays.** | 44 |
| | | **Avec l'élargissement, notre pays jouera un rôle moins important en Europe.** | 33 |

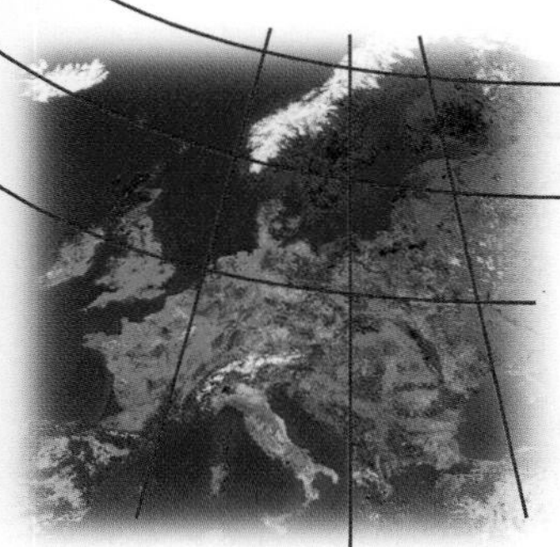

# Dossier

# Étudier librement en Europe

***L**'Union européenne n'est pas seulement un marché unique où circulent librement les marchandises et les capitaux. La mobilité géographique des jeunes est encouragée grâce à tout un ensemble de programmes européens.*

***Q**uinze ans après le lancement du programme d'échanges inter-universitaires Erasmus, les possibilités d'expérience à l'étranger se multiplient avec de nombreuses initiatives régionales qui concernent aussi l'apprentissage et la vie en entreprise. Une conscience européenne naît de ces liens tissés au quotidien.*

## 1. Erasmus : plus d'un million d'étudiants depuis 1987

La Commission européenne a commencé à s'investir dans la mobilité des étudiants de l'enseignement supérieur en 1987, lorsqu'un nouveau programme portant le nom d'Erasmus, célèbre humaniste et philosophe de la Renaissance, a vu le jour dans les États de la CEE.

Cette expérience permet aux jeunes de se faire une idée des différents systèmes en matière d'enseignement, de prendre davantage conscience de la citoyenneté européenne ; elle accroît aussi les capacités d'insertion professionnelle des étudiants pouvant se prévaloir d'une période d'études à l'étranger. Les statistiques montrent qu'environ un tiers des étudiants se voient proposer un emploi à l'étranger et la moitié de ceux qui acceptent (soit un cinquième) sont engagés dans les pays où ils ont eu leur expérience Erasmus.

Commission européenne
Octobre 2002.

## 2. Le soutien du programme Leonardo da Vinci

L'opération « Apprentis sans frontière » a reçu le soutien du programme européen Leonardo qui encourage la formation professionnelle à l'échelle européenne : ce premier échange en entreprises concerne soixante apprentis de Haute-Normandie et du Land de Basse-Saxe (Allemagne) qui échangent leur poste durant deux mois.

## 3. La mobilité des étudiants Erasmus en 1999-2000 *(108 000 étudiants concernés) – Principaux pays*

| Pays | Étudiants Entrants | Étudiants Sortants | Pays | Étudiants Entrants | Étudiants Sortants | Pays | Étudiants Entrants | Étudiants Sortants |
|---|---|---|---|---|---|---|---|---|
| **Allemagne** | 14 700 | 15 700 | **France** | 17 890 | 17 100 | **Pays-Bas** | 5 900 | 4 420 |
| **Autriche** | 2 500 | 2 950 | **Grèce** | 1 290 | 1 910 | **Pologne** | 470 | 2 810 |
| **Belgique** | 3 670 | 4 400 | **Hongrie** | 460 | 1 630 | **Portugal** | 2 240 | 2 470 |
| **Danemark** | 2 310 | 1 760 | **Irlande** | 3 090 | 1 690 | **Rép. tchèque** | 470 | 1 250 |
| **Espagne** | 15 270 | 16 300 | **Italie** | 8 040 | 12 430 | **Royaume-Uni** | 20 800 | 10 060 |
| **Finlande** | 3 020 | 3 486 | **Norvège** | 1 010 | 1 110 | **Suède** | 4 220 | 3 090 |

Source : Commission européenne.

**4. L'harmonisation des diplômes en chantier**

Dessin de Pessin.

**6. Des Hongrois motivés**

2 000 étudiants hongrois ont bénéficié d'une bourse Socrates ou Erasmus. Ils ne se considèrent plus comme des « gens de l'Est », mais comme des jeunes européens comme les autres. En 2001, près de 800 Hongrois ont effectué des stages professionnels dans le cadre du programme Leonardo : stages de gestion, de boulangerie ou de coiffure.

Dans le sens Ouest-Est, la mobilité est faible. La langue hongroise, ni slave, ni indo-européenne, est un obstacle. Aussi l'université de Budapest a-t-elle lancé un programme en anglais qui accueille quelques dizaines d'étrangers.

D'après *La Tribune* – 10 février 2002.

**5. Affiche du film *L'auberge espagnole***

Dans *L'auberge espagnole*, le programme Erasmus permet au héros Romain Duris de passer un an à Barcelone en compagnie d'autres jeunes gens de toutes nationalités. Pour le réalisateur Cédric Klapisch, « Erasmus est un moment de vie extraordinaire qui crée une nouvelle génération d'esprits, plus ouverts sur le monde ».

**7. L'Europass formation**

L'Europass formation entend développer la mobilité professionnelle entre cinq pays en gérant des parcours de formation en alternance, validés sur un passeport européen.

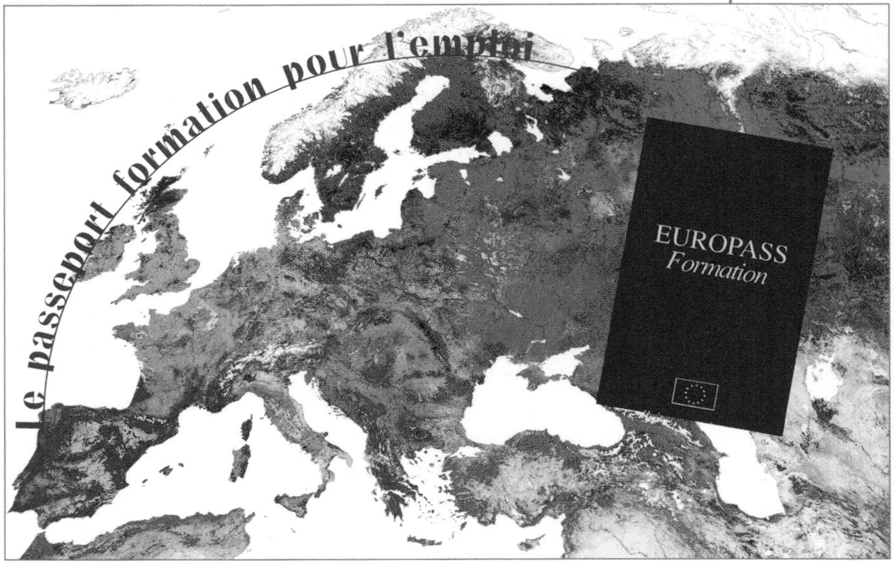


## Questions

**1.** Quels sont les publics visés par les programmes européens présentés dans ce dossier (1 à 7) ?

**2.** Quels sont les objectifs de ces programmes (1 à 7) ? Quels en sont les effets ?

**3.** Quelles en sont les limites actuelles (3, 4, 6) ?

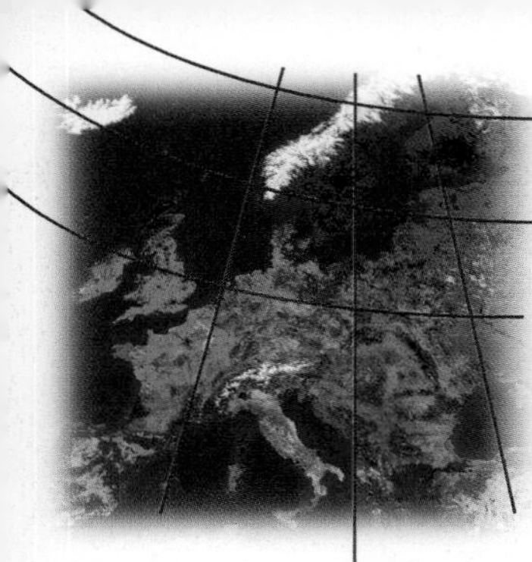

# Dossier

# Natura 2000 : une politique européenne de l'environnement

*La protection de l' environnement est devenue une priorité de l' Union européenne : depuis 1994, a été créée une Agence européenne de l' environnement dont la politique se soucie de la qualité de l' environnement qui sera léguée aux générations futures.*

*Cette perspective de développement durable suppose une sauvegarde de la biodiversité : la mise en œuvre du réseau de sites protégés Natura 2000, décidée dès 1992, répond à cette volonté mais suscite de vifs débats, voire de fortes tensions locales.*

## 1. L'Europe protège l'environnement : Natura 2000

La biodiversité est en danger en Europe : on a vu disparaître des habitats naturels tels que les zones humides et des prairies qui étaient indispensables à la survie de nombreuses espèces. Les directives « oiseaux » (1979) et « habitats » (1992) mettent donc l'accent aussi bien sur la protection des sites que sur celle des espèces. Le réseau Natura 2000 définit des zones protégées dans tous les pays de l'Union européenne ; protection des espèces sauvages et activités économiques doivent s'y concilier. Compte tenu de l'ampleur des sites écologiques remarquables recensés (habitats, faune et flore), environ 10 % du territoire européen seraient ainsi protégés.

Le réseau devrait être complètement opérationnel en 2004, mais les travaux de base ont pris un certain retard. Plusieurs facteurs sont responsables de ce retard, notamment le manque d'information : jusqu'à présent, le réseau n'était principalement connu que des écologistes. Les retards enregistrés viennent également de la crainte, exprimée au niveau local, que Natura 2000 ne porte préjudice aux perspectives de développement économique des zones sélectionnées. Pourtant, tout porte de plus en plus à croire que les sites Natura 2000 peuvent offrir des débouchés positifs aux communautés et économies locales, notamment en termes de revenus supplémentaires dérivés des activités touristiques dites « douces » ou d'accès facilité aux sources de financement de l'Union européenne.

L'Union européenne et l'environnement, Commission européenne – 2002.

NATURA 2000

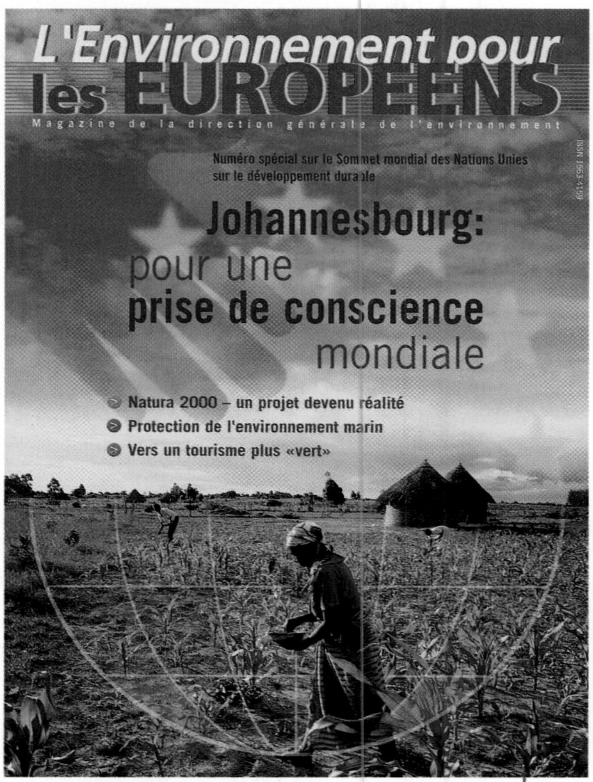


## 2. Natura 2000 : un grand projet de l'UE

Magazine de la Direction générale de l'environnement – Commission européenne.

## 3. Des mesures européennes difficiles à mettre en œuvre

La France est condamnée par la Cour de Justice européenne pour lenteur dans la mise en œuvre des mesures environnementales dans le cadre de Natura 2000 ; mais dans le même temps, en France, le Conseil d'État a fait annuler la moitié de la liste des sites proposés par l'Europe pour manque de concertation avec la France.

Chasseurs, forestiers et agriculteurs, relayés par les élus, s'insurgent contre ce qu'ils estiment être la création de « réserves d'Indiens ». Le flou entourant le statut des zones de conservation alimente la suspicion ; le niveau des interdits dépend des espèces à protéger. En juillet 2001, pour faire respecter les directives européennes, le Conseil d'État a annulé un arrêté préfectoral qui autorisait la plantation de vignes dans une zone Natura 2000. Ailleurs, on craint pour le développement touristique, si aucun permis de construire ne peut plus être délivré dans les zones protégées.

*Le Monde* – 15 février 2002.

## 4. Polémique autour de l'estuaire de la Gironde

La liste des périmètres Natura 2000 en Aquitaine englobe la totalité de l'estuaire de la Gironde, alors que les autorités portuaires proposaient qu'on leur laisse 5 % de l'emprise du domaine fluvial afin de pouvoir continuer à entretenir le chenal d'accès aux sites portuaires.

Les enjeux économiques sont de taille, car en 2001 plus de 1600 navires transportant 9 millions de tonnes se sont amarrés à un des sites et le transport maritime va vers des navires de plus en plus gros. Le port autonome emploie 1500 salariés et génère près de 20 000 emplois induits.

Le site industriel d'Ambès, où se trouve un dépôt pétrolier qui alimente également la région Midi-Pyrénées, pourrait ainsi se voir interdire de construire une nouvelle cuve. De même, l'acheminement des éléments du futur avion gros-porteur d'Airbus A380 deviendrait impossible.

D'après *Le Figaro* et *La Tribune* – Mai 2002.

## 5. Les sites Natura 2000 en France

*8% du territoire français sont inscrits au réseau Natura 2000 contre 15% en moyenne dans l'Union européenne*

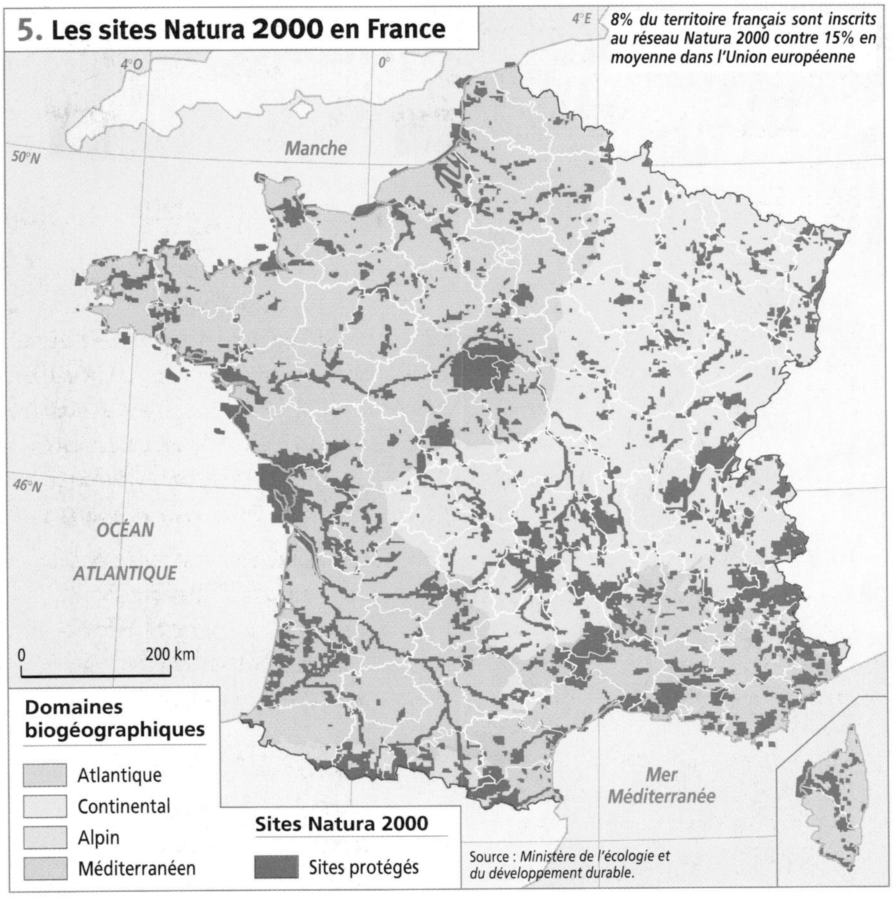


## 6. Quels effets de Natura 2000 en Camargue ?

6 000 personnes vivent sur le territoire camarguais concerné par les zones protégées ; elles y ont des activités touristiques, font de l'élevage de chevaux et de taureaux, cultivent du riz, du blé et d'autres céréales. Avec Natura 2000, qu'en serait-il ? Ici, on refuse de voir la Camargue devenir un musée alors que les activités économiques y génèrent 140 millions d'euros de chiffres d'affaires.

Les mesures de Natura 2000 ne conduisent pas à interdire les activités humaines si elles n'ont pas d'effets significatifs contraires aux objectifs environnementaux. Dans la Crau, les agriculteurs l'ont bien compris et ont demandé l'extension du périmètre.

*Le Figaro* – 2 février 2002.

## 7. Manifestation contre Natura 2000

Arles, le 6 avril 2002.

## Questions

**1.** Qu'est-ce que le réseau Natura 2000 (1, 2) ? Quels sont ses objectifs ?

**2.** Quel bilan peut-on dresser de sa mise en place en France (3, 5, 6) ?

**3.** Qui sont les opposants à Natura 2000 ( 3, 4, 6, 7) ? Quels sont leurs arguments ?

# Perspective BAC

# La Politique agricole commune (PAC) : une réforme inévitable ?

## Étude de documents

Présenter des documents, sélectionner des informations et les regrouper par thèmes

1. **Manifestation contre la PAC à Bruxelles en février 1999**

### 2. Il faut réorienter la PAC

Au début des années 1960, on a construit l'Europe autour de l'agriculture, avec un objectif essentiel : assurer l'indépendance alimentaire de l'Europe. Grâce à cela, nous avons aujourd'hui une agriculture solide, diversifiée, exportatrice.

La baisse des prix dans laquelle nous sommes engagés depuis 1992 permet de corriger quelques-uns des dysfonctionnements les plus criants de la PAC, en résorbant les excédents de production.

Parallèlement, nous avons mis en place, en 1999, une véritable politique de développement rural, mais les soutiens directs destinés à compenser les baisses de prix garantis sont coûteux pour le budget communautaire. Surtout, la situation de dépendance à l'égard des primes est difficile à accepter pour les agriculteurs qui refusent d'être des assistés et préfèrent être rémunérés par les prix.

C'est en profondeur qu'il faut refondre le contrat entre la société européenne et ses agriculteurs. « Produire toujours plus » a-t-il encore un sens ? Il faut rompre avec cette course folle à la productivité à tout prix, conduite au mépris de l'emploi, de l'environnement, de la qualité et de la sécurité des aliments.

Il me paraît incontournable d'inventer un nouveau contrat fondé sur un objectif nouveau : produire mieux.

Le mécanisme de cette « modulation » entre les aides de marché et les crédits destinés au développement rural est simple : il consiste à plafonner les aides directes qui sont proportionnelles à la quantité produite, donc celles qui profitent plus aux gros producteurs, pour réorienter les crédits ainsi dégagés vers le deuxième pilier de la PAC, celui qui, justement, symbolise le « produire mieux ».

J. Glavany, ancien ministre de l'Agriculture, *Le Monde* – 6 avril 2001.

### 3. Une réforme qui divise

Le commissaire européen Franz Fischler a annoncé le report du début du processus de réduction des aides directes aux agriculteurs de 2004 à 2007. La diminution atteindrait en six ans 12,5 % à 19 % du budget des aides directes, selon le type d'exploitant. Les sommes ainsi épargnées bénéficieraient au développement rural et au financement de nouvelles réformes dans le cadre d'une PAC à 25 États.

En revanche, Franz Fischler persiste et signe sur l'autre point de son projet initial : découpler les aides directes du niveau de la production. Et cela dès 2004. Inacceptable, selon la France ; principale bénéficiaire de la PAC, celle-ci craint de devoir subir une baisse du niveau des subventions qui sont accordées à ses agriculteurs.

En revanche, l'idée de Fischler est soutenue par plusieurs pays de l'Union européenne, au premier rang desquels on trouve la Grande-Bretagne et l'Allemagne qui jugent la PAC trop coûteuse. L'Europe y voit surtout un moyen de mettre les Quinze en position favorable face à ses partenaire de l'OMC*, avec qui des négociations sont prévues sur le volet agricole. En effet, ces aides directes sont dénoncées comme « déloyales » par les concurrents de l'Union européenne, comme les États-Unis, le Canada ou l'Australie.

L'Expansion.com – 21 janvier 2003.

## 4. La PAC, pour qui ?

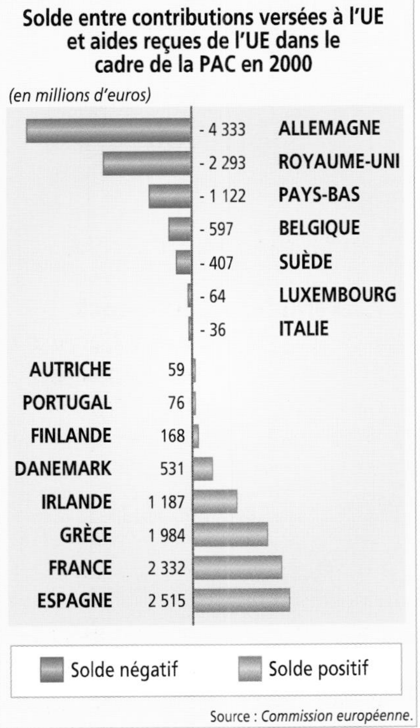


Source : *Commission européenne.*

## 5. Montant des subventions par exploitation

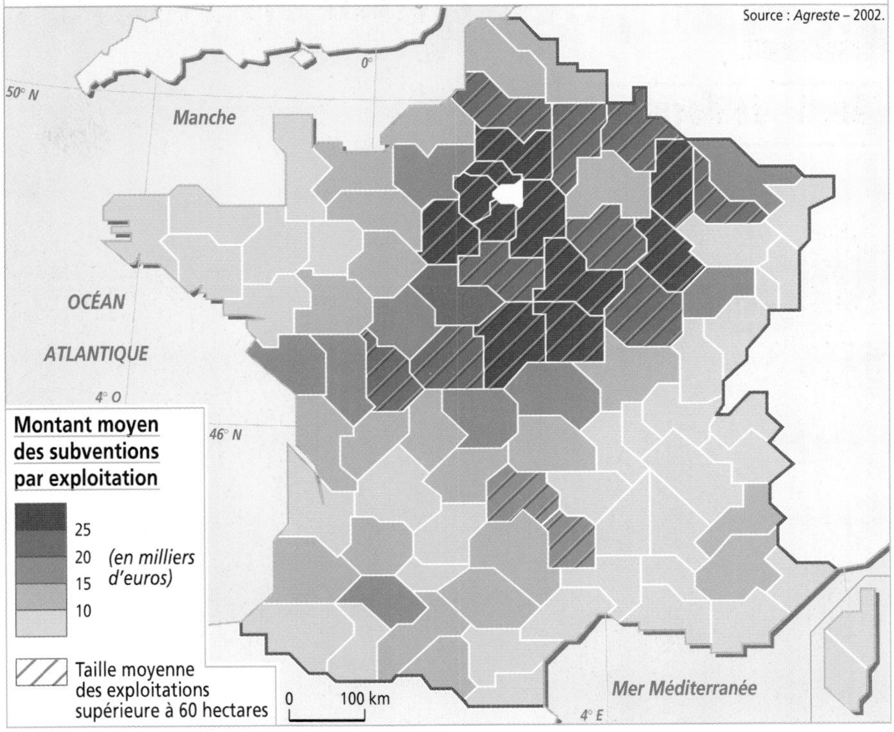


## Exercices

**Voir méthode page 28.**

### 1. Présenter les documents

- Pour préparer le travail de présentation, il est utile de réaliser au brouillon un tableau. Reproduisez et complétez le tableau suivant :

| Documents | 1 | 2 | 3 | 4 | 5 |
|---|---|---|---|---|---|
| Nature | | | | | |
| Source et date | | | | | |
| Intérêt du document par rapport au sujet | | | | | |

### 2. En fonction du sujet, sélectionner, classer, confronter les informations et les regrouper par thèmes

- Rédigez la présentation des documents.
- Lisez le sujet :
  – qu'est-ce que la Politique agricole commune (voir page 54) ?
  – que faut-il comprendre par « *une réforme inévitable* »?
- Réalisez un tableau en 2 colonnes selon le modèle ci-dessous. Puis, pour chacun des documents, sélectionnez les informations qui correspondent aux questions suivantes :

| Documents | Informations |
|---|---|
| 1 | Quelles informations apporte la photographie ? |
| 2 | Quelles informations apportent les phrases surlignées : en jaune ? en vert ? |
| 3 | Quelle réforme soutient le commissaire européen F. Fischler ? Quel pays y est hostile ? Qui souhaite une réforme de la PAC ? |
| 4 | Quels sont les pays qui contribuent le plus au budget de la PAC ? Quels sont les pays les plus subventionnés ? |
| 5 | Où les montants des subventions sont-ils les plus élevés ? À quel type d'exploitation parviennent-elles ? (Utilisez aussi les pages 230-231.) |

- Reproduisez le tableau et classez les informations en 3 thèmes :

| Documents | Les bénéfices de la PAC inégalement répartis | Vers une réforme de la PAC | La réforme, un enjeu international |
|---|---|---|---|
| 1 | | | |
| 2 | | | |
| 3 | | | |
| 4 | | | |
| 5 | | | |

Perspective BAC

# L'Union européenne : contrastes de peuplement et de richesse

## Carte et croquis — Utiliser les figurés et lire un croquis

### 1. Les contrastes de richesse

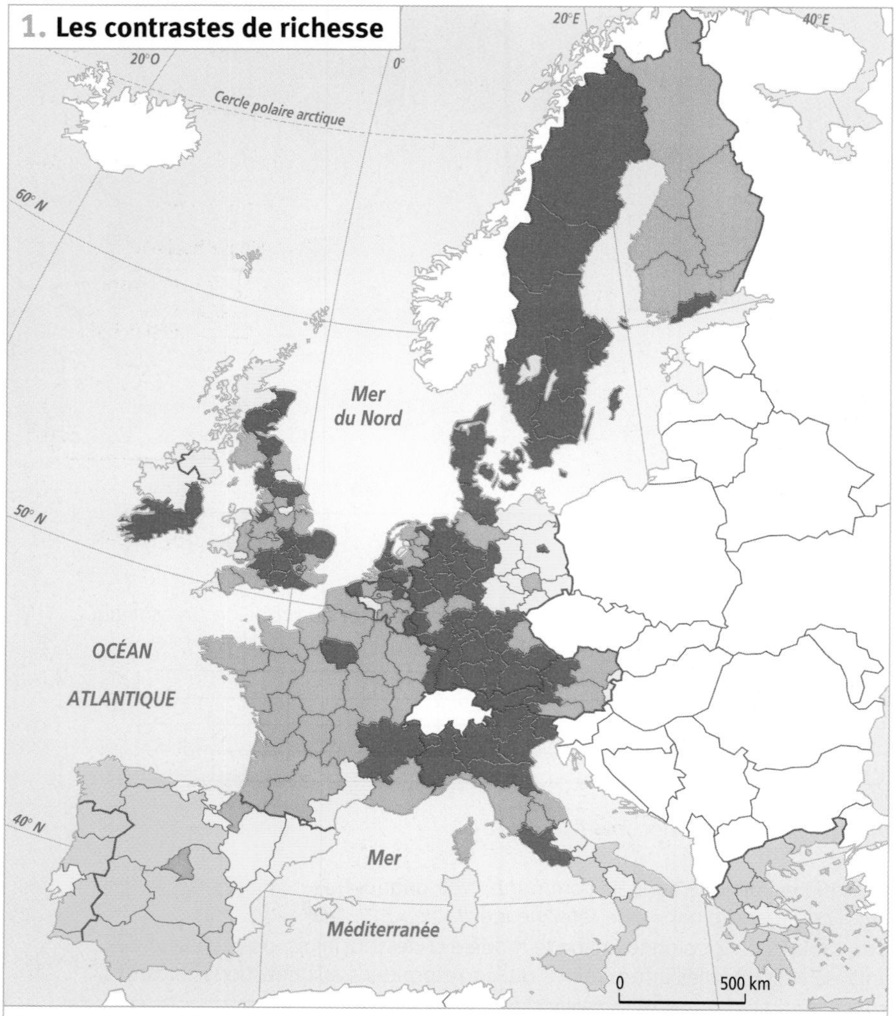


**PIB* par habitant par région en 2000**
*Indice Union européenne : 100*
75 100 125

Source : *Eurostat.*

### 2. Exemples de légendes

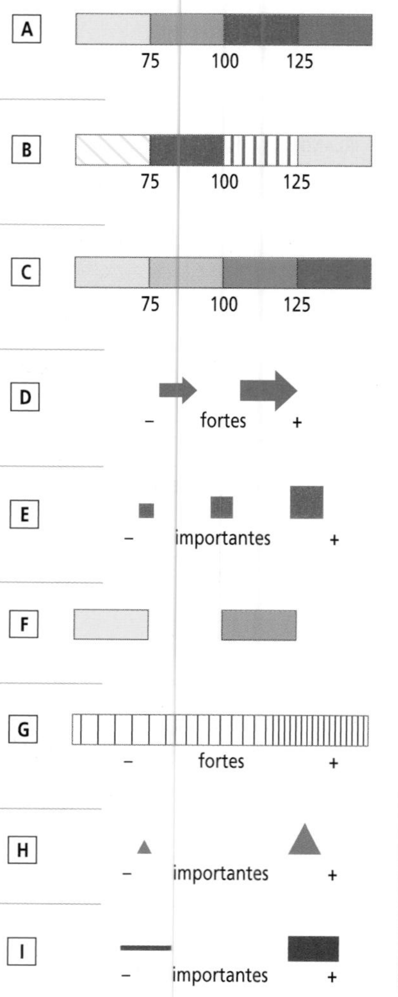


## Exercices

### 1. Utiliser les figurés du langage cartographique

**Pour réaliser les exercices, utilisez l'annexe 15 « Le langage cartographique ».**

- Quelle information est cartographiée sur la carte 1 ?
  Les figurés utilisés sont-ils conformes aux règles du langage cartographique ?
- Quelle(s) autre(s) légende(s) (A, B ou C) pourrait-on aussi utiliser pour la carte 1 ? Justifiez votre réponse.
- Quelle(s) légende(s) (D, E, F, G, H ou I) choisiriez-vous pour cartographier, à l'échelle de l'Union européenne, les informations suivantes : *les agglomérations ; les flux migratoires ; les densités de population ; les régions agricoles et forestières ; les grands ports ; les autoroutes.*
- Quand est-il indispensable d'utiliser des hachures (voir **annexe 15**) ?

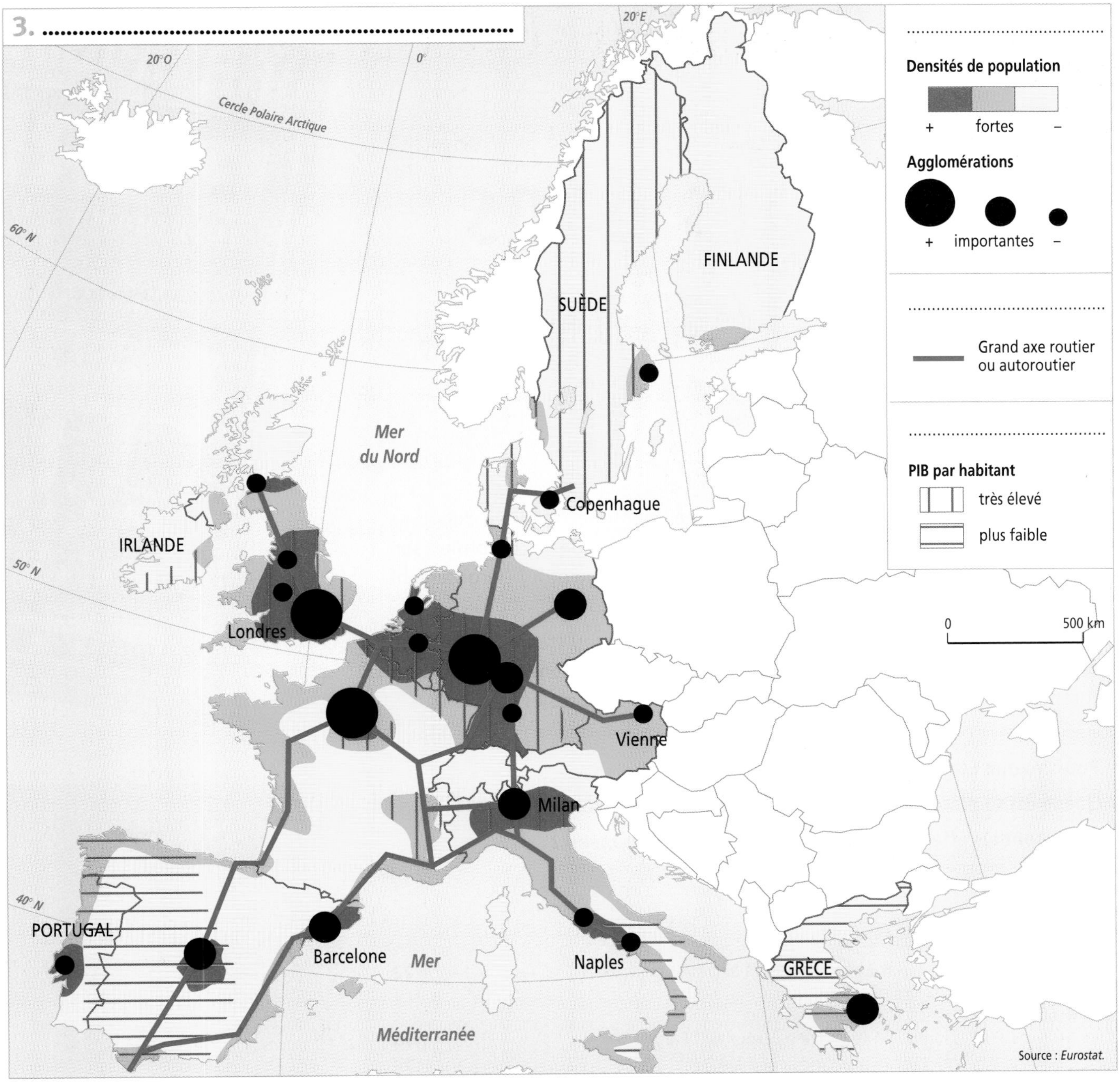


# Point Méthode

**Un bon croquis de géographie doit comporter :**

- Des figurés adaptés
- Une légende classée
- Une nomenclature
- Un titre

## Exercices

### 2. Reconnaître les qualités d'un croquis de géographie

- Relevez les types d'informations figurant sur le croquis 3.
- Tous les figurés utilisés sont-ils conformes aux règles du langage cartographique ?
- Pouvait-on utiliser d'autres figurés ? Lesquels ?
- Pourquoi a-t-on utilisé des hachures ?
- Dans la légende, les informations du croquis 3 sont-elles classées ? Combien la légende possède-t-elle de rubriques ? Donnez des sous-titres à chacune des rubriques.
- Les principaux noms (États, villes, océans ou mer, etc.) sont-ils indiqués sur le croquis 3 ? Si non, dites lesquels devraient figurer (utilisez les cartes annexes).
- Donnez un titre au croquis 3 correspondant au sujet traité.

Chapitre **4**

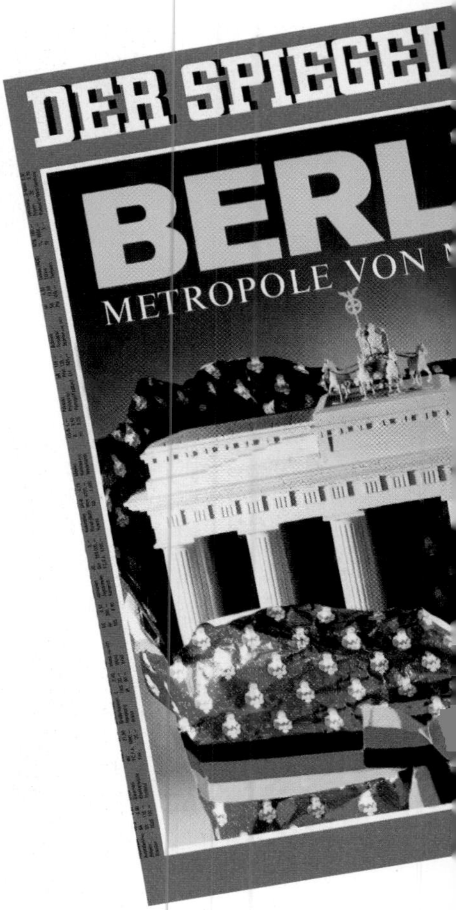


# Deux États dans l'UE : Allemagne, Royaume-Uni

- L'Allemagne, première puissance européenne, bien que fragilisée depuis sa réunification, entend assumer une responsabilité internationale conforme à son poids économique et géopolitique, en œuvrant notamment à l'élargissement de l'Union européenne.
- Le Royaume-Uni, ancienne puissance impériale, garde son statut de puissance mondiale. Intégré dans l'Union européenne, il resserre ses liens avec ses voisins européens tout en maintenant des relations privilégiées avec les États-Unis.

**Pour chaque État étudié :**

- **Quelle est sa place et sa spécificité dans l'Union européenne ?**
- **Quels sont les effets territoriaux de son ancrage européen ?**

**Londres : Westminster, l'orgueil d'une capitale au rayonnement planétaire.**

S'étirant le long de la Tamise, en amont de la City, le palais du Parlement, dominé par Big Ben, incarne la tradition britannique et le prestige d'une puissance qui a dominé le monde, mais qui se tourne aujourd'hui vers l'Europe.

**Berlin : la porte de Brandebourg, symbole de la nouvelle Allemagne.**

Située à l'Est, verrouillée pendant 28 ans par le Mur, la porte de Brandebourg, édifiée en 1797 en bordure du centre historique, est l'emblème de la nouvelle capitale de l'Allemagne réunifiée. Depuis 1990, elle retrouve sa fonction de passage triomphal sur l'axe majestueux des avenues Unter den Linden et du 17.-Juni.
Couverture du journal *Der Spiegel* – Décembre 1989.

Cartes Enjeux

# Allemagne, Royaume-Uni : quels ancrages européens ?

## 1. L'Allemagne au cœur de l'Europe

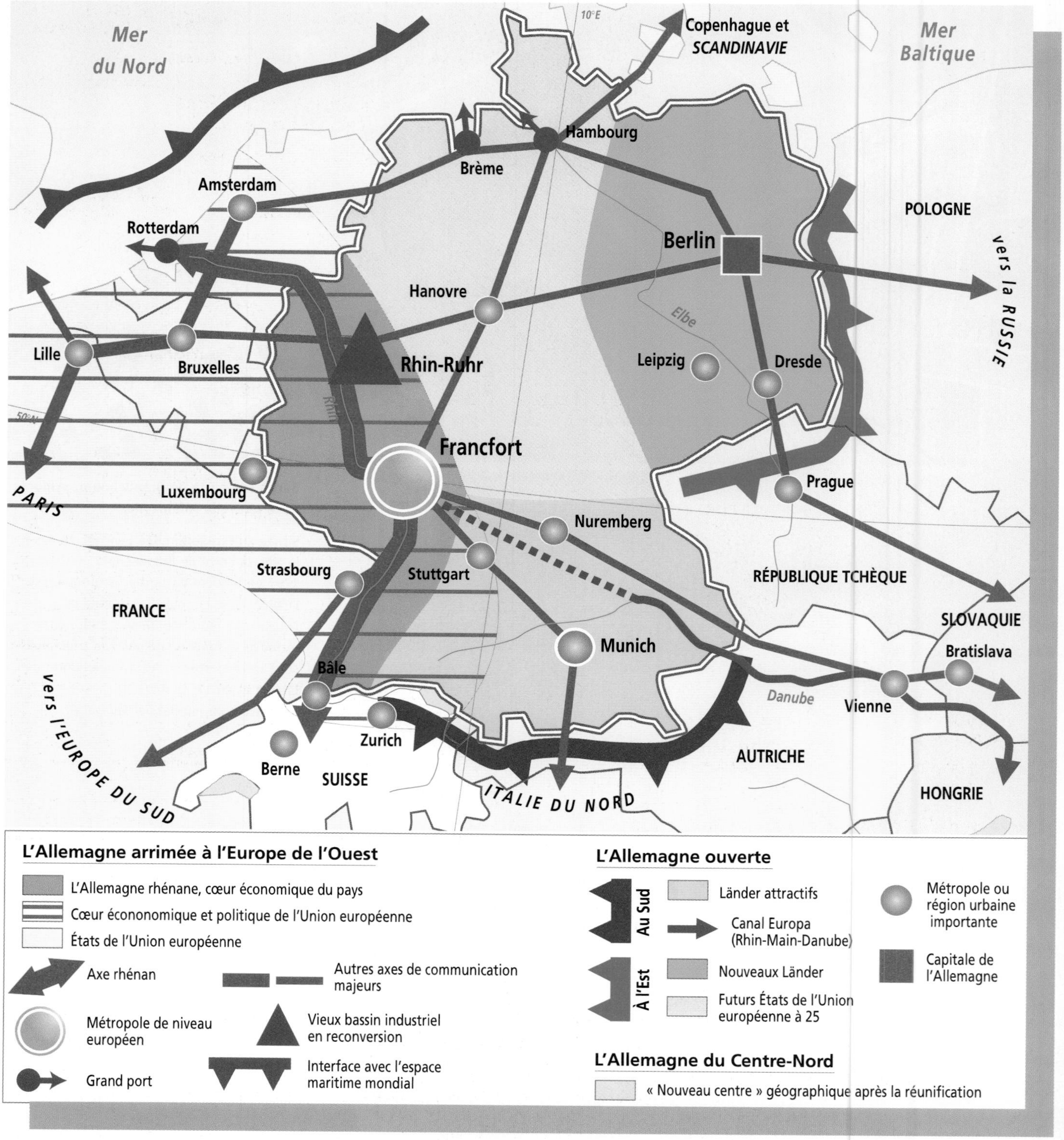

Mer du Nord
Mer Baltique
Copenhague et SCANDINAVIE
Hambourg
Brème
Amsterdam
Rotterdam
Berlin
POLOGNE
vers la RUSSIE
Hanovre
Elbe
Lille
Bruxelles
Rhin-Ruhr
Leipzig
Dresde
Rhin
Francfort
Luxembourg
PARIS
Prague
Nuremberg
Strasbourg
Stuttgart
RÉPUBLIQUE TCHÈQUE
FRANCE
SLOVAQUIE
Munich
Bratislava
Bâle
Danube
Vienne
Zurich
Berne
SUISSE
AUTRICHE
vers l'EUROPE DU SUD
ITALIE DU NORD
HONGRIE
L'Allemagne arrimée à l'Europe de l'Ouest
L'Allemagne rhénane, cœur économique du pays
Cœur écononomique et politique de l'Union européenne
États de l'Union européenne
Axe rhénan
Autres axes de communication majeurs
Métropole de niveau européen
Vieux bassin industriel en reconversion
Grand port
Interface avec l'espace maritime mondial
L'Allemagne ouverte
Au Sud
Länder attractifs
Canal Europa (Rhin-Main-Danube)
À l'Est
Nouveaux Länder
Futurs États de l'Union européenne à 25
Métropole ou région urbaine importante
Capitale de l'Allemagne
L'Allemagne du Centre-Nord
« Nouveau centre » géographique après la réunification

## 2. Le Royaume-Uni dans la dynamique européenne

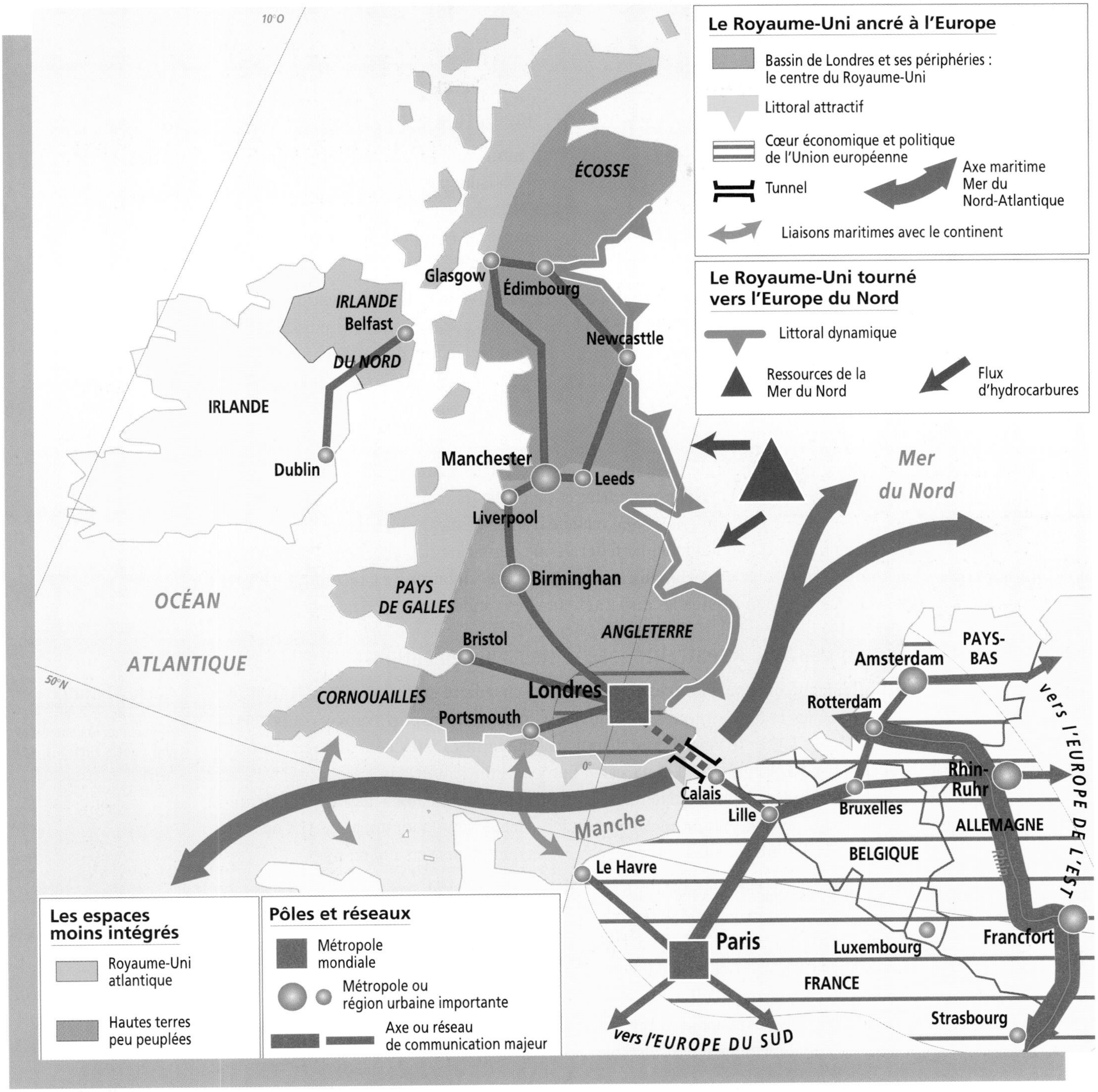

**Questions**

- Pour l'État étudié, précisez sa situation géographique en Europe et dans l'Union européenne.
- Comment cet État s'intègre-t-il dans l'espace européen ?
- Quelles sont les régions les mieux intégrées dans l'Union européenne ? Quelles sont les régions en marge ?

# 1 L'Allemagne, un territoire au cœur de l'Europe

## Mots-clés

**RDA :**
la zone d'occupation soviétique après la Seconde Guerre mondiale a été transformée, le 9 octobre 1949, en République démocratique allemande ; cet État a disparu avec la réunification.

## 1. La fin d'« un État sans frontière, une Nation sans État »

• **Toute l'histoire de l'Allemagne, pays aux mouvantes frontières, s'est jouée au cœur de l'Europe** entre le Rhin et la Vistule, entre la Baltique et les Alpes. Tantôt morcelé à l'extrême (300 États, principautés et duchés indépendants en 1648), tantôt vaste et centralisé (730 000 $km^2$ pour le III$^e$ Reich), **aucun État européen n'a connu de telles fluctuations spatiales**.

• **Cette indétermination territoriale a pris fin en 1990 avec la réunification** du pays, coupé en deux États depuis 1949 par le « rideau de fer ». Redevenue une puissance souveraine à part entière, l'Allemagne **revendique une place nouvelle sur l'échiquier mondial**. Elle s'efforce de faire de l'allemand (1$^{re}$ langue maternelle en Europe) une langue reconnue au Conseil de l'Europe et à l'ONU, où elle réclame une place au Conseil de sécurité.

• **La République fédérale d'Allemagne comprend 16 Länder**, dotés d'une Constitution, d'un gouvernement, d'un parlement et de plusieurs ministères. **Véritable État régional**, le Land exerce son pouvoir en matière d'aménagement du territoire, d'éducation, de vie culturelle et économique. Le **fédéralisme** s'enracine dans l'histoire d'un pays où **les pouvoirs locaux et régionaux ont toujours été vigoureux et reconnus**. Un système de péréquation atténue les disparités entre les Länder riches et pauvres.

**Atlas**
**Annexe 4**
*(page 324)*

## 2. La nouvelle « centralité » de l'Allemagne en Europe

• **L'Allemagne occupe à nouveau une position charnière en Europe**. Avec l'ouverture des économies et des territoires, de **nouveaux axes de transport transversaux** (autoroutes, lignes à grande vitesse, Mittellandkanal modernisé) rattachent aux régions occidentales l'ex-**RDA** et les **PECO***. Le canal Europa (Rhin-Main-Danube), achevé en 1992, relie la mer du Nord à la mer Noire. La Lufthansa a ouvert de nouvelles lignes aériennes vers les pays de l'Est, offrant 392 vols hebdomadaires vers 18 destinations. La desserte aérienne de Berlin s'élargit et s'intensifie (15 vols quotidiens vers Francfort).

• **Le choix de Berlin comme capitale fédérale est symbolique** : après la division de l'Allemagne, ce choix incarne sa réunification et sa volonté d'ouverture à l'Est. Berlin s'affirme comme **un nœud central à la croisée des axes de transport transeuropéens** Copenhague-Budapest et Paris-Moscou. Elle s'équipe d'un nouveau centre administratif fédéral, d'un **quartier d'affaires** (Potsdamer Platz (3)), d'une nouvelle gare pour accueillir les TGV et d'un aéroport international à Schönefeld, au prix de lourds investissements et d'un endettement considérable.

• **L'unification a donné un nouveau souffle à la présence culturelle, économique et diplomatique allemande à l'Est**. Ses liens historiques séculaires avec l'Europe centrale en font le meilleur avocat de l'élargissement de l'Union européenne. Directement affectée par les mutations géopolitiques survenues depuis 1989 et par l'immigration clandestine, **l'Allemagne souhaite repousser vers l'Est les frontières de l'Union européenne**. Si elle soutient vigoureusement la transition économique et politique des PECO, l'Allemagne garde ses liens économiques essentiels avec l'Ouest (54 % de ses échanges et 51 % de ses investissements avec l'Union européenne) (1, 2).

**Cartes Enjeux**
**Allemagne, Royaume-Uni : quels ancrages européens ?**
*(page 72)*

**Dossier**
**Volkswagen, une multinationale à la conquête de l'Europe**
*(pages 78-79)*

* voir Lexique

## 1. La puissance allemande en Europe

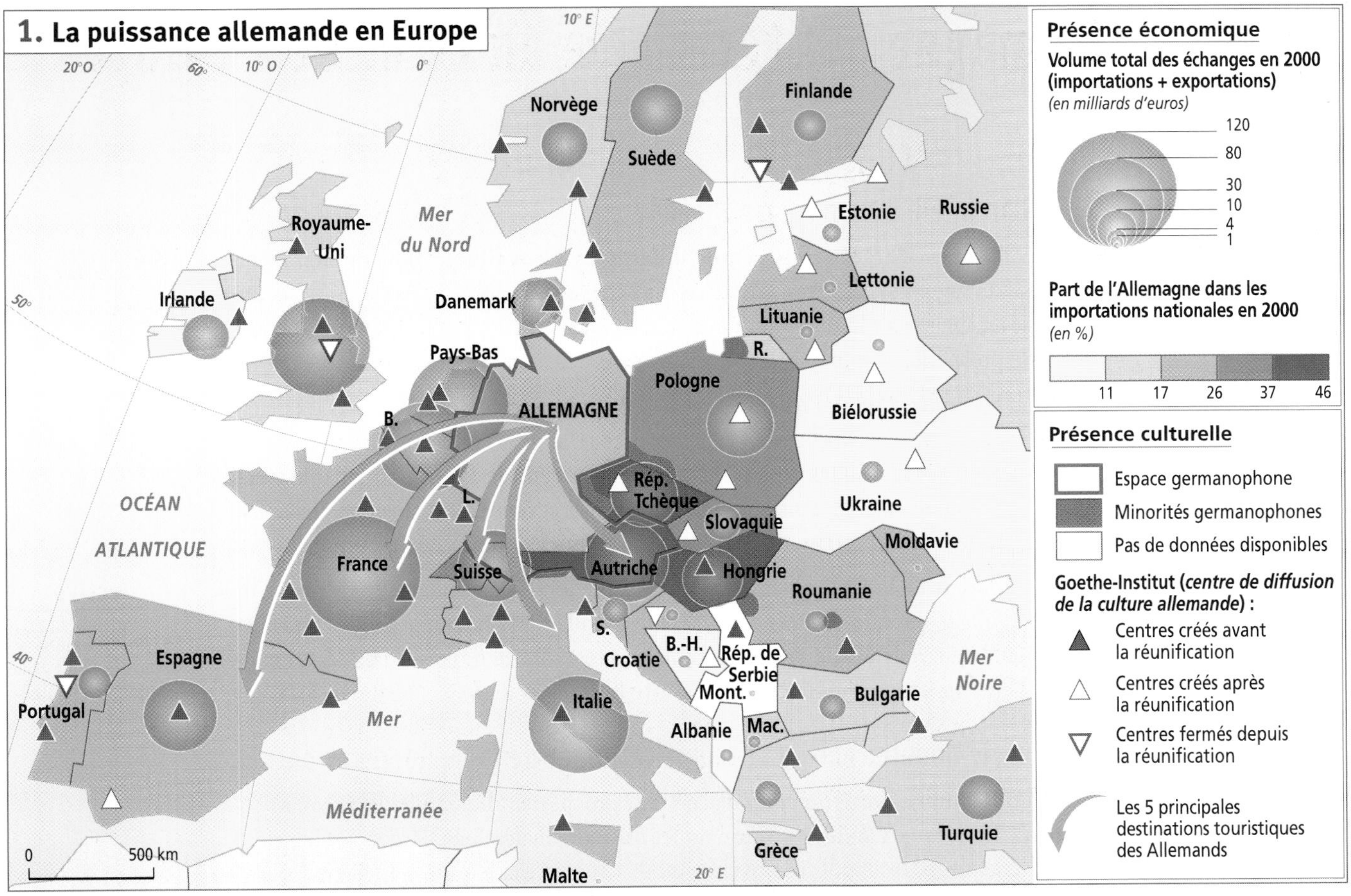


## 2. Les investissements allemands à l'Est

L'Allemagne, nouveau centre de gravité de l'Europe, est devenue le principal partenaire économique des PECO* et de la Russie, notamment la Pologne, la République tchèque et la Hongrie. Elle réalise 12 % de ses échanges commerciaux avec eux ; les investissements directs ne représentent que 5 % (en flux ou en stock) du total allemand, mais ils sont vitaux pour ces pays en pleine restructuration. L'Allemagne y exporte aussi son savoir-faire juridique et financier en matière de privatisation d'entreprises publiques.

La mauvaise conjoncture internationale et la crise du système bancaire allemand fragilisent cet engagement financier à l'Est. Les investisseurs extérieurs à l'Euroland (américains, britanniques, arabes, japonais), qui détiennent un tiers de la capitalisation boursière allemande, s'inquiètent des placements allemands en Europe centrale, où nombre d'entreprises sont d'une solvabilité incertaine.

J.-M. Holz – Janvier 2003.

## 3. Berlin, Potsdamer Platz

Le nouveau centre d'affaires symbolise la renaissance économique de la capitale.

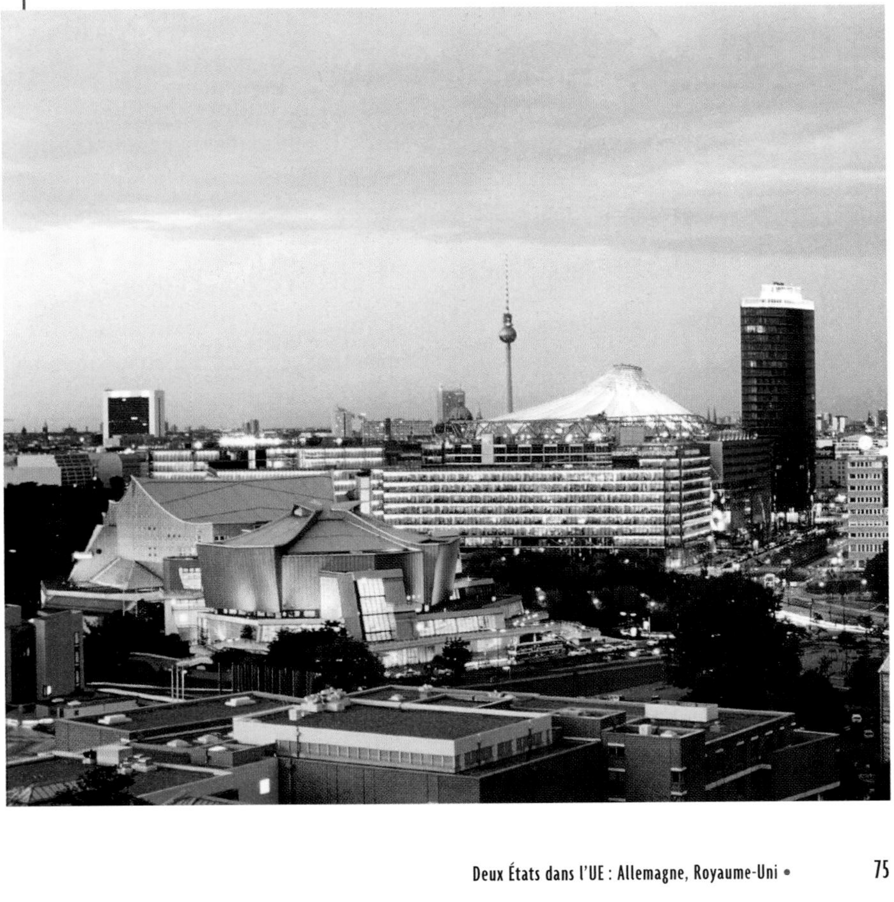

# 2 L'Allemagne : la puissance ébranlée ?

## Mots-clés

**BCE :** créée en 1999, la Banque centrale européenne se substitue partiellement aux banques centrales des pays membres de l'Union économique et monétaire (UEM).

**Bundesbank :** Banque centrale fédérale, créée en 1948, avec un rôle identique à celui de la Banque de France.

* voir Lexique

## 1. La première puissance européenne

• **L'Allemagne est l'État le plus peuplé d'Europe : 82,2 millions d'habitants.** Elle a accueilli, par vagues successives, plus de 16 millions de personnes, réfugiées à la suite des bouleversements politiques européens de 1945 et de 1989, ou immigrées lors des années de prospérité (1960-1973).

• **Depuis les années 1960, l'Allemagne est la 3e puissance mondiale**, après les États-Unis et le Japon. Grâce à ses grandes entreprises (Daimler, Chrysler...), et à un tissu dense de petites et moyennes entreprises (PME), elle tient de fortes positions dans les secteurs traditionnels (mécanique, automobile, chimie) et nouveaux (biotechnologies...). Accumulant des excédents commerciaux, c'est le **premier exportateur mondial**.

• **État fondateur de la CEE**, premier pourvoyeur de fonds de l'Union européenne, l'Allemagne souhaite refondre la PAC qui lui coûte 6 milliards d'euros par an. La **Bundesbank** a joué, jusqu'à la mise en place de l'euro, un rôle directeur dans la politique financière de l'Europe. **Francfort-sur-le-Main abrite le siège de la BCE**.

### Perspective Bac

**La Politique agricole commune (PAC) : une réforme inévitable ?**
*(pages 66-67)*

## 2. Sous le double choc de la réunification et de la mondialisation

• **La réunification a porté un coup d'arrêt à la prospérité allemande**. La **reconstruction des « nouveaux Länder » est longue et difficile**, malgré une perfusion financière sans précédent (920 milliards d'euros depuis 1991) pour rétablir les infrastructures délabrées, rénover l'habitat, dépolluer, attirer les investisseurs, financer le chômage (6).

• **Fortement exportatrice, l'Allemagne subit de plein fouet le ralentissement économique mondial** et les difficultés de la restructuration des pays de l'ex-Europe de l'Est. Elle souffre de maux structurels : coût du travail exorbitant, faible durée du travail, rigidité syndicale, réglementation étouffante, vieillissement de la population...

• **L'adaptation est sévère** : de grandes firmes font faillite, des PME disparaissent par dizaines de milliers (7). **Le chômage frappe 4,1 millions de personnes** et 1,7 million d'emplois sont subventionnés. Les fusions et mutations des firmes s'accélèrent : Preussag (énergie-sidérurgie) devient le premier groupe touristique mondial (TUI). Si de nombreux groupes allemands investissent à l'étranger, **l'Allemagne reste peu attractive** (5).

## 3. De nouveaux contrastes régionaux

• **L'Allemagne « solide » s'articule sur l'axe du Rhin et les Länder du Sud**. De Düsseldorf à Munich, via Francfort et Stuttgart, **au cœur de la mégalopole* européenne**, elle crée les 2/3 du PIB grâce au secteur financier, à la construction automobile florissante, à l'électronique. Les infrastructures sont denses, mais saturées ; **le Rhin est l'artère fluviale la plus puissante du monde**. Nœud autoroutier et aérien, **Francfort est la plaque tournante de l'Allemagne** (4).

### Cartes Enjeux

**Allemagne, Royaume-Uni : quels ancrages européens ?**
*(page 72)*

• **L'Allemagne « en marge » comprend les territoires du Nord et l'ex-RDA.** La grande plaine du Nord, peu densément peuplée, s'ouvre sur une étroite façade maritime où Hambourg retrouve son rayonnement ; mais Brême et Rostock souffrent de la crise des chantiers navals.

• **L'économie de marché a brisé l'industrie est-allemande aux produits obsolètes.** Les aides et les investissements nouveaux (Volskwagen et Mercedes en Saxe, Opel en Thuringe...) restent impuissants à relancer l'économie ; les revenus sont inférieurs de 20 % à la moyenne nationale (6).

## 5. L'Allemagne attire peu les capitaux

**Investissements allemands à l'étranger en 2000**
*(en milliards d'euros)*

6 %
50,7 %
8,3 %
35 %
*dont États-Unis 28 %*
*dont Pays-Bas 13,2 %*
*dont Royaume-Uni 10,5 %*

Stocks :
505 milliards d'euros

**Investissements étrangers en Allemagne en 2000**
*(en milliards d'euros)*

0,2 %
1,3 %
24,8 %
73,7 %

Stocks :
483 milliards d'euros

| | PED |
| | « Pays en transition » *(Chine, PECO, Russie)* |
| | UE |
| | Autres pays industriels |

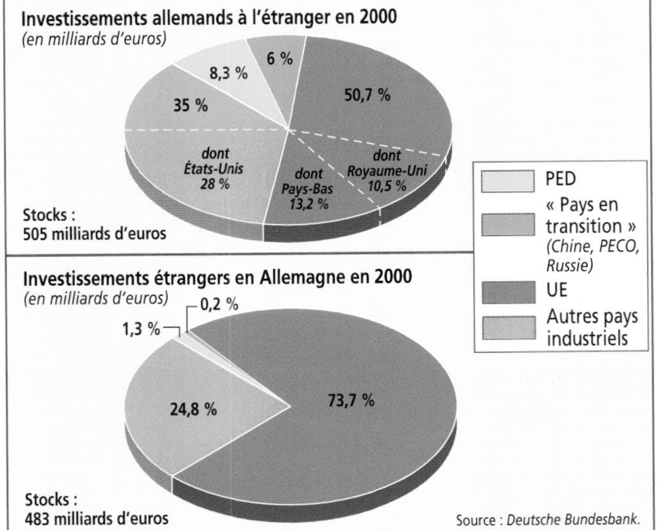

Source : *Deutsche Bundesbank.*

## 6. Les problèmes des Länder orientaux

**Part en Allemagne en 2002** *(en %)*

| Superficie | 30 | Emploi industriel | 10 |
|---|---|---|---|
| Population | 17 | Chômage | 35 |
| PIB | 14 | | |

**Les Länder orientaux ne « décollent » pas**

| | 1995 | 2001 |
|---|---|---|
| **Population** *(en millions)* | 16,2 | 13,8 |
| **Emplois** *(en millions)* | 5,7 | 5,3 |
| **Emplois industriels** *(en millions)* | 1,7 | 0,8 |
| **Chômeurs** *(en millions)* | 1,0 | 2,4 |
| **PIB** *(en millions d'euros)* | 201 | 219 |

Source : *Commission européenne* – 2001.

## 4. Francfort-sur-le-Main, symbole de la puissance allemande

Capitale économique et financière, principal carrefour routier et ferroviaire, la ville dispose du premier aéroport du pays et se trouve au cœur de la construction européenne en accueillant la Banque centrale européenne.

## 7. La puissance allemande remise en cause

Une de *Courrier international*, n° 619 – 12-18 septembre 2002.

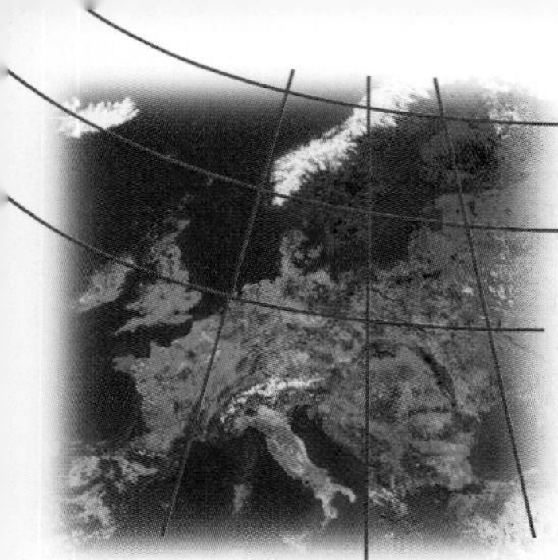

Dossier

# Volkswagen, une multinationale à la conquête de l'Europe

*Volkswagen est aujourd'hui le premier constructeur automobile européen et le quatrième mondial après General Motors, Ford et Toyota. Depuis 1950, le groupe n'a cessé de croître.*

*Fondée en 1938, l'usine-mère de Wolfsburg (Basse-Saxe), la plus grande du monde avec 46 000 salariés, a produit plus de trente-quatre millions d'automobiles.*

## 1. La nouvelle usine Volkswagen à Dresde

Publicité de la marque parue dans le magazine *L'Expansion* – Novembre 2002.
VW a d'abord créé ses principales usines en Allemagne, à proximité de Wolfsburg (Basse-Saxe). Après 1990, le groupe a ouvert trois nouvelles usines dans l'ex-RDA, à Chemnitz et Zwickau ; dans la « manufacture de verre » au design futuriste, ouverte à Dresde en 1999, sont montés la limousine de luxe Phaeïton et le 4x4 Touareg.

## 2. Une stratégie de marques

« Il existe aujourd'hui 18 constructeurs automobiles dans le monde. En 1964, il y en avait 52. Au siècle prochain, il n'en restera pas plus de dix : VW entend bien faire partie du trio de tête » (F. Piesch, PDG de VW). Le groupe rationalise sa production en réduisant le nombre de plates-formes (châssis de base), tout en multipliant les modèles pour séduire tous les segments de la clientèle. Chaque marque (VW, Seat, Audi, Skoda) développe son propre réseau de vente et son image. Le groupe reste attaché à sa région où il n'a jamais fermé d'usines. « Le made in German fait vendre, ce serait une erreur de délocaliser toute notre production. »

Sources diverses.

## 3. Le rachat de grandes marques européennes

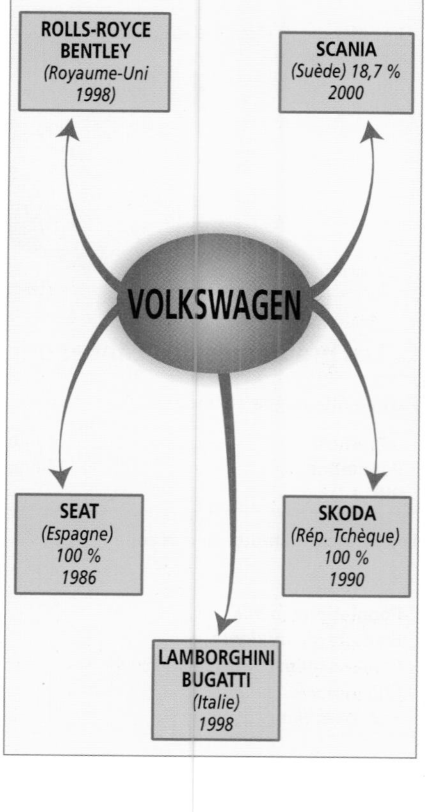

## 4. L'expansion du groupe Volkswagen en Europe

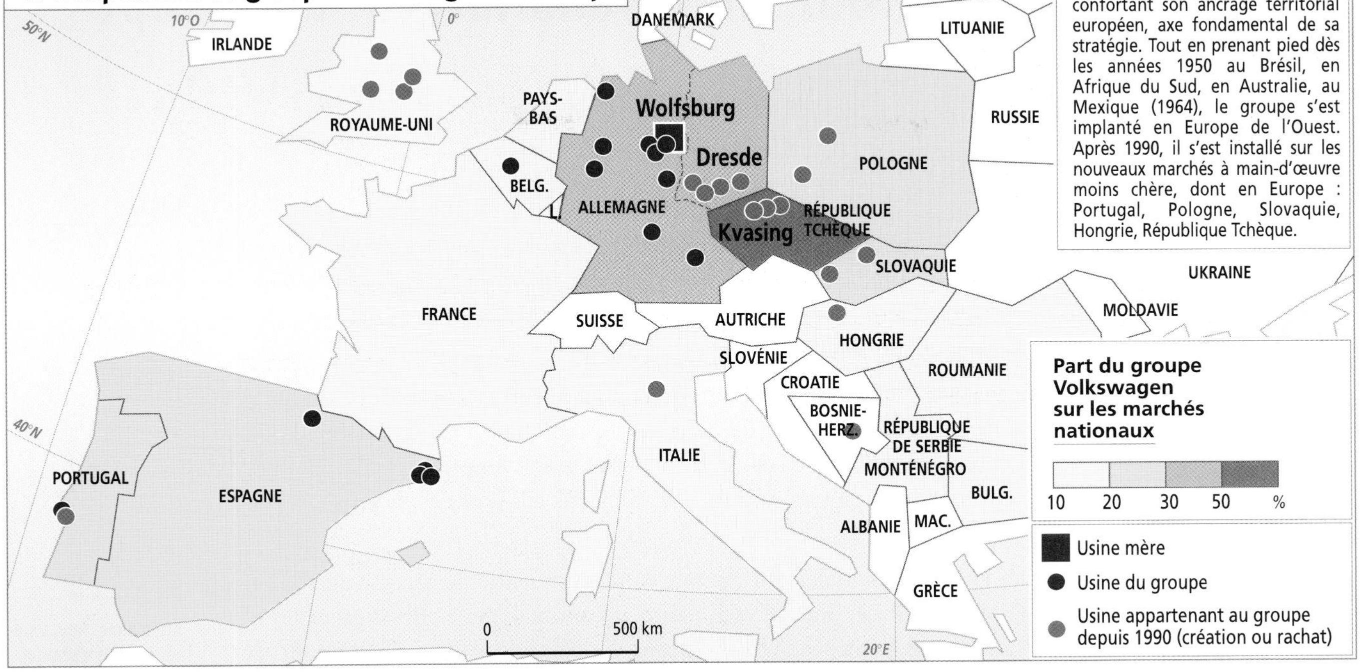


VW a atteint une taille mondiale en confortant son ancrage territorial européen, axe fondamental de sa stratégie. Tout en prenant pied dès les années 1950 au Brésil, en Afrique du Sud, en Australie, au Mexique (1964), le groupe s'est implanté en Europe de l'Ouest. Après 1990, il s'est installé sur les nouveaux marchés à main-d'œuvre moins chère, dont en Europe : Portugal, Pologne, Slovaquie, Hongrie, République Tchèque.

## 5. La Superb de Skoda

Le nouveau modèle de la Skoda Superb sera produit dans l'usine tchèque toute récente de Kvasing.
Dix ans après son rachat par VW, le groupe tchèque Skoda est bénéficiaire ; il a vendu près de 500 000 véhicules, et ce troisième modèle (après la Fabia et l'Octavia) complète la gamme vers le haut.

## 6. L'activité du groupe

| | | Part de (*en %*) l'Allemagne | l'étranger |
|---|---|---|---|
| **Marchés**<br>**1987**<br>**2002** | 2,7 millions<br>5,1 millions | 33<br>18,7 | 67<br>81,3<br>(dont 60 % en Europe) |
| **Production d'automobiles**<br>**1987**<br>**2002** | 2,7 millions<br>5,1 millions | 39<br>35,5 | 61<br>64,5 |
| **Emplois**<br>**1987**<br>**2002** | 260 000<br>322 900 | 65<br>51,7 | 35<br>48,3 |
| **Investissements**<br>**1987**<br>**2002-2006** (moyenne annuelle) | 4,6 milliards de DM<br>6,2 milliards d'€* | 87<br>61 | 13<br>39 |

* 1 euro = 1,9 DM.

Les chiffres de marché et de production sont identiques, car chaque voiture est vendue avant d'être produite (production en flux tendus sans stocks).

## Questions

**1.** Où et comment s'est opérée la croissance de VW en Europe (3, 4) ?

**2.** Quel est le poids de VW en Allemagne et en Europe (1, 2, 4, 6) ?

**3.** Quelle est la stratégie du groupe (2, 3) ?

**4.** Comment la firme contribue-t-elle au renforcement de la présence allemande dans les PECO* (4, 5) ?

# 3 Le Royaume-Uni, du «grand large» à l'Europe

## 1. L'insularité réduite

• Séparée du continent européen par la Manche (30 km au Pas-de-Calais) et la mer du Nord, **le Royaume-Uni occupe les 2/3 d'un archipel émietté – les îles Britanniques – ouvert sur l'Océan**. Pendant longtemps, tout en exerçant son influence sur la culture, l'histoire et l'économie européennes, le Royaume-Uni a cultivé un isolement propice à l'épanouissement de son identité culturelle.

• Préservée par son insularité, **l'Angleterre a commencé son expansion au XVIe siècle**. Grâce à sa marine et à un chapelet d'escales et de bases stratégiques (Gibraltar, Malte, Aden, Singapour, Hong-Kong...), elle a bâti **le plus grand empire colonial de l'histoire**. Par les capitaux accumulés et sa richesse houillère, elle domine, en 1900, l'économie mondiale.

• **Les deux guerres mondiales ont ébranlé cette suprématie**. Renonçant au « grand large », le Royaume-Uni **se tourne vers l'Europe continentale** et adhère à la CEE en 1973. Le tunnel sous la Manche (1994) l'arrime au continent (**9**), mais **l'attitude du Royaume-Uni à égard de l'intégration européenne reste ambiguë**.

## 2. Une puissance mondiale ancrée à l'Europe

• **Le Royaume-Uni est la 4e puissance mondiale**. Son industrie a perdu de son lustre, en dépit de l'importance de nombreuses multinationales du pétrole et de la pharmacie. Le pays s'est **spécialisé dans les services financiers** ; c'est la 2e terre d'accueil au monde, après les États-Unis, pour les investissements étrangers (**8**). Il a **réorienté ses échanges vers l'Union européenne** (60 %), l'Allemagne et l'Irlande étant ses principaux partenaires.

• **Le Royaume-Uni garde le prestige d'une puissance politique et culturelle**. Doté de l'arme nucléaire et du premier budget militaire d'Europe, il siège au Conseil de sécurité de l'ONU et intervient sur l'échiquier géopolitique mondial. Langue du **Commonwealth** et des États-Unis, **l'anglais** est l'outil de communication internationale par excellence (affaires, diplomatie) et la première langue étrangère étudiée au monde.

## 3. Londres, ville mondiale

• Dès l'origine, **Londres est un carrefour important** sur la Tamise et la route menant de l'Écosse au continent. L'installation de la Cour (XIe siècle), le grand négoce (XVIe siècle), l'Empire et la poussée industrielle ont assuré sa fortune. L'activité portuaire et industrielle a reculé, mais les **fonctions commerciales et financières** restent fondamentales. Londres est le **premier aéroport mondial, véritable plaque tournante du continent**.

• **Londres est la capitale du capital** : elle dispute à New York le rôle de **1re place financière mondiale** : bourses, marché des devises, banques, assurance et réassurance (Lloyds), fret maritime, courtage font de la **City** une ruche bourdonnante, et de Londres la ville la plus chère d'Europe. Les **activités culturelles** (marché de l'art, presse-édition, théâtre, BBC...) et le tourisme ajoutent à son **rayonnement planétaire**.

• **Ville immense et cosmopolite, Londres juxtapose des quartiers très divers** : non loin de la City, le cœur politique de Westminster ; l'aristocratique West End aux villas cossues envahie de bureaux, comme les docks reconvertis (**10**) ; les ghettos ethniques ; les interminables banlieues et, plus loin, les villes nouvelles contenant difficilement le dynamisme de la capitale.

### Mots-clés

**Commonwealth :** « association volontaire d'États souverains » issus de l'ancien Empire britannique, unis par des liens sentimentaux, par la langue, et faisant allégeance à la Couronne.

**Îles Britanniques :** archipel composé de deux grandes îles – la Grande-Bretagne et l'Irlande – et de nombreuses autres (Shetland, Man, Wright, Orcades, Hébrides...).

* voir Lexique

**Atlas**
Annexe 5
*(page 325)*

**Cartes Enjeux**
Allemagne, Royaume-Uni : quels ancrages européens ?
*(page 73)*

**Dossier**
Quelle Europe les Britanniques veulent-ils ?
*(pages 84-85)*

**Cartes Enjeux**
L'Europe à l'heure des transports rapides
*(pages 138-139)*

invest in britain bureau
Royaume-Uni
UN ESPACE DE DEVELOPPEMENT INTERNATIONAL
**Rejoignez un espace de développement privilégié en Europe.**
Plus de 6000 entreprises européennes (dont 1300 françaises), américaines et japonaises ont reconnu les avantages commerciaux de s'implanter au Royaume Uni.
**Les consultants de l'Invest in Britain Bureau sont à votre disposition** pour vous apporter les aides, les conseils et les contacts nécessaires à votre implantation.

## 8. Le Royaume-Uni attire les investissements étrangers

Les raisons de l'engouement des investisseurs au Royaume-Uni sont multiples : la langue, la main-d'œuvre, moins chère et plus docile qu'ailleurs en Europe occidentale, la qualité des services de télécommunication, du conseil en matières juridique et financière, la fiscalité...

## 9. La gare futuriste de Waterloo Station (Londres)

Elle accueille les Eurostar reliant Londres à Paris et Bruxelles à haute vitesse (253 liaisons hebdomadaires entre Paris et Londres).

## 10. La métamorphose des docks

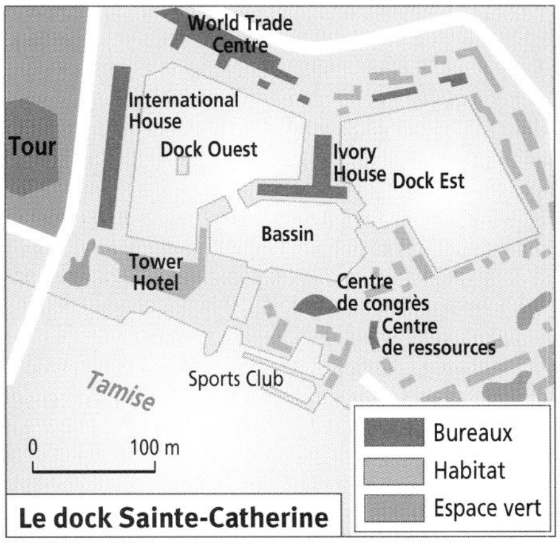


Le dock Sainte-Catherine

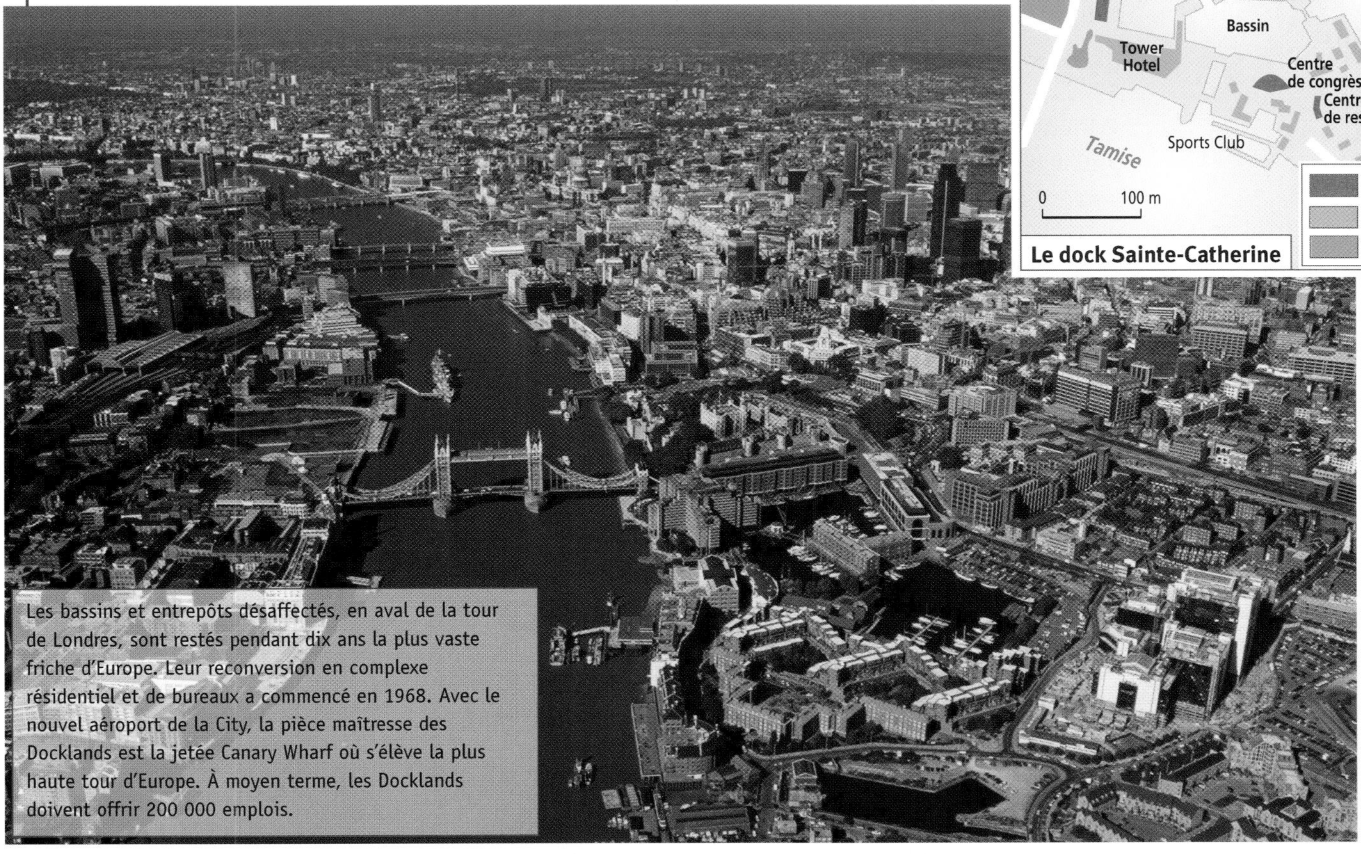

Les bassins et entrepôts désaffectés, en aval de la tour de Londres, sont restés pendant dix ans la plus vaste friche d'Europe. Leur reconversion en complexe résidentiel et de bureaux a commencé en 1968. Avec le nouvel aéroport de la City, la pièce maîtresse des Docklands est la jetée Canary Wharf où s'élève la plus haute tour d'Europe. À moyen terme, les Docklands doivent offrir 200 000 emplois.

# 4 L'originalité britannique au sein de l'UE

## Mots-clés

**Merry England :** c'est « l'Angleterre heureuse », une image qui évoque la campagne britannique toujours verte, aux villages propres et pittoresques. On parle d'« Angleterre verte » (par opposition à ce que fut l'« Angleterre noire ») pour les campagnes du Sud-Est britannique au Sud d'une ligne joignant l'estuaire de la Severn à la baie du Wash.

**Silicon Glen** (*glen :* vallée glaciaire en écossais) terme forgé sur le modèle de « Silicon Valley » (« vallée du silicium ») en Californie, pour désigner la région d'industries de hautes technologies entre Glasgow et Edimbourg.

* voir Lexique

## 1. Un pays entre tradition et modernité

• **La mer, toujours proche, s'unit intimement à cette terre allongée sur 1 200 km du Nord au Sud**, échancrée de baies, fjords et profonds estuaires. Au Nord et à l'Ouest, les montagnes arrosées, aux formes lourdes, offrent des solitudes de landes, de tourbières et de lacs ; au Sud et à l'Est, les collines et plaines riantes de la **Merry England** (12) ainsi que le littoral bordé de hautes falaises et de longues plages font partie des monuments de la vie culturelle britannique. De vastes portions du territoire sont protégées.

**Atlas**

Annexe 5
*(page 325)*

• **Berceau des révolutions agricole et industrielle*, la Grande-Bretagne fut pendant le XIX^e^ siècle, l'atelier du monde et la première puissance commerciale**, grâce à sa flotte. Elle a joué un rôle de premier plan dans le développement de la **démocratie parlementaire** et fut pionnière dans l'essor du tourisme (promenades des Anglais à Nice) et du sport en Europe. La perte de l'Empire, la crise de son industrie peu performante ont précipité son déclin ; mais elle a réagi en développant la haute technologie et les services ; ces derniers occupent les 2/3 de la population active. La **richesse en hydrocarbures** est un atout supplémentaire.

## 2. Un Royaume, quatre nations

• **Vieille monarchie constitutionnelle, le Royaume-Uni de Grande-Bretagne et d'Irlande du Nord** – appellation adoptée en 1927 – **s'est progressivement constitué par l'intégration à l'Angleterre de pays périphériques celtiques** : le pays de Galles (1536), l'Écosse (1707), l'Irlande du Nord (Ulster, 1921). Au sein de l'Union européenne, ces pays revendiquent de manière variée leur identité et leur autonomie. Une **tendance croissante au régionalisme** s'observe par la dévolution de certains pouvoirs au pays de Galles et à l'Écosse (11). Depuis 1999, cette dernière possède son propre Parlement à Édimbourg, son système judiciaire, éducatif et bancaire.

**Atlas**

Annexe 5
*(page 325)*

• **Ces périphéries ont connu des crises économique** (industries traditionnelles) **et politique** (guérilla sanglante opposant les protestants à la minorité catholique en Ulster). Leur renouveau s'appuie sur les **aides nationales et européennes** (13) ; l'Écosse a bénéficié en outre de la rente pétrolière et de l'essor des industries de pointe. Lentement, ces régions cessent d'être des isolats pour s'intégrer dans la dynamique spatiale européenne.

**Cartes Enjeux**

**Allemagne, Royaume-Uni : quels ancrages européens ?**
*(page 73)*

## 3. Deux Grande-Bretagne

• **L'Angleterre « heureuse » du Grand Sud appartient à la mégalopole* européenne** (14). Riche, moderne, elle bénéficie d'une agriculture performante, d'industries de pointe, d'universités réputées (Oxford, Cambridge), de l'attrait du littoral (tourisme balnéaire, proximité du continent) et du dynamisme de Londres .

**Cartes Enjeux**

**Allemagne, Royaume-Uni : quels ancrages européens ?**
*(page 73)*

• **Les vieilles régions industrielles du Nord et de l'Ouest ont été fragilisées par les récessions successives** (14). Friches et chômage rongent les sinistres banlieues de Sheffield, Liverpool ou des vallées galloises. La revitalisation passe par des **implantations étrangères** (Nissan à Sunderland en 1984), de spectaculaires **reconversions** (**Silicon Glen** écossaise) et la modernisation des pôles urbains (Manchester) pour fixer de nouveaux emplois tertiaires. **L'adhésion à l'Union européenne montre largement ses effets dans tout cet ensemble** (13).

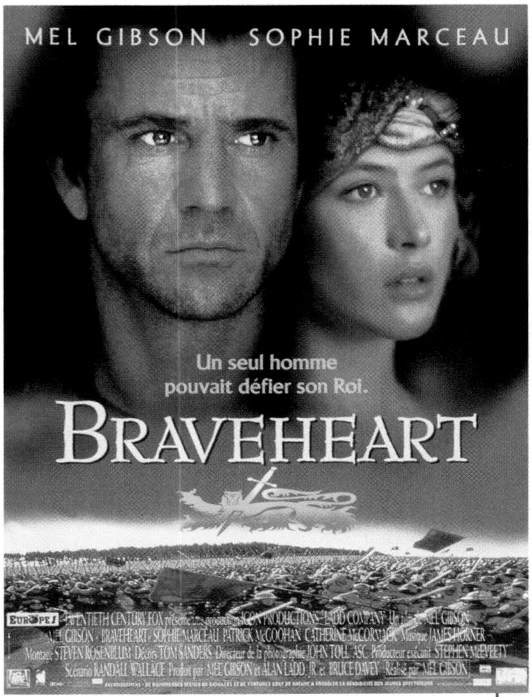


## 11. Affiche du film *Braveheart* (1995)

Relatant le soulèvement, organisé par William Wallace à la fin du XIIIe siècle, de l'Écosse écrasée sous la domination anglaise, le film, éreinté par la critique anglaise mais récompensé par cinq oscars, a réveillé la conscience nationale écossaise et accéléré la création du Parlement régional.

## 12. Paysage de l'« Angleterre heureuse », dans le Somerset

## 13. Les aides européennes vers le Royaume-Uni

L'adhésion à l'UE a des conséquences sensibles sur l'aménagement régional du Royaume-Uni. Il percevra 16,6 milliards d'euros provenant des fonds structurels* de l'UE pour la période 2000-2006. Les anciennes régions minières ou sidérurgiques (vallées galloises, Yorkshire), la région de Liverpool (Merseyside) et la Cornouailles (zone marginale d'un point de vue économique et spatial) bénéficieront de 6,2 milliards d'euros au titre de l'objectif 1 destiné aux régions les moins développées. Le Royaume-Uni doit percevoir également 4,7 milliards d'euros au titre de l'objectif 2 (régions en mutation socio-économique), et 4,5 milliards d'euros au titre de l'éducation et de la formation (objectif 3) et d'aides sectorielles pour la pêche, la coopération transfrontalière, l'égalité d'accès au marché de l'emploi, le développement urbain et le développement rural durable.

*L'Europe et ses États, une géographie*, La Documentation française – 2000.

## 14. Les espaces économiques du Royaume-Uni

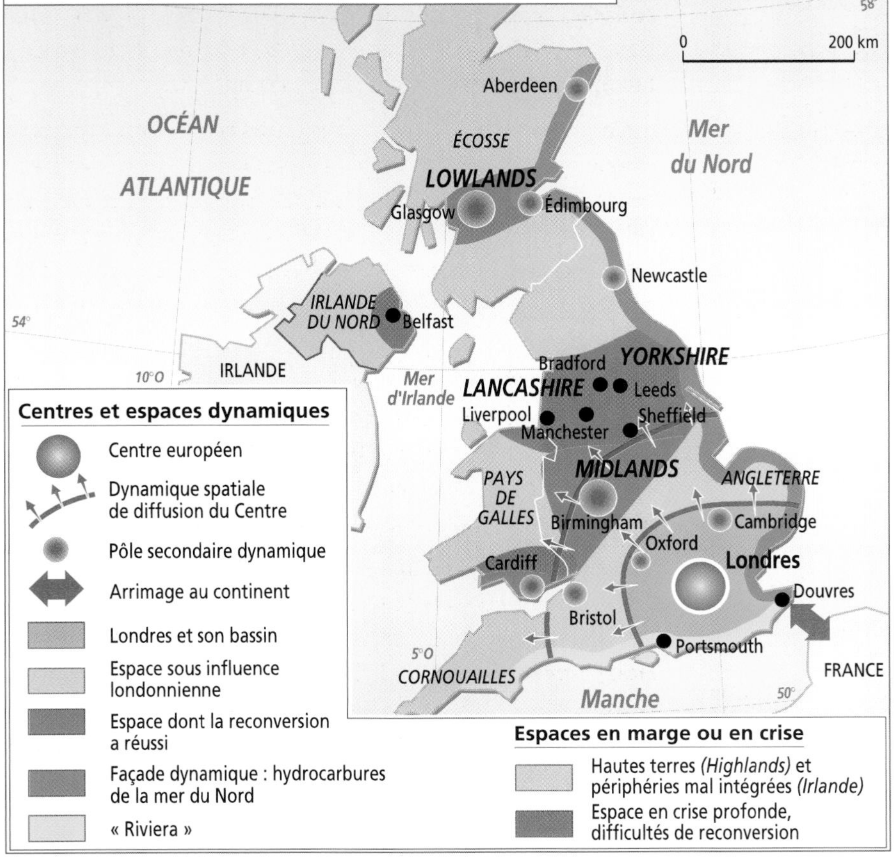

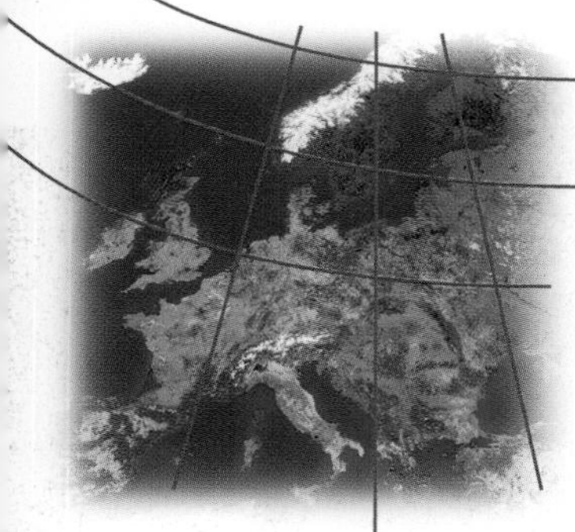

Dossier

# Quelle Europe les Britanniques veulent-ils ?

*Le temps où un quotidien britannique pouvait titrer avec humour « Brouillard sur la Manche : continent isolé », est révolu ; le navire britannique est arrimé au quai européen depuis 1973.*

*Mais cette adhésion à l' Union européenne se fait sans vraiment renoncer au large : le Royaume-Uni apporte un soutien tiède à la construction européenne.*

## 1. Les Anglais face à l'Europe : une relative indifférence ?

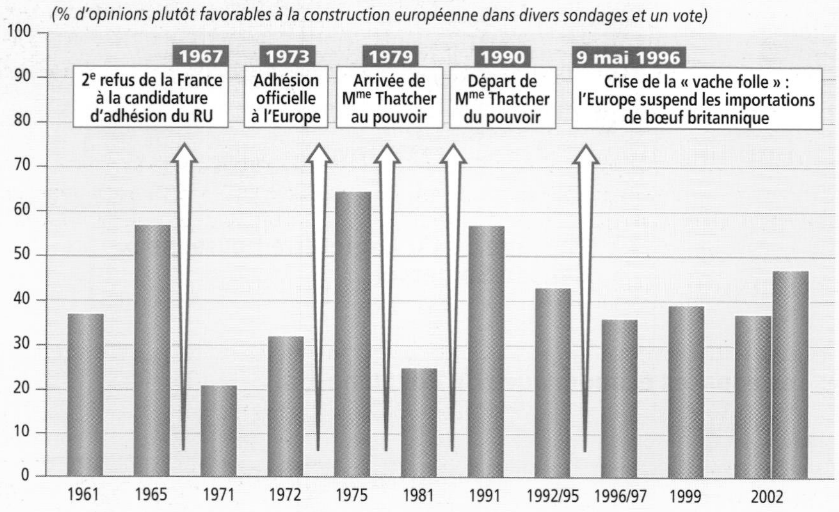


**Référendum du 5 juin 1975 ratifiant l'adhésion du Royaume-Uni à l'Europe**

*(% de oui par région)*

| | |
|---|---|
| Angleterre | 68,7 |
| Pays-de-Galles | 64,8 |
| Écosse | 58,4 |
| Irlande du Nord | 52,1 |
| **ROYAUME-UNI** | **64,5** |

**Les Anglais face à l'euro**

*(en % - décembre 2002)*

| | |
|---|---|
| Pour | 37 |
| Contre | 47 |
| Sans opinion | 16 |

## 2. Les « trois cercles » de la politique étrangère britannique selon Churchill

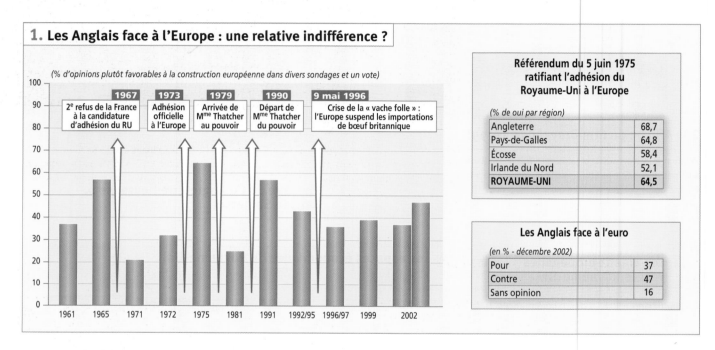

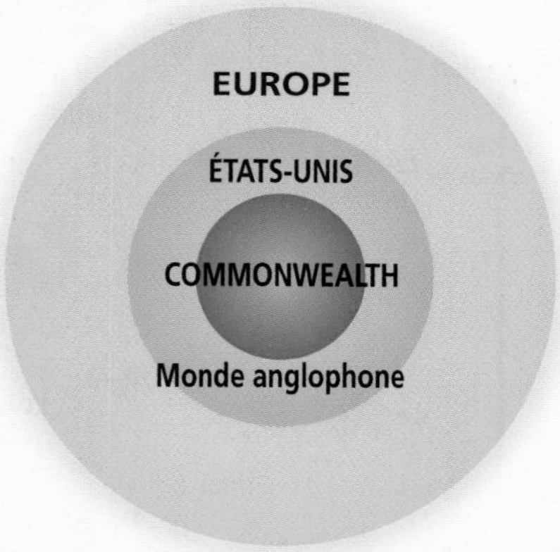


« Le premier cercle pour nous est naturellement le Commonwealth * et l'Empire (...).
Ensuite, il y a aussi le monde anglophone, avec les États-Unis où nous jouons un rôle si important.
Et enfin, il y a l'Europe unie (...). »
« Entre l'Europe et le Grand large, nous choisirons toujours le Grand large »

*(Churchill - 1946)*

## 3. Les hommes politiques britanniques et l'Europe

La classe politique reste divisée, et le clivage entre « europhiles » et « europhobes » traverse les partis, empoisonnant la vie politique intérieure. Aussi n'est-il pas étonnant de voir un conservateur (Mc Millan) faire une première demande d'adhésion (1961), le travailliste H. Wilson la seconde (1967), le conservateur E. Heath arrimer le Royaume-Uni à l'Europe en 1973, le travailliste H. Wilson « renégocier » cette adhésion (1973), la conservatrice M. Thatcher être d'abord très hostile puis convaincue, enfin le travailliste T. Blair militer pour l'euro et une Constitution européenne.

T. Blair, fidèle allié des États-Unis en matière de politique étrangère, résume toutes ces ambiguïtés : « Pour la Grande-Bretagne, se trouver en Europe constitue un aspect indispensable de son influence, de sa force et de sa puissance dans le monde. » Autrement dit, l'un ne va pas sans l'autre ; l'Europe est un moyen plus qu'une fin.

Sources diverses.

## 4. Point de vue d'un haut fonctionnaire européen

La diplomatie britannique a toujours refusé de choisir entre sa « sœur », l'Europe et sa « fille », l'Amérique. Les Britanniques se vivent comme le trait d'union entre les deux. Contrairement à la vision française d'un empire européen faisant jeu égal avec les États-Unis, à la vision allemande d'une « grande Suisse » neutre entre les puissances, les Britanniques ont la vision d'une puissance européenne au rôle impérial limité à sa périphérie immédiate : Moyen-Orient, Afrique du Nord, Russie. Si le Royaume-Uni veut faire triompher sa vision de l'Europe, il doit participer à l'Union, quitte à payer le prix de certains abandons de souveraineté.

Ph. Moreau-Defarges, *Le Monde* – 2003.

## 5. La défense de la livre

Beaucoup de Britanniques, opposés à une intégration plus forte dans l'Union européenne, sont influencés par des arguments patriotiques, voire chauvins. Ils refusent toute autorité supra-nationale pouvant porter atteinte à la souveraineté britannique et au rôle du Parlement, ou pouvant remettre en cause la livre britannique.

## 6. Une « relation spéciale » avec les États-Unis ?

Le Royaume-Uni face au projet de défense européenne (dessin de Pancho, *Dossiers et documents du Monde* – Février 1999) ; la question de l'adhésion à l'euro (dessin de Plantu, *Le Monde* – 5 février 2003). La presse populaire britannique est plutôt hostile à l'Europe ; elle considère que la Grande Bretagne n'a aucun intérêt à rejoindre la zone euro en raison du chômage et de la croissance molle dans l'Euroland. Mais certains titres influents (*The Guardian, The Financial Times, The Indépendant*) sont plutôt favorables à la logique économique d'une plus forte intégration européenne.

## Questions

1. Comment l'opinion publique britannique a-t-elle évolué à l'égard de l'Union européenne (1, 2) ?

2. Quels sont les arguments pour ou contre une plus forte intégration européenne (3, 4, 5, 6, 7) ?

3. En quoi l'attitude du gouvernement est-elle ambiguë (3, 4, 6) ?

Chapitre 5

# Deux États méditerranéens dans l'UE : Espagne, Italie

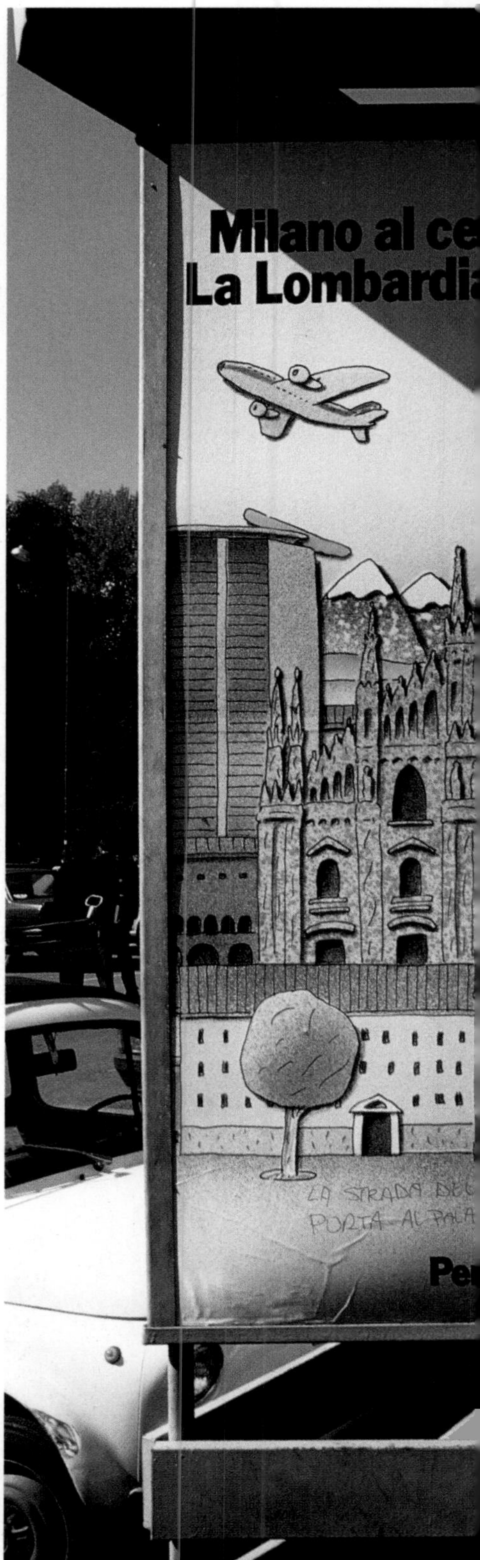

- L'Espagne, entrée dans la modernité grâce à son ouverture sur l'Europe et à sa démocratisation, figure parmi les dix principales puissances économiques du monde.
- L'Italie, berceau de la civilisation latine, l'un des États fondateurs de l'Union européenne, est aujourd'hui la 6e puissance économique mondiale.

**Pour chaque État étudié :**

- **Quelle est sa place et sa spécificité dans l'Union européenne ?**
- **Quels sont les effets territoriaux de son ancrage européen ?**

**Catalogne (Espagne),**
**Lombardie (Italie) :**
**quelle position en Europe ?**

della Lombardia.
entro dell'Europa.
uare a fare.
LA CATALOGNE, UN PAYS DU SUD
Quel que soit votre point de vue, vous n'y verrez que des avantages. Pour sa grande qualité de vie, pour le climat, pour la culture et l'art, pour son histoire, parce que la mer Méditerranée et aussi les Pyrénées s'y retrouvent, parce qu'elle a le soleil, qu'elle a du charme et, surtout, parce qu'elle possède des traditions, dont certaines sont même exportées dans le monde entier, comme le 23 avril, Journée mondiale du livre, la Catalogne est, en définitive, un pays du Sud. Ou peut-être du Nord? www.catalonia.com • info@cidem.gencat.es
Generalitat de Catalunya
Gouvernement Catalan
Rome
Barcelone
Madrid
Lisbonne
Berlin
Paris
Amsterdam
Londres
LA CATALOGNE, UN PAYS DU NORD
Quel que soit votre point de vue, vous n'y verrez que des avantages. Par sa situation stratégique pour entrer sur les marchés européens et comme plate forme commerciale vers le reste du monde, pour sa productivité élevée et son esprit d'entreprise, pour la haute qualification de ses travailleurs, parce qu'elle reçoit un investissement étranger supérieur à 4,6 milliards de dollars annuels et qu'elle accueille plus de 2 600 multinationales, pour toutes ces raisons et plus encore, la Catalogne est, sans aucun doute, un pays du Nord. Ou peut- être du Sud?
Generalitat de Catalunya
Gouvernement Catalan

# Espagne, Italie : quels ancrages européens ?

## 1. L'Espagne entre Europe et Afrique

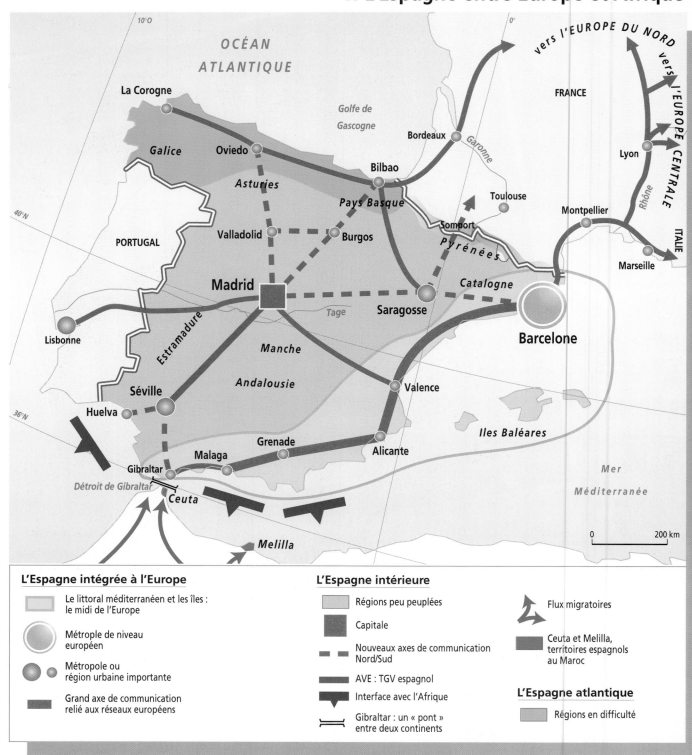

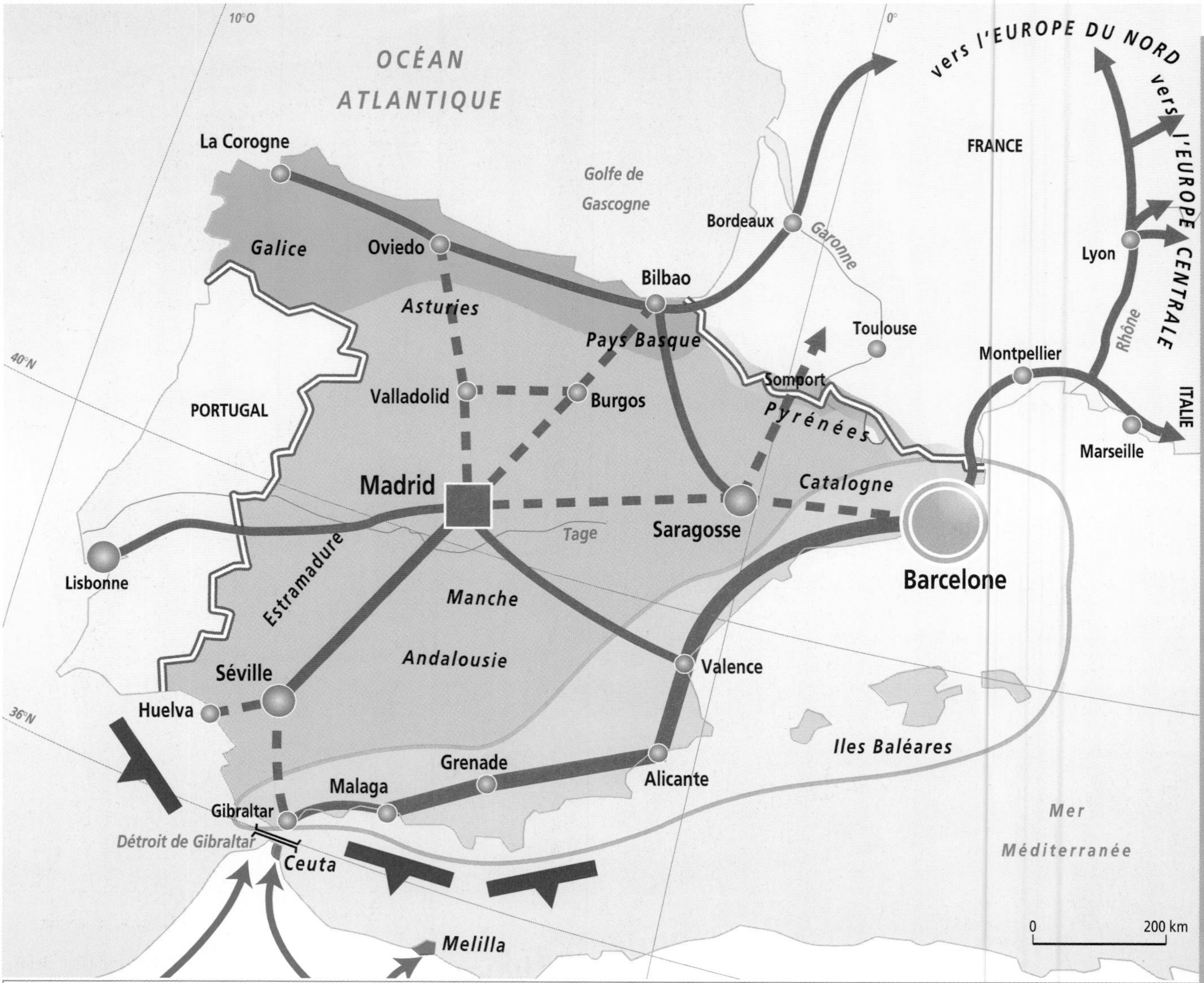


**L'Espagne intégrée à l'Europe**
- Le littoral méditerranéen et les îles : le midi de l'Europe
- Métrople de niveau européen
- Métropole ou région urbaine importante
- Grand axe de communication relié aux réseaux européens

**L'Espagne intérieure**
- Régions peu peuplées
- Capitale
- Nouveaux axes de communication Nord/Sud
- AVE : TGV espagnol
- Interface avec l'Afrique
- Gibraltar : un « pont » entre deux continents

- Flux migratoires
- Ceuta et Melilla, territoires espagnols au Maroc

**L'Espagne atlantique**
- Régions en difficulté

## 2. L'Italie entre Europe et Méditerranée

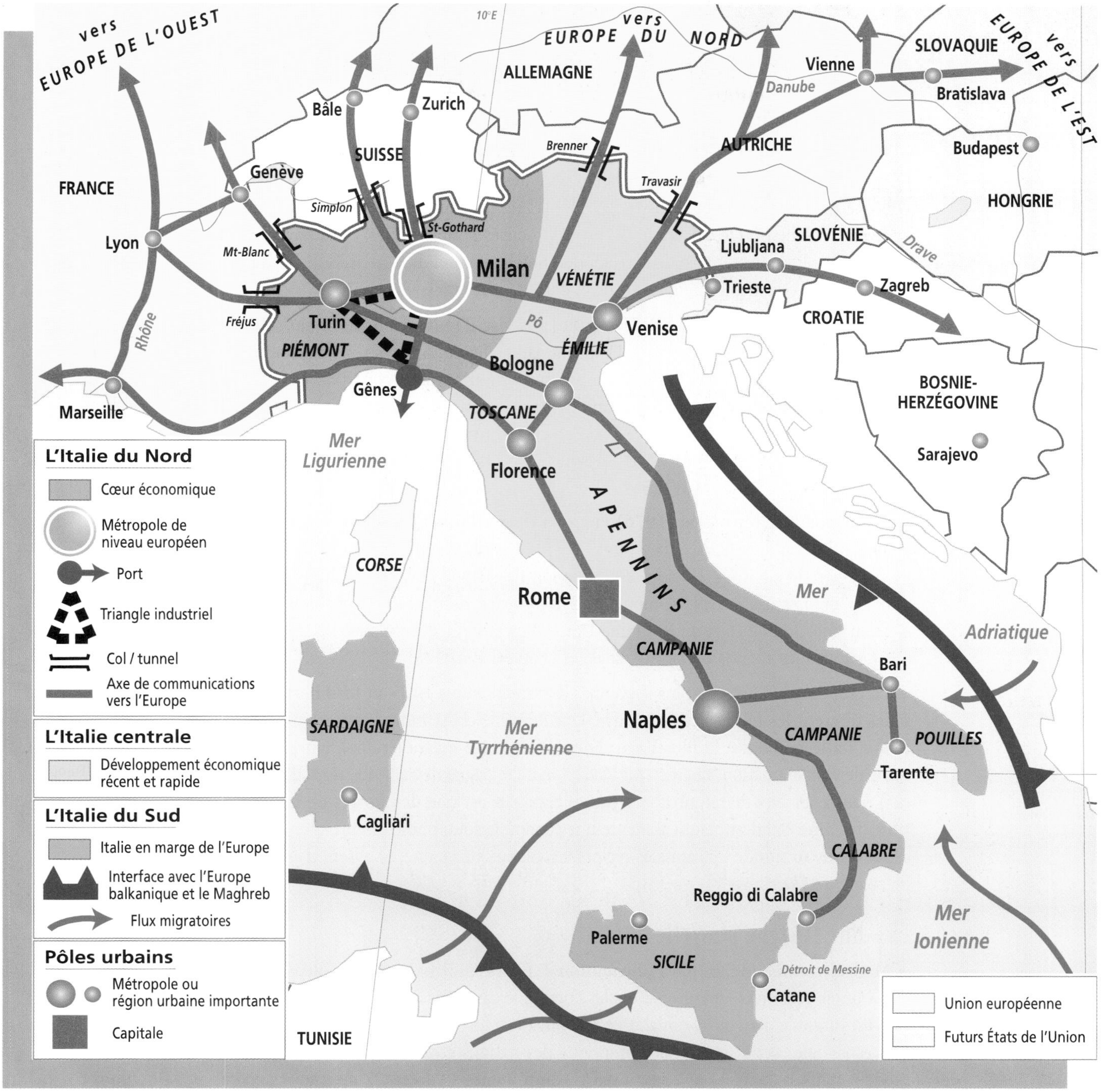

### Questions

- Pour l'État étudié, précisez sa situation géographique en Europe et dans l'Union européenne.
- Comment cet État s'intègre-t-il dans l'espace européen ?
- Quelles sont les régions les mieux intégrées dans l'Union européenne ? Quelles sont les régions en marge ?

# 1 L'Espagne en mouvement

## Mots-clés

**Movida**
(le mouvement) : élan culturel, né à Madrid en 1976, exprimant la renaissance de la société espagnole après le Franquisme. En témoigne *Mi Vida es mia* (ma vie m'appartient), titre d'un ouvrage à succès relatant la libération des femmes dans l'Espagne d'aujourd'hui, ainsi que leurs souffrances et frustrations sous la férule masculine pendant des décennies.

**Siècle d'or :**
au XVI^e siècle, sous Philippe II, l'Espagne a connu une période de prestige et de puissance liée à l'exploitation des richesses minières de son immense empire.

## 1. La « forteresse » ibérique

• **À l'extrémité Sud-Ouest de l'Europe**, à 13 km de l'Afrique par le détroit de Gibraltar, **l'Espagne fut longtemps isolée par la barrière des Pyrénées**, frontière la plus stable de l'Europe. **Le pays, vaste et massif**, se partage entre les hauts plateaux du centre, glacés en hiver, brûlants en été, les cordillères montagneuses périphériques, et de rares plaines alluviales ou littorales. À l'Espagne atlantique fraîche et humide, s'oppose l'Espagne méditerranéenne chaude, lumineuse, sèche et davantage tournée vers l'Europe.

• **La prospérité illusoire du Siècle d'or et l'absence d'industrialisation ont sclérosé la société**. Jusqu'aux années 1950, l'Espagne faisait figure de pays sous-développé. La monarchie centralisatrice et la dictature ont conforté une classe conservatrice : grands propriétaires, militaires, prêtres dominant les masses rurales. On émigrait vers l'Argentine dès le XVI^e siècle, puis, après 1950, vers l'Europe industrielle.

**Atlas**
**Annexe 1**
*(pages 320-321)*
**Annexe 6**
*(page 326)*

## 2. Ouverture et « Movida »

• **La démocratie retrouvée (1976) et l'adhésion à la CEE (1986) ont effacé trois siècles de décadence**. L'Espagne s'ouvre alors aux capitaux étrangers et triple son commerce extérieur dont les 2/3 sont à destination de l'Union européenne. Elle devient la deuxième puissance touristique mondiale. Les touristes, dont les trois quarts proviennent d'Allemagne, de France et du Royaume-Uni se concentrent surtout dans les stations balnéaires catalanes et andalouses, aux Baléares et aux Canaries (1, 2).

• **La croissance**, l'une des plus soutenues d'Europe depuis 1995, **et les libertés régionales libèrent les forces vives du pays**. Une nouvelle classe moyenne émerge, peu prolifique (la fécondité est la plus basse d'Europe avec 1,2 enfant/femme), entreprenante, avide de consommation, libérée : *Mi Vida es mia*. L'Espagne devient une terre d'immigration : outre les flux de retour de ses travailleurs, elle est **une des portes de l'immigration africaine** clandestine qui alimente une économie souterraine importante. L'Espagne est **devenue urbaine** : les capitales régionales, pleines de vitalité, rivalisent d'initiative et de créativité (3).

**Dossier**
**Le détroit de Gibraltar, une porte d'entrée de l'Europe**
*(pages 134-135)*

## 3. Une Espagne plurielle

• **Madrid commande un pays plurinational**. En 1975, le basque, le catalan et le galicien ont été reconnus langues nationales comme le castillan. La Constitution de 1978 a créé un véritable pouvoir régional. Elle reconnaît à la fois « l'unité indissociable de la nation espagnole » et « le droit à l'autonomie des nations et régions ». Elle substitue au modèle centralisateur **17 « communautés autonomes »** dotées d'un gouvernement, d'un parlement et d'un budget.

• **Les « autonomies » affirment leur identité**. Au Pays basque, existe un vif sentiment national dont la langue (euskara) est le signe identitaire, mais que la moitié de la population ne comprend pas. La **Catalogne**, industrieuse et exigeante, s'organise autour de **Barcelone**, rivale de **Madrid**, à laquelle elle livre une guerre administrative incessante.

• Baignée par deux mers, l'**Andalousie** au passé prestigieux, longtemps séparée de l'Espagne par de vastes étendues désertes, sort progressivement de la pauvreté.

• **L'Espagne « africaine »** comporte l'archipel des Canaries (à 115 km des côtes sahariennes), et les « places de souveraineté » du littoral marocain (Ceuta, Melilla).

**Document**
**Catalogne (Espagne), Lombardie (Italie) : quelle position en Europe ?**
*(page 87)*

**Dossier**
**L'Andalousie : la manne européenne**
*(pages 94-95)*

**1. Benidorm, une des grandes stations balnéaires de la Costa Blanca**

## 2. Le trafic passager de l'aéroport de Palma de Majorque

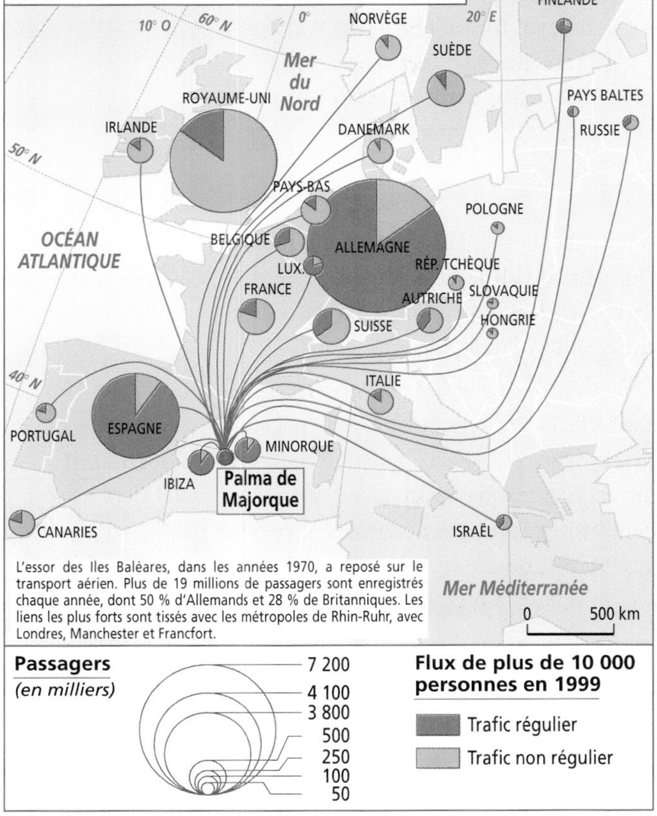


L'essor des Iles Baléares, dans les années 1970, a reposé sur le transport aérien. Plus de 19 millions de passagers sont enregistrés chaque année, dont 50 % d'Allemands et 28 % de Britanniques. Les liens les plus forts sont tissés avec les métropoles de Rhin-Ruhr, avec Londres, Manchester et Francfort.

## 3. Le musée Guggenheim à Bilbao (Pays basque)

Inauguré en 1998, sur l'emplacement d'anciens chantiers navals, ce musée symbolise le renouveau culturel de l'Espagne.

# 2 L'Espagne arrimée à l'Europe

**Mots-clés**

## 1. L'économie s'est transformée de façon spectaculaire

• **La modernisation s'opère à un rythme inégalé en Europe**, grâce à l'action de l'État et de l'Union européenne, au coût modéré de la main-d'œuvre et aux initiatives locales. Le **revenu par habitant** est passé, entre 1960 et 2001, de 57 % à 86 % de la moyenne européenne. **Avec 15 milliards d'euros, l'Espagne est le premier bénéficiaire des fonds européens**. Elle reçoit 13 % des aides agricoles et 26 % des aides régionales. Celles-ci visent à améliorer les approvisionnements en eau et les liaisons avec l'Europe, à décongestionner les littoraux, à reconvertir les espaces industriels en déclin et à soutenir les zones rurales attardées.

• **L'agriculture**, stimulée par l'irrigation, produit vins, agrumes et légumes à des coûts très compétitifs sur les marchés européens. La **poussée industrielle** doit autant aux investissements étrangers (la construction automobile est la 3e d'Europe), qu'aux acteurs locaux (groupe Zara à La Corogne) (**5**).

## 2. L'Espagne reliée aux grands axes transeuropéens

• **Les Pyrénées ne sont plus une barrière**. Les échanges avec l'Europe ayant progressé de 50 % depuis 1990, plus de 15 000 camions franchissent chaque jour les Pyrénées à ses deux extrémités (Hendaye, Le Perthus) (**4**). Le trafic (80 millions de tonnes en 2002) progresse de 9 % par an. L'Espagne s'inscrit dans trois projets prioritaires du réseau transeuropéen.

• **L'amélioration du transit routier et ferroviaire est indispensable**. Malgré les difficultés techniques, financières et les oppositions locales, elle concerne les axes routiers Toulouse-Saragosse-Madrid (par le tunnel du Somport), Toulouse-Barcelone (par les tunnels du Puymorens et du Cadi), et la liaison TGV Perpignan-Barcelone-Madrid. Un nouveau tunnel long de 50 km, sous le Vignemale, entre Tarbes et Huesca, est à l'étude pour le ferroutage. Des projets sont à l'étude pour acheminer de la France vers l'Espagne, par le Perthus, de l'électricité et de l'eau (aqueduc Rhône-Ebre), notamment vers Barcelone.

**Cartes Enjeux**

**Espagne, Italie : quels ancrages européens ?**
*(page 88)*

## 3. Mais les inégalités régionales restent fortes

• **La croissance accentue les déséquilibres spatiaux**. Les régions sont mieux reliées entre elles (2 000 km d'autoroutes en 1985, 6 700 aujourd'hui), mais les hommes et les richesses se concentrent davantage dans les villes et sur les littoraux. Madrid et Barcelone groupent 20 % de la population et 30 % des richesses du pays (**6**).

• **L'Espagne a deux métropoles. Madrid** (5 millions d'habitants) est, depuis 1651, sa capitale politique. Au centre géométrique du pays, elle est un pôle économique majeur, mais apparaît comme une île au cœur d'une Castille dépeuplée. **Barcelone** (3,5 millions d'habitants), sa rivale, doit sa fortune au commerce. Capitale de la Catalogne, première région économique d'Espagne, son dynamisme industriel, bancaire et culturel a été couronné par les Jeux olympiques de 1992.

• **Les autres régions ont des destins inégaux**. Si les Asturies ont pâti du déclin des mines et de la sidérurgie, le Pays basque, s'appuyant sur sa main-d'œuvre qualifiée, sa banque régionale (BBV) et son autonomie budgétaire, a su rénover avec succès son industrie (informatique, aéronautique, télécommunications). **L'Estrémadure et l'Andalousie** demeurent les deux régions les plus pauvres d'Espagne (chômage : 25 %) (**6**).

**Cartes Enjeux**

**Espagne, Italie : quels ancrages européens ?**
*(page 88)*

**Document**

**Catalogne (Espagne), Lombardie (Italie) : quelle position en Europe ?**
*(page 87)*

**Dossier**

**L'Andalousie : la manne européenne**
*(pages 94-95)*

## 4. Des flux routiers intenses entre l'Espagne et l'Europe

Le trafic de camions entre l'Espagne et la France (ici à Hendaye) est l'une des traductions du développement de l'économie espagnole.

## 5. Zara, un géant du prêt-à-porter

D'abord garçon de course, puis vendeur, A. Ortega dirige aujourd'hui le 3e groupe mondial de prêt-à-porter. Il eut l'idée de pirater et de vendre à moitié prix et au noir un modèle très prisé, mais cher, de robe de chambre rose bonbon ! En 1963, il ouvre un atelier de confection, puis en 1975 sa première boutique à La Corogne (Galice), et édifie en 20 ans un groupe de 44 sociétés, 750 boutiques (dont 120 en France) et 12 000 employés. Le secret ? Le just in time (l'ordinateur crée plus de 20 modèles par jour), l'absence de conflits sociaux, et 6 collections nouvelles par an.

La moitié des modèles est produite en Galice (460 sous-traitants) et au Portugal ; le reste (jean...) provient de Chine, d'Inde, du Maroc. Des stylistes sillonnent le monde entier pour déceler les tendances nouvelles. Le groupe reste ancré en Europe (40 % du chiffre d'affaires) et se développe en Amérique et en Asie du Sud-Est.

Sources diverses – 2002.

## 6. La dynamique des espaces économiques

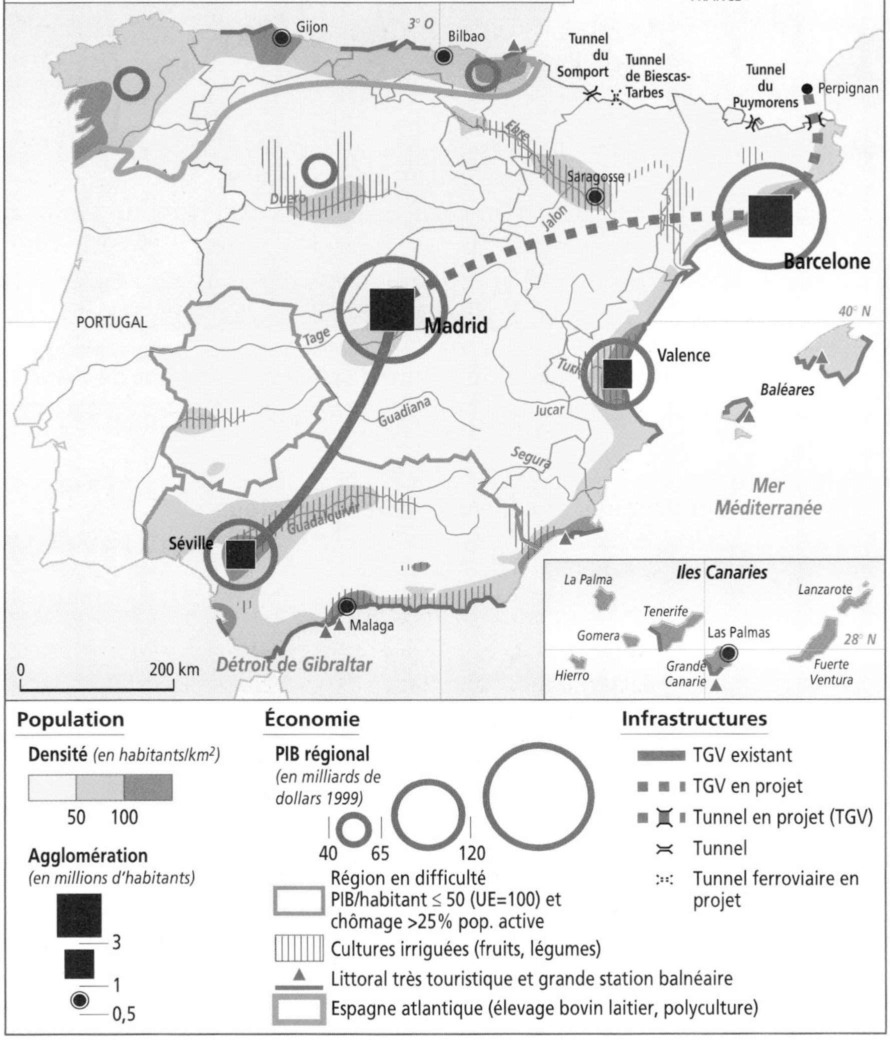

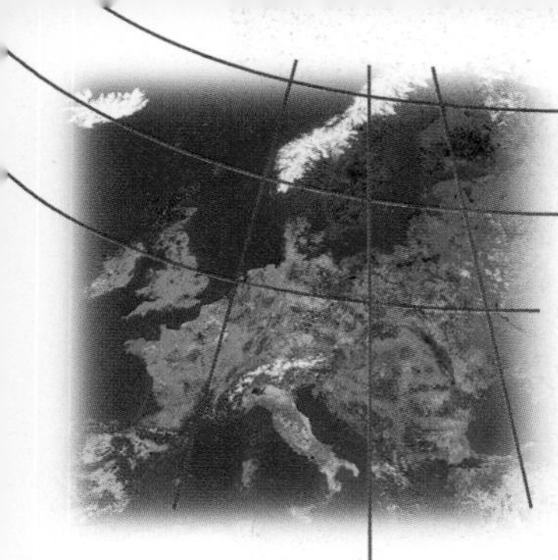

# Dossier

# L'Andalousie : la manne européenne

*L'Andalousie est l' une des régions les plus peuplées d' Europe : 7,2 millions d' habitants. Longtemps elle fut une véritable périphérie, simple réservoir de main-d' œuvre.*

*Depuis 1986, elle connaît un redressement, notamment grâce à l' aide de l' UE. Son territoire associe aujourd' hui des zones pauvres et des espaces modernes bien intégrés à l' Europe.*

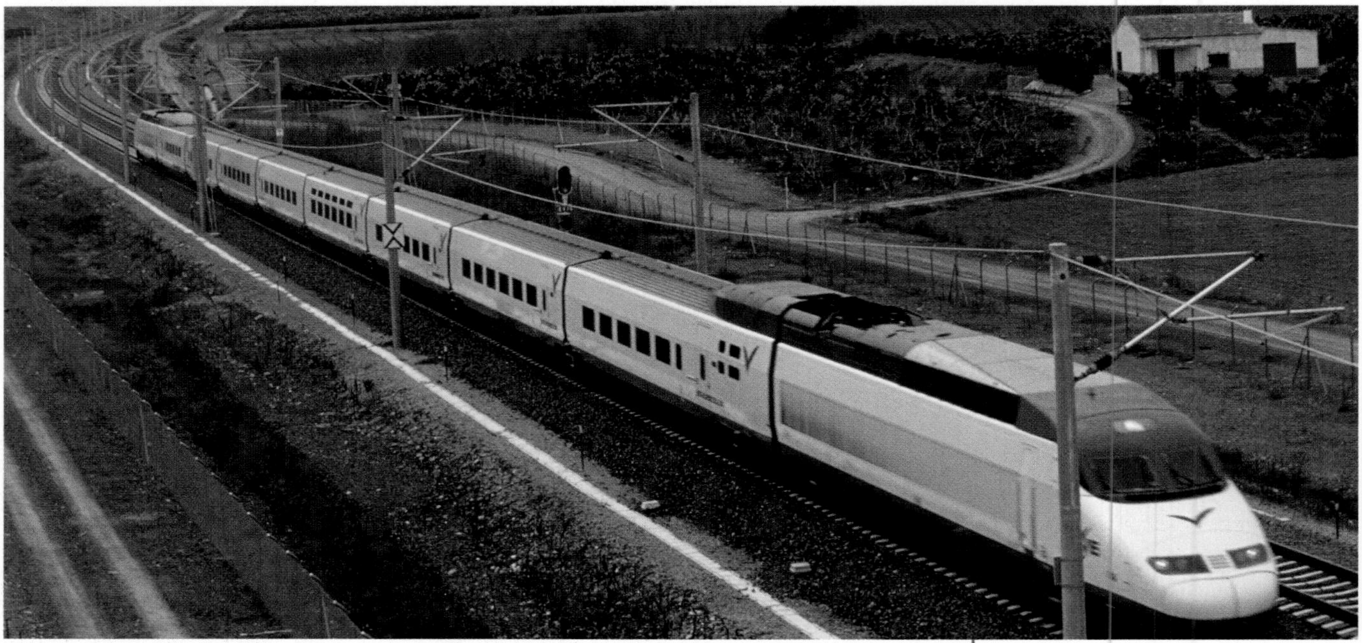

**1. Le TGV reliant Madrid à Séville, signe du désenclavement de l'Andalousie**

Avec les aides européennes très importantes, les infrastructures autoroutières et ferroviaires ont été améliorées et les oliveraies se sont développées.

**2. Régions dynamiques et désenclavement andalous**

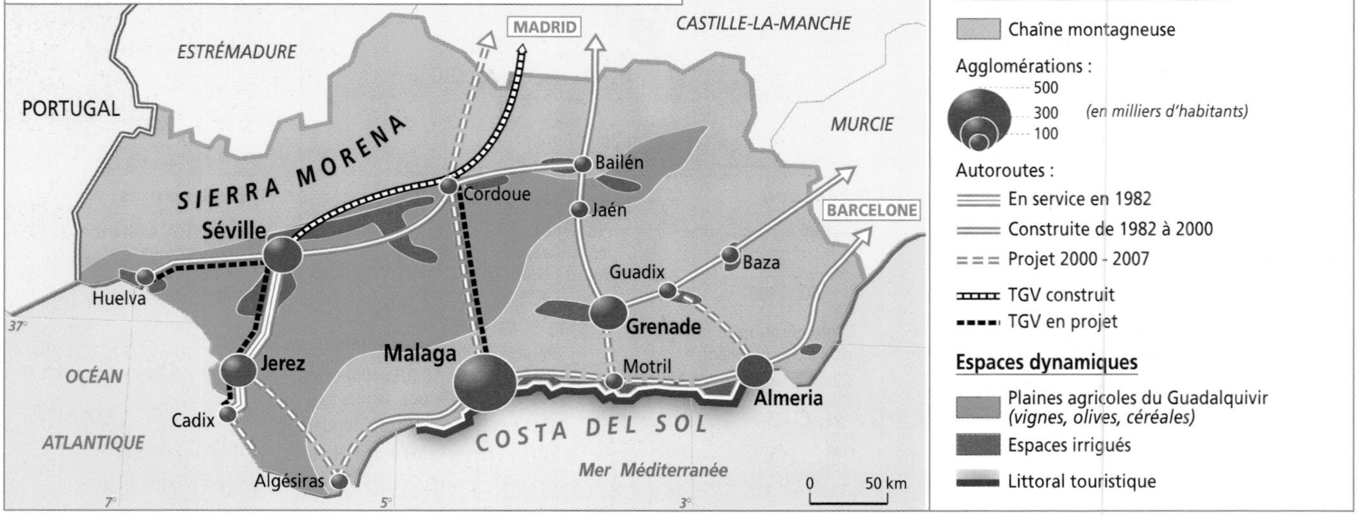

## 3. Le potager de l'Europe sur la Costa del Sol, à l'Ouest d'Almeria

Ces espaces très secs et stériles ont été totalement modifiés grâce à l'irrigation et à l'édification de serres en plastique dans les années 1970. Ils produisent toute l'année des fruits et des légumes qui sont exportés vers l'Europe.

## 4. Station balnéaire de Port-Banyus

Construite dans les années 1980, cette station a fait le choix d'équipements touristiques de qualité pour accueillir une clientèle aisée au sein de laquelle les Britanniques dominent ; viennent ensuite les Allemands et les Français.

## 5. Un développement sous l'impulsion de l'Europe

L'adhésion de l'Espagne à la CEE (1986) et les aides européennes ont sorti l'Andalousie du sous-développement. La région bénéficie des aides du Feoga* pour son agriculture, du Feder* (au titre des régions en retard de développement), d'Interreg* III comme région frontalière ; des aides concernent aussi la montagne qui occupe 38 % du territoire. La BEI (Banque européenne d'investissement), qui finance les projets à long terme, a accordé 100 millions d'euros de prêts en 2001 : aides aux PME, à l'innovation, à la protection de l'environnement...

Sources diverses.

## Questions

1. Situez l'Andalousie en Espagne et en Europe (annexes 1, 2, 3, 6).
2. Quelles formes prend l'aide européenne à l'Andalousie (5) ?
3. Quels signes témoignent de la transformation économique de l'Andalousie et quelles en sont les limites (1, 2, 3, 4) ?
4. Quelles sont les différentes formes de l'intégration de l'Andalousie à l'Europe (2, 3, 4, 5) ?

# 3 L'Italie, un pont au Sud de l'Europe

## Mots-clés

**ENI :**
office national des hydrocarbures (1953).

**IRI :**
institut pour la reconstruction industrielle (1953).

**Mafia :**
organisation criminelle en Italie : *Cosa Nostra* (en Italie) et *Stidda* en Sicile, *Ndrangheta* en Calabre, *Sacra Corona Unita* dans les Pouilles, *Camorra* en Campanie.

**Pax romana :**
(Paix romaine) : longue période (Ier et surtout IIe siècles après J.-C.) durant laquelle l'Empire, plus vaste que jamais, en sécurité à l'intérieur de ses frontières, peut jouir d'une paix et d'une prospérité relatives, fondées sur la puissance militaire de Rome.

* voir Lexique

## 1. Une péninsule méditerranéenne

• **S'étirant sur 1 300 km, des Alpes au détroit de Sicile, l'Italie oppose deux ensembles : au Nord**, la plaine fertile du Pô, continentale, humide et brumeuse ; **au Sud**, la chaîne calcaire des Apennins, épine dorsale d'une péninsule ensoleillée, au relief compartimenté, aux étés chauds et secs. **L'Italie souffre de sévères contraintes naturelles** (8) : l'irrégularité des précipitations provoque de graves sécheresses, des inondations et des coulées de boues dévastatrices. Située au contact des plaques tectoniques actives, elle est exposée, au volcanisme (Etna, Vésuve) et à de terribles séismes. Ces catastrophes sont aggravées par la forte pression humaine et l'incurie des pouvoirs publics.

• Forte fécondité, sur-densités rurales et pauvreté firent de l'Italie, de 1830 à 1970, une terre d'émigration vers l'Amérique et l'Europe du Nord-Ouest (France et Suisse principalement). Cette Italie prolifique a vécu ; elle est devenue un pays de **faible fécondité** (1,3 enfant par femme), vieillissant et soumis à **l'immigration clandestine** (Africains, Albanais, Kurdes...). Le pays compte 2 millions d'étrangers.

## 2. Un des berceaux de l'Europe

• **Pendant la Pax romana (Ier et IIe siècles après J.-C.), Rome fut la maîtresse de la Méditerranée**, imposant son droit et sa langue, et couvrant l'Europe occidentale de voies pavées et de villes : Lyon, Vienne, Cologne, Tolède ou Londres sont autant de filles de Rome. La « Ville éternelle », devenue la capitale de l'humanité chrétienne, abrite la Cité du Vatican.

• **L'Italie a établi un lien avec l'Orient et le Nouveau Monde** : Marco Polo n'était-il pas vénitien, Christophe Colomb génois, Amerigo Vespucci florentin ? Puis, **elle a ouvert l'Europe à la modernité** : la Renaissance, dont elle garde un patrimoine culturel inestimable (7). **Ce rayonnement s'est estompé ensuite** mais, après l'échec du fascisme, la volonté de construire l'Europe est devenue un objectif prioritaire. **Membre fondateur de la CECA* et de la CEE**, l'Italie a engagé un rude assainissement de ses finances publiques pour répondre aux critères de l'Euro, attestant ainsi de **son attachement à l'Union européenne**.

## 3. La sixième puissance mondiale

• **Membre de l'OTAN*** (5 bases militaires sur son territoire), **l'Italie occupe en Europe de fortes positions dans les industries légères** (habillement, mode, électroménager, alimentaire). De **spectaculaires réussites** en témoignent : Benetton, Prada, Barilla, Zanussi, Piaggo... (9). Mais, elle souffre de l'absence de firme d'envergure mondiale et d'un retard certain dans les hautes technologies.

• **Sa force réside dans l'abondance d'une main-d'œuvre habile, l'épargne disponible et l'esprit d'entreprise**. L'État a stimulé le développement dans les années 1950-1975 en contrôlant des secteurs entiers (énergie, acier, chimie) par de vastes holdings (**IRI**, **ENI**) ; mais la mondialisation et Bruxelles le poussent à se désengager. Les banques et les grandes entreprises se restructurent : Fiat a cédé 30 % de son capital à General Motors ; endettée, elle procède à des licenciements massifs. Les capitaux étrangers pénètrent dans de multiples secteurs. L'essor du pays est aussi entravé par la dégradation des services publics, l'injustice fiscale, l'économie souterraine et le rôle de la **mafia**.

**Atlas**

**Annexe 7**
*(page 327)*

**Document**

**Arrivée d'immigrants à Bari, sur les côtes italiennes**
*(pages 124-125)*

## 7. Florence : un haut lieu de l'histoire culturelle de l'Europe

Au cœur de la Toscane, Florence recèle de somptueux trésors artistiques et architecturaux, reflétant le passé prestigieux de Michel-Ange, de Dante, de Machiavel et des Médicis.

## 8. Risques et contraintes naturels

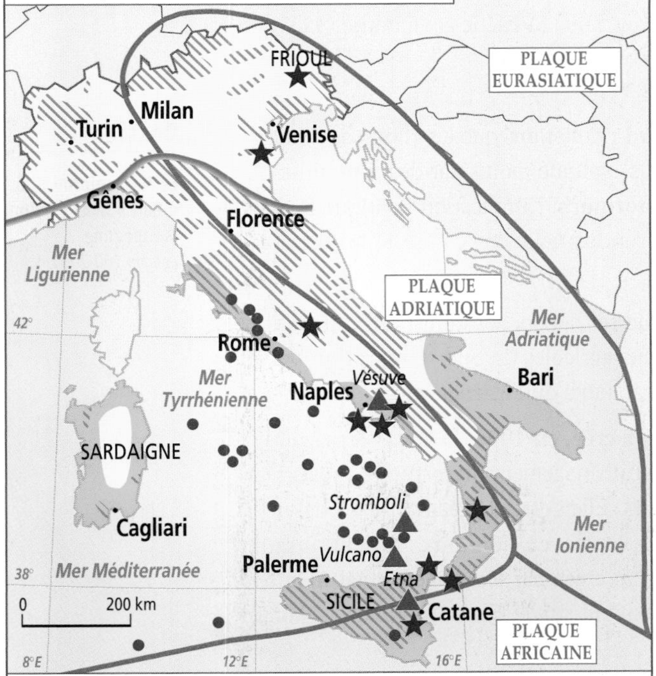


- Zones exposées aux risques naturels (séismes, coulées, inondations)
- 3 à 4 mois de sécheresse
- Limite des plaques
- Limite nord du climat méditerranéen
- ▲ Volcan actif
- ● Autres volcans
- ★ Tremblement de terre catastrophique, XIXe-XXe siècles (1 000 à 80 000 morts)

## 9. Des marques mondialement connues

Francesco Smalto à Paris ; Emporio Armani à New York.

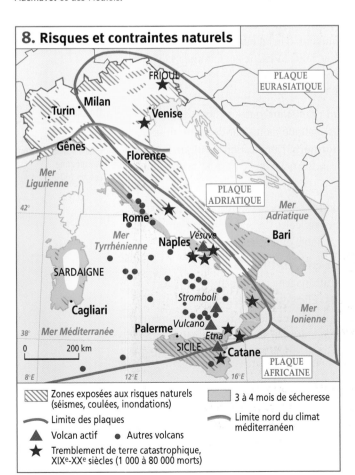

# 4 L'Italie : Nord-Sud, la fracture persistante

## Mots-clés

### 1. L'Italie, toujours plus arrimée à l'Europe

• **L'Italie effectue 65 % de ses échanges avec l'Union européenne**, générant un trafic routier très intense. Un projet prioritaire de réseau transeuropéen de transport envisage un TGV de Lyon à Milan par Turin, avec des embranchements vers Munich et Trieste. Mais nombre d'infrastructures restent désuètes.

• **Pays méditerranéen** chargé d'histoire, **l'Italie est la quatrième destination touristique** du monde. Les plages de l'Adriatique, la Riviera et Capri, les villégiatures de luxe du lac Majeur ou de la Costa Smeralda, les joyaux architecturaux que sont Venise et Florence attirent 41 millions de visiteurs par an, dont 8 millions de Français et autant d'Allemands **(10)**. Le tourisme réalise 2,3 % du PIB et occupe 3 millions de personnes.

**Cartes Enjeux**

**Espagne, Italie : quels ancrages européens ?**
*(page 89)*

### 2. L'Italie active : le Nord et le Centre

• **L'Italie septentrionale forme la partie sud de la région centrale européenne**. Sa prospérité remonte au Moyen Âge, reposant sur l'agriculture intensive, le tourisme, les échanges et l'industrie : 30 % du potentiel industriel italien. Capitale de la **Lombardie, l'une des plus riches régions européennes, Milan** (4,3 millions d'habitants) **(12)** éclipse quelque peu Turin, berceau de Fiat. Dans leur sillage, de nombreuses villes associent tourisme et dynamisme industriel.

• **La primauté du Nord s'atténue avec l'émergence d'une « troisième Italie » au centre du pays**. Son essor repose sur les petites et moyennes entreprises familiales, très flexibles et rentables. Organisées en districts industriels, elles ont créé 90 % des emplois industriels depuis 1955. Ce territoire de 10 millions d'habitants s'organise autour de Florence, Bologne-Parme-Modène, en se ramifiant vers la Vénétie et l'Ombrie **(11)**.

**Document**

**Catalogne (Espagne), Lombardie (Italie) : quelle position en Europe ?**
*(pages 86-87)*

### 3. Le Mezzogiorno : « rien ne change »

• **Au Sud de Rome, l'Italie souffre d'un retard persistant**, que les efforts de l'État italien et de l'Europe n'ont pu combler. Ce retard s'explique moins par des contraintes naturelles, certes sévères, que par des **causes historiques**. L'unification politique et douanière à la fin du XIX^e^ siècle, puis la révolution industrielle ont creusé le fossé entre le Nord et le Sud.

• La bourgeoisie libérale du Nord a élargi au Sud ses débouchés industriels, ruinant l'artisanat local et se fermant en retour aux produits agricoles du Sud. **Émigration ou misère**, telle fut longtemps l'alternative pour les habitants du Mezzogiorno.

• **Pour réduire cette opposition, l'État italien a créé, en 1950, la « Cassa per il Mezzogiorno »**, organe de la plus vaste opération d'aménagement du territoire jamais réalisée en Europe, pendant plus de quatre décennies. Elle s'est achevée en 1992 : désenclavement autoroutier, barrages, reboisement, écoles et hôpitaux, décentralisation industrielle. Des pôles d'industrie lourde ont été créés par les firmes d'État à Tarente (sidérurgie, pétrochimie), Bari ; les firmes privées ont suivi : Fiat, Alfa-Romeo (Naples), Pirelli (Palerme), Good-Year (Cagliari)... **(11)**.

• **Le bilan est nuancé. L'écart Nord/Sud persiste**, la croissance du Sud reste dépendante du Nord ; les zones littorales se développent davantage que l'intérieur, les Pouilles plus que la Calabre ; l'émigration persiste. Mais que serait devenue l'Italie, en l'absence d'un tel effort ?

**Dossier**

**Le Mezzogiorno : un « Sud » dans l'Union européenne**
*(pages 100-101)*

## 10. Les littoraux italiens : un attrait majeur pour les touristes de l'Europe et du monde

Couverture de *Géo* – Juin 2001 ; Porto Fino sur la Riviera italienne.

## 11. Points d'ancrage de l'économie italienne

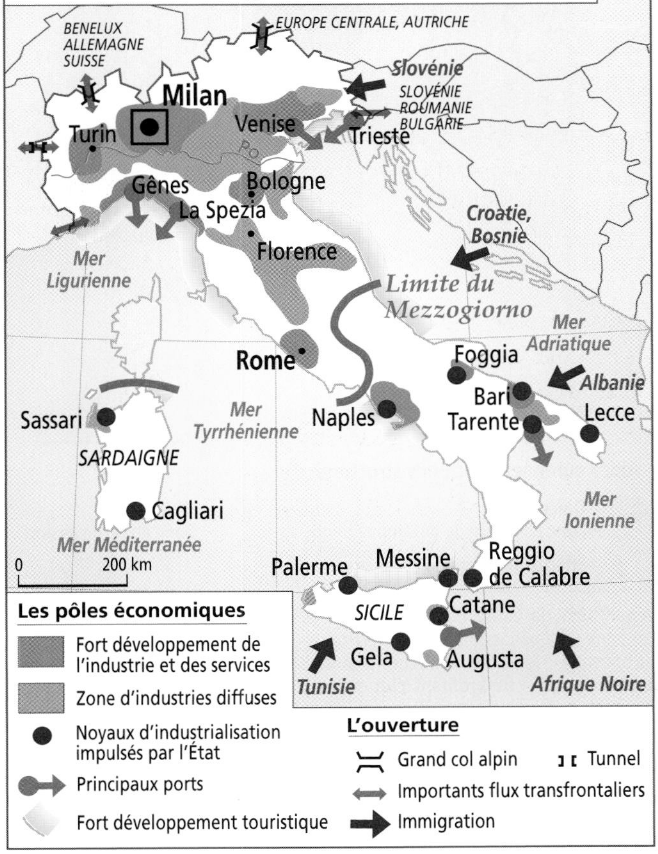


## 12. Milan, un des grands pôles économiques européens

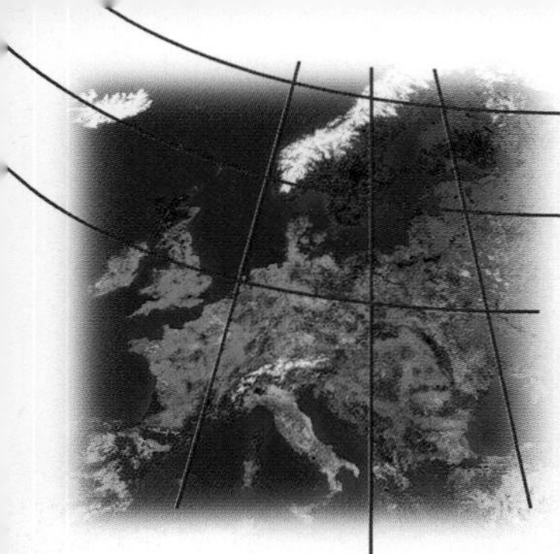

# Dossier

# Le Mezzogiorno : un « Sud » dans l'Union européenne ?

*L'opposition entre le Nord et le Sud de l'Italie constitue le clivage territorial le plus frappant en Europe.*

*Les efforts d'aménagement du territoire entrepris depuis 1950, puis le développement d'une « troisième Italie » au centre du pays, de même que l'émergence de pôles de croissance au Sud, ont sensiblement atténué cette dualité historique, sans la faire disparaître.*

## 1. Le Mezzogiorno : une réalité ?

### A. La fracture économique et la politique d'industrialisation

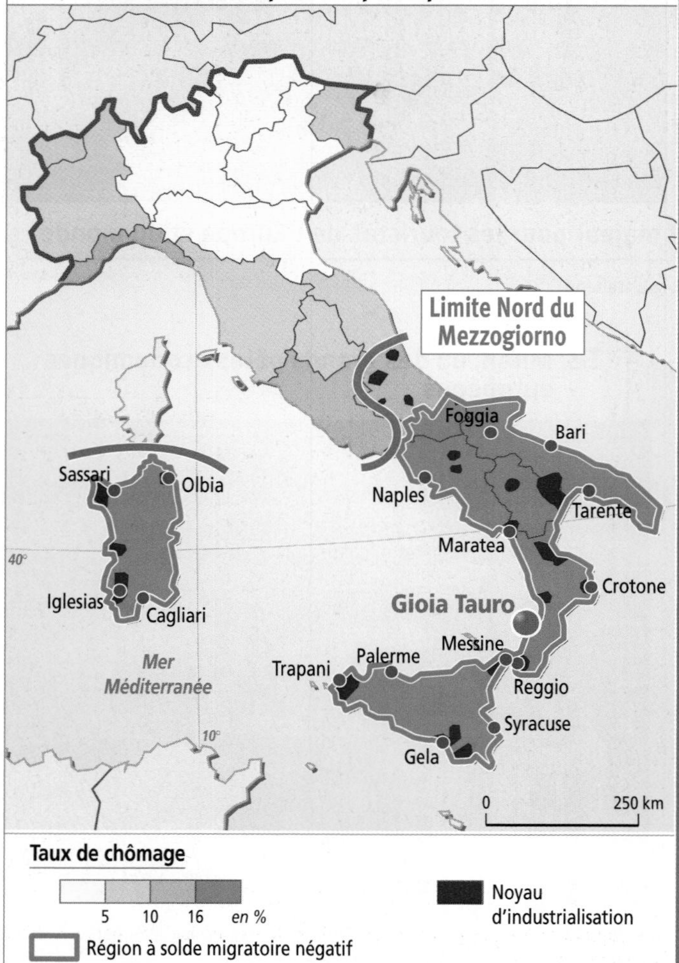


L'opposition entre l'Italie du Nord et l'Italie du Sud apparaît à travers de nombreux paramètres économiques. Malgré une évolution et quelques réussites conséquentes, la politique de rééquilibrage menée par l'intermédiaire de la Caisse pour le Mezzogiorno a été perçue comme une forme d'aide alimentant parasites, politiciens et mafias. À tel point que les partisans de la Ligue du Nord (parti nationaliste) ont rêvé en 1996 de sécession.

48 pôles de grosses industries et de noyaux de petites et moyennes entreprises ont été implantés dans le Sud à partir des années 1960, grâce à des aides et dérogations fiscales, créant des milliers d'emplois. La majorité d'entre eux a été localisée sur les littoraux, les renforçant face à l'intérieur.

### B. Les aides européennes

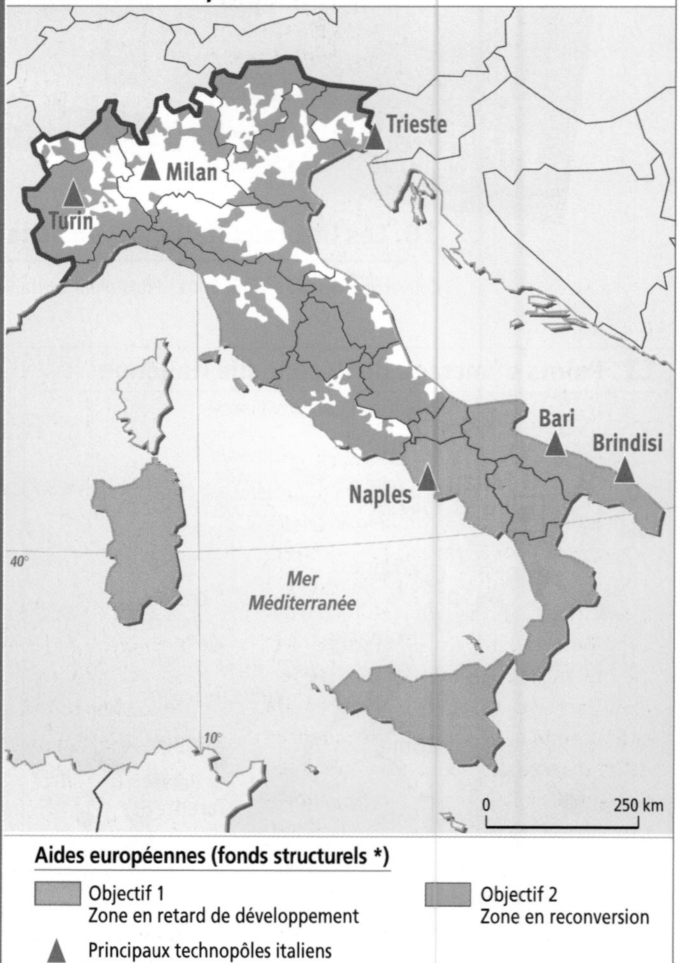


Depuis 1993, la Caisse pour le Mezzogiorno a cessé son activité. La politique italienne d'aménagement du territoire s'est fondue dans la politique européenne : les aides publiques essentielles sont désormais celles des fonds structurels *, qui ne profitent plus exclusivement au Sud. Cette situation a un avantage : Rome, en transférant à l'Europe la charge des subventions au « Mezzogiorno » a, du coup, mis fin à la crise de solidarité Nord-Sud exaspérée par la Ligue du Nord.

Depuis 1990, le ralentissement économique a relancé l'émigration. En 2001, près de 700 000 personnes ont quitté le Sud pour trouver un emploi dans le Nord, dont 60% avaient entre 20 et 30 ans.

## 2. Deux images du renouveau du Mezzogiorno

Le grand port de conteneurs Gioia-Tauro : sur la mer Tyrrhénienne, en Calabre, le port a été subventionné par l'Union européenne. Le nouveau centre directionnel de Naples : il témoigne du développement des technopôles dans le Sud de l'Italie.

## 3. Tensions à propos du Mezzogiorno

La vieille coupure Nord-Sud n'est plus aussi évidente, mais le problème du Mezzogiorno se maintient. Le modèle de développement qui, entre 1960 et 1990, avait suscité des activités industrielles est en crise : fin de la sidérurgie à Bagnoli (fermée), à Tarente (privatisé), fermeture annoncée de l'usine Fiat de Termini Imerese (Sicile), disparition de sous-traitants. Une des conséquences est la montée des sicilianistes, régionalistes militants. Une autre est la caricature d'un Nord qui finance à fonds perdus, thème favori de la Ligue du Nord qui conteste les aides au Mezzogiorno.

Sources diverses.

## 4. L'évolution du Mezzogiorno

| INDICATEURS | MEZZOGIORNO[1] | | | NORD ET CENTRE | | |
|---|---|---|---|---|---|---|
| | 1951 | 1981 | 1999 | 1951 | 1981 | 1999 |
| **Structure de l'emploi** *(en %)* | | | | | | |
| – Primaire | 48 | 23 | 10 | 29 | 8 | 5 |
| – Secondaire | 20 | 27 | 25 | 44 | 39 | 35 |
| – Tertiaire | 32 | 50 | 65 | 27 | 53 | 60 |
| **Chômage** *(en %)* | | 20 | 22 | | 8 | 7 |
| **Chômage des jeunes** *(moins de 25 ans)* | | | 60 | | | 12 |
| **Population pauvre** *(en %)* | | | 21 | | | 7 |
| **PIB*/habitant** *(Italie = 100)* | 67 | 67 | 66 | 105 | 120 | 122 |
| **Part PIB* national** *(en %)* | 21 | 23 | 29 | 79 | 77 | 71 |
| **Tourisme** *(en %)* | | | | | | |
| – Fréquentation étrangère | | | 13 | | | 87 |
| – Capacité hôtelière | | | 15 | | | 85 |

1. Régions constituant le Mezzogiorno : Abruzzes, Latium au Sud de Rome, Molise, Campanie, Pouilles, Basilicate, Calabre, Sicile, Sardaigne.

## Questions

**1.** Quels sont les différents signes de la fracture Nord/Sud (1, 4) ?

**2.** Comment a évolué la politique économique à l'égard du Mezzogiorno depuis les années 1960 (actions, acteurs, résultats, limites) (1, 2, 3, 4) ?

**3.** Quelles ont été les critiques émises à l'égard de cette politique (1, 3) ?

# Réseaux et flux en

Partie 2

# Europe et en France

**L'aéroport de Roissy-Charles-de-Gaulle.** Plus vaste espace aéroportuaire européen, l'aéroport est aussi un important noeud de communication. Cette situation est valorisée par des implantations d'entreprises industrielles et tertiaires dans des parcs d'activités proches de l'aéroport.

**A.** Terminal 1. **B.** Terminal 2. **C.** Terminal 9. **D.** Roissy pôle. **E.** Gare TGV-RER. **R.** Commune de Roissy-en-France. **1.** Zone d'activité de la plate-forme aéroportuaire. **2.** Zone de fret. **3.** Zone d'activité de Paris-Nord 2. **4.** Parc de Roissy.

# Chapitre 6

# L'Europe des villes

En Europe, quelques grandes villes, des métropoles, abritent désormais l'essentiel de la population et de l'activité économique. À l'image du continent, la population de la France est urbaine. Si les villes y sont nombreuses et plutôt bien réparties sur le territoire, peu ont une taille comparable aux autres villes européennes.

- **Quelle est l'importance et le rôle des villes en Europe ?**
- **Quels sont les caractères de l'urbanisation de la France ?**



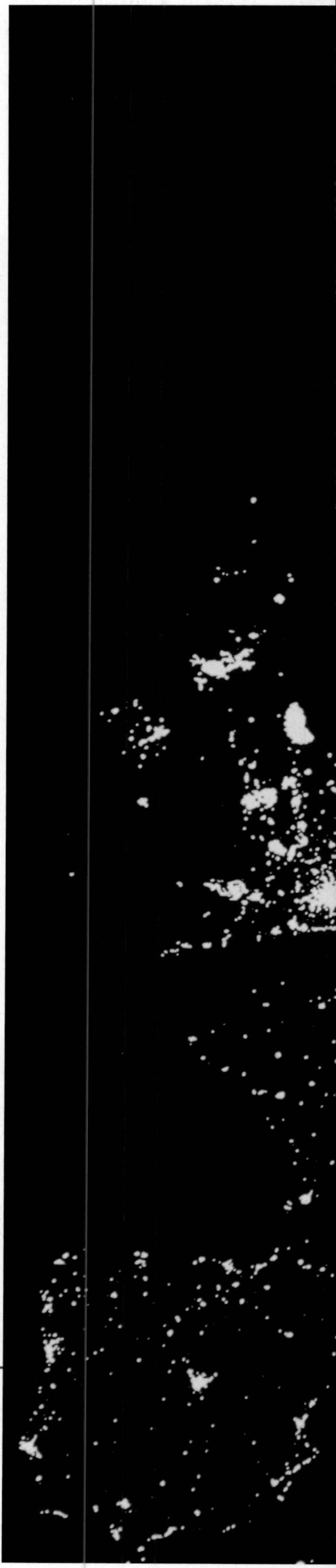

**L'Europe la nuit.** Les tâches lumineuses, visibles sur les images satellites enregistrées pendant la nuit, montrent mieux qu'une carte l'importance du nombre de villes en Europe. En dehors des montagnes et des hautes latitudes, tout le territoire de l'Europe est régulièrement ponctué de villes.

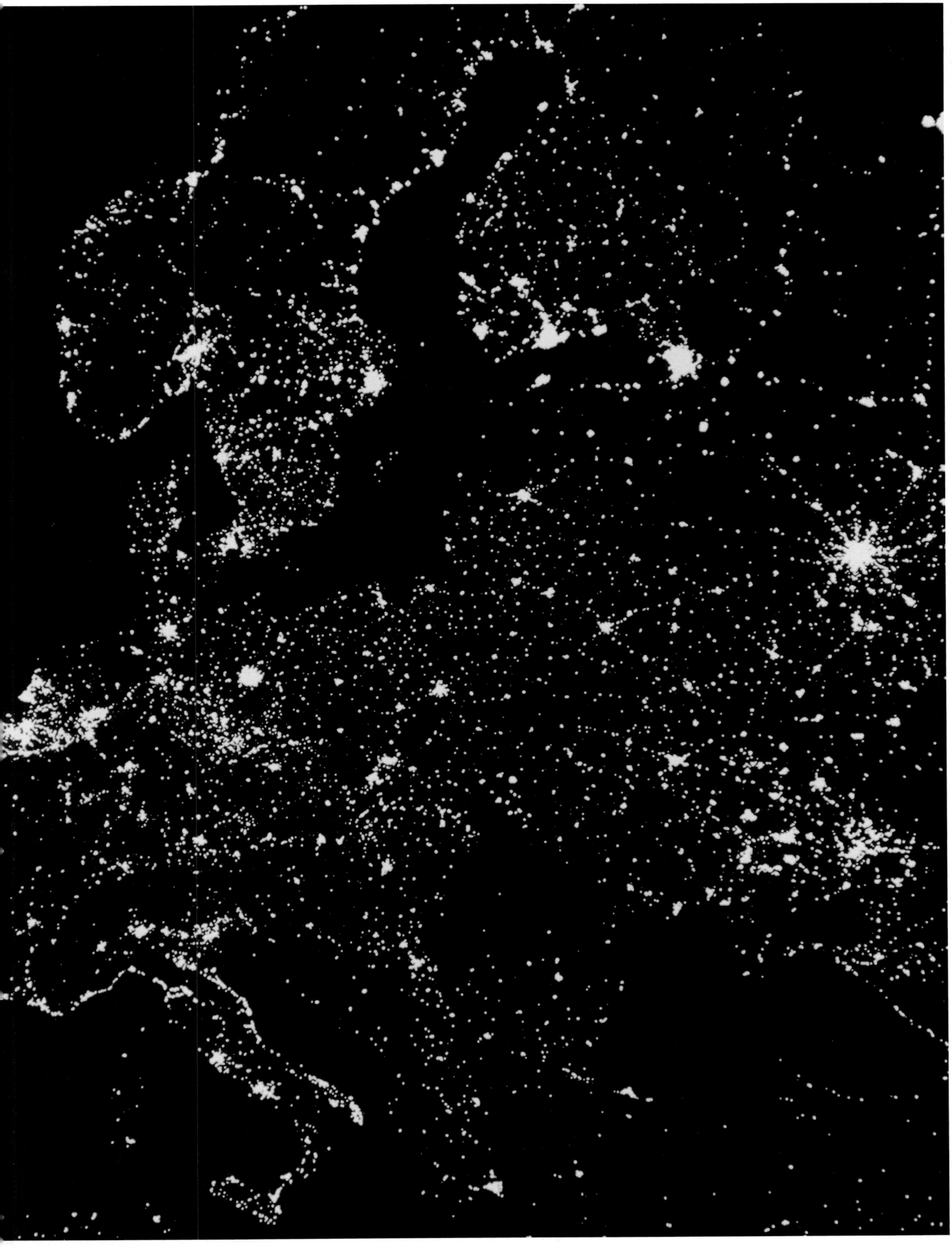

# Cartes Enjeux

# Un monde d'urbains

## 1. En Europe, un dense semis de grandes villes

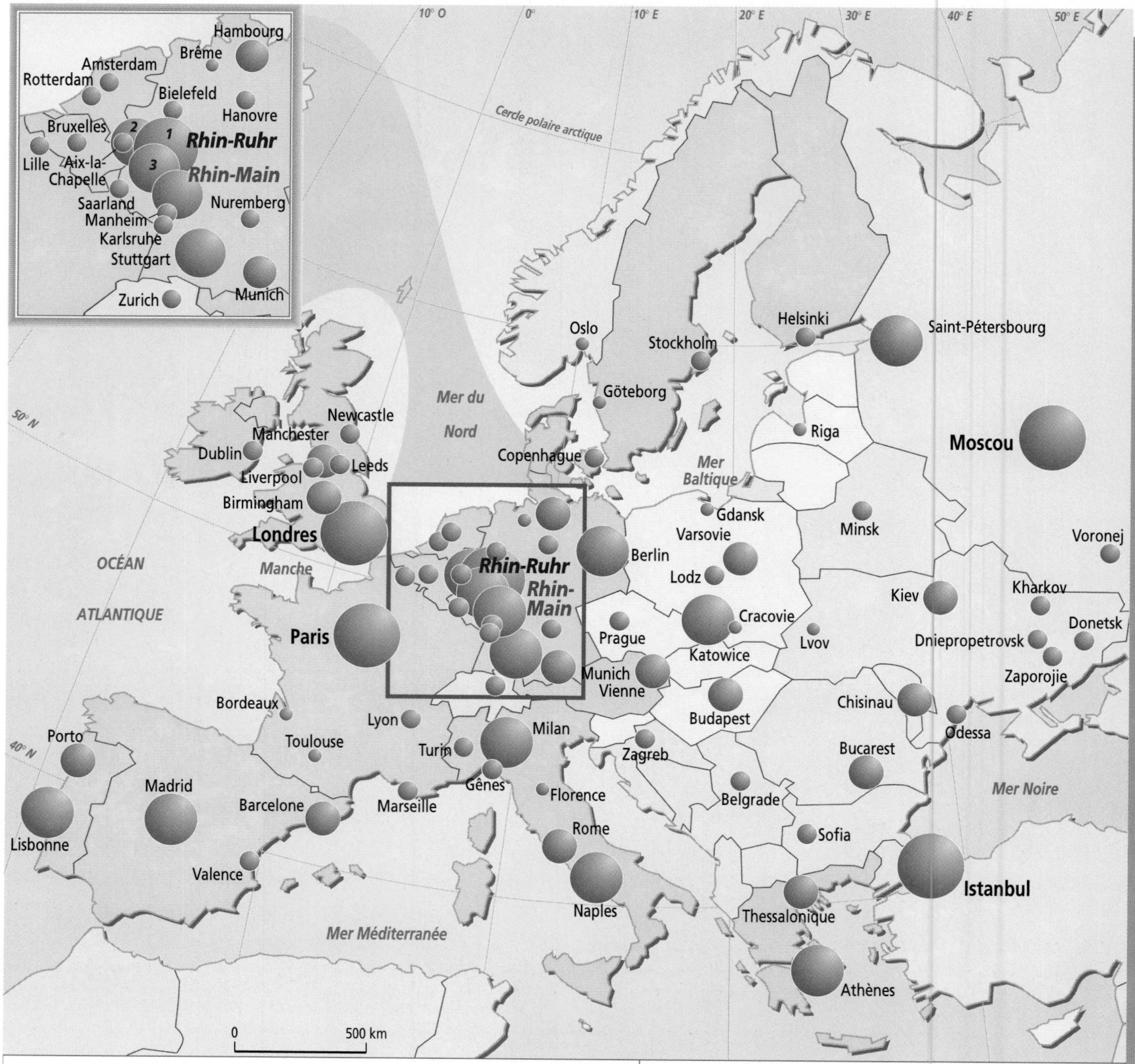


***Rhin-Ruhr :***
1 Duisburg – Essen – Dortmund – Bochum
2 Düsseldorf – Solingen – Wuppertal
3 Bonn – Cologne – Leverkusen

***Rhin-Main :***
Francfort
Wiesbaden
Darmstadt

**Population des agglomérations :**
*(en millions)*
0,75 1 2 3 8

Source : *ONU, World Urbanisation Prospects* – 2001.

## 2. En France, le poids de Paris

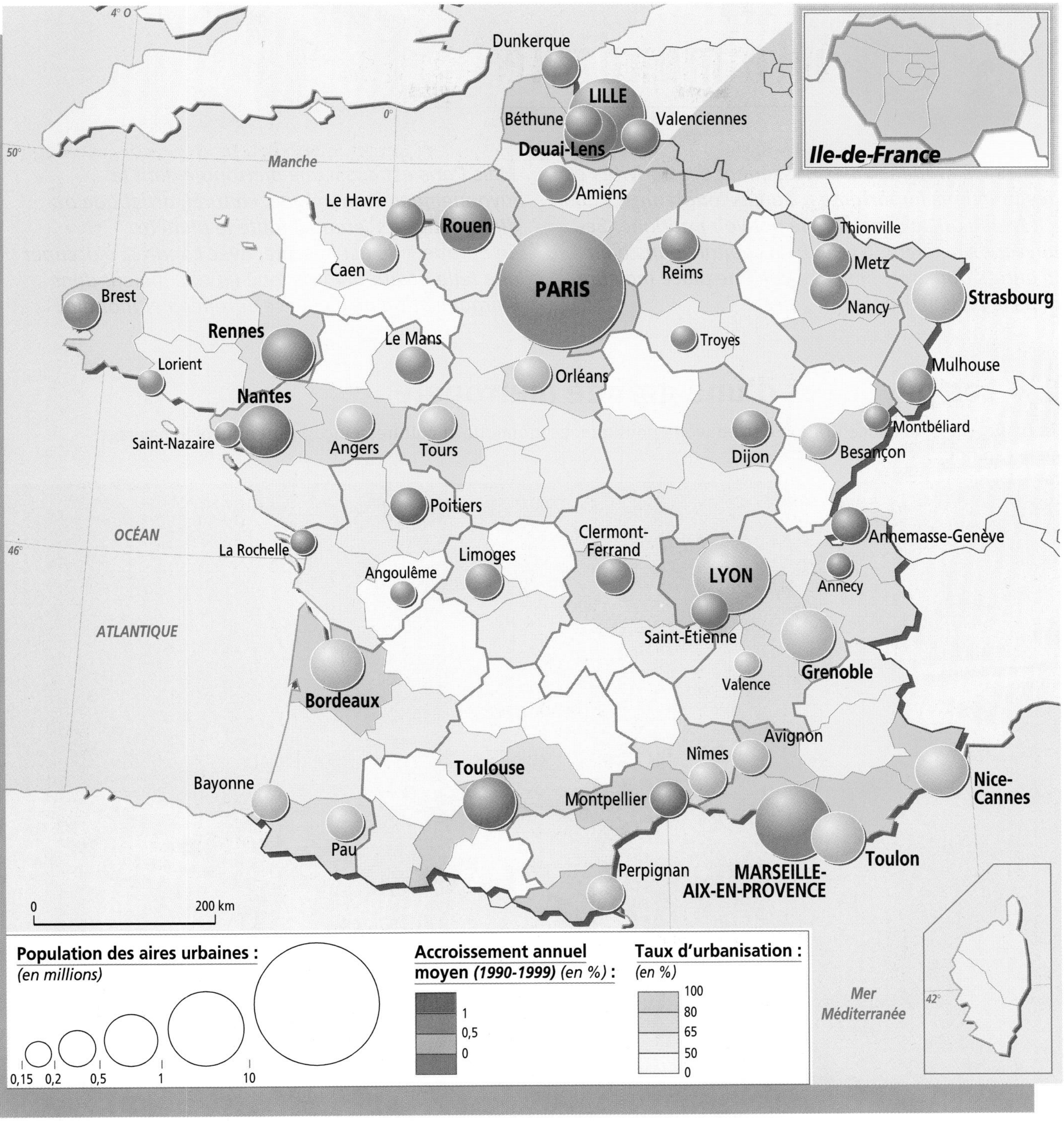


**Questions**

- Quelles sont les plus grandes villes européennes **(carte 1)** ?
- Dans quelle partie de l'Europe le semis des villes est-il particulièrement dense **(carte 1)** ?
- Qu'est-ce qui caractérise la taille des villes françaises par rapport à d'autres États de l'Europe **(cartes 1 et 2)** ?

# Étude de cas

# Paris, ville mondiale

*Seules les grandes villes possèdent des activités et des fonctions importantes. Depuis longtemps, Paris est le lieu où se concentre le pouvoir politique. Ses paysages révèlent le rôle de la capitale dans bien d' autres domaines. Elle occupe une place majeure dans le réseau urbain français.*

*Mais Paris est aussi une métropole dont le rayonnement économique, culturel, artistique ou diplomatique s' étend à toute la planète.*
*En Europe, elle est la seule, avec Londres, à occuper une telle position. Paris joue un rôle majeur dans l' organisation de l' espace européen et mondial.*

## 1 ■ Les paysages d'une grande métropole

Au fil du temps, la concentration des pouvoirs politique, économique et culturel a façonné et enrichi le paysage de la capitale.

**1. Le centre de Paris (vu vers l'Est)**

Le cœur historique : Notre-Dame (1), Le Louvre (2), l'Hôtel de Ville (3), et ses transformations récentes : le Centre Georges Pompidou (4), l'université de Jussieu (5), Bercy, avec le ministère des Finances (6), l'Opéra-Bastille (7), la Bibliothèque nationale de France (8).

## 2. La Défense, centre de Paris ?

En raison de son étendue et d'une mise en place totalement planifiée, la Défense est le cas le plus achevé des quartiers d'affaires à l'américaine qui ont fleuri en Europe à partir des années 1960. La Défense apparaît plus comme une excroissance de Paris que comme un quartier autonome : l'adresse postale est « Paris-La Défense » ; le RER, la ligne 1 de métro et la voie ferrée vers Saint-Lazare assurent d'excellentes liaisons avec le centre ancien.

Cependant, une mixité fonctionnelle a été prévue, avec des quartiers de logements, placés généralement en retrait par rapport à l'esplanade centrale. Et surtout l'animation du quartier s'est considérablement développée avec, notamment, l'implantation du centre commercial des Quatre-Temps, de boutiques, de cafés-restaurants, de discothèques, de cinémas.

Le pari d'un quartier attrayant pour les visiteurs a été lui aussi largement gagné, grâce à diverses animations et à un habile traitement des espaces ouverts (plantations, bassins, œuvres d'art). En revanche, la qualité de l'habitat et du cadre de vie est plus discutée.

J.-C. Boyer, *Les capitales européennes*, Documentation photographique – Avril 2001.

## 3. Deux symboles de Paris

Le palais de l'Elysée, siège du pouvoir exécutif ; le palais du Louvre, pôle du rayonnement culturel.

## Questions

**1.** À partir des photographies 1, 3, 5, 8, décrivez les principaux paysages urbains de Paris.

**2.** Où est situé le quartier de la Défense (4) ? Quelles fonctions abrite-t-il (2) ?

**3.** Relevez et classez les différentes fonctions présentes dans la capitale (4).

**4.** Dans l'espace parisien, où sont-elles principalement localisées (4) ?

## 4. Les fonctions nationales et internationales de Paris

Stade de France — La Vilette — Nanterre — La Défense — Sacré Cœur — Montmartre — 18 — 17 — 19 — Palais des Congrès — Gare St-Lazare — Gare du Nord — Gare de l'Est — 9 — 10 — Arc de Triomphe — Champs Élysées — Élysée — Opéra — 2 — Bourse — 8 — Louvre — 3 — 11 — 20 — 1 — Tour Eiffel — 7 — Beaubourg — Assemblée Nationale — Notre Dame — Bastille — 16 — Matignon — 4 — 12 — UNESCO — 6 — Sénat — Sorbonne — 5 — Gare de Lyon — Quartier Latin — Ministère de l'économie et des finances — Gare Montparnasse — Maine-Montparnasse — Gare d'Austerlitz — 15 — 14 — 13 — Bibliothèque nationale de France — Roland Garros — Bois de Boulogne — Seine — Bois de Vincennes — Parc des Expositions — 0 — 1 km

● Cœur politique
★ Lieux touristiques
▲ Lieux de culture ou récréatifs
■ Grand axe des affaires

■ Lieux principaux des affaires
  Quartier universitaire et culturel
  Espace vert
—■ Gare

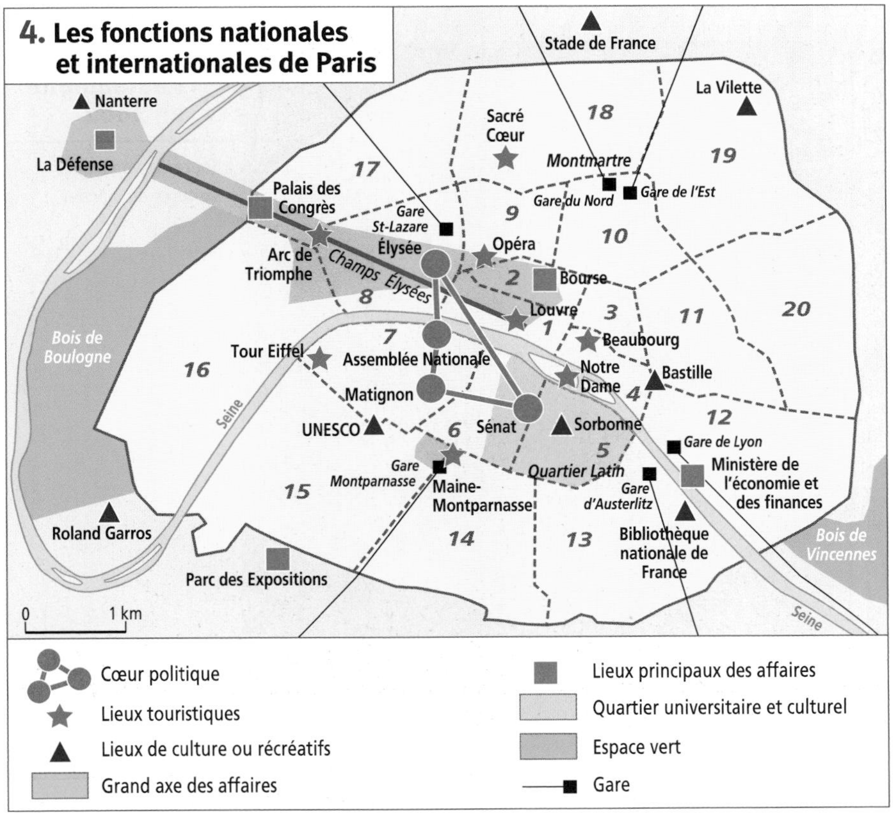

# 2 ■ Paris, une métropole mondiale

Paris occupe une place majeure en Europe dans les domaines économique ou financier. La capitale est aussi un grand pôle culturel et patrimonial. C'est une grande métropole du monde actuel.

**5. Le centre d'affaires de la Défense**

**6. Le Mondial de l'automobile en 2002**

Toutes les nouvelles voitures du monde.

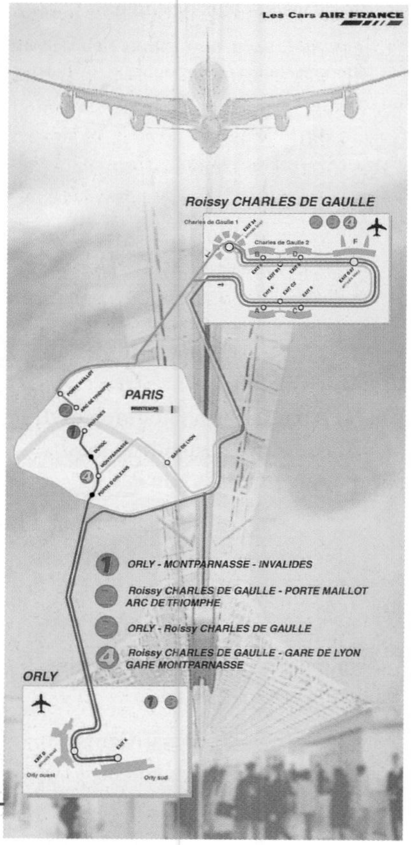


**7. Paris est desservi par deux aéroports internationaux**

## 8. Paris, capitale de la mode et de la culture

La haute couture : défilé de mode Emmanuel Ungaro en janvier 2003 ; la Bibliothèque nationale de France : 10 millions d'ouvrages, des chercheurs du monde entier.

## 9. Paris, les attributs d'une grande métropole ?

Au centre de la plus grande agglomération européenne, Paris est, avec Londres, la capitale la plus complète. Toutes deux, comme ancienne capitale d'un empire colonial, occupent une place prééminente et exercent, sur de nombreux pays, une influence financière, économique, culturelle et linguistique, sinon politique. Paris a une importance internationale comme capitale de la quatrième plus grande puissance économique du monde. Elle contrôle totalement l'économie française, détenant les sièges des principales sociétés, un véritable monopole bancaire et la seule bourse du pays.

Paris se place en tête des villes mondiales pour les grandes manifestations internationales, congrès et expositions, comme pour la fréquentation touristique. Sa position se mesure aussi à la quantité et à la qualité des étrangers qui y vivent ou qui y viennent. Elle est, enfin, capitale diplomatique comme siège de grandes institutions internationales (l'UNESCO, l'OCDE), d'une vingtaine d'organisations intergouvernementales et de plus de trois cents ONG.

P. Laborde, *Les très grandes concentrations urbaines*, Sedes – 2000.

## 10. Palmarès des métropoles européennes *(en 1999)*

| Nombre de congrès internationaux | Capitalisation boursière |
|---|---|
| 1. **Paris** | 1. Londres |
| 2. Vienne | 2. Francfort |
| 3. Londres | 3. **Paris** |
| 4. Bruxelles | 4. Milan |
| 5. Genève | 5. Amsterdam |
| 6. Amsterdam | 6. Zurich |

## Questions

**1.** Quelles sont les fonctions mondiales de Paris (**4, 5, 6, 9** et **10**) ?

**2.** Pourquoi la présence de deux aéroports peut-elle renforcer l'importance de la métropole (**7**)?

**3.** Quelles images de Paris transparaissent dans les documents **1** et **8** ?

## Synthèse et prolongements de l'ÉTUDE DE CAS

- Quels sont les caractères et les fonctions d'une grande métropole ?
- Quelles sont les caractéristiques spécifiques du paysage d'une grande métropole européenne comme Paris ?
- Quand peut-on parler de métropole mondiale ?

# 1 L'Europe, un continent d'urbains

## 1. Une population majoritairement urbaine

• **Les villes européennes ne sont pas les plus grandes du monde.** Sur les 150 agglomérations de plus de 2 millions d'habitants recensées dans le monde, l'Europe en compte seulement 17. **Le gigantisme urbain reste exceptionnel en Europe** : Paris, première agglomération de l'Union européenne, n'occupe que le 20$^{e}$ rang mondial et Londres le 23$^{e}$.

• **Néanmoins, avec près de 80 % d'urbains,** l'Europe possède un **taux d'urbanisation*** particulièrement **élevé**. **La densité des villes est plus forte qu'en aucune autre partie du monde**. Où que l'on soit sur le « vieux continent », on a toute chance d'être à moins de 13 km d'une agglomération de 10 000 habitants.

• Les villes d'Europe sont marquées par l'influence de plusieurs **civilisations urbaines**, dont les empreintes sont lisibles dans les **monuments et paysages de la ville** (1).

## 2. Un dense semis de villes

• **Grandes, moyennes et petites villes** forment un **semis urbain** **exceptionnellement serré et régulier**. Les villes de moins de 200 000 habitants sont nombreuses, et la **moitié de la population urbaine** y réside. À l'opposé, l'Europe compte une quarantaine de **villes millionnaires**.

• L'espace européen présente **trois types de concentration urbaine** :
– des **conurbations**, caractéristiques des vieux bassins industriels (**pays noirs***), à l'image de la conurbation Rhin-Ruhr qui, autour d'Essen en Allemagne, rassemble près de 9 millions d'habitants, ou de vastes régions urbanisées, telle la Randstad- Holland aux Pays-Bas ;
– deux **mégapoles**, résultant de la croissance en « tache d'huile » d'agglomérations dépassant les 10 millions d'habitants (Paris, Londres) ;
– une **mégalopole*** formée par le chapelet de villes qui englobe le bassin de Londres, le Benelux, l'Ouest de l'Allemagne, et la région parisienne. Une bonne part de la population (200 millions de citadins), et des centres vitaux de l'économie européenne y sont logés.

## 3. Une métropolisation de l'Europe ?

• Avec **la construction européenne** et **la mondialisation*** de l'économie, les villes, pour être compétitives, doivent offrir une multitude de services aux entreprises : information, banques, centres de recherche... L'accessibilité doit être performante : aéroports internationaux, gares TGV, nœuds autoroutiers sont indispensables. Seules quelques villes, des **métropoles**, répondent à ces critères (2).

• **La métropolisation** se traduit par le **renforcement** et la **concentration** du pouvoir dans quelques grandes villes. Ces métropoles **coopèrent** dans la production, nouent entre elles de nombreux liens d'échanges et de communication. Souvent, les relations entre les villes européennes de premier plan sont plus décisives que celles qu'elles entretiennent avec les villes géographiquement plus proches.

• D'un autre côté, elles s'efforcent d'attirer à elles l'excellence économique et culturelle. Elles sont donc aussi **concurrentes**. Les acteurs politiques et économiques s'efforcent de **contrôler la croissance de leur ville** et d'en **gérer l'image** pour en assurer l'attractivité. Musées, salles de spectacles, palais des congrès, quartiers rénovés par des architectes de renommée internationale contribuent à la réputation des villes.

### Mots-clés

**Conurbation :** réunion de plusieurs villes, formant une vaste aire urbanisée multipolaire.

**Mégapole :** très grande agglomération de plusieurs millions d'habitants. L'ONU retient le seuil de 8 millions d'habitants.

**Métropole :** ville qui, par l'importance de ses fonctions*, exerce son influence sur un territoire étendu : régional, national ou international.

**Métropolisation :** concentration des hommes et des activités dans quelques grandes villes, les métropoles.

**Semis urbain :** répartition des villes sur le territoire.

* voir Lexique

**Document**
L'Europe la nuit *(pages 104-105)*

**Cartes Enjeux**
Un monde d'urbains *(pages 106-107)*

**Étude de cas**
Paris, ville mondiale *(pages 108-111)*

**Dossier**
Bruxelles, capitale de l'Europe ? *(pages 118-119)*

## 1. Athènes

La plupart des villes européennes ont un long passé : ici l'Acropole émerge de la métropole moderne.

## 2. Les métropoles de l'Europe

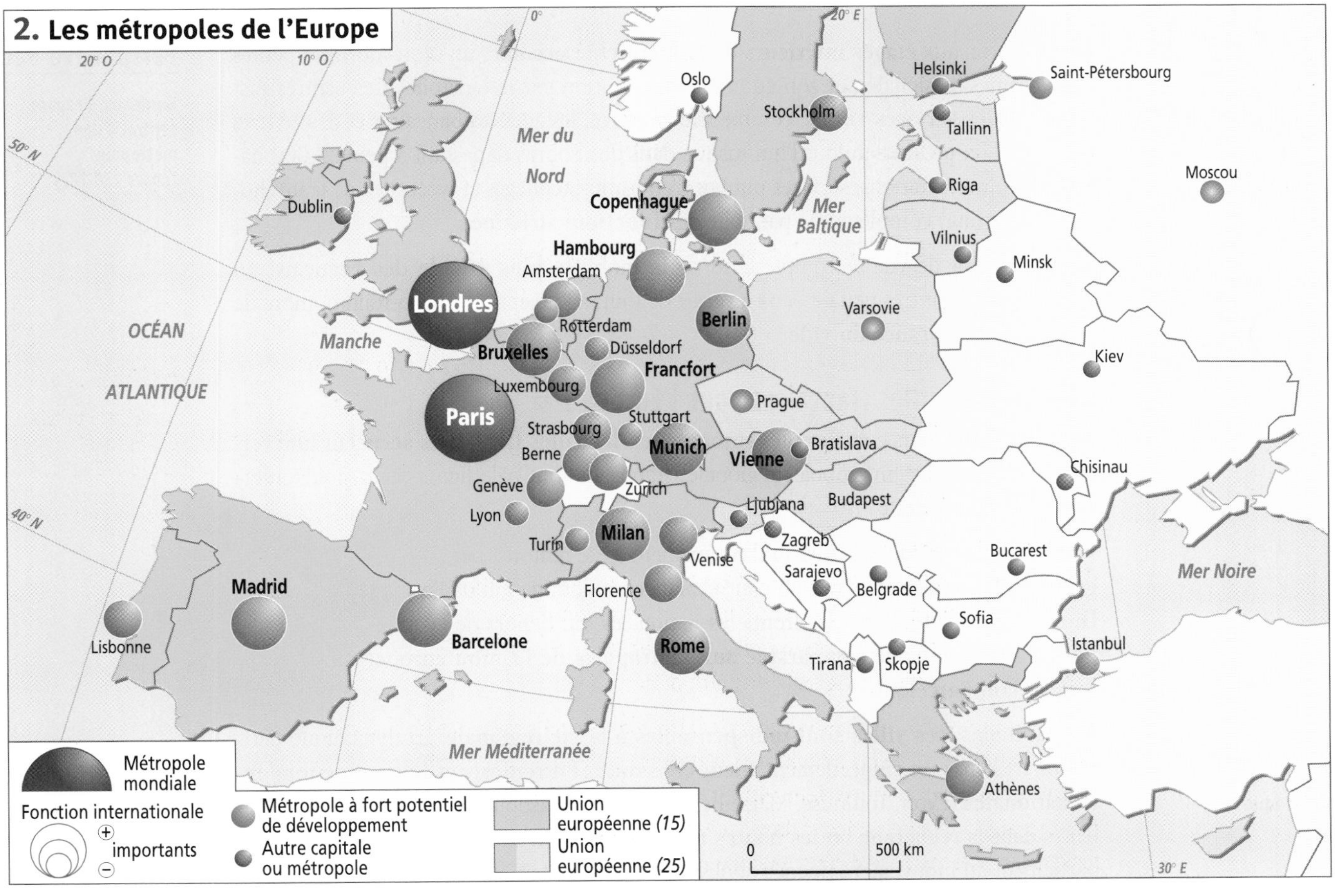

# 2 La France des villes

## Mots-clés

**Aire d'influence :** espace sur lequel la ville exerce son attraction.

**Aire urbaine :** espace urbanisé constitué de la ville-centre et des communes périurbaines.

**Fonctions urbaines :** ensemble des activités (économiques, politiques, culturelles...) d'une ville. Plus les fonctions sont nombreuses et importantes, plus l'aire d'influence de la ville est vaste.

* voir Lexique

## 1. Une urbanisation rapide du territoire

• Lors du recensement de 1999, la **population urbaine** de la France métropolitaine représente **44,2 millions de personnes**, ce qui correspond à un **taux d'urbanisation* de 75,5 %**. Avec 2,3 millions d'habitants supplémentaires, les villes croissent depuis 1990 au rythme annuel de +3,3 %, rythme bien supérieur à celui de la croissance générale de la population (+ 0,38 %).

• **Ce dynamisme est relativement récent** (5). Jusqu'au milieu du XXe siècle, la France, par rapport à ses voisins d'Europe occidentale, était caractérisée par la persistance d'une forte population rurale.

• Depuis 1990, **les grandes aires urbaines** ont des taux de croissance plus élevés que ceux des villes moyennes. Désormais, un petit nombre de grandes villes et leur périphérie urbanisée suffit pour rendre compte de **l'essentiel de la croissance démographique du pays** (3).

• En revanche, les aires urbaines des régions industrielles en reconversion **perdent de la population** : Valenciennes, Lens, Douai, Béthune dans le Nord ; Thionville, Montbéliard à l'Est ; ou encore Le Havre et Saint-Étienne.

## 2. Un territoire sous-urbanisé ?

• À l'exception notable de Paris, **la France n'est pas un pays de grandes villes**. Trois agglomérations seulement dépassent le million d'habitants : Lyon, Marseille-Aix-en-Provence et Lille.

• Par contre, aux **étages inférieurs de la hiérarchie urbaine**, un semis de villes petites et moyennes se signale par son équitable distribution sur le territoire. Ces centres rassemblent **des services variés**, comme le commerce, les agences bancaires et des centres commerciaux présents aujourd'hui jusque dans des bourgs dépassant à peine 2 000 habitants. Administrations, services publics d'éducation (collèges et lycées) et de santé (hôpital, maternité) complètent la panoplie des **fonctions urbaines**.

• De ce point de vue et compte tenu de **la mobilité plus grande des Français**, on trouve finalement très peu de lieux à l'écart de tout, à l'exception d'un certain nombre de cantons de la « **France du vide*** » (4).

## 3. Quelles villes françaises pour l'Europe ?

• Par rapport à leurs concurrentes européennes, **les villes françaises accusent une certaine faiblesse**. Les métropoles régionales françaises font pâle figure. Leur poids international reste modeste.

• Les métropoles, dont le niveau d'équipement a été renforcé par la politique **d'aménagement du territoire***, n'ont pu contrebalancer la domination de Paris. Leur **aire d'influence** dépasse rarement les frontières nationales. En dehors de Lyon, aucune n'a une puissance économique **comparable aux métropoles de l'Union européenne : Francfort, Milan, Barcelone**.

• Néanmoins, **ces villes sont indispensables à la vie régionale**. La dynamique parisienne n'est pas un empêchement à leur croissance. **En renforçant leurs fonctions internationales** (Lyon, Toulouse, Marseille, Lille, Nice, Strasbourg), en cultivant des spécificités dans la **recherche ou les hautes technologies** (Grenoble, Montpellier), ces villes participent au mouvement de métropolisation* du territoire français.

**Cartes Enjeux**
**Un monde d'urbains**
*(pages 106-107)*

**Perspective Bac**
**Bordeaux, l'espace central d'une métropole**
*(pages 120-121)*

**Perspective Bac**
**Lille, une métropole au cœur de l'Europe ?**
*(pages 122-123)*

## 3. Les aires urbaines* françaises : variation de la population (1990-1999)

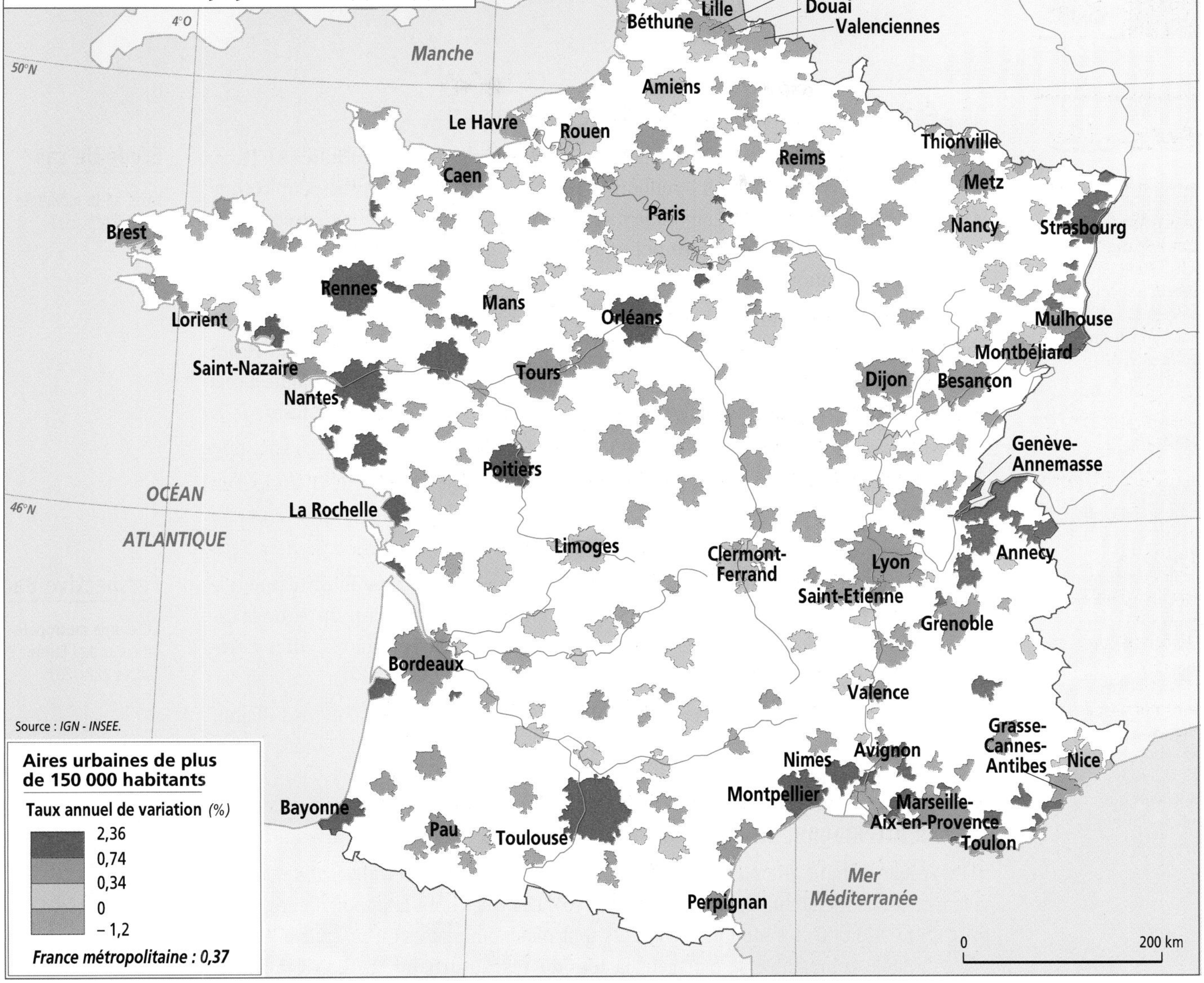


## 4. Vivre dans la proximité des services

Dans la France métropolitaine, la quasi-totalité de nos concitoyens disposent, à moins de trente minutes, voire de vingt minutes, de l'ensemble des services nécessaires ou accessoires dans la vie de tous les jours : 89 % des Français résident à moins de trente minutes d'un hypermarché ; 99 % des 10-19 ans habitent à moins de trente minutes d'un lycée ; 97 % de la population est localisée à moins de trente minutes d'un service d'urgence hospitalière ; 94 % des 10-19 ans trouvent un Mc Donald's à moins de trente minutes. Et l'exercice pourrait se répéter avec les agences bancaires et les cinémas, les piscines publiques et les agents d'assurance...

C'est, depuis deux ou trois décennies, la nouvelle mobilité qui remodèle les « espaces de vie ». C'est la manière même d'appréhender un territoire qui s'en trouve transformée. Et d'abord en remplaçant la notion de distance par celle de durée.

D'après J.-M. Benoit, P. Benoit, D. Pucci, *La France à 20 minutes*, Belin – 2002.

## 5. L'essor des villes françaises

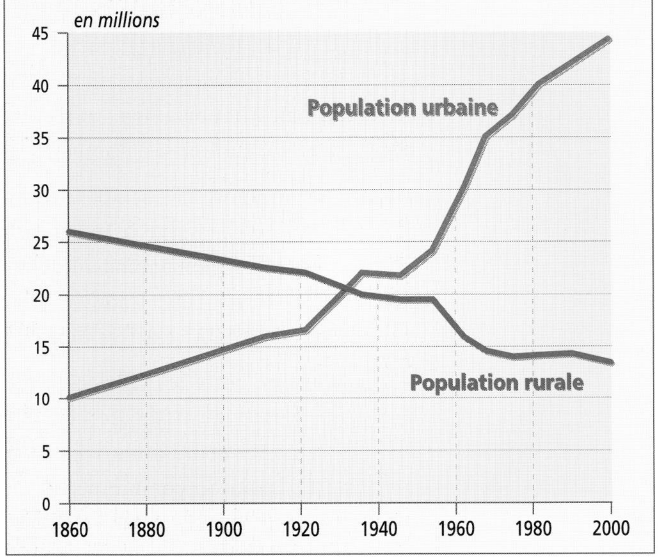

# 3 Diversité des réseaux urbains européens

## Mots-clés

**Fonction de commandement :** capacité d'une ville à exercer un pouvoir de décision et d'attraction sur un territoire plus ou moins étendu.

**Macrocéphalie :** en géographie, désigne un réseau urbain dominé par une très grande ville.

**Réseau urbain :** ensemble hiérarchisé de villes d'une région ou d'un pays, dominé par une ou plusieurs métropoles.

**Ville mondiale :** ville qui, par l'importance de ses fonctions, a un rayonnement qui s'étend à toute la planète.

* voir Lexique

## 1. En France, la place prédominante de Paris

• **Le réseau urbain français** se singularise en Europe par sa **macrocéphalie** (6). Paris, **première aire urbaine*** avec 11 millions d'habitants, est sept fois plus peuplée que Lyon. Cette suprématie démographique s'accompagne d'un accaparement exceptionnel des **fonctions de commandement** politique, économique et culturel. Le rayonnement de Paris est international. C'est une des quatre ou cinq **villes mondiales**.

• **La puissance parisienne** se mesure aussi à travers l'organisation des réseaux de transport. L'étoile des routes, autoroutes, voies ferrées – y compris les lignes TGV – centrée sur Paris, traduit bien la subordination des villes de province à la capitale. Si on ajoute à cela la présence de deux aéroports internationaux, Paris est une sorte de **super hub*** de la France.

• **Cette situation renvoie à l'histoire** d'un pays précocement unifié, sous la férule d'un **pouvoir central** qui a longtemps exercé, depuis un centre unique, un contrôle territorial tatillon.

• **Les métropoles régionales** sont, elles, à la tête de **réseaux urbains** qui structurent le territoire aux échelles régionales. Tout en restant sous le contrôle encore étroit de la capitale, elles tissent de plus en plus directement des relations avec d'autres **villes européennes**.

• **La décentralisation* tend à rectifier ce déséquilibre**. Mais aujourd'hui trop affaiblir Paris, **seule ville mondiale française**, reviendrait à affaiblir la place de la France en Europe et dans le monde.

## 2. En Allemagne, un équilibre entre les villes

• **Le réseau urbain allemand s'oppose en tous points au modèle français** : aucune ville n'écrase la hiérarchie des centres urbains (6). Les villes dont la population est comprise entre 500 000 et 1 million d'habitants sont plus nombreuses qu'en France. Quatre villes de taille comparable se partagent **la tête du réseau urbain** : Berlin, Hambourg, Francfort, et Munich.

• **Berlin** a souffert de la division de l'Allemagne après 1945 et vient à peine de retrouver le rang de **capitale politique** de l'Allemagne réunifiée. Avec plus de 3 millions d'habitants, elle est la première agglomération du pays, mais pour autant **Hambourg, Munich ou même Stuttgart** ne paraissent pas écrasées. Ces villes sont toutes dotées **de fonctions internationales importantes** : villes de congrès, de foires internationales, présence des sièges sociaux d'entreprises multinationales…

• Quant à **Francfort**, elle s'impose comme la **capitale financière de l'Allemagne et de l'Europe** puisqu'elle abrite à la fois la Bundesbank et la Banque centrale européenne (BCE). Plusieurs agglomérations dépassant largement le million d'habitants complètent ce dispositif : Nuremberg, Hanovre, Dresde… En dehors de la nébuleuse urbaine de la Ruhr, **le semis urbain* est très dense** sur tout le territoire.

• **Cet équilibre entre les villes** est à mettre en relation avec une implantation humaine dense, une forte industrialisation du territoire, une histoire politique marquée par une unification tardive et des **tentatives de centralisation brutalement interrompues** (7). De plus, le réseau de communication s'ordonne selon un **quadrillage serré d'autoroutes, de voies ferrées et de voies navigables** assurant une desserte équitable du territoire à partir de n'importe quel point (6).

**Étude de cas**

**Paris, ville mondiale**
*(pages 108-111)*

**Perspective Bac**

**Lille, une métropole au cœur de l'Europe ?**
*(pages 122-123)*

**Leçon**

**L'Allemagne, un territoire au cœur de l'Europe**
*(pages 74-75)*

## 6. Réseaux urbains et réseaux de communications français et allemands

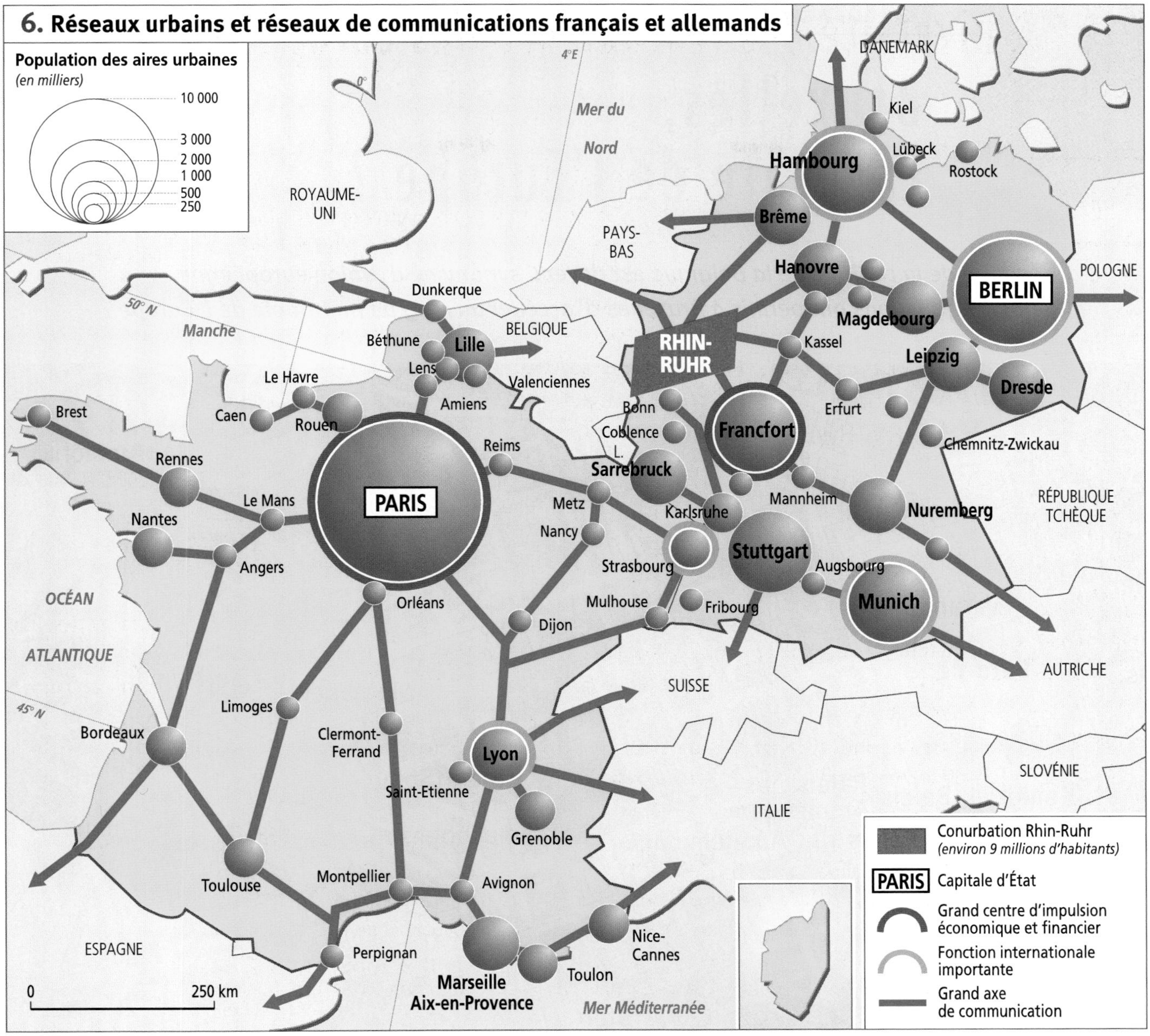


## 7. Le réseau urbain allemand : le poids de l'histoire

La qualité et la densité de l'encadrement urbain sont inséparables des héritages historiques : l'Allemagne est faite par de petites villes qui plongent leurs racines dans le morcellement féodal et la faiblesse du pouvoir central avec plus de 350 États, villes-libres et principautés, laïques ou ecclésiastiques.

Les villes-libres d'Empire jouaient un rôle majeur dans le centre et le Sud-Ouest de l'Allemagne (Nuremberg, Ulm...) et dans le Nord maritime. La bourgeoisie urbaine, par le commerce maritime ou continental, y domine (Hambourg, Brême, Francfort, Leipzig). Dans le Nord, la Hanse[1] fédère – derrière Hambourg, Brême et Lubeck – près de 150 villes à son apogée.

Les villes ecclésiastiques rassemblaient pouvoir spirituel et pouvoir temporel comme siège des archevêques-électeurs (Cologne, Trêves, Mayence) et des évêques.

Les villes de cour des États et principautés regroupaient pouvoir politique et économique (Munich, Mannheim, Stuttgart, Kassel, Düsseldorf, Hanovre) grâce aux commandes princières (artisanat, urbanisme princier).

Cet héritage considérable est dopé, dès le milieu du XIXe siècle, par les révolutions industrielles. En particulier, la forte croissance du IIe Reich fait que, dès la fin du XIXe siècle, la population allemande est majoritairement urbaine. En 1914, 70 % des Allemands étaient urbains, contre moins de 50 % des Français à la même date. En 1928, l'Allemagne regroupait sept des 29 métropoles millionnaires d'Europe occidentale : Essen et la Ruhr, Berlin, Hambourg, Francfort, Cologne-Bonn, Munich et Stuttgart.

1. Hanse : association de villes marchandes de la Baltique et de la mer du Nord (XIIe-XVII[e] siècles).

D'après L. Carroué, V. Oth, *L'Allemagne en cartes*, Ellipses – 1997.

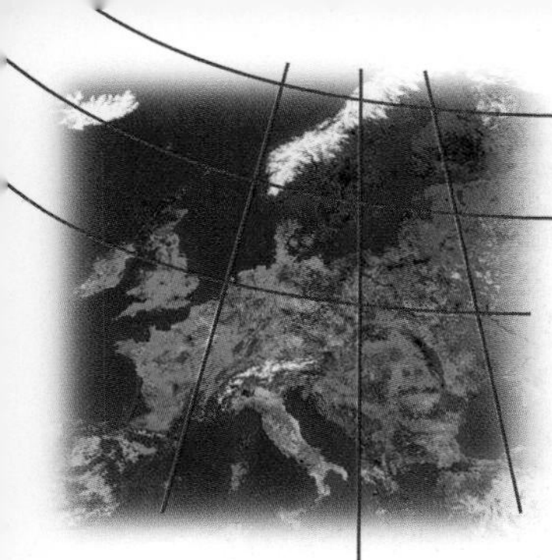

# Dossier

# Bruxelles, capitale de l'Europe ?

***L**e nom de la capitale de la Belgique est devenu synonyme d' Union européenne.*
***Q**uelles fonctions ont permis à Bruxelles d' accéder au rang de métropole de l' Europe ?*

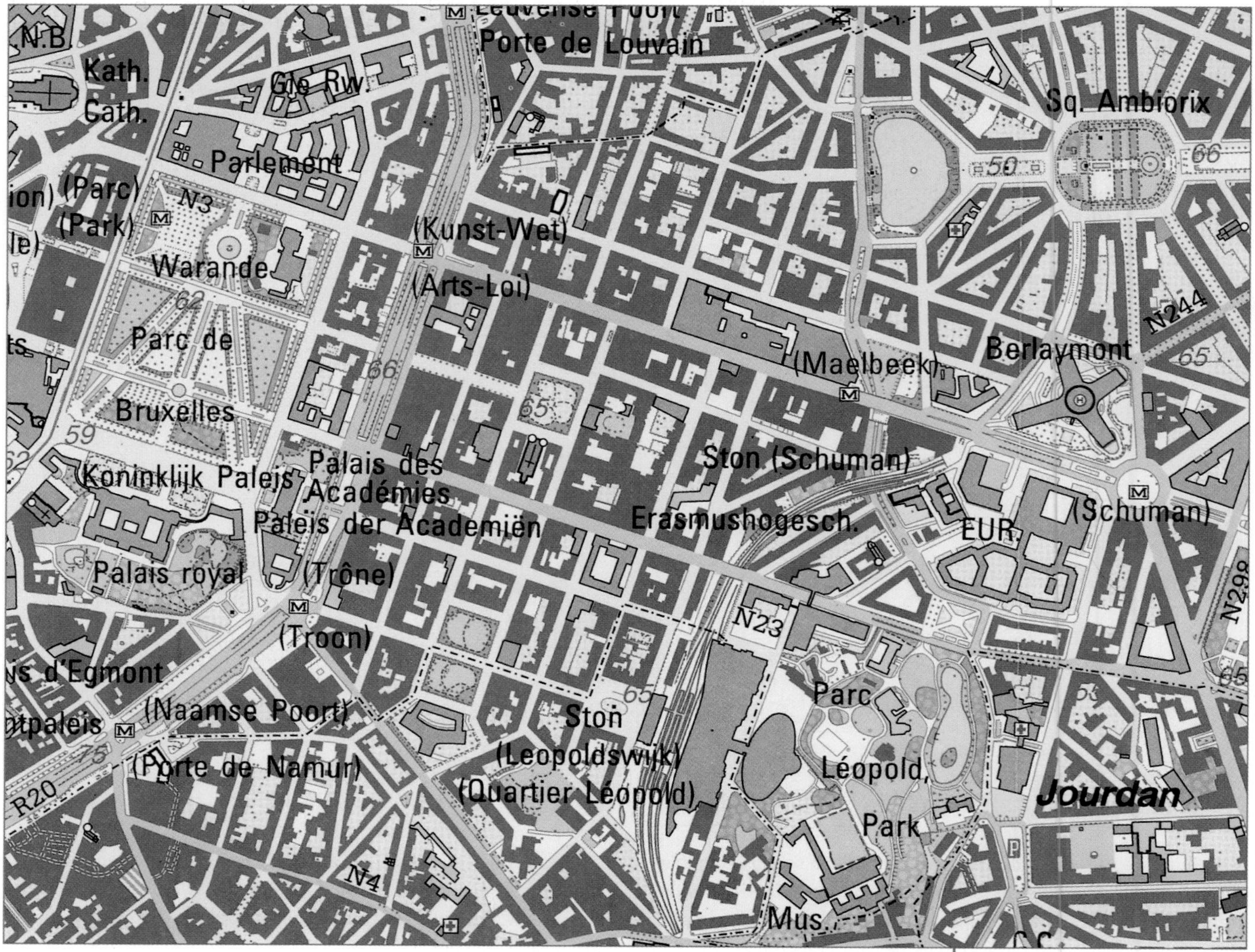


## 1. Le centre de Bruxelles

Carte au 1/10 000 – Institut géographique national belge.
Le « quartier européen » de Bruxelles borde le parc Léopold jusqu'au Berlaymont.
Autour du parc de Bruxelles sont rassemblées les fonctions politiques nationales.

## 2. Les emplois internationaux à Bruxelles

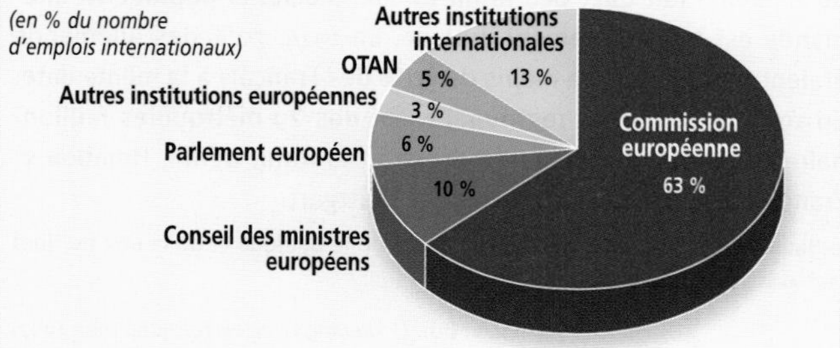

### 3. Bruxelles, capitale nationale et internationale

Le parc de bureaux de la capitale belge est actuellement estimé à 8,5 millions de m². Certes, cela paraît peu par rapport à Paris ou Londres, mais pour une agglomération ne couvrant que 162 km², c'est beaucoup, d'autant que le parc est fortement concentré dans certains quartiers ou le long de certains axes.

La croissance des bureaux à Bruxelles a surtout suivi l'implantation de la Communauté européenne en 1958, et le transfert de Paris à Bruxelles du siège de l'OTAN en 1967.

Actuellement, l'Union européenne occupe 10 % du parc des bureaux bruxellois, dans le quartier Léopold au centre-est de Bruxelles où se trouvent les immeubles de la Commission, le siège du Conseil des ministres et des sessions spéciales du Parlement européen, et un nouveau centre international de congrès.

*Géographie Universelle, Europe du Nord-Europe médiane*, Belin-Reclus – 1996.

### 4. Le « quartier de l'Europe »

### 5. Le réseau Thalys

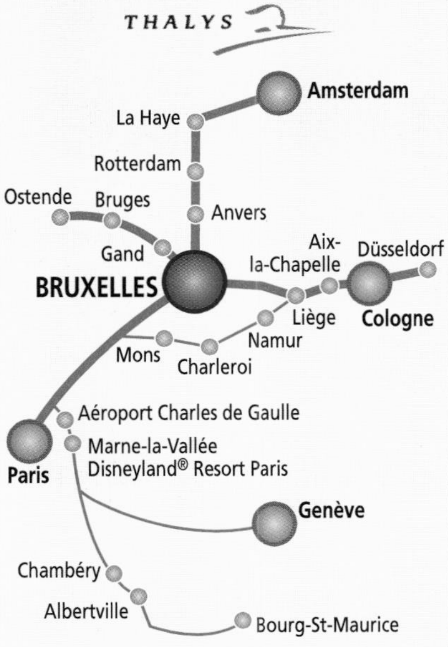


Le train à grande vitesse Thalys vous fait traverser le Nord-Ouest de l'Europe. Thalys bénéficie des innovations technologiques les plus modernes et relie les grandes métropoles du Nord-Ouest de l'Europe, de centre à centre, en des temps sans concurrence.
Il y a 28 Thalys par jour entre Paris et Bruxelles. La durée du trajet est de 1h25.

D'après le site *www.thalys.com*

### 6. Le cœur décisionnel de Bruxelles

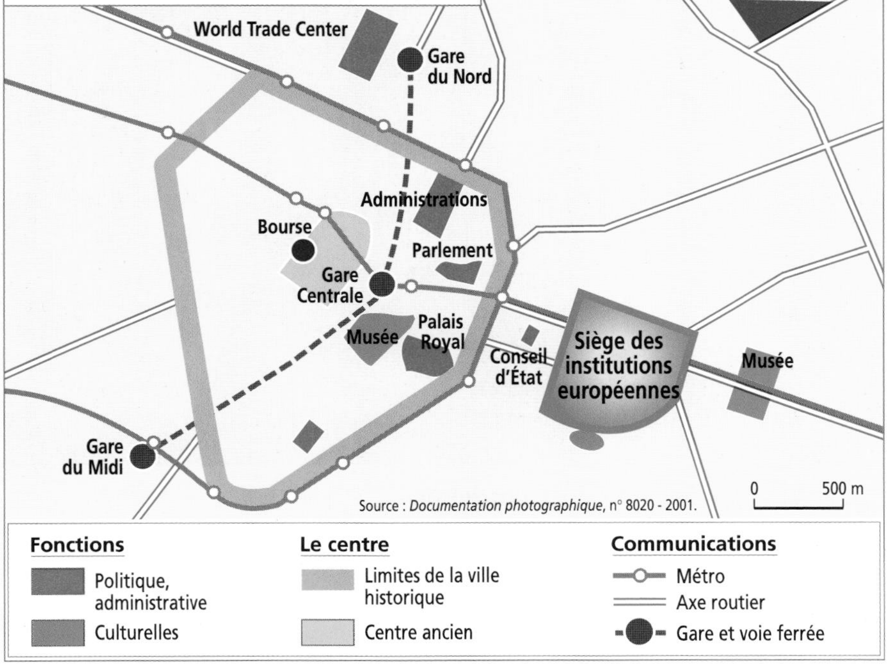


## Questions

1. Décrivez le quartier européen de Bruxelles (1, 3, 4).
2. Montrez que Bruxelles est à la fois une capitale nationale et une métropole internationale (1, 2, 3, 4, 6).
3. Le réseau ferroviaire Thalys peut-il renforcer le poids de Bruxelles en Europe (5) ? Pourquoi ?

# Perspective BAC

# Bordeaux, l'espace central d'une métropole régionale

## Photographie et carte — Lire une photographie et une carte

**1. Le centre de la métropole bordelaise**

### Exercices

- Quelle est l'orientation de la photographie 1 ?
- À l'aide de la carte 3, indiquez quels numéros portés sur la photographie 1 correspondent avec ceux de la liste suivante :

  *Mériadec / Place des Quinconces / Cathédrale Saint-André*
  *Cité du Grand Parc / La Bastide / Les Chartrons*
- Décrivez les grands types de paysages urbains visibles sur la photographie 1 et la carte 3.
- Relevez les fonctions* présentes dans le centre-ville de Bordeaux et dans sa proche périphérie (1, 3). Aidez-vous du tableau 2 pour lire la carte.
- Comment le centre de la métropole se différencie-t-il des espaces urbains périphériques (1, 3) ?
- Quelles étaient les activités des zones en cours ou en projet de rénovation et de réhabilitation (1, 3) ?

**2. Abréviations de la carte IGN au 1/25000**

- Cas$^{ne}$ : caserne
- Cath. : cathédrale
- C.U.B. : communauté urbaine de Bordeaux
- E$^{les}$ : écoles
- G$^{ie}$ : gendarmerie
- H$^{al}$ : hôpital
- Huil. : huilerie
- Lyc. : lycée
- Mché : marché
- M$^{sée}$ : musée
- Pal.J. : palais de justice
- Sc$^{ie}$ : scierie
- Us. : usine

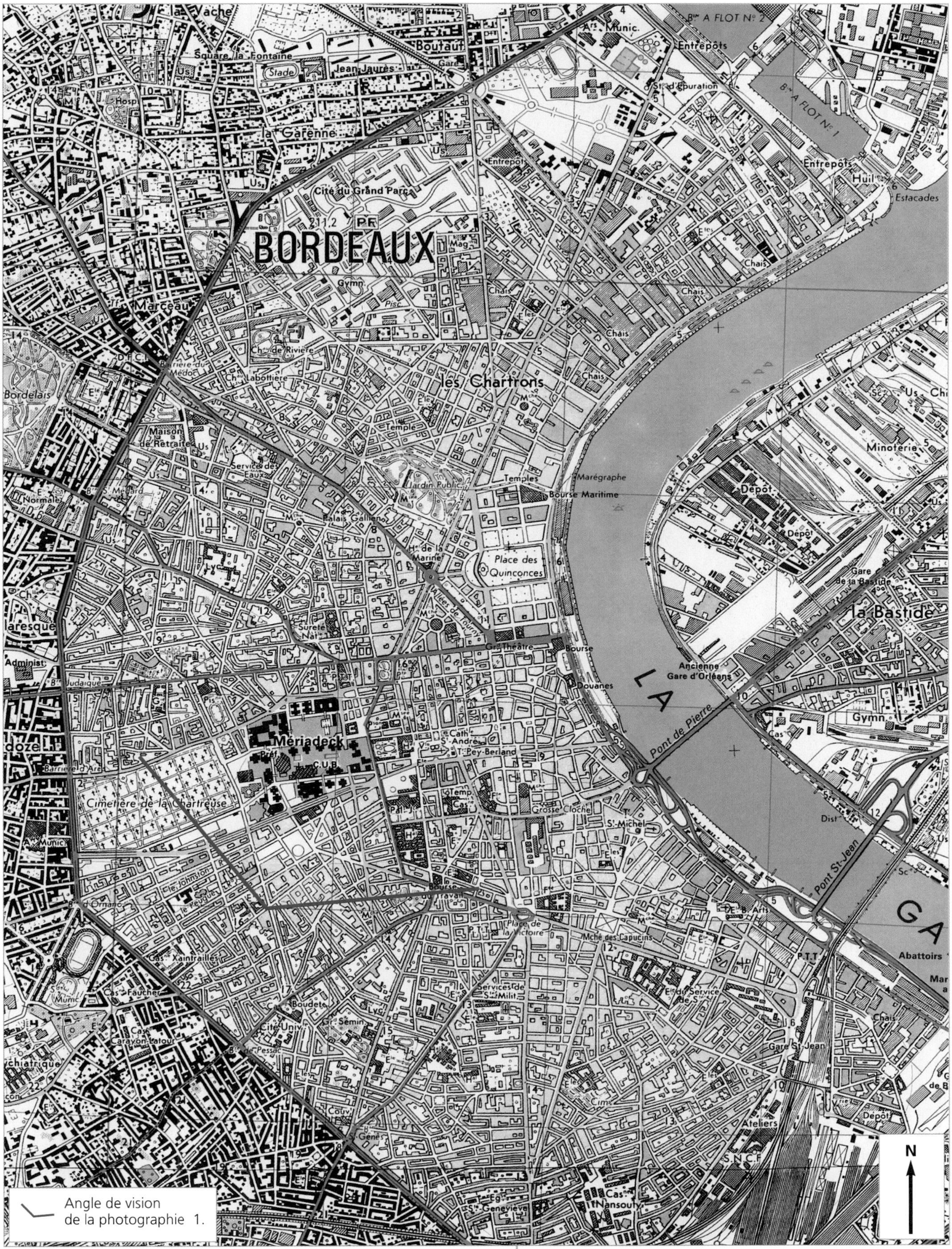


**3. Extrait de la carte de Bordeaux à 1/25 000 (IGN – 1994)**

# Perspective BAC

# Lille, une métropole au cœur de l'Europe ?

## Étude de documents — Sélectionner des informations

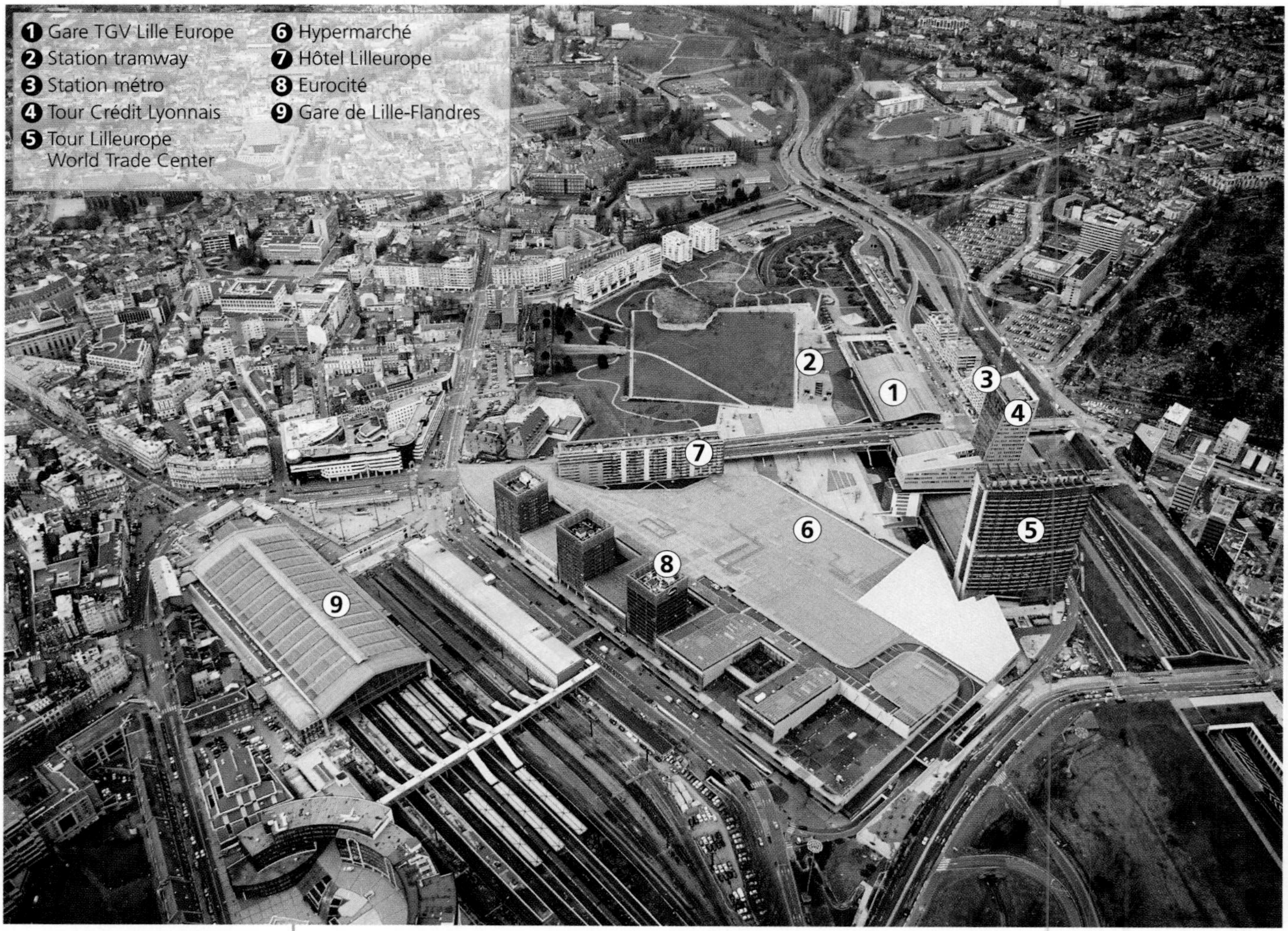


**1. Le quartier Euralille**

Proche du centre ancien, il inclut la gare d'interconnexion des TGV.

**2. En 2004, Lille capitale européenne de la culture**

**3. Lille en Europe**

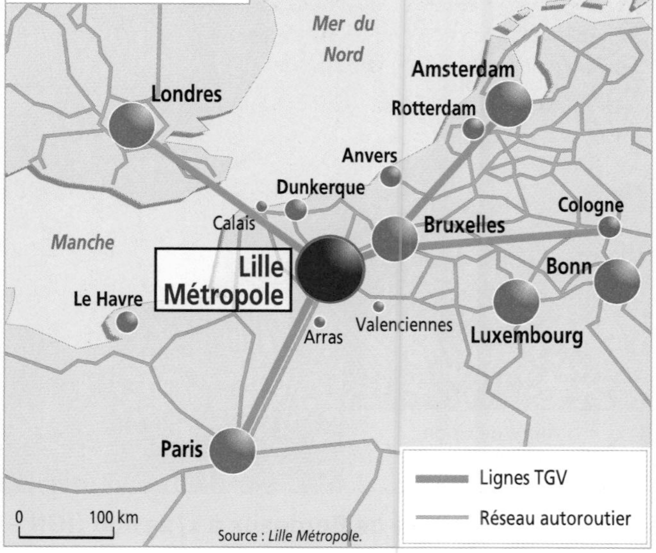

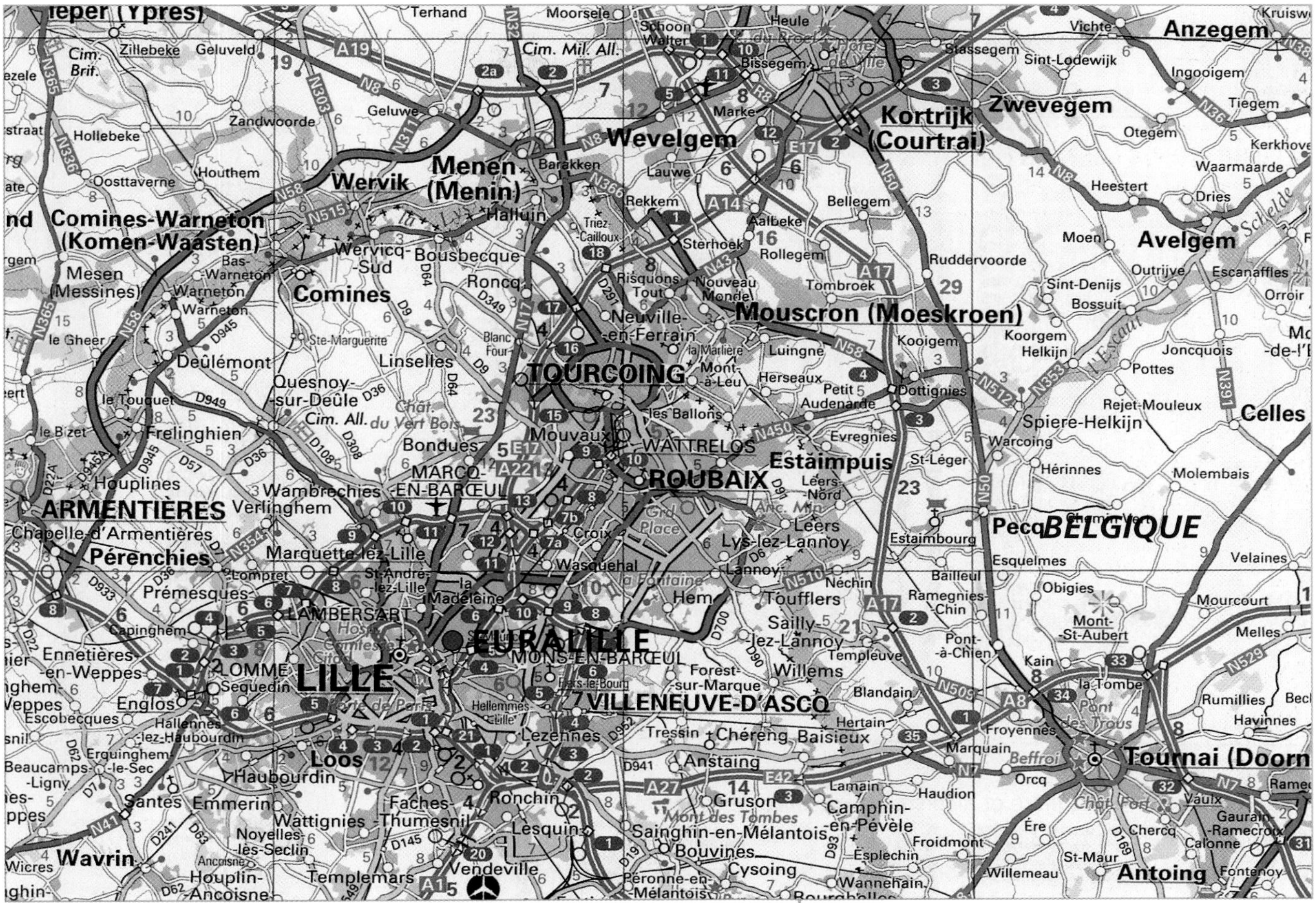


## 4. Extrait de la carte IGN Nord-Pas-de-Calais à 1/250 000 (2002)

## 5. Euralille, renouveau de Lille

Bénéficiant d'une situation géographique privilégiée au centre du triangle Paris-Londres-Bruxelles, Lille a réussi sa reconversion post-industrielle.

Les grands chantiers du tunnel sous la Manche, du TGV et d'Euralille ont été les moteurs de la transformation de cette agglomération transfrontalière.

Le site d'Euralille, implanté en centre-ville, bénéficie d'infrastructures sans équivalent : deux gares (Lille-Flandres, Lille-Europe) connectées au réseau TGV Nord-européen, un boulevard périphérique, une voie rapide urbaine, des trains express régionaux, un tramway, le plus long réseau de métro automatique au monde (VAL)...

Les options urbanistiques ont contribué à ancrer la métropole dans la modernité à partir d'une intuition directrice : la ville de demain est au cœur des réseaux.

Site Internet euralille – Février 2003.

## Exercices

**Voir méthode pages 28-29.**

**1. Présenter les documents**

- Rédigez la présentation des documents.

**2. Sélectionner, classer, confronter les informations et les regrouper par thèmes**

- Lisez attentivement le sujet :
  – quels sont les deux mots importants ?
  – que doit montrer le devoir ?
- Quels documents informent sur :
  – les réseaux de transport en Europe ?
  – la position de Lille en Europe ?
  – les transformations de l'espace urbain de Lille ?
- Reproduisez le tableau ci-dessous. Complétez les cases libres avec les informations qui répondent aux deux thèmes choisis.

| Docs | Lille, une situation privilégiée en Europe | Une métropole dynamisée par les réseaux |
|---|---|---|
| 1 | | |
| 2 | | |
| 3 | | |
| 4 | | |
| 5 | | |

**3. Rédiger une synthèse**

- Rédigez deux paragraphes à partir des thèmes et des informations rassemblées dans le tableau.

Chapitre 7

# La mobilité des hommes en Europe et en France

La mondialisation a accéléré et diversifié la mobilité des populations. Même si les migrations internationales concernent à peine plus de 2 % de la population mondiale, l'Europe et la France sont confrontées à de nouvelles formes de mobilité.

**En Europe, quelles sont les formes de mobilités de la population ?**

**Par quels mouvements de population la France est-elle concernée ?**

**Arrivée d'immigrants à Bari, sur les côtes italiennes.**

Située à la charnière de l'Europe méditerranéenne et de l'Europe de l'Ouest, l'Italie est une des portes d'entrée dans l'Europe riche.

Cartes Enjeux

# L'Europe : un continent attractif

## 1. L'Europe, grand pôle mondial d'immigration

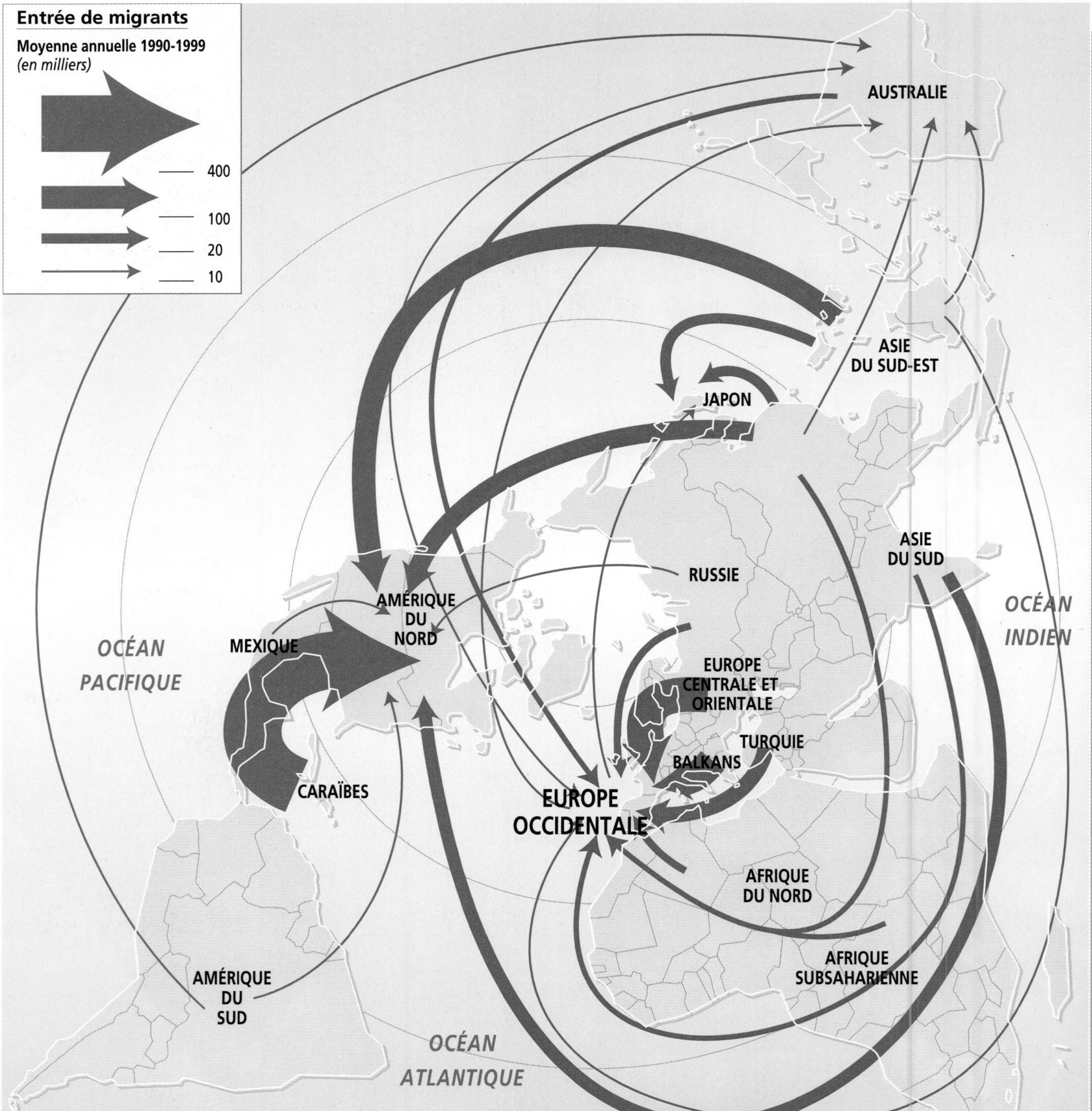


Source : R. Gimeno, P. Mitzano, *Site internet Science-Po*, Paris.

## 2. Des flux migratoires convergeants vers l'Europe

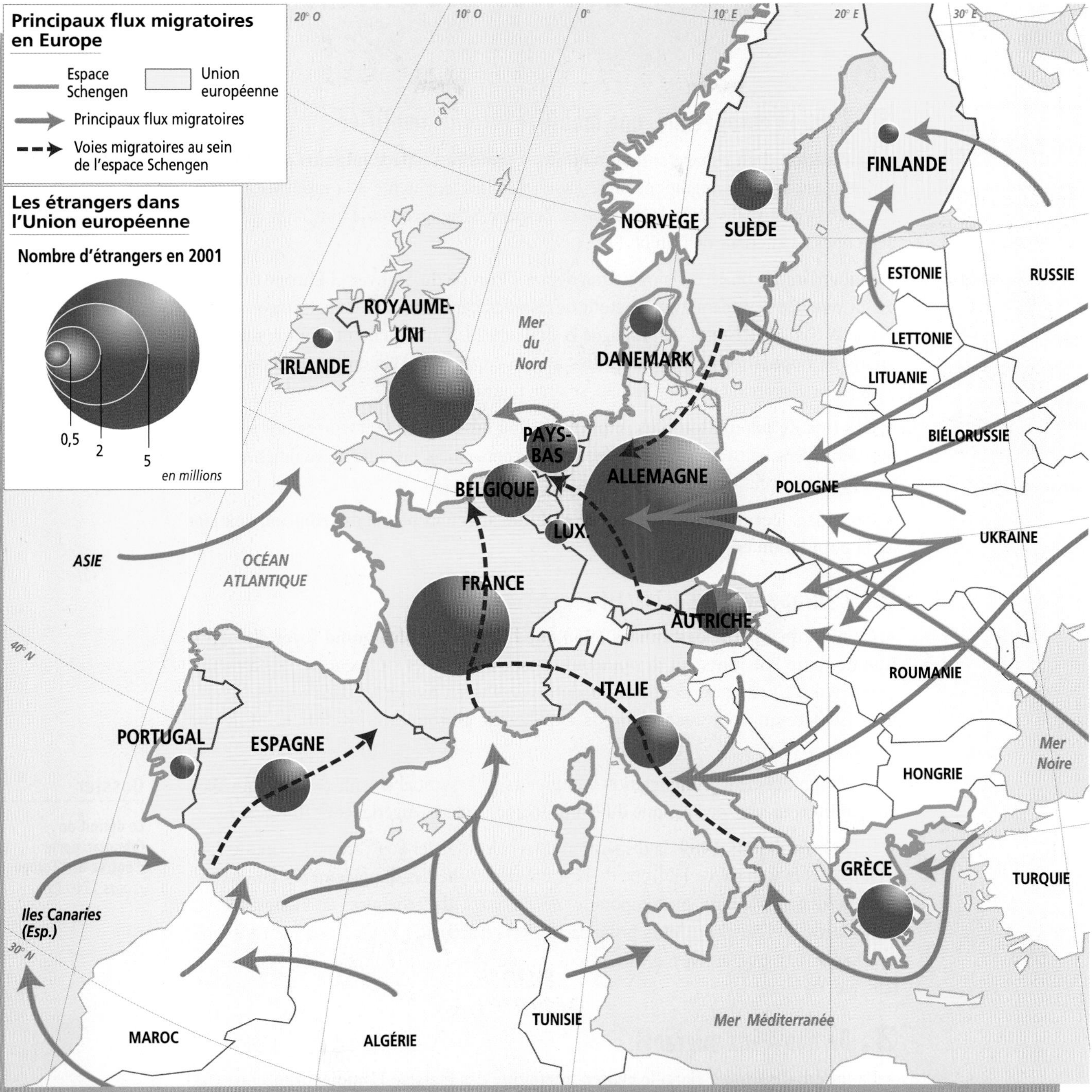


# Questions

- Quels sont les grands foyers d'immigration dans le monde **(carte 1)** ? L'Europe est-elle une grande terre d'accueil ?
- D'où les flux migratoires dirigés vers l'Union européenne proviennent-ils **(cartes 1 et 2)** ?
- En Europe, quels sont les États les plus attractifs **(carte 2)** ?

# 1 En Europe, de nouvelles mobilités

## Mots-clés

**Mobilité :** correspond à un déplacement de population, soit dans un cadre national (on parle alors de **mobilité interne** ou de **migration interne**), soit dans un cadre international (s'il y a franchissement de frontière, on parle de **migration externe**).

* voir Lexique

## 1. L'Union européenne, une mobilité interne amplifiée

• **La création d'un espace communautaire a modifié l'espace migratoire européen.** Un nouveau type de migrations entre pays membres, apparenté à la **mobilité interne** aux États, s'est banalisé avec la création de l'**espace Schengen*** et la libre circulation des personnes à l'intérieur de l'Union (1).

• Aujourd'hui, la phase de la migration depuis **l'Europe du Sud vers l'Europe du Nord** est en voie d'achèvement avec le retour de retraités dans leur pays de naissance : c'est le cas de la Grèce, de l'Italie, de l'Espagne et du Portugal. **Parallèlement, d'autres mouvements de population se sont amplifiés** avec la création de l'Union européenne : mouvements transfrontaliers de proximité, séjours pour études…

• **Des flux de population plus importants** sont liés à l'attraction des régions littorales ou ensoleillées, ainsi qu'aux déplacements de personnels hautement qualifiés vers les métropoles les plus dynamiques… (2).

• Cependant, **ces nouvelles formes de mobilité affectent peu la distribution spatiale de la population en Europe**.

## 2. L'Europe, espace attractif

• **Ce n'est qu'à partir des années 1960 que l'Europe, le plus grand foyer d'émigration de toute l'histoire, est devenue un espace attractif** (4). Cependant, le **solde migratoire** de l'Union européenne est modeste : 2,4 ‰ en moyenne par an durant les années 1990, ce qui équivaut à moins de 1 million de personnes supplémentaires chaque année.

• Géographiquement, l'immigration continue pour l'essentiel à venir des **pays du Bassin méditerranéen** : de l'Afrique du Nord (Maroc, Tunisie, Algérie) et de Turquie.

• Par contre, **depuis 1989**, la disparition du « rideau de fer » et l'effondrement de l'ancien bloc communiste de l'Europe de l'Est ont déclenché des **déplacements en chaîne**. Ainsi le départ, définitif ou temporaire, de Polonais, de Tchèques, de Hongrois, vers l'Allemagne ou l'Autriche, leurs principaux foyers d'accueil, a été, dans le même temps, compensé par une arrivée d'Ukrainiens ou de Russes en Pologne, en République tchèque, en Hongrie.

## 3. De nouveaux migrants

• **La mondialisation** a élargi le champ migratoire des États de l'Union européenne (3). Les nouveaux immigrants ont tendance à considérer l'espace européen comme un tout relativement indifférencié, à l'intérieur duquel le choix du pays d'installation est déterminé en fonction des **opportunités économiques et politiques** du moment.

• **L'immigration est devenue très cosmopolite** : les différences culturelles ont rendu la nouvelle immigration plus visible que celle du passé et l'écart culturel entre immigrants et autochtones s'est partout creusé.

• **Le profil des migrants a aussi changé**. Aux travailleurs manuels, souvent masculins, qui partaient avec l'idée du retour, succède maintenant **une grande diversité de situations**. Les migrants sont le plus souvent **des diplômés, des femmes ou des adolescents** poussés par l'espoir d'une meilleure réussite dans un des plus grands foyers de richesse du monde.

### Cartes Enjeux

**Quel territoire pour l'Union européenne** *(page 49)*

**L'Europe : un continent attractif** *(pages 126-127)*

### Dossier

**Le détroit de Gibraltar, porte d'entrée de l'Europe** *(pages 134-135)*

## 1. Quelle mobilité interne à l'Europe ?

Les mouvements migratoires à l'intérieur de l'Europe se compensent globalement : l'Union européenne ne subit pas de mouvements qui videraient certaines régions au détriment d'autres.

Mais un processus de concentration sur les littoraux et les grandes vallées se poursuit, alors que les régions les moins densément peuplées continuent à perdre de leur substance.

Cependant, des périphéries plutôt rurales, sous-industrialisées, médiocrement urbanisées, qui étaient sources de départ, sont désormais attractives. Le faible niveau des salaires et l'absence de concurrence entre entreprises ont incité certaines industries à venir s'y installer. Des exigences nouvelles sur l'environnement, le cadre de vie ont permis aux pouvoirs locaux de valoriser des images de villes paisibles, non polluées, pour attirer des activités industrielles ou de services.

Sans bouleverser la carte des densités, ce phénomène a eu une ampleur suffisante pour qu'on évoque une « revanche des Suds », qu'il s'agisse de la Bavière, du Languedoc ou de l'Andalousie !

J. Barrot, B. Ellissade, G. Roques, *Europe, Europes*, Vuibert – 2002.

## 2. Les soldes migratoires en Europe

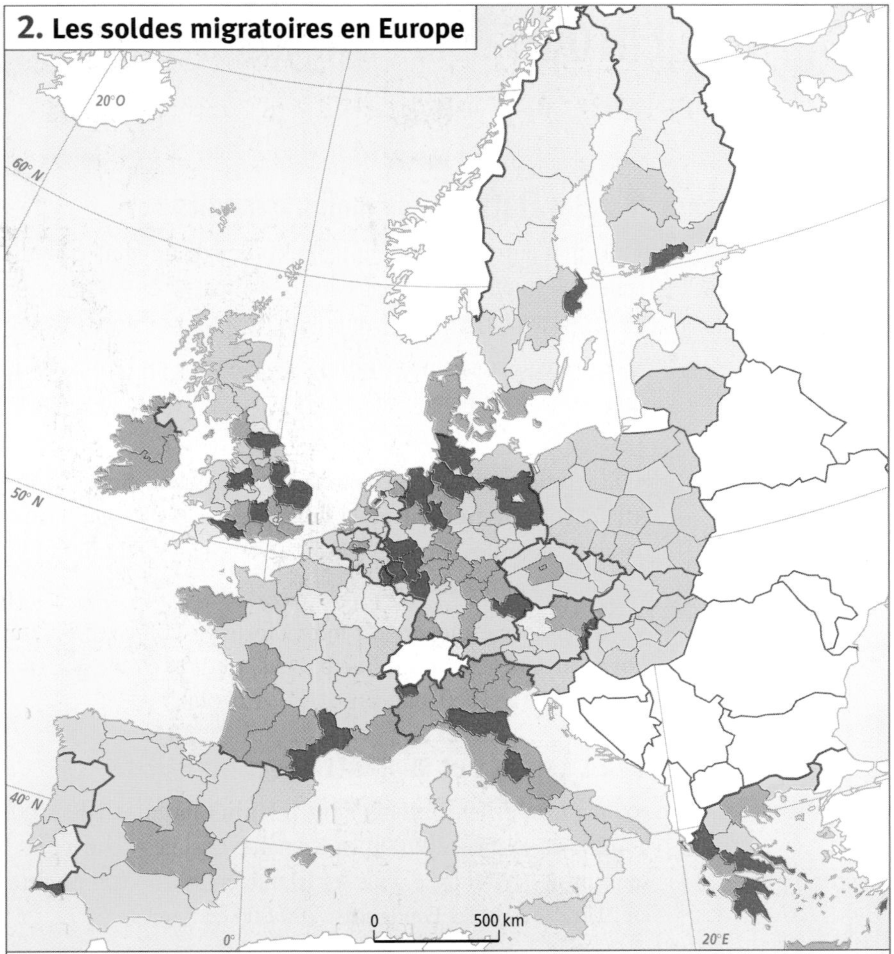


**Moyenne 1995-1997** *(en ‰)*

– 2,5 0 2,5 5

Source : *EUROSTAT.*

## 3. Les grandes phases migratoires en Europe

Les déplacements massifs de population ont été générés par les changements de frontières après chacune des guerres mondiales et par le recrutement de main-d'œuvre en Europe de l'Est et du Sud pour la reconstruction, notamment de la France et de la Belgique.

Une autre phase a prolongé celle-ci. Elle a produit un gigantesque afflux en Europe occidentale, durant la période des Trente glorieuses, de main-d'œuvre en provenance d'Europe du Sud et des anciens empires coloniaux. Le « rideau de fer » a laissé l'Europe de l'Est à l'écart de ces flux.

Une dernière phase a débuté, il y a trente ans, avec la fermeture progressive des frontières, y compris celles des pays d'Europe méditerranéenne devenus à leur tour des foyers d'immigration. Les nécessités économiques et le rapprochement familial ont laissé subsister une certaine immigration extra-communautaire, mais sans commune mesure avec celle de la période antérieure.

P.-J. Thumerelle , P. Merlin, « Les migrations et leur impact », *Revue d' économie politique, Revue de géopolitique des populations* – 2000.

## 4. L'espoir d'immigrer en Europe

Dessin de Pancho, *Le Monde* – 22 juillet 1998.

# 2 L'Europe, terre d'accueil

## Mots-clés

**Intégration :** l'intégration vise à absorber chaque individu dans la société d'accueil par l'emploi, l'école, le mariage…

## 1. Des États plus ou moins attractifs

• **L'Union européenne compte 5 millions d'étrangers communautaires** (des ressortissants de l'Union résidant dans un autre pays que leur pays d'origine), et quelque **12 millions d'étrangers extra-communautaires**, soit 3 % de la population totale de l'Union.

• **Les plus fortes concentrations s'observent en l'Allemagne**, avec près de 9 millions d'étrangers. Viennent ensuite la **France** et le **Royaume-Uni** avec respectivement plus de 4 et 3 millions d'étrangers.

• Proportionnellement, les étrangers constituent **près de 10 % de la population en Allemagne, en Autriche et en Belgique**. Ces pays ont accueilli à la fois la grande vague d'immigration des années 1960, et l'essentiel de **l'immigration récente** en provenance des pays d'Europe de l'Est .

• **La présence étrangère est moins forte en France** (6,3 %). Elle l'est encore moins au **Royaume-Uni** : 3,6 %. Ces deux États, qui ont été de grands foyers d'accueil dans les années 1950 et 1960, ont cessé de l'être depuis.

## 2. L'Europe des migrants

• **En Europe, les Italiens sont les plus mobiles** : 550 000 vivent en Allemagne, 250 000 en France, 200 000 en Belgique. Ensuite, viennent les **Portugais** dont 650 000 sont installés en France, puis les **Irlandais** (500 000 en Angleterre), les **Grecs** (350 000 en Allemagne) et les **Espagnols** (200 000 en France).

• **Les étrangers originaires des autres États européens** se dirigent préférentiellement vers **l'Allemagne** (7). Ce pays abrite 2 millions de **Turcs** (il y en a seulement 200 000 en France ou aux Pays-Bas) et environ 2 millions de **Russes**, **Polonais**, **Roumains** ou **ex-Yougoslaves**… Ces peuples sont également très présents en **Autriche**.

• **Le temps des préférences coloniales est révolu**. Si les **Algériens** se concentrent encore presque exclusivement sur la France, l'immigration marocaine récente, comme celle en provenance d'Afrique noire, s'est largement diffusée hors de France. C'est le cas d'ailleurs de tous les mouvements de population récents, avec néanmoins encore quelques concentrations préférentielles, comme celles des **Indochinois en France** ou des **Indiens en Angleterre**.

## 3. La question migratoire reste posée

• **Dès les années 1990, les frontières de l'Union européenne se sont fermées**. Mais les dispositifs légaux et restrictifs d'admission (exigence d'un contrat de travail, regroupement familial) ne permettent pas d'endiguer toute **la pression migratoire** (5, 6).

• Le contrôle des **entrées illégales** est rendu difficile par la dispersion des origines et des destinations de la nouvelle immigration (8). Il l'est aussi par le fait que l'Union européenne et les États membres souhaitent **limiter les flux** migratoires, tout en étant confrontés aux demandes **d'asile politique, à l'immigration clandestine et aux besoins en main-d'œuvre** (9).

• **L'acquisition de la citoyenneté du pays d'accueil** par les immigrés ou leurs enfants nés sur place, dépend des **législations nationales et des usages**, plus que de l'ancienneté de l'installation. Quant au processus d'**intégration**, il est rendu complexe par la diversification croissante des origines et des cultures.

**Cartes Enjeux**
**L'Europe : un continent attractif**
*(pages 126-127)*

## 5. Qui migre aujourd'hui ?

Seule une minorité des populations des pays en développement (150 millions de personnes) prend la route de l'émigration et de l'exil. Ces migrants ne sont pas le fruit du hasard, mais plutôt de réseaux qui se tissent à travers le monde : ce ne sont pas (ou plus) les plus pauvres qui partent, mais ceux qui sont mus par la mobilisation de ressources diverses : connaissance du pays d'accueil, argent, relations, accès éventuel à des passeurs ou à des « niches d'emploi ».

La capacité des pays d'accueil à susciter la mobilité (notamment par l'attrait de leur marché du travail et du système de protection sociale) joue un rôle plus important que les conditions de vie locales qui incitent au départ (démographie et pauvreté). Des régions nouvelles se sont mises en mouvement. C'est le cas de la Chine, du Sri Lanka, des pays d'Europe centrale et orientale, de la Russie et des autres pays de l'ex-URSS.

C. Withol de Wenden, *Alternatives économiques*, n° 200 – Février 2002.

## 6. Albanais à la frontière grecque

Les crises politiques accélèrent la mobilité des populations.

## 7. Les étrangers en Allemagne

*(en % du nombre d'étrangers)*

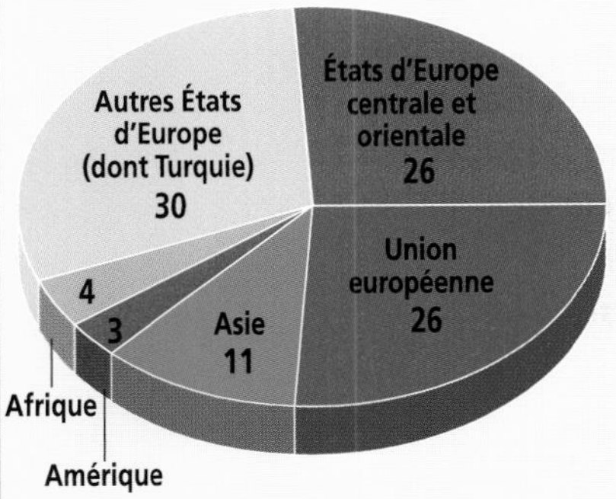


Source : *EUROSTAT* - 2001.

## 8. Les principales routes aériennes de l'immigration

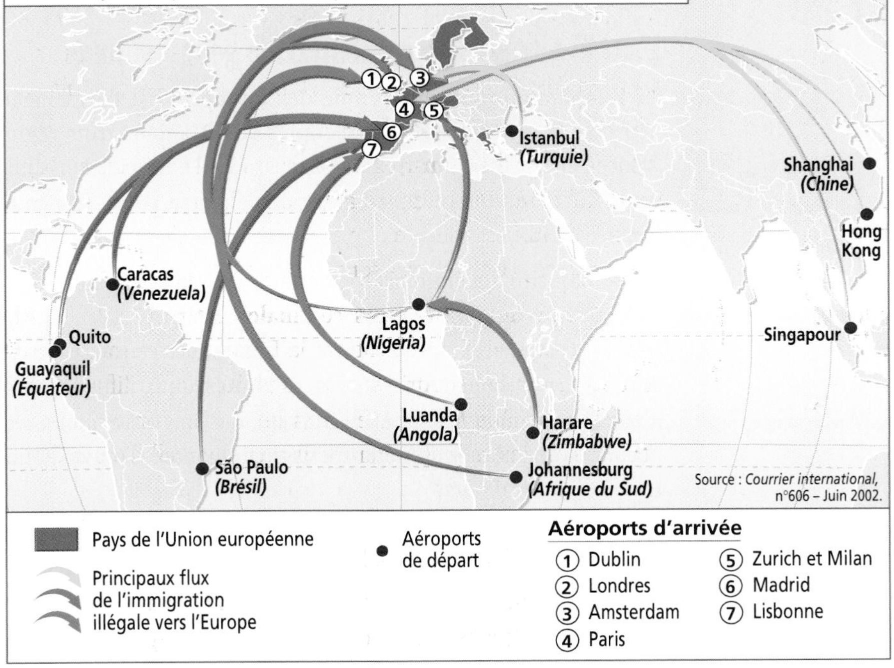


Source : *Courrier international*, n°606 – Juin 2002.

## 9. Une main-d'œuvre recherchée

Plusieurs pays mènent, depuis quelques années, des politiques de recrutement actif de « ressortissants des pays tiers ».

L'Allemagne a ouvert 20 000 postes à des étrangers, Indiens et Est-Européens, notamment dans le domaine des technologies de l'information ; mais l'industrie se lamente de la lenteur du processus, indiquant que 75 000 emplois sont vacants alors que les universités allemandes ne délivrent annuellement que 6 000 diplômes.

La Grande-Bretagne a elle aussi lancé une campagne de recrutement, octroyant des visas d'un an, renouvelables, à des techniciens. 100 000 Indiens spécialisés s'envolent chaque année vers les États-Unis ou l'Europe, ce qui entraîne une perte de quelque 2,2 milliards d'euros pour leur pays. 20 000 professeurs, ingénieurs et médecins délaissent annuellement l'Afrique, alors que ce continent, qui aurait besoin d'un million d'ingénieurs et de scientifiques supplémentaires pour assurer son développement, n'en compte plus que 20 000.

J.-P. Stroobants, *Le Monde* – 9-10 juin 2002.

# 3 La France dans les migrations internationales

## Mots-clés

**Étranger :** personne qui n'a pas la nationalité du pays où elle réside.

**Immigré :** personne née à l'étranger. Des immigrés ont pu devenir français par acquisition de la nationalité française, les autres demeurant étrangers.

* voir Lexique

## 1. Une population immigrée relativement stable

• Contrairement à certains préjugés, **le solde migratoire de la France est insignifiant. La part des immigrés** dans la population totale **est stable depuis plus de 25 ans** (13). Lors du recensement de 1999, la France abritait 4,3 millions d'immigrés, dont plus d'un tiers a acquis la nationalité française.

• Entre 1990 et 1999, la **population étrangère a diminué** de 9 %. Parmi les facteurs explicatifs de cette baisse, se trouve le nombre annuel d'**acquisitions de la nationalité française** qui égale ou excède le nombre des nouvelles entrées.

• Par contre, la **nouvelle immigration**, beaucoup moins nombreuse mais d'origines, de cultures et de langues beaucoup plus hétérogènes que les précédentes, fait rapidement **changer la composition de la population immigrée** (12).

• La **vieille immigration européenne** (Belges, Italiens, Polonais et Espagnols) tend à disparaître. L'émigration en provenance de **l'Europe de l'Est** est encore faible.

• La part du **continent africain augmente**. Cette évolution est due plus particulièrement aux nationalités de **l'Afrique noire subsaharienne**, alors que les effectifs des Maghrébins restent stationnaires (12). **Le poids de l'Asie dépasse les 10 %.**

**Cartes Enjeux**

**L'Europe : un continent attractif**
*(pages 126-127)*

## 2. Une très forte concentration géographique

• **L'implantation géographique des immigrés est très concentrée.** Quatre immigrés sur dix habitent l'Île-de-France et près de **60 % dans trois régions** : Île-de-France, Provence-Alpes-Côte-d'Azur, Rhône-Alpes (11). Le reste de la population se disperse sur **les pôles urbains ou industriels**, principalement de la France du Nord et de l'Est. La France de l'Ouest et du Centre est peu concernée.

• La **majorité des immigrés est citadine**, avec une prédilection pour les grandes villes. À Paris, plus d'un habitant sur six est un immigré. À l'échelle des **aires urbaines**, la population se répartit à égalité entre les communes centres et les banlieues, avec une forte tendance à la **concentration sur quelques quartiers, le plus souvent défavorisés.** Seules **les campagnes** du Midi aquitain, du Languedoc-Roussillon, de la basse vallée du Rhône et de la Corse abritent une assez forte main-d'œuvre agricole étrangère.

## 3. L'enjeu de l'intégration

• **Tant au niveau économique que social, la situation des immigrés est encore très contrastée.** Le **chômage** les touche deux fois plus souvent et plus durablement que l'ensemble des actifs.

• Leur **niveau d'études** est très variable. Élevé chez les nouveaux immigrés européens, dont 30 % sont des cadres, il est faible chez les autres. Aussi, surtout s'ils sont jeunes, occupent-ils plus souvent que les autres salariés **des emplois temporaires ou précaires** et peu qualifiés, dans des secteurs économiques en crise ou en restructuration. La moitié des actifs immigrés sont des ouvriers et la même proportion des actives immigrées est employée par les services aux particuliers.

• Plusieurs critères montrent que **l'intégration* progresse** : mariages mixtes plus nombreux, taux de fécondité des femmes immigrées qui se rapproche de celui des femmes françaises, usage pratiquement généralisé de la langue française... (10).

## 10. Des populations à intégrer

En Angleterre, on considère que le peuple britannique est constitué par les gens nés sur le territoire et que l'obstacle principal à l'intégration, ce sont les discriminations dont sont victimes les immigrés. La Commission pour l'égalité raciale est devenue l'instrument essentiel de la politique d'intégration. En Allemagne, c'est l'apprentissage de la langue.

Cette approche pragmatique fait que ces deux pays sont largement en avance sur nous en termes d'intégration politique : il y a plusieurs députés d'origine turque au Bundestag et les conseillers municipaux d'origine étrangère se comptent par centaines en Grande-Bretagne.

Mais, sur le fond, tous les pays européens ont pour objectif l'intégration par le logement, le travail, l'accès à l'école et l'apprentissage de la langue. La problématique est toujours la même : c'est de vivre ensemble. Ce qui change, ce sont les instruments pour l'appliquer.

C. Withol de Wenden, *Le Monde* – 9-10 juin 2002.

## 11. Les immigrés en France

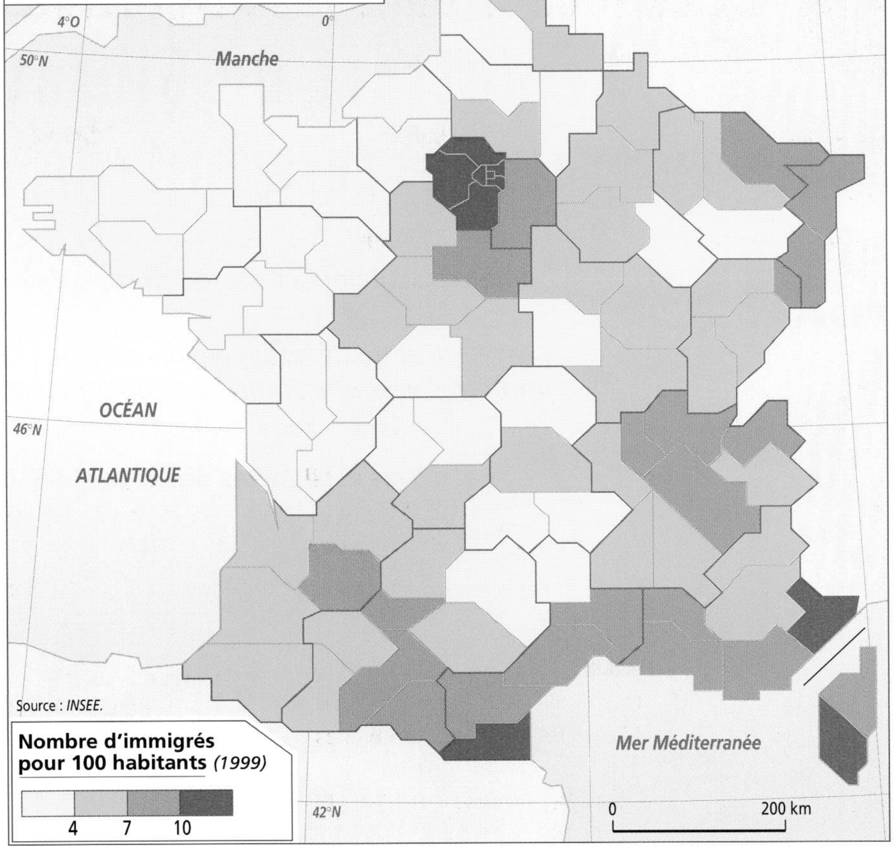


## 12. Les immigrés en France selon leur pays de naissance

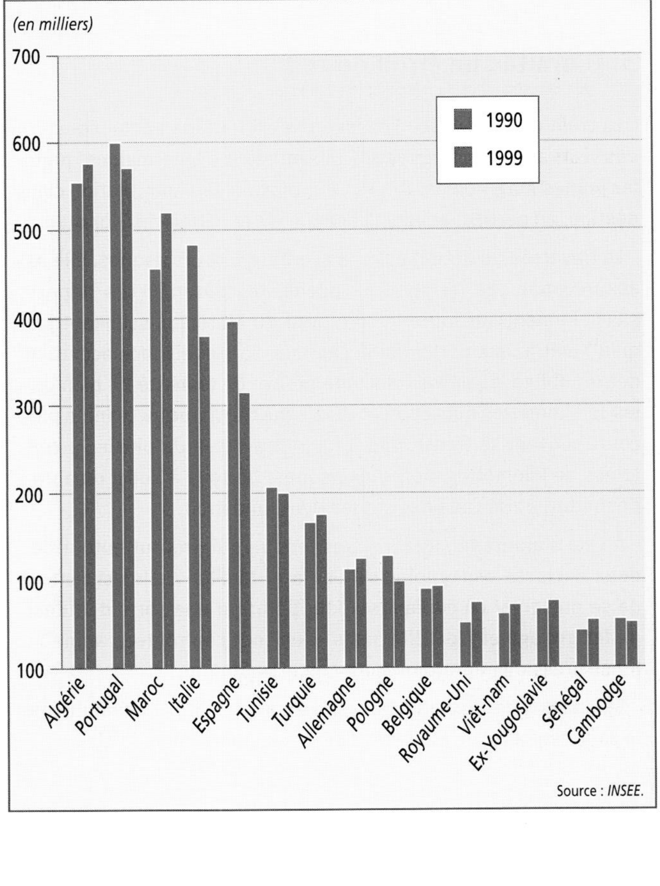


## 13. L'évolution des immigrés en France

La part de la population immigrée dans la population totale est constante depuis les années 1970.
Une de *Libération* – 20 novembre 2002.

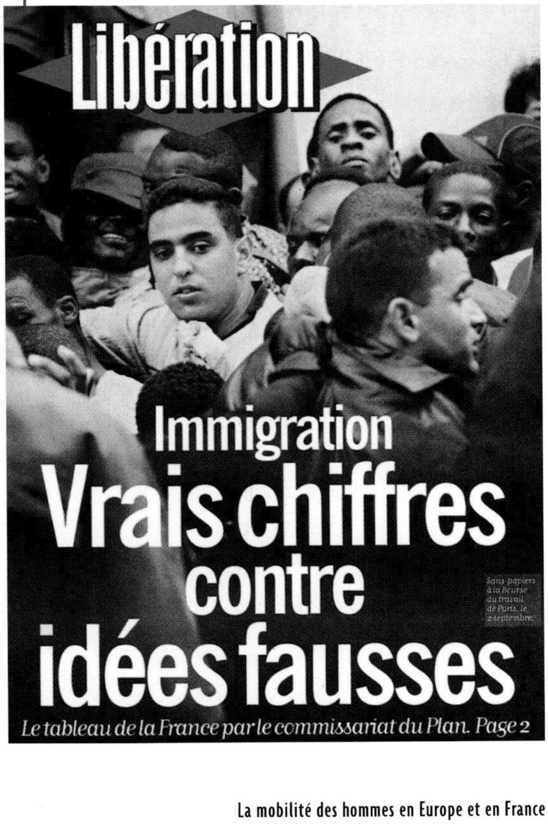

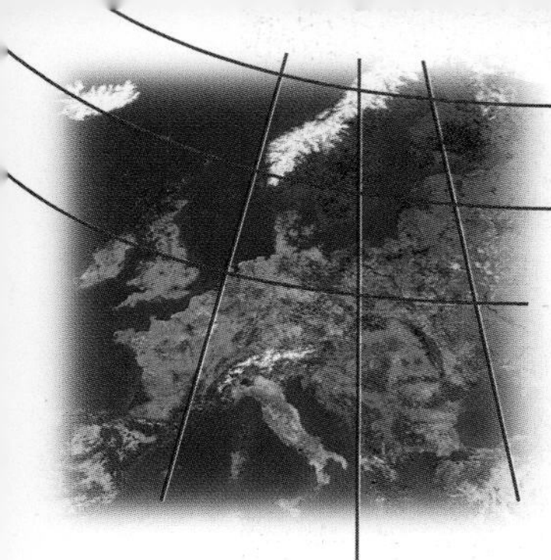

# Dossier

# Le détroit de Gibraltar, une porte d'entrée de l'Europe

*Une dizaine de kilomètres seulement sépare l' Europe de l' Afrique au niveau du détroit de Gibraltar.*

*Les contrastes de richesse et de développement entre les deux continents sont à l' origine de nombreux flux migratoires vers une Europe qui fait figure d' Eldorado.*

## 1. Le détroit de Gibraltar et les enclaves espagnoles de Ceuta et Melilla

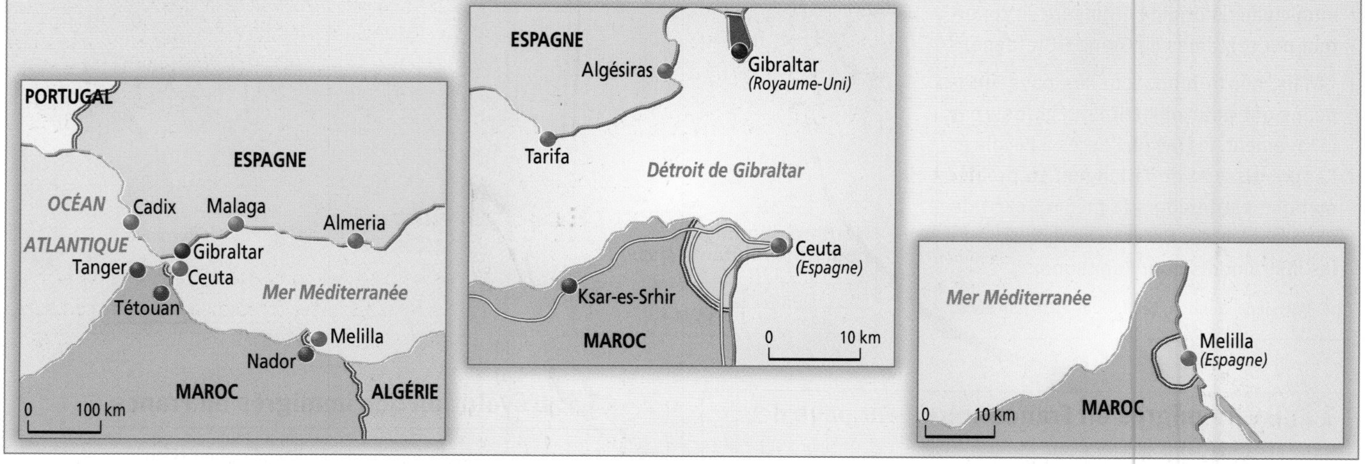


## 2. Le gouvernement espagnol ferme les portes de l'immigration vers l'Europe

Hebdomadaire espagnol *Cambio* – Juin 2002.

## 3. Gibraltar, un étroit détroit

La création de l'espace Schengen* s'est traduite par la réduction des visas accordés et a suscité un sentiment d'enfermement parmi les jeunes Maghrébins. D'où une explosion de l'immigration clandestine, en particulier vers l'Espagne via le détroit de Gibraltar.

La traversée du détroit est une aventure à hauts risques. Elle est assurée par des barques de pêche, les *pateras*. Les départs s'échelonnent sur toute la côte nord du Maroc, descendant jusqu'à Kenitra, aux portes de la capitale. La surveillance accrue du détroit oblige les passeurs à faire preuve de témérité. Si bien que les 12 kilomètres qui séparent l'Espagne du Maroc au point le plus court peuvent se transformer en une traversée de plusieurs centaines de kilomètres, non sans risques. De 1997 à 2001, on aurait dénombré 3 286 cadavres sur les rives du détroit.

À cela s'ajoute la situation très tendue qui prévaut autour des deux enclaves espagnoles de Ceuta et Melilla. Celles-ci tentent de se préserver en édifiant sur leur pourtour une sorte de rideau de fer grillagé et électrifié, mais elles sont confrontées à une intense pression migratoire, notamment enfantine.

Selon les autorités marocaines, les migrants proviennent de tout le continent africain et même du Proche-Orient ou de l'Asie.

P. Vermeren, *Le Monde diplomatique* – Juin 2002.

## 4. Lutter contre l'immigration illégale

Arrestation de clandestins par la garde civile espagnole dans le port d'Algesiras (mai 2002). Les accords de Schengen obligent l'Espagne à contrôler les frontières qui donnent accès au territoire de l'Union européenne.

## 5. Indicateur de développement humain (IDH*)

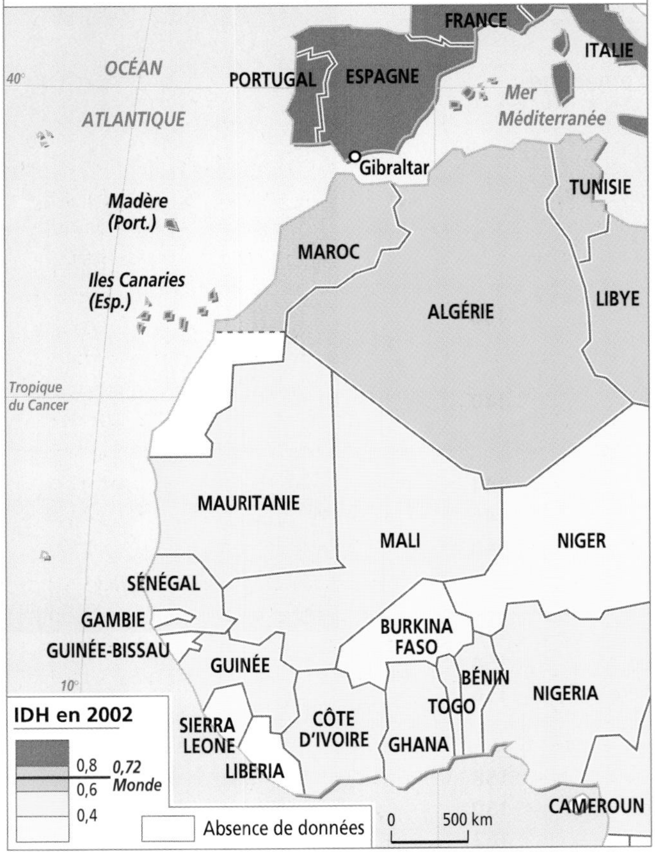


## 6. L'Europe, un Eldorado ?

Jusqu'aux années 1980, la population du Maghreb vivait dans une relative autarcie. La masse paysanne demeurait à l'abri des contacts avec le monde. En dehors des élites et des émigrés, les voyages étaient peu nombreux et le contact avec les étrangers limité.

L'irruption de l'antenne parabolique au Maghreb, à la fin des années 1980, a été une rupture majeure dans la représentation du monde par les Maghrébins. Alors que les Tunisiens se mettent à apprendre l'italien grâce à télévision italienne et que les Algériens suivent les actualités françaises, les Marocains s'ouvrent peu à peu à de nouveaux horizons. L'Occident fabriqué de la télévision se donne à voir.

Les chaînes nationales diffusent par ailleurs des *success stories* d'émigrés ayant réussi une ascension sociale étonnante (Jamel Debbouze, un entrepreneur aux Pays-Bas, la chanteuse Nadia Farès ou encore des sportifs, par exemple Zinedine Zidane).

Avec le retour annuel des émigrés au pays dotés de multiples biens de consommation, notamment de rutilants véhicules inaccessibles, on comprend que l'Europe apparaisse comme un Eldorado dont il faut forcer la porte.

P. Vermeren, *Le Monde diplomatique* – Juin 2002.

## Questions

**1.** Pour quelles raisons le détroit de Gibraltar est-il une porte d'entrée relativement facile vers l'Europe (1, 3) ?

**2.** Quels sont les facteurs à l'origine des flux migratoires vers l'Europe (3, 5, 6) ?

**3.** Quelle est l'attitude de l'Espagne et de l'Europe face à ces mouvements de population (2, 3, 4) ?

# Chapitre 8

# Gérer les flux de transport en Europe et en France

La circulation des personnes et des marchandises ne cesse de croître en Europe. Les réseaux qui assurent ces transports ont une densité très inégale : tandis que certaines régions souffrent de saturation de leurs axes, d'autres demeurent à l'écart des accès aux voies de communication rapides.

- **Quels rôles jouent les réseaux de transport sur l'organisation des espaces européens et français ?**
- **Quels sont les enjeux des politiques de transport en matière d'aménagement et d'environnement ?**

**Coquelles, près de Calais, le terminal français d'Eurotunnel.** Avec ses 700 hectares, le terminal constitue l'une des plus vastes plates-formes multimodales* d'Europe. Connecté au réseau autoroutier français, il assure l'accueil et l'embarquement des véhicules routiers dans les navettes spéciales (le Shuttle). Sur le site, la zone de développement économique « Cité de l'Europe » accueille un vaste centre commercial, complété par un pôle hôtelier et un parc des affaires. Achevé en 1994, le tunnel sous la Manche a mis fin à l'insularité de l'Angleterre et il contribue à la réorganisation de l'espace du Nord de la France, et au-delà, du Nord-Ouest européen.
**1.** Entrée du tunnel. **2.** Coquelles. **3.** Cité de l'Europe. **4.** Terminal tourisme. **5.** Zone des quais. **6.** Terminal fret. **7.** A16, l'Européenne vers Calais, Dunkerque, la Belgique. **8.** A16, l'Européenne vers Boulogne.

# L'Europe à l'heure des transports rapides

## 1. 2010 : ce que devrait être l'Europe ferroviaire

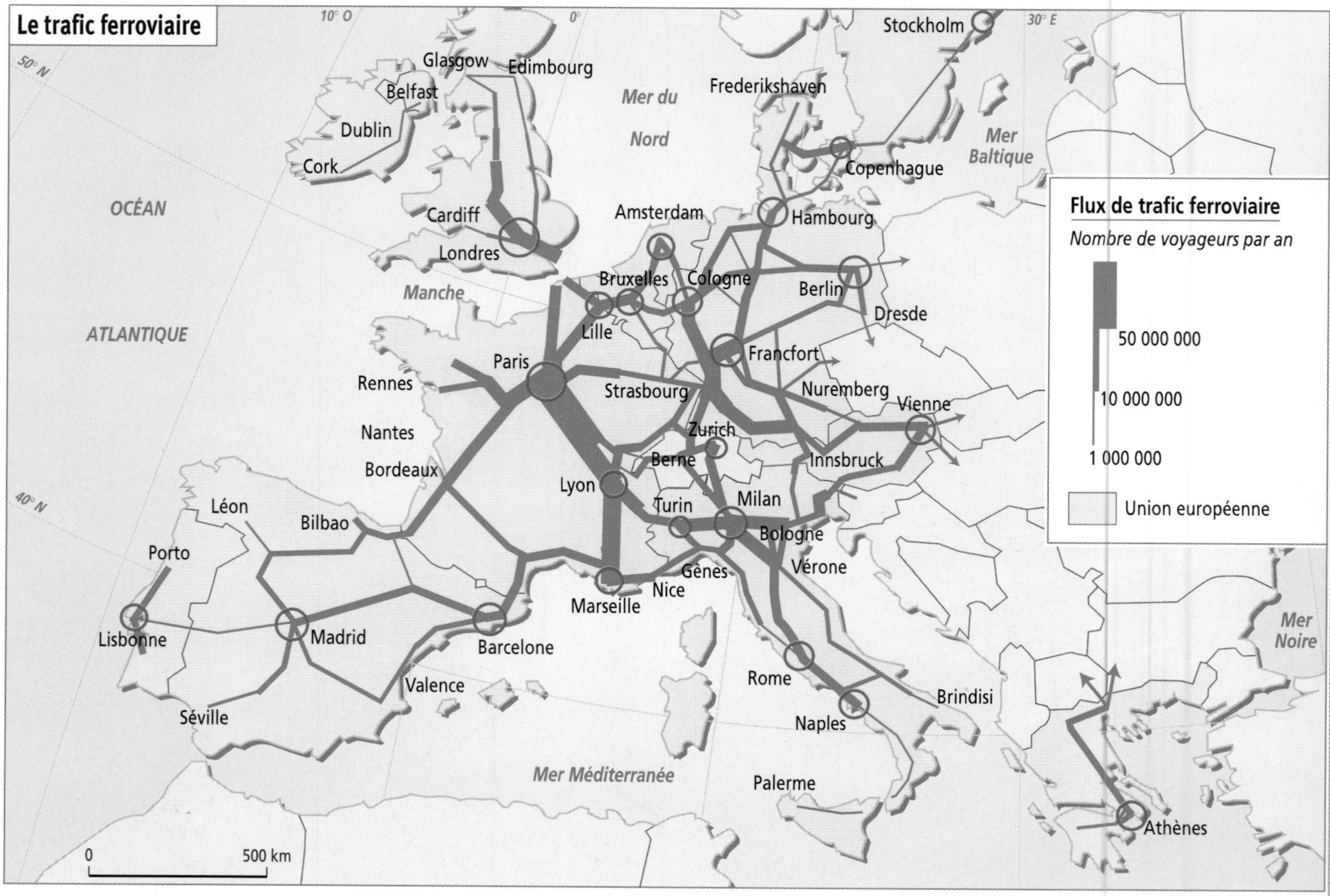

Source : *Documentation photographique*, n°8020.

Source : C. Cauvin, Strasbourg –1991.

## 2. Un des grands pôles mondiaux d'échanges aériens (2002)

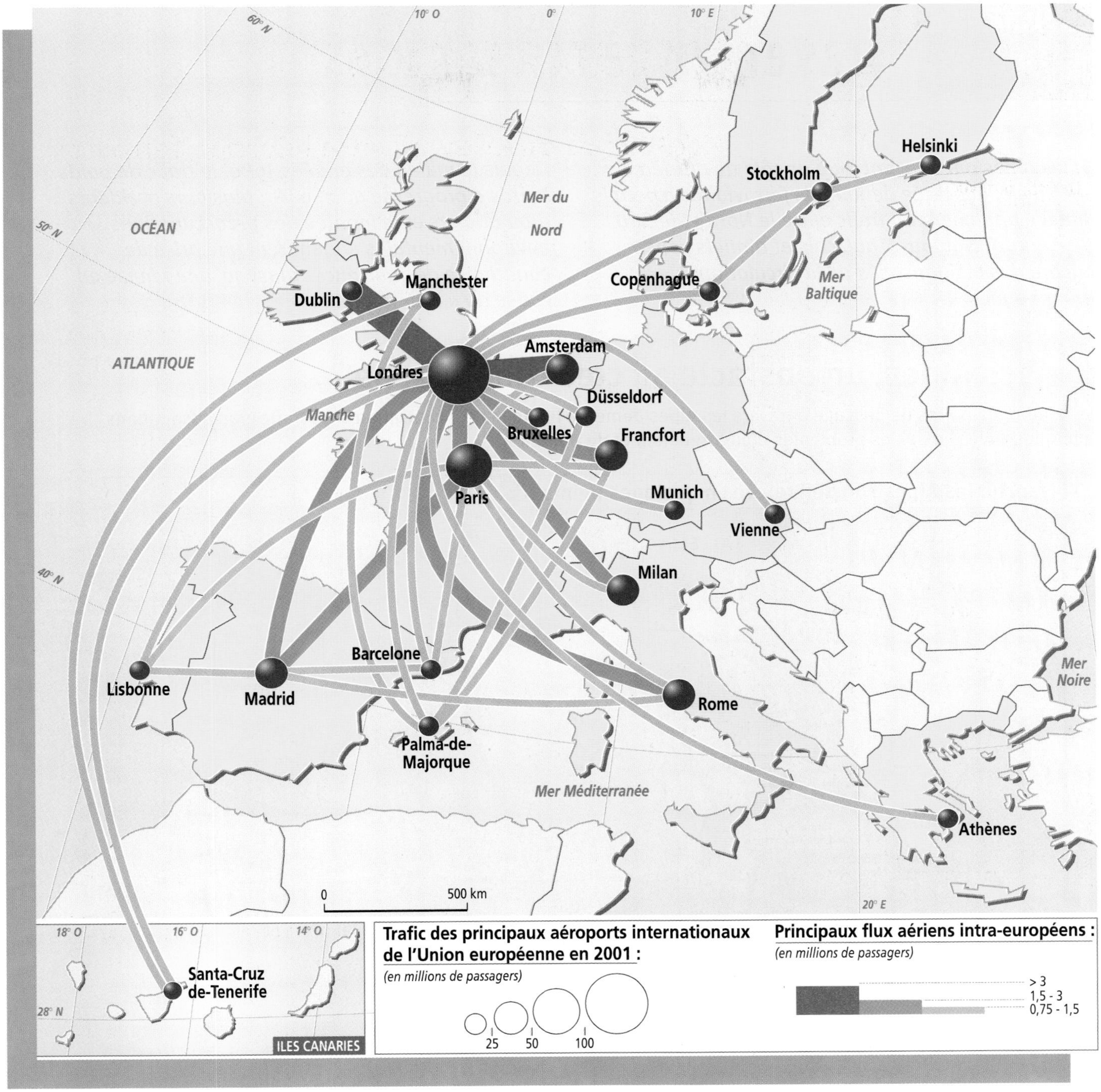


**Questions**

- Quelles sont les principales plaques tournantes du trafic européen **(carte 2)** ?
- Quelles grandes métropoles bénéficient, en Europe, d'une desserte ferroviaire et aérienne rapides **(cartes 1 et 2)** ?
- À l'inverse, quelles parties de l'Europe bénéficient peu des moyens de transports les plus rapides **(cartes 1 et 2)** ?

**Étude de cas**

# Traverser les Alpes

*Si les Alpes ont souvent joué un rôle de barrière au XIXe siècle, la percée de tunnels ferroviaires a permis le développement du trafic entre le Nord et le Sud de l'Europe ; aujourd'hui, cols et tunnels sont encore des maillons-clés de la circulation européenne.*

*Depuis le milieu des années 1980, le trafic de poids lourds a progressé de 280 % ; plusieurs accidents dramatiques et la montée des préoccupations environnementales engendrent une prise de conscience des nuisances ainsi qu'une remise en cause du « tout routier ».*

## 1 ■ Les Alpes, un obstacle au cœur de l'Europe ?

Le nombre de points de passage à travers les Alpes demeure limité ; la concentration d'un trafic grandissant dans quelques vallées crée des problèmes d'engorgement et de pollution.

**1. Franchir les Alpes : un défi relevé en quelques points**

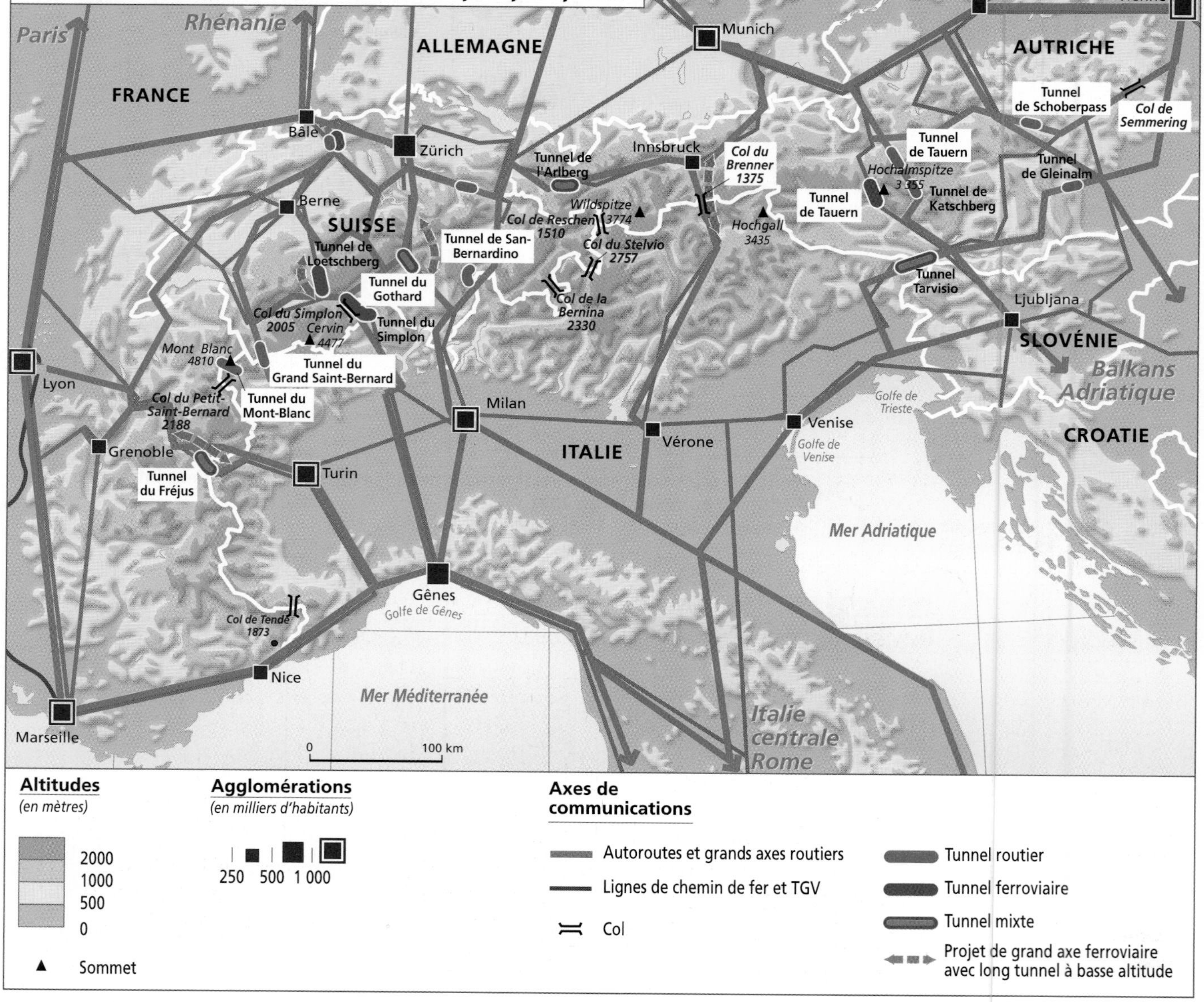

## 2. La vallée de la Maurienne (Savoie)

Un axe étroit, mais majeur, du trafic alpin.

## 3. Une pollution aggravée dans les vallées

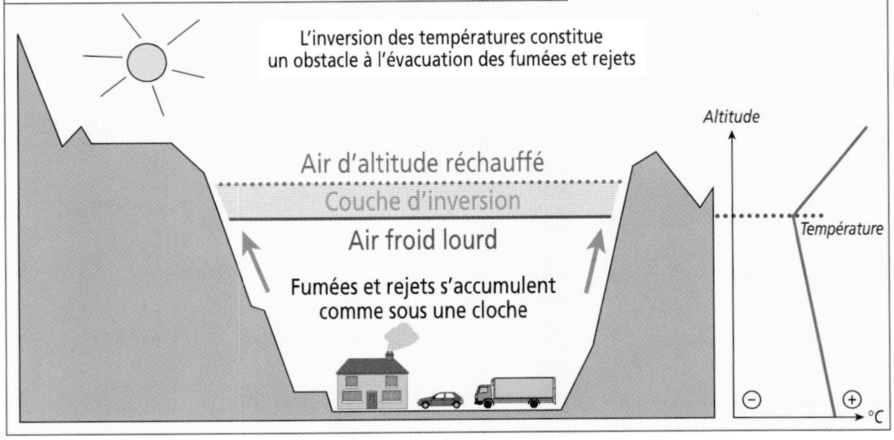


## 4. Un problème crucial : le trafic international de marchandises

| Points de passage | Rail (en millions de tonnes) | Route (en millions de tonnes) | Nombre de poids lourds (par jour) |
|---|---|---|---|
| **Fréjus – Mont-Cenis** | 7,7 | 12,4 | 2 072 |
| **Mont-Blanc** (avant accident) | - | 13,5 | 2 120 |
| **Simplon** | 4,6 | 0,2 | 51 |
| **Gothard** | 15,0 | 6,5 | 1 789 |
| **San Bernardino** | - | 0,4 | 204 |
| **Brenner** | 8,6 | 22,5 | 3 200 |
| **Tauern** | 5,3 | 4,6 | 1 159 |
| **Schoberpass** | 4,0 | 7,4 | 1 890 |
| **Semmering** | 6,1 | 3,9 | 1 167 |

Source : *Ministère de l'Environnement* – 1998.

## Questions

**1.** Pourquoi les Alpes sont-elles stratégiques pour la circulation des marchandises en Europe **(1)** ?

**2.** Quelles sont les contraintes liées au massif alpin **(1, 2, 3)** ?

**3.** Quels sont les principaux points de passage **(1, 4)** ? Quel est le trafic dominant **(4)** ?

# 2 ■ Comment gérer les flux transalpins ?

Les nuisances et la saturation du trafic routier obligent à envisager des solutions alternatives qui redonneraient de l'importance au chemin de fer.

## 5. Le transport combiné, alternative au transport routier

**Transport de 100 000 litres de vin en vrac entre Brescia (Italie) et Cologne (Allemagne) – Coûts en euros**

| | Transport routier[1] | Transport combiné[2] |
|---|---|---|
| Nombre de trajets nécessaires | 7 | 4 |
| Coût par trajet | 1 444 | 553 |
| Trajet gare ferroutage/Cologne | 0 | 155 |
| Coût de déchargement à Cologne | 0 | 1420 |
| Coût de location des conteneurs-citernes | 0 | 1236 |
| Coût total du transport | 10 108 | 5 023 |

1. Transport routier : en camions de 38 tonnes.
2. Transport combiné (voie ferrée et route) : en conteneurs-citernes de 25 000 litres chacun.

## 6. Le ferroutage*, une solution alternative

## 7. Un difficile virage vers la fin du « tout routier »

Le transport routier a crû de 20 % pendant la dernière décennie du XX^e siècle, tandis que le ferroutage a été divisé par deux. Si rien n'est fait, la route va affirmer une suprématie totale en gagnant encore 50 % d'ici 2010. La nouvelle révolution industrielle multiplie les besoins d'un transport rapide, fiable et souple : le camion remplit ces conditions. Le train souffre d'un retard considérable : les convois sont lents (18 km/h en moyenne en Europe) et sont arrêtés en permanence aux frontières pour de multiples raisons (espacement de voies, signalisation, voltage, règles de sécurité...). Le rail ne transporte plus que 8 % du fret européen. Il n'y a pas de fatalité puisque cette part de marché est de 40 % aux États-Unis.

Les opinions publiques n'acceptent plus les nuisances de la route, surtout après les accidents du Mont-Blanc et du Gothard, d'autant qu'une part importante du trafic est de transit (75 % en Suisse, plus de 90 % en Autriche). La Suisse a entrepris de percer 90 km de tunnels ferroviaires sous le Saint-Gothard et le Lötschberg : pour pouvoir être longs, lourds et cependant rapides, les trains de fret doivent éviter les pentes et l'altitude, d'où des tunnels de basse altitude coûteux et longs à creuser (l'altitude du nouveau Saint-Gothard sera 550 mètres). De son coté, l'Autriche impose déjà aux routiers une vignette annuelle plus un péage ; le nouveau tunnel du Brenner est attendu pour 2015. C'est entre la France et l'Italie, où la barrière montagneuse est la plus élevée, que le projet est encore flou quant au calendrier et au financement : qui osera dire aux routiers qu'il faudra que les péages routiers financent un tunnel ferroviaire ? Une politique commune serait nécessaire : quand la Suisse a limité le tonnage des poids lourds à 28 tonnes, le trafic s'est reporté sur les axes français et autrichiens.

Sources diverses – 2002.

## 8. Un grand projet de liaison ferroviaire transalpine pour 2015

## 9. Les riverains des vallées veulent être entendus

## 10. Le Gothard

Opposition au projet d'un second tunnel routier.

Mars 2000
Non à un second tunnel routier au Gothard
Non à l'initiative parlementaire Giezendanner


## 11. La politique suisse des transports

La stratégie suisse tient en deux principes :

– dissuader le trafic d'emprunter la route, en instaurant des péages ;

– attirer le trafic sur le rail et donc améliorer l'offre ferroviaire (combiné rail-route et ferroutage*).

Un choix constitutionnel a été adopté de transférer sur le rail (à la date d'ouverture des futurs tunnels ferroviaires) l'équivalent de la totalité du trafic routier de transit et de la croissance du trafic national suisse à travers les Alpes. L'objectif est de protéger cette région montagneuse des effets négatifs du trafic routier de marchandises.

La clé de voûte de cette politique et la « Redevance proportionnelle sur le trafic poids lourds » (RPLP) qui doit entrer en vigueur en 2001. Le montant prévu est de 1 centime d'euro la tonne-kilomètre pour un véhicule de 34 tonnes ; elle atteindra son maximum, soit 2 centimes, à l'ouverture du premier tunnel ferroviaire. Le coût de la traversée de la Suisse sera alors de 47 euros.

D'après la revue *Transports*, n° 401 – 2001.

## Synthèse et prolongements de L'ÉTUDE DE CAS

- Comment les flux de marchandises évoluent-ils en Europe ?
- Quel est le mode de transport dominant ?
- À partir de l'exemple de la traversée des Alpes, quels problèmes les transports routiers de marchandises posent-ils ?
  Quelles solutions peuvent être envisagées ?
- Pourquoi une politique européenne des transports semble-t-elle nécessaire ?

## Questions

**1.** Quelle est la principale alternative au « tout routier » **(5, 6, 7)** ? Quels en sont les avantages **(5)** ?

**2.** Quelles sont les initiatives prises en ce sens **(7, 8, 11)** ?

**3.** Comment les opinions publiques réagissent-elles **(7, 9, 10)** ?

# 1 L'Europe, un espace majeur d'échanges

## Mots-clés

**Corridor :** couloir où les communications se concentrent.

**Transport combiné :** transport qui permet d'avoir recours, pour une même marchandise, à différents modes de transport (camions, trains, bateaux) rendus compatibles par l'utilisation de coffres métalliques de taille standard appelés « conteneurs ».

**Treillage :** ensemble de réseaux de circulation.

## 1. Un des grands pôles mondiaux d'échanges

• Première puissance commerciale du monde (plus de 40 % du total), **l'Europe est un pôle majeur de flux de biens et de personnes** ; la moitié des passagers mondiaux y circulent. Les flux de proximité y dominent : plus de 60 % des marchandises, la moitié des destinations aériennes des passagers sont internes à l'Union européenne.

• **Ces flux sont en croissance continue et sensible** : la construction européenne se fonde sur un développement des échanges au sein d'un marché unique où des infrastructures de transports rapides ont considérablement réduit les obstacles naturels et politiques à la mobilité des biens et des personnes. La mobilité croissante de populations à niveau de vie élevé a profité aux déplacements en voitures particulières et au transport aérien. Enfin, l'internationalisation croissante des économies, un système de production multipliant les flux de sous-traitance font croître les trafics maritimes et routiers (3).

• **Le transport routier est le mode dominant des transports terrestres** : il allie rapidité, souplesse et bénéficie d'excellentes infrastructures. **Le transport ferroviaire** connaît **un renouveau** avec les **trains à grande vitesse** pour les personnes. Mais, si plus de 1 350 millions de tonnes de marchandises circulent par le rail dans l'Union européenne, la diffusion du **transport combiné** terrestre reste faible et limitée à certains flux transalpins ou aux navettes du tunnel sous la Manche. De même, le trafic fluvial n'intéresse que le cœur rhénan de l'Europe.

## 2. Une Europe inégalement équipée en réseaux performants

• **La densité des infrastructures de transport est très inégale à l'échelle de l'Europe** à cause des conditions naturelles et surtout en fonction de l'ancienneté du développement et des choix politiques (2). À l'Ouest, le **treillage** est dense sauf sur les marges ; à l'Est, l'ancien bloc communiste est sous-équipé et mal connecté au réseau européen : les priorités accordées à l'industrie lourde y ont légué un important réseau ferroviaire, mais un faible réseau routier (1).

• **Les évolutions récentes sont divergentes** : entre 1990 et 1999, pour plus de 1 000 km de voies nouvelles par an à l'Ouest, moins d'une centaine ouvrait à l'Est. Même si l'Europe du Sud se caractérise par un faible équipement en voies navigables et ferroviaires, elle connaît un rattrapage récent des réseaux autoroutiers à la faveur des aides de l'Union européenne (4).

## 3. Une nécessité : construire des réseaux européens

• **À l'échelle de l'Union européenne**, la faible interconnexion entre les quinze réseaux hérités de logiques nationales et le retard de certaines régions ont conduit à élaborer, en 1994, **quatorze projets d'infrastructures nouvelles** ; il s'agit de désengorger les axes les plus chargés, d'améliorer l'intégration des espaces les plus isolés et de relier l'Union aux pays voisins.

• **À l'échelle du continent**, les États membres de l'Union européenne et leurs partenaires d'Europe centrale et orientale y ont ajouté, en 1997, un projet de **corridors** de transports combinant la route et le rail, et améliorant les passages frontaliers et la navigabilité du Danube. Il s'agit à la fois de combler certains vides et de reconnecter des réseaux tournés auparavant vers l'Est.


**Cartes Enjeux**
**L'Europe à l'heure des transports rapides**
*(pages 138-139)*

**Dossier**
**TGV Méditerranée : la grande vitesse gagne le Sud**
*(pages 150-153)*

**Étude de cas**
**Traverser les Alpes**
*(pages 140-143)*

**Leçon**
**Un espace unique en marche**
*(pages 56-57)*

**Dossier**
**Oresund : un pont-tunnel pour une dynamique transfrontalière**
*(pages 156-157)*

## 1. Évolution du transport de marchandises dans les pays d'Europe centrale et orientale

*(en millions de tonnes/km)*

| | Route | Rail | Fluvial | Oléoducs Gazoducs | Total |
|---|---|---|---|---|---|
| **1970** | 55 | 274 | 10 | 16 | 355 |
| **1980** | 122 | 364 | 13 | 37 | 537 |
| **1990** | 144 | 272 | 12 | 32 | 460 |
| **1998** | 172 | 153 | 10 | 28 | 363 |
| **1990-1998** | 19,4 % | – 43,5 % | – 14,0 % | – 14,1 % | – 21,0 % |

Source : *Rapport du Sénat sur la politique commune des transports* – 2001.

## 2. Des réseaux d'inégales densités

| | Autoroutes | | Voies ferrées | |
|---|---|---|---|---|
| **Pays** | **(en km/ 1 000 km²)** *(1999)* | **Évolution 1990-1999** *(en %)* | **(en km/ 1 000 km²)** *(1999)* | **Évolution 1990-1999** *(en %)* |
| **Allemagne** | 32 | + 5,7 | 107 | – 7 |
| **Espagne** | 16,3 | + 76 | 24,4 | – 2 |
| **France** | 17 | + 36 | 57,7 | – 7,4 |
| **Grèce** | 3,8 | + 163 | 19 | + 0,7 |
| **Hongrie** | 4,8 | + 67 | 82,1 | – 1,6 |
| **Pologne** | 0,9 | + 4,3 | 73,2 | – 12,7 |
| **Portugal** | 14 | + 296 | 31,4 | – 22,2 |
| **R.-Uni** | 14 | + 7,5 | 69,5 | – 0,4 |
| **Suède** | 3,2 | + 52 | 24,8 | + 3,3 |

## 3. Les transports de marchandises et de voyageurs

**Évolution du transport de marchandises dans l'Union européenne**

*en millions de tonnes / km*

| | Route | Rail | Fluvial | Oléoducs Gazoducs | Mer | TOTAL |
|---|---|---|---|---|---|---|
| **1970** | 416 | 283 | 103 | 66 | 472 | **1340** |
| **1980** | 628 | 287 | 107 | 91 | 780 | **1893** |
| **1990** | 932 | 255 | 108 | 75 | 922 | **2293** |
| **1998** | 1235 | 241 | 121 | 87 | 1167 | **2870** |

**Évolution du transport de passagers dans l'Union européenne**

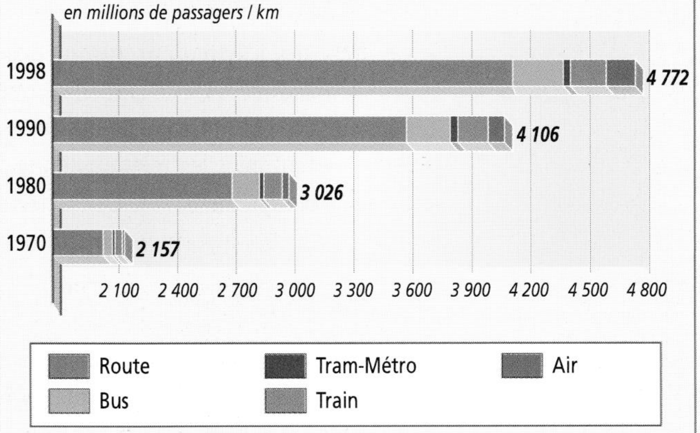

en millions de passagers / km
1998
4 772
1990
4 106
1980
3 026
1970
2 157
2 100 2 400 2 700 3 000 3 300 3 600 3 900 4 200 4 500 4 800
Route
Bus
Tram-Métro
Train
Air

Source : *Eurostat.*

## 4. Combler le retard autoroutier de l'Europe du Sud : l'autoroute Egnatia

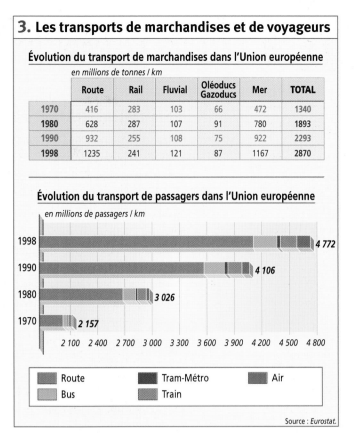

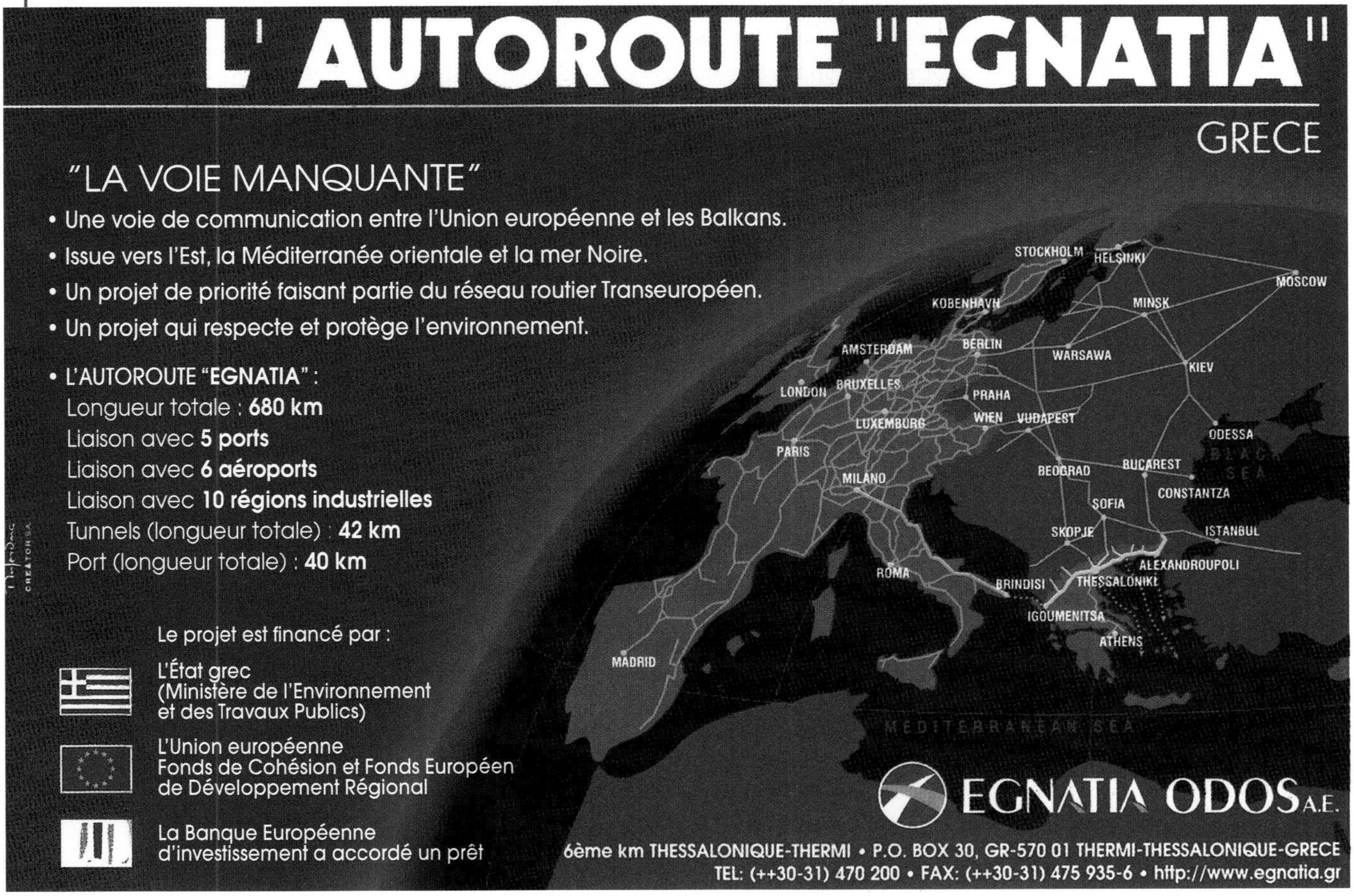

L' AUTOROUTE "EGNATIA"
GRECE
"LA VOIE MANQUANTE"
• Une voie de communication entre l'Union européenne et les Balkans.
• Issue vers l'Est, la Méditerranée orientale et la mer Noire.
• Un projet de priorité faisant partie du réseau routier Transeuropéen.
• Un projet qui respecte et protège l'environnement.
• L'AUTOROUTE "EGNATIA" :
Longueur totale : 680 km
Liaison avec 5 ports
Liaison avec 6 aéroports
Liaison avec 10 régions industrielles
Tunnels (longueur totale) : 42 km
Port (longueur totale) : 40 km
Le projet est financé par :
L'État grec (Ministère de l'Environnement et des Travaux Publics)
L'Union européenne Fonds de Cohésion et Fonds Européen de Développement Régional
La Banque Européenne d'investissement a accordé un prêt
STOCKHOLM
HELSINKI
MOSCOW
KOBENHAVN
MINSK
AMSTERDAM
BERLIN
WARSAWA
KIEV
LONDON
BRUXELLES
PRAHA
LUXEMBURG
WIEN
BUDAPEST
ODESSA
PARIS
BEOGRAD
BUCAREST
MILANO
SOFIA
CONSTANTZA
SKOPJE
ISTANBUL
ROMA
ALEXANDROUPOLI
BRINDISI
THESSALONIKI
IGOUMENITSA
ATHENS
MADRID
MEDITERRANEAN SEA
EGNATIA ODOS A.E.
6ème km THESSALONIQUE-THERMI • P.O. BOX 30, GR-570 01 THERMI-THESSALONIQUE-GRECE
TEL: (++30-31) 470 200 • FAX: (++30-31) 475 935-6 • http://www.egnatia.gr

# 2 Réseaux et flux structurent l'Europe

## 1. Une forte concentration des flux

• **Les courants d'échange tendent à se concentrer sur quelques axes majeurs** telle la **mégalopole*** européenne, le Nord de la France, l'axe rhodanien. Ils débouchent sur des **façades maritimes** dont la principale est le **Northern Range** (d'Hambourg au Havre), série de ports qui possèdent de grandes zones industrialo-portuaires et forment une puissante interface ouverte sur le reste du monde (6).

• **Ces réseaux s'articulent autour des grandes métropoles** qui bénéficient d'une accessibilité maximale. De ce fait, elles concentrent équipements et entreprises. L'évolution des réseaux et l'accroissement des vitesses de déplacement tendent à gommer les distances et à renforcer les relations entre les principales métropoles européennes malgré leur relatif éloignement (5). Une sélection s'opère ainsi qui pénalise des villes parfois aussi importantes, mais moins bien desservies par les modes de transports rapides.

## 2. Quelques grands nœuds de communication

• **Dans le domaine aérien**, les grandes compagnies nationales cherchent à faire passer le maximum de passagers par **des plates-formes puissantes** situées au centre de liaisons internationales. La division de l'Europe en multiples états et la **dérégulation** du transport aérien permettent à chacune de valoriser **un « hub » national** (British Airways à Londres, Air France à Paris, Lufthansa à Francfort), tout en étant aussi présentes sur des « hubs » concurrents.

• **Dans le domaine maritime**, les porte-conteneurs géants réduisent leurs escales en Europe à un ou deux ports principaux, qui ensuite gèrent un trafic de redistribution à l'échelle du continent ; ils s'appuient pour cela sur d'importantes **plates-formes logistiques multimodales** qui s'installent dans les périphéries des grandes métropoles et structurent de plus en plus les transports terrestres.

## 3. Des territoires inégalement desservis

• **Cette concentration des trafics provoque des effets d'engorgement** le long des axes correctement équipés et en quelques points de passage obligatoires : montagnes (aux extrémités des Pyrénées, tunnels alpins), traversée de la Manche ou de la Baltique, impliquant retards, problèmes de sécurité et nuisances pour l'environnement.

• Inversement, **la faiblesse du nombre de points d'accès aux réseaux à grande vitesse multiplie les effets tunnels**. Ainsi, dans une même région, l'évolution actuelle différencie de plus en plus la ville bien connectée (7) et le reste du territoire sous-équipé et à plus faible accessibilité.

• Bien que programmées dans un souci d'équité, **la création d' infrastructures de transports rapides contribue donc imparfaitement au rééquilibrage des territoires**. Dotées d'une accessibilité plus faible que d'autres régions, marquées par le sous-équipement, la durée et le coût des déplacements, **les périphéries insulaires** (archipels grecs ou écossais) ou continentales (Alentejo au Sud du Portugal, Estrémadure au Sud-Ouest de l'Espagne, Mecklembourg au Nord-Est de l'Allemagne), **ont du mal à rompre avec leur situation d'enclavement**.

## Mots-clés

**Dérégulation :** suppression partielle ou totale de règles qui limitaient la concurrence entre les entreprises d'un même secteur.

**Effet tunnel :** situation où une voie rapide (ligne de TGV, autoroute) est inaccessible par défaut de gare ou d'échangeur autoroutier, ce qui rend l'espace traversé mal desservi.

**Enclavement :** isolement dû à l'éloignement des voies de communications principales.

**Hub :** aéroport majeur à partir duquel rayonnent de nombreuses lignes secondaires.

**Logistique :** ensemble des activités liées aux transports.

**Plate-forme multimodale :** vastes espaces à proximité des grandes métropoles ou à proximité des nœuds des réseaux de transports où plusieurs modes de transports se rencontrent : route, rail, voie d'eau, liaison aérienne.

* voir Lexique

**Cartes Enjeux**

**L'Europe à l'heure des transports rapides**
*(pages 138-139)*

**Dossier**

**Roissy : un aéroport, moteur du développement économique**
*(pages 154-155)*

**Perspective Bac**

**Un grand port européen, Le Havre**
*(pages 158-159)*

**Étude de cas**

**Traverser les Alpes**
*(pages 140-143)*

**5.** Relier les grandes villes par le train à grande vitesse

Les deux métropoles allemandes ne sont plus qu'à 1 heure 15 l'une de l'autre.
Couverture de *Rail & Transports,* n° 243 – 31 juillet 2002.

**6.** Le port de Rotterdam : des échanges mondiaux

*(en % du total des échanges de 1999)*

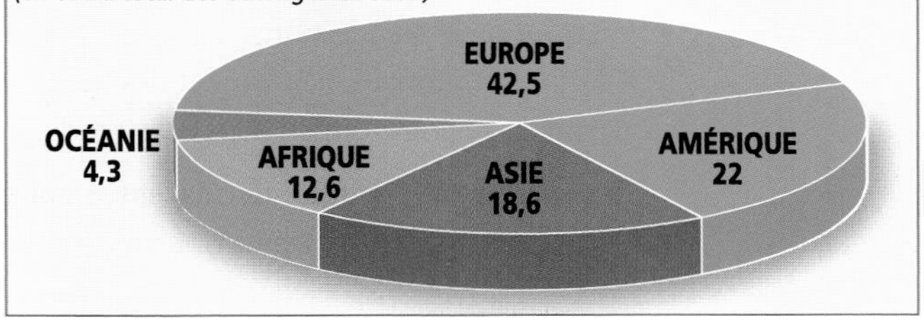


**7.** Toulouse : une plate-forme logistique qui joue la carte européenne

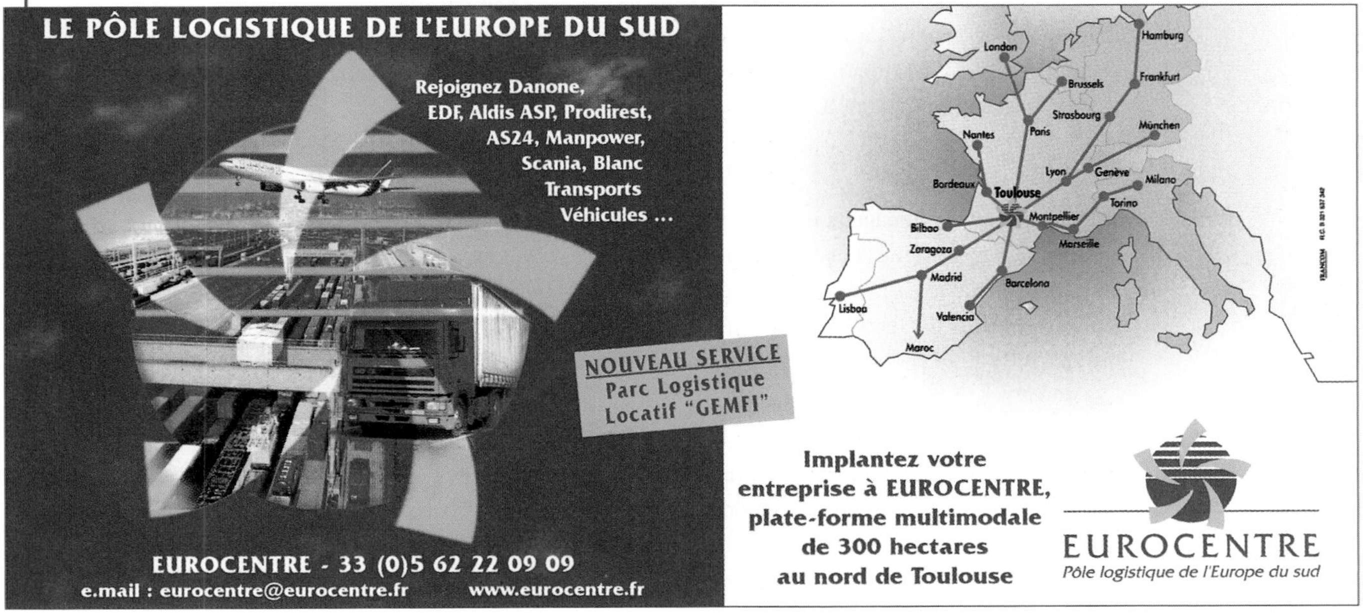

# 3 La France, carrefour de l'Europe ?

## 1. Les réseaux français : entre logique nationale et ouverture européenne

• **Tous les réseaux français**, y compris les plus récents (TGV), **présentent une configuration en étoile**, centrée sur la région Île-de-France, héritage du rôle directeur de Paris dans la vie économique et politique du pays. Les liaisons radiales ont été privilégiées au détriment des transversales : retard ou absence des liaisons autoroutières Lyon-Bordeaux, ou Nantes-Lyon nécessaires pourtant à l'ancrage européen de l'Ouest français. En outre, **la position centrale de la France au sein de l'Union européenne** lui assure **une fonction de transit** entre l'Europe du Nord-Ouest et l'Europe méridionale, ce qui accroît les flux déjà considérables dont elle est le destinataire ou l'émetteur.

• **La connexion entre réseaux français et européens reste faible** : le réseau de voies navigables à grand gabarit est très limité et le projet de liaison Rhin-Rhône a été abandonné ; les maillons du réseau TGV avec l'Italie et l'Espagne n'apparaîtront au mieux qu'en 2015. Le raccordement routier avec ces deux derniers pays demeure un enjeu d'aménagement, car le faible nombre de points de passage constitue autant de goulets d'étranglement.

## 2. Quelques axes et carrefours majeurs sur le territoire français

• **Infrastructures et flux s'accumulent le long de quelques axes menacés de saturation** (Basse-Seine, Paris-région du Nord, Paris-Lyon-Marseille) qui débouchent sur les trois plus grands ports maritimes français (**10**). La logique économique, qui associe concentration des activités et des trafics, privilégie l'équipement d'espaces précis (métropoles, régions touristiques…) et tend à renforcer les disparités.

• **La même logique de marché a consacré le triomphe de la route** aux dépens des autres moyens de transports (**8**) : le trafic fluvial ne représente plus que 3% des marchandises transportées ; le trafic ferroviaire hors TGV décline ; les liaisons aériennes de beaucoup de villes de province ont une rentabilité aléatoire.

• **De plus, pendant longtemps, les réseaux en France se sont développés dans une logique unimodale**, sans recherche de complémentarité. Des **plates-formes multimodales*** (Roissy, Lyon-Saint Exupéry) et des corridors ferroviaires de fret européen se développent aujourd'hui, tandis que les conséquences négatives des congestions routières sont de plus en plus dénoncées.

## 3. Une desserte inéquitable du territoire ?

• **La politique d'aménagement du territoire a cherché à améliorer la desserte et l'accessibilité** des territoires par l'extension du réseau de voies rapides, ou en instituant la gratuité de certaines liaisons (quatre voies bretonnes, A75 dans le Massif central). Pourtant, **des parties du territoire sont délaissées** par les moyens de télécommunications récents (téléphonie mobile, Internet rapide …). Dans ces mêmes régions, la SNCF continue de fermer des lignes.

• **L'organisation de l'espace français par les réseaux rapides tend à renforcer la fracture territoriale** qui oppose les principaux carrefours bien reliés entre eux et à l'Europe et des espaces de plus en plus en marge, mal reliés aux principales aires urbaines et faiblement accessibles. Le « rétrécissement de l'espace » est inégal entre les régions, entre les villes : certains espaces sont seulement traversés, victimes de l'**effet tunnel***.

### Mots-clés

**Transit :** qualifie un trafic qui traverse un pays situé entre le lieu de départ et le lieu d'arrivée des marchandises.

* voir Lexique

**Perspective Bac**
Réseaux et flux en Europe et en France
*(pages 162-163)*

**Étude de cas**
Traverser les Alpes
*(pages 140-143)*

**Perspective Bac**
Un grand port européen, Le Havre
*(pages 158-159)*

**Dossier**
Roissy : un aéroport, moteur du développement économique
*(pages 154-155)*

**Dossier**
TGV Méditerranée : la grande vitesse gagne le Sud
*(pages 150-153)*

## 8. Doubler l'autoroute A7 ?

L'ASF (Société des autoroutes du Sud de la France) a proposé, en 1999, de créer quatre voies supplémentaires spécialement dédiées aux camions sur la portion la plus encombrée de la vallée du Rhône, entre Valence Sud et Orange : cette section constitue un nœud d'étranglement sur l'axe reliant la péninsule Ibérique au reste de l'Europe. Le trafic moyen journalier atteint 70 900 véhicules par jour, dont 14 420 poids lourds. L'été, ce chiffre peut monter à plus de 120 000 véhicules par jour ; or le trafic est considéré comme dégradé entre 60 000 et 65 000 véhicules.

De son côté, le ministère de l'Équipement privilégie la construction d'itinéraires alternatifs, le développement du TGV et des voies d'eau, le ferroutage tout en reconnaissant que, dans 20 ans, ces solutions ne suffiront plus à absorber le trafic.

L'ASF fait valoir que sa solution permettrait de mettre l'autoroute aux normes et que c'est dans les bouchons que la pollution est la plus forte. La séparation des trafics poids lourds et véhicules légers sécuriserait l'autoroute. Mais un tel projet renforcerait encore la part du camion sur la route au moment où Bruxelles prône le développement du fer.

D'après *Le Monde* – 13 septembre 2001.

## 9. Le réseau aquitain

Sous-équipements et saturation ?

Document : les Chambres de commerce et d'industrie d'Aquitaine.

## 10. Transports et organisation de l'espace en France

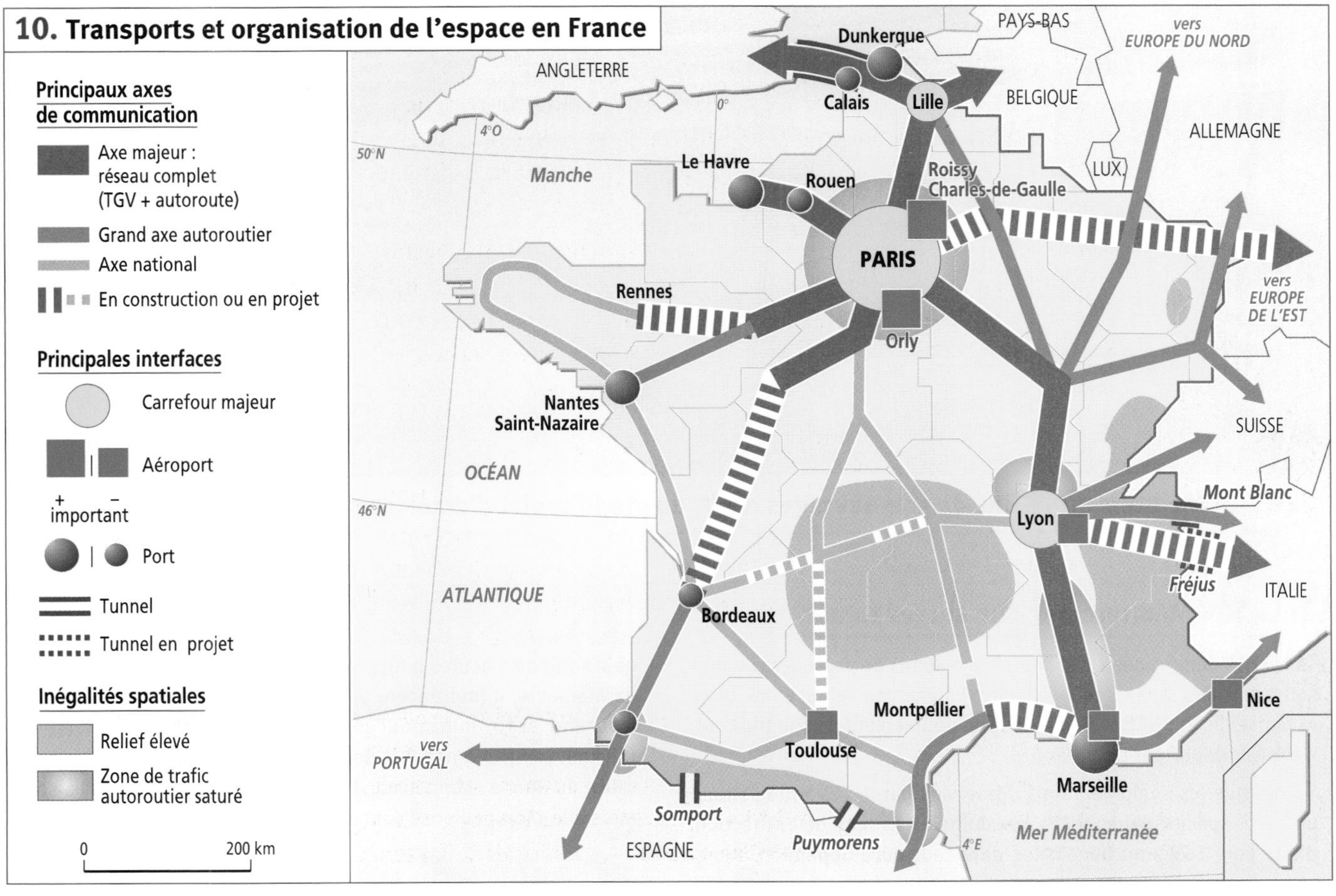

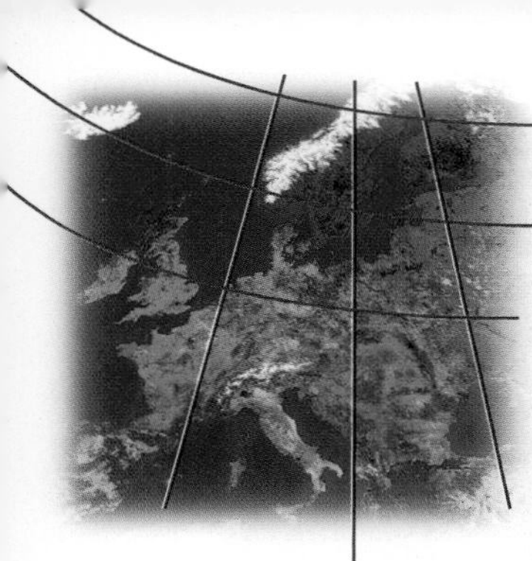

Dossier

# TGV Méditerranée : la grande vitesse gagne le Sud

*Les 250 kilomètres de ligne nouvelle du TGV Méditerranée bouclent le grand axe ferroviaire Nord-Sud à grande vitesse entre Lyon et Marseille.*

*Le TGV Méditerranée donne un nouvel élan économique au Sud-Est du pays. À l'arrivée à Marseille, il s'inscrit dans le vaste projet d'aménagement urbain « Euroméditerranée ».*

## 1 ■ Un effet TGV ?

L'arrivée du TGV crée une nouvelle opportunité pour les villes qu'il relie ; mais, pour les espaces traversés, l'effet est plutôt négatif.

**1. Le TGV Méditerranée, plus de 500 ouvrages d'art, un grand projet d'aménagement du territoire français**

### 2. Le TGV Méditerranée : un succès total ?

Le TGV Méditerranée a transporté 18 millions de passagers depuis son lancement, dont 11 millions entre Paris et Marseille. Entre Lyon et Marseille, la SNCF avait misé sur un doublement de son trafic, or il a été multiplié par trois.

Alors que les agglomérations desservies par le TGV enregistrent un essor spectaculaire, celles qui sont situées hors de l'attraction d'une gare TGV sont pénalisées dans leur développement. Alors qu'il suffit de 3 heures pour parcourir les 750 km qui séparent Paris de Marseille, il faut encore 2 h 30 pour aller de Marseille à Nice (190 km) et 35 min. pour joindre Aix-en-Provence à Marseille (28 km). La SNCF a réduit la desserte directe des petites villes de la vallée du Rhône : Montélimar, Pierrelate, Orange, Arles ; les liaisons Marseille-Montpellier se sont dégradées.

*Le Monde* – 12 août 2002.

## 3. Une ligne TGV, c'est pour gagner du temps

*– Pourquoi avez-vous décidé de créer trois gares pour le TGV-Méditerranée entre Lyon et Marseille ?*

Il y a trois nouvelles gares à Valence, Avignon et Aix. Ce choix résulte d'un compromis entre l'organisation du territoire, la démographie et les contraintes de rentabilité.

*– Pourquoi ne pas avoir créé de gare à Orange ou à Montélimar ?*

Il y a un vrai problème pour cette ligne qui traverse un chapelet de villes moyennes. En termes d'aménagement du territoire, il aurait été souhaitable de relier toutes ces villes. Mais cela était contraire à la philosophie d'un projet consistant à gagner du temps.

*– Le fait d'implanter les gares en dehors de la ville ne vous fait-il pas perdre des clients ? Le gain de temps n'est-il pas perdu pour les voyageurs qui sont obligés de sortir de la ville pour rejoindre la gare nouvelle ?*

Cela peut être vrai pour une personne qui habite dans le centre de Valence, mais la clientèle concernée par cette gare est beaucoup plus large. Elle intéresse les habitants de toute la Drôme et de l'Ardèche qui sont heureux de ne plus avoir à se rendre jusqu'au centre de Valence où la circulation est de plus en plus difficile et le stationnement parfois délicat. De plus, nous avons installé la gare sur le tracé de la ligne classique Valence-Romans-Grenoble, ce qui la transforme en gare d'interconnexion entre la ligne TGV et le réseau express régional.

Interview de G. Cartier, directeur de la région SNCF de Marseille, *La France à 20 minutes*, Belin – 2002.

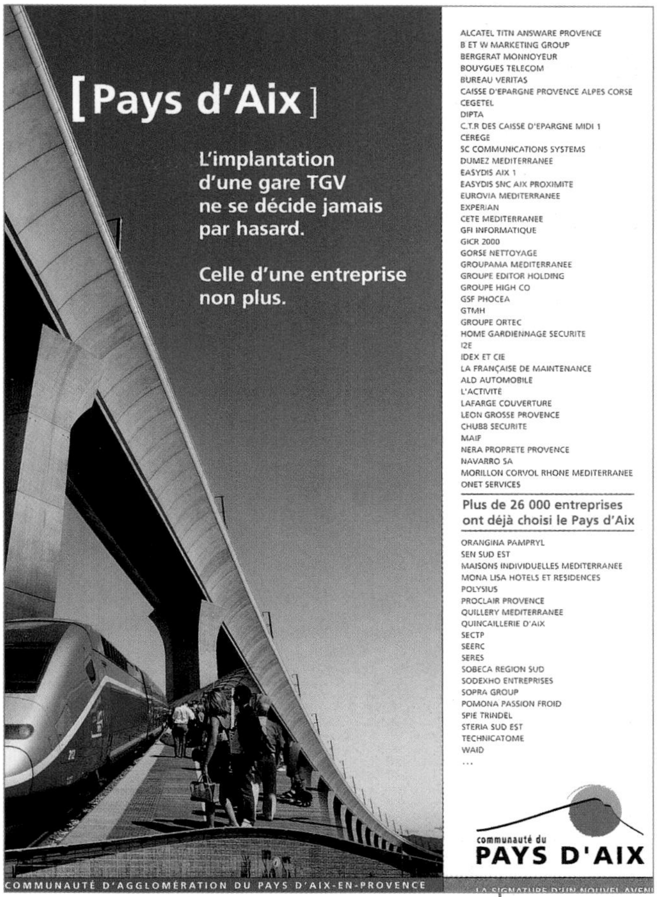


## 5. Aix-en-Provence

Un nouvel élan économique grâce à la gare TGV.

## 4. La carte de France selon la SNCF

**Éloignement en heures, après la mise en service du TGV Méditerranée**

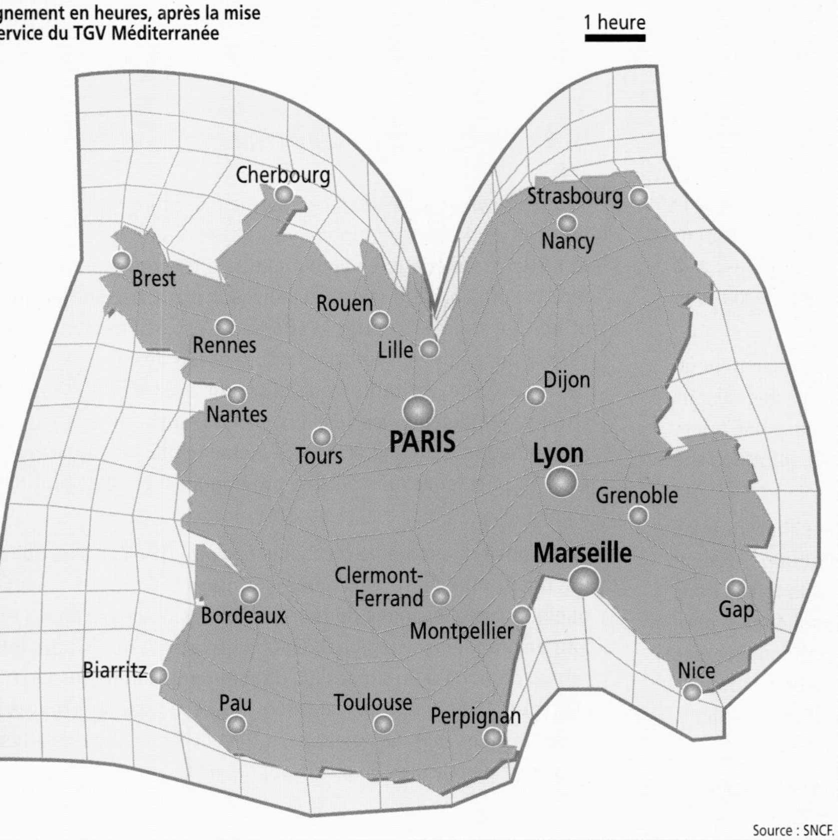


Source : SNCF.

## Questions

**1.** Quel est l'objectif majeur de la construction du TGV (1, 2, 3, 4) ?

**2.** En quoi le TGV peut-il être un atout économique (5) ?

**3.** Quels espaces bénéficient de l'effet TGV (2, 4) ?

**4.** En quoi le TGV crée-t-il de nouvelles inégalités spatiales (2, 3, 4) ?

# 2 ■ Marseille : l'heure du renouveau ?

Marseille a dû tourner la page du port industriel et colonial. L'arrivée du TGV et l'opération « Euroméditerranée » participent à la renaissance de la cité.

## 6. Le périmètre d'Euroméditerranée

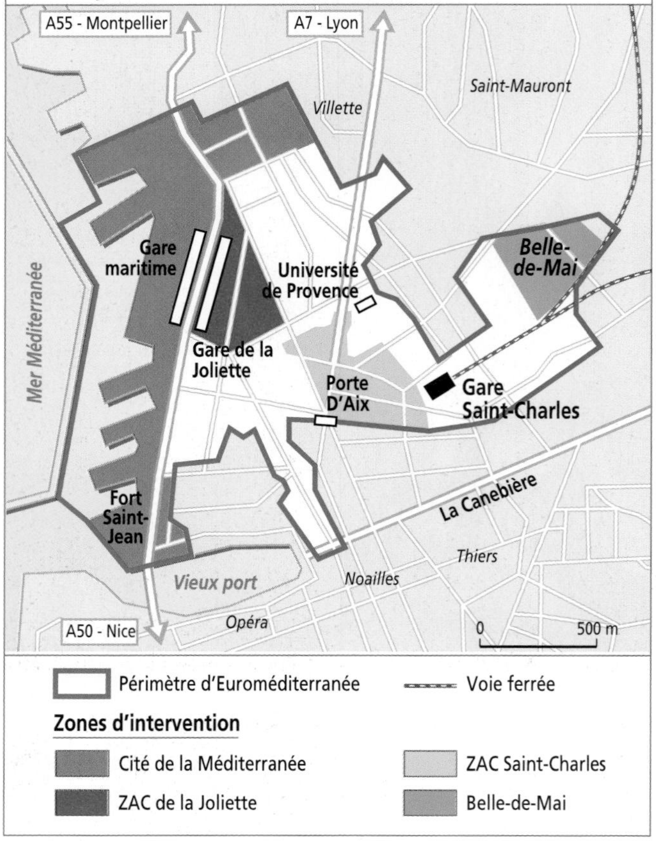


## 7. Les nouvelles activités du centre

| Quartier | Elément structurant | Activités | Superficie |
|---|---|---|---|
| **Joliette** | Quartier international des affaires | – Services tertiaires aux entreprises<br>– Organismes de coopération internationale, de recherche et de développement | **22 ha**<br>– 180 000 m² de bureaux<br>– 80 000 m² de logements<br>– 30 000 m² pour l'hôtellerie et les commerces |
| **Saint-Charles Porte d'Aix** | – Terminal TGV<br>– Plate-forme multimodale | – Institutions régionales<br>– Université<br>– Sièges administratifs et sociaux | **16 ha**<br>– 42 000 m² de bureaux<br>– 50 000 m² de logements<br>– 23 000 m² pour le commerce et les services publics |
| **Belle-de-Mai** | Anciennes manufactures de tabacs | – Multimédia éducatif et culturel<br>– Trois pôles patrimoine<br>– Spectacle et ateliers d'artistes vivants<br>– Industries culturelles et de communication | **120 000 m²**<br>– 30 000 m²<br>– 35 000 m² (restauration, réserves, archives)<br>– 25 000 m²<br>– 30 000 m² |
| **Cité de la Méditerranée** | Gare maritime | Mixité espaces portuaires – usages urbains | **110 ha**<br>Équipements culturels, scientifiques et de loisirs |

## 8. Un enjeu de taille

Euroméditerranée doit être le lieu de rencontre naturel entre le Marseille historique, forgé par son port, et la métropole marseillaise de demain. Son positionnement est exceptionnel, à la rencontre de l'activité logistico-portuaire, de l'activité tertiaire et des nouvelles technologies.

L'enjeu est de taille : de son succès ou de son échec dépend l'avenir de la métropole. La tentation est forte, pour des raisons souvent électorales, de confiner Euroméditerranée dans une orientation purement urbanistique, en considérant qu'il suffit de faire des lieux pour que les entreprises les investissent.

Le projet Euroméditerranée ne sera crédible que s'il associe les trois dimensions essentielles de l'avenir métropolitain : dimensions économique, sociale et urbaine. Il doit être, à la fois et dans le même mouvement, le lieu où s'unissent les dynamiques économiques métropolitaines, où se fondent les populations diverses qui font Marseille. Le port pour les échanges, les docks pour le tertiaire, la rue de la République et le Panier pour les populations, et la Belle-de-Mai pour la culture et la salsa marseillaise...

B. Morel, *Marseille, naissance d' une métropole,* L'Harmattan – 1999.

## 9. Éviter la logique de vitrine

La reconversion des espaces portuaires en déshérence associe espaces de détente, équipements culturels, centres commerciaux et tertiaire supérieur. La volonté initiale d'estomper les ruptures du tissu urbain, de faire de ces nouveaux quartiers des lieux de vie et non de simples centres d'affaires, s'est émoussée à l'usage. La tendance à la muséification d'une partie de ces espaces l'emporte sur une véritable réhabilitation avec maintien des habitants. À Marseille, les réseaux économiques, mis en place par la population d'origine étrangère installée dans les quartiers autour du port, sont niés par les programmes de régénération urbaine.

Il se pose un problème d'échelle. Les projets en vogue, utilisant un positionnement européen et international, décollent en quelque sorte les villes de leurs territoires d'appartenance et de leur environnement régional. L'oubli de cet échelon risque fort, à terme, de nuire à un processus de métropolisation réussie. D'autant que la concurrence est vive en ce domaine : toutes les grandes villes méditerranéennes utilisent les mêmes recettes de recyclage des racines du passé pour construire l'avenir.

P. Froment, *La Méditerranée,* Hachette – 2001.

## 10. Marseille

La reconquête
de la façade maritime
et de l'espace urbain.

<-> Limite Sud du périmètre d'intervention d'Euroméditerranée.

**Aménagements réalisés ou en cours de réalisation**

1. Musée des Civilisations de l'Europe et de la Méditerranée
2. Cité de la Mer
3. Gare maritime
4. Hôtel, cinéma, commerces
5. Salle de spectacle (anciens silos)
6. Docks réaménagés : bureaux

## 11. Un effet TGV pour Marseille ?

Près d'un an après son inauguration, on peut déjà parler d'un « effet TGV » sur l'économie et l'emploi d'Aix et de Marseille, même si celui-ci s'est fait sentir bien avant. Dès la fin de 1999 et jusqu'à la mi-2001, nous avons ainsi constaté un très grand nombre d'installations, qui ont correspondu à plus de 2 000 créations nettes d'emplois. Un record, certes, mais dès le deuxième semestre 2001, la crise a ralenti ce rythme et l'ouverture du TGV a coïncidé avec une période peu propice aux projets d'investissements.

À part le projet d'AON France, le centre d'appels d'AOL à Marseille et le transfert à la Joliette du siège social de la CMA-CGM, la plus grosse compagnie maritime française, la plupart des implantations se chiffrent en dizaines d'emplois, et concernent des PME ou des ouvertures d'antennes de sociétés pour le Sud-Est.

Le plus gros grief des nouveaux arrivants est le coût du logement. Rançon du succès, la mise en service du TGV a dopé les prix de l'immobilier. À Marseille, désormais recherchée, le prix du mètre carré est passé en moyenne de 1 100 à 1 600 euros en trois ans. Mais ce sont surtout les loyers qui se sont envolés : + 7,6 % en moyenne pour la seule année 2001.

Marseille se modernise et s'embellit, mais la ville, longtemps en déclin, a beaucoup de retard à rattraper. Ainsi, la propreté laisse encore à désirer, surtout dans le centre-ville. Autre grief : la circulation automobile dense et les transports en commun souvent défectueux.

*L'Express* – 16 mai 2002.

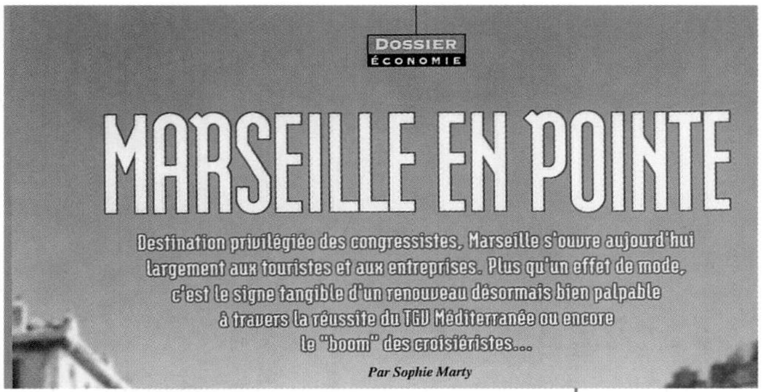

DOSSIER ÉCONOMIE

MARSEILLE EN POINTE

Destination privilégiée des congressistes, Marseille s'ouvre aujourd'hui largement aux touristes et aux entreprises. Plus qu'un effet de mode, c'est le signe tangible d'un renouveau désormais bien palpable à travers la réussite du TGV Méditerranée ou encore le "boom" des croisiéristes...

*Par Sophie Marty*

## 12. Des ambitions de ville touristique

# Questions

**1.** Quels sont les effets de l'arrivée du TGV à Marseille (2, 11, 12) ?

**2.** Comment l'arrivée du TGV s'inscrit-elle dans l'opération Euroméditerranée (6, 7, 11) ?

**3.** Sur quels fondements de l'histoire de Marseille l'opération Euroméditerranée s'appuie-t-elle (8, 9, 10) ? Quelles sont les composantes de cet aménagement (6, 7, 8) ?

**4.** Quels sont les enjeux de l'opération et ses risques d'échec (8, 9, 11) ?

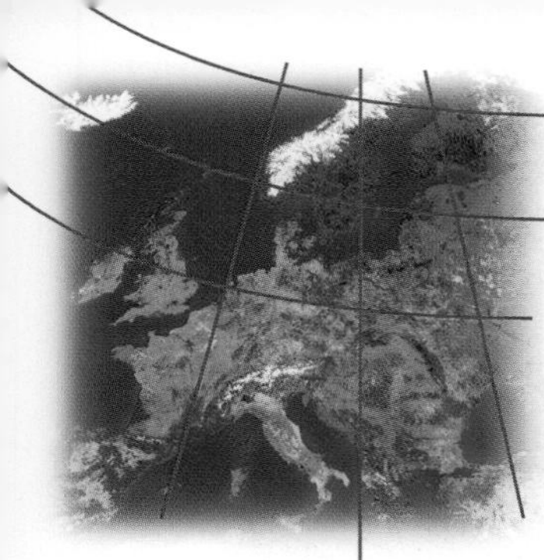

# Dossier

# Roissy : un aéroport, moteur du développement économique

*Roissy-Charles de Gaulle est la première plate-forme aéroportuaire européenne et aussi un nœud majeur du système de transport français (interconnexion air-rail-route).*

*L'aéroport est au cœur d' un espace économique dynamique qui rassemble 600 entreprises et emploie 55 000 salariés.*

## 1. Les clients d'Air France à Roissy

Origine géographique des clients d'Air France en correspondance à Roissy

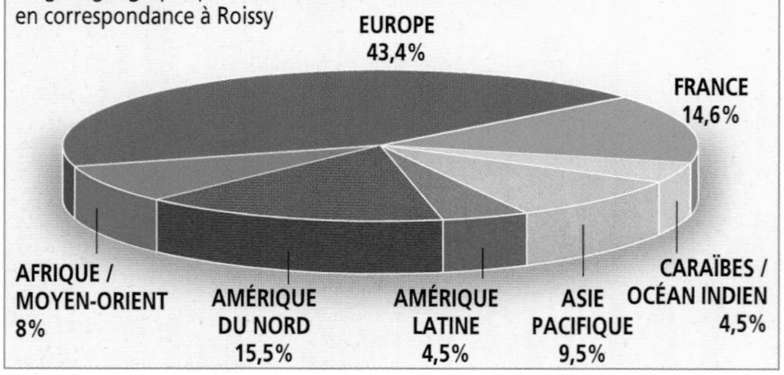


## 3. Les nuisances sonores liées à l'aéroport suscitent protestations et manifestations

## 2. Roissy : le hub* d'Air France

Aujourd'hui, 80 % des vols long-courriers au départ d'Europe sont concentrés sur 9 aéroports, et plus de 50 % sur 4 principaux : Londres, Francfort, Amsterdam et Roissy. De nombreux parcours aériens ne peuvent, pour des raisons de volume de trafic et de rentabilité trop faibles, être effectués qu'en changeant au moins une fois d'avion.

Le hub de Roissy, mis en place en 1996, permet à la compagnie de « drainer » via Paris d'importants trafics en correspondance moyen-long-courrier.

Air France capte également des trafics en correspondance train/avion grâce à la présence, au cœur de son hub, de la gare TGV. Des liaisons rapides sont proposées entre la région Nord-Pas-de-Calais ou Bruxelles et le monde entier. Aujourd'hui, plus de la moitié des passagers arrivant à Roissy-CDG 2, à bord d'un vol Air France, sont en correspondance sur le réseau de la Compagnie.

Aéroports de Paris – Février 2003.

## 4. La première plate-forme logistique d'Europe

L'activité cargo occupe 300 hectares (aires de stationnement des avions, entrepôts, installations des transitaires...). Depuis les années 1990, Roissy abrite l'un des hubs postaux les plus performants d'Europe : sur 17 hectares, il regroupe le centre aérien postal, le centre d'exploitation Chronopost et l'Aéropostale ; il offre 19 points de stationnement d'avions pour une capacité d'absorption de 130 000 tonnes par an.

La gare de fret d'Air France aligne des technologies de pointe lui permettant de traiter un million de tonnes de fret par an, capacité portée à 1,5 million de tonnes avant le milieu de la décennie.

Séduite par la bonne desserte aérienne de Roissy et ses possibilités d'extension, FedEx, première société mondiale de transport express, a choisi Roissy pour y implanter son hub européen, le plus grand après sa base de Memphis.

Deux projets doivent encore voir le jour : la création d'une nouvelle zone de fret à l'Est de l'aéroport, portant le potentiel de ce dernier à 2 millions de tonnes par an, et la réalisation d'une intermodalité entre l'avion et le TGV applicable au fret express sur certaines dessertes européennes.

Aéroports de Paris – Février 2003.

## 5. Roissy : un nœud de communication complet

Les avions sur les pistes ; au niveau au-dessous, les TGV et les RER ; l'autoroute n'est pas loin.

## 6. Une auréole de zones d'activités

Roissy-Tech, mis en service en août 1991, est un parc d'activités « high-tech » polyvalent et très souple, constitué de petits locaux d'un ou deux étages, à destination de PME/PMI à vocation exportatrice. Roissypôle vise ainsi de petites implantations, premières localisations d'entreprises étrangères en France ou d'activités de services spécialisés aux entreprises. La qualité et le prestige de l'aménagement se répercutent sur les prix, réservant ces locaux à des activités très rentables.

Une deuxième couronne est constituée par des espaces très dynamiques qui s'étalent le long de l'autoroute A1, en direction de Paris. Cette vaste zone est composée de plusieurs ensembles : Garonor, les usines Citroën, le parc d'activité Paris Nord II et le parc des expositions de Paris-Nord-Villepinte, premier site mondial pour la tenue des salons internationaux. À lui seul, Paris-Nord II représente 360 entreprises (Sharp, Hewlett Packard, L'Oréal, Akaï, Samsung, DHL...) qui rassemblent au total 10 000 emplois.

Une troisième couronne est constituée de zones d'activités beaucoup plus modestes, constituant notamment des espaces de stockage pour des entreprises implantées sur Paris-Nord II ou sur Roissypôle. Elles regroupent des fonctions moins valorisantes en terme d'image ou d'impact paysager et qui suscitent un important trafic routier.

X. Lavergne, Mémoire, Université Paris XIII – 2000.

## Questions

**1.** À quels réseaux de communication Roissy est-il relié (2, 5 et photographie pages 102-103) ?

**2.** Qu'est-ce qui caractérise les activités du hub* d'Air France (1, 2) ? Quels sont les atouts de Roissy pour les entreprises de logistique* (4) ?

**3.** Quels types d'activités se développent au voisinage de l'aéroport (6 et photographie pages 102-103) ? Comment se répartissent-elles ?

**4.** Quels problèmes suscite l'activité grandissante de Roissy (3) ?

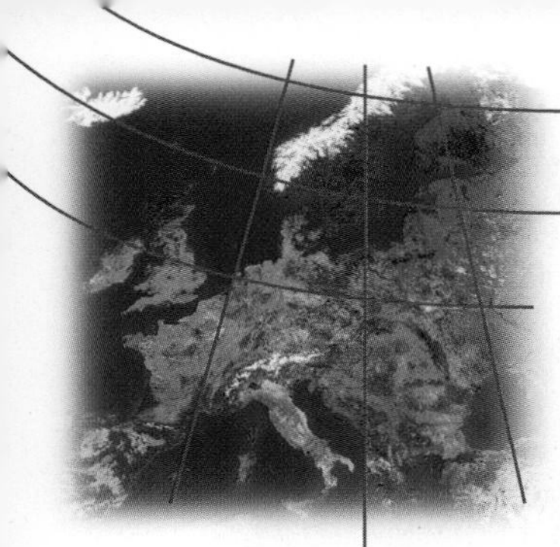

# Dossier

# Oresund : un pont-tunnel pour une dynamique transfrontalière

*Le pont-tunnel de l'Oresund a été inauguré le 1er juillet 2000. Il relie Copenhague (Danemark) à Malmö (Suède) en 35 minutes par-delà la mer Baltique. Il se substitue aux ferries qui transportaient annuellement près de 13 millions de voyageurs et 2,7 millions de véhicules.*

*Cet ouvrage permet l'essor de la coopération transfrontalière entre la capitale danoise et le Sud de la Suède. Il améliore aussi la continuité territoriale entre la Scandinavie et le reste du continent européen.*

## 1. Un pont-tunnel entre Copenhague et Malmö

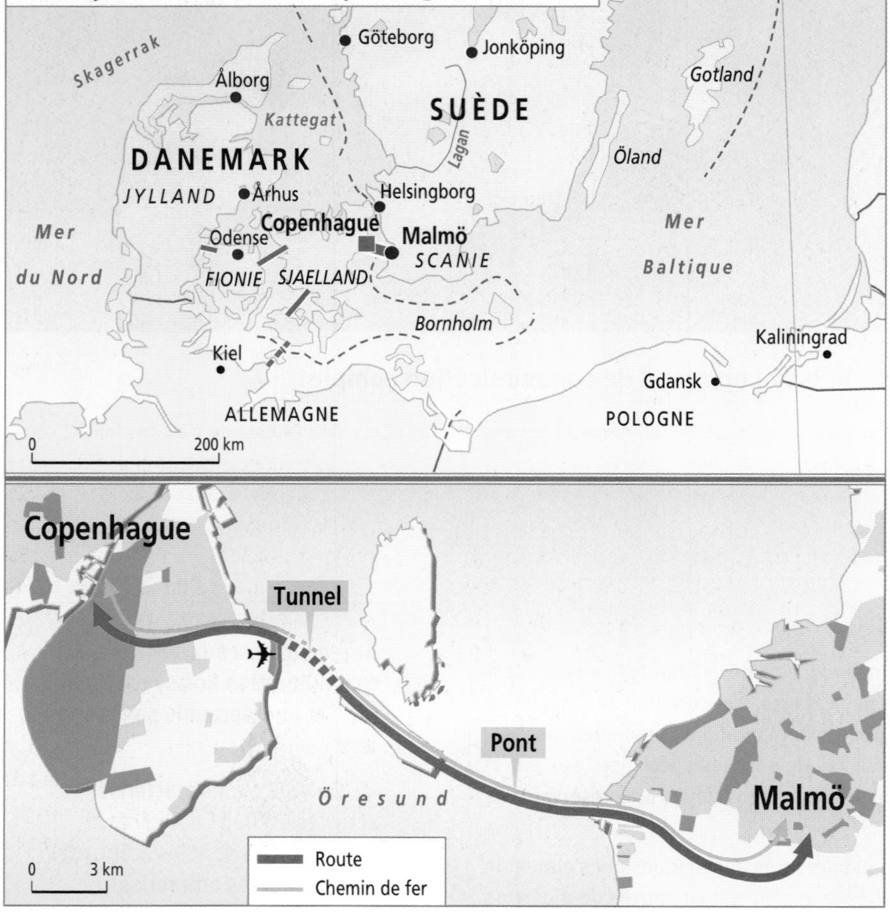


## 2. Un des 14 projets du réseau de transport transeuropéen

L'ouverture du pont-tunnel d'Oresund permet de passer d'un pays à l'autre en voiture ou en train. Elle réduira sensiblement les temps de déplacement et créera un nouvel espace bien relié entre Copenhague et la région de Scanie, constituant l'une des principales agglomérations urbaines dans la région baltique.

Le projet a reçu une aide significative de la Commission européenne, dont 200 millions d'euros pour le développement et la construction, et 800 millions d'euros par des prêts de la Banque européenne d'investissement. Une contribution importante sera ainsi apportée à la compétitivité et à la création d'emplois en assurant une circulation à grande distance bien plus efficace entre les pays nordiques et le reste de l'UE.

La situation, avant la construction du pont-tunnel, était comparable à celle du Royaume-Uni avant l'ouverture du tunnel sous la Manche : les transports aériens se développaient efficacement, mais la route et le transport ferroviaire étaient obligés d'embarquer dans des ferries pour atteindre le reste de l'UE. Pour les passagers du transport ferroviaire, cela signifiait un double transfert du train au navire, puis du navire au train. Pour le transport ferroviaire de fret, les avantages potentiels créés par le pont sont très importants, car il n'est plus besoin de procéder à cette double opération de déchargement/chargement.

Commission européenne – 30 juin 2000.

## 3. Des flux grandissants

| *(En milliers de véhicules)* | 2000 (six mois) | 2001 | 2002 |
|---|---|---|---|
| **Nombre total de véhicules** | 1680 | 2950 | 3415 |
| **Sens Danemark-Suède** | 854 | 1493 | 1727 |
| **Sens Suède-Danemark** | 826 | 1457 | 1688 |
| **Dont poids lourds** | 49 | 154 | 180 |

Source : http://www.oeresundsbron.com.

**4. Le pont-tunnel de l'Oresund entre le Danemark et la Suède**

Il enjambe les 16 km de la mer Baltique par un pont et une île artificielle, à partir de laquelle un tunnel débouche à Copenhague.

## 5. Vers une région transfrontalière ?

La troisième ville suédoise Malmö, 255 000 habitants, qui fait face à Copenhague, ne s'est pas encore remise de la fermeture de ses chantiers navals. Si le taux de chômage y a été ramené à 7 %, cette cité industrielle a du mal à s'épanouir à l'ombre de « Copenhague-la-dynamique ». Pour Malmö, le pont qui déboule à ses portes peut être la bouffée d'air indispensable à sa relance.

Encore faudrait-il un minimum d'harmonisation entre les deux rives, notamment dans les domaines fiscal et social. Or, c'est loin d'être le cas. Malgré ces écueils et le coût élevé de la traversée du pont, certains ont déjà parié sur la région. Ainsi, la firme Daimler-Chrysler a installé son siège pour la Suède et le Danemark de part et d'autre du détroit. D'un côté, l'administration et la logistique ; de l'autre, la formation et les services aux concessionnaires.

Globalement, cet espace de 14 000 km², qui compte pour 20 % dans le produit intérieur brut combiné des deux pays, se hisse au huitième rang européen en termes de richesse. Outre les technologies de l'information, il se positionne dans le domaine des biotechnologies. La présence de 135 000 étudiants et de 10 000 chercheurs constitue un atout important pour la région. « La quatrième ou cinquième concentration du genre en Europe », assure Bengt Streijffert, secrétaire général de l'université de l'Oresund, nouvelle structure qui garantit une équivalence aux étudiants des onze établissements qu'elle chapeaute des deux côtés du détroit.

Quant aux habitants, ont-ils l'intention de mettre à profit le pont pour améliorer leurs conditions de vie ? Les Suédois évoquent souvent l'arrivée de nombreux Danois, alléchés par des loyers plus raisonnables que ceux pratiqués à Copenhague. Malmö, banlieue dortoir de la capitale danoise ? Comme par le passé, la rive occidentale risque de jouer le rôle d'aimant : les salaires y étant plus élevés, environ 30 % de Scaniens affirment envisager d'aller y travailler ou étudier.

*Le Monde* – 2 juillet 2000.

## Questions

1. Situez le pont-tunnel de l'Oresund (1, 4).
2. Quel est son intérêt à l'échelle locale et à l'échelle de l'Europe (2, 3, 5) ?
3. Dans quels domaines le rapprochement transfrontalier est-il le plus avancé (5) ?
4. Quelles différences existent cependant entre les deux espaces unis par le pont-tunnel de l'Oresund (5) ?

# Perspective BAC

# Un grand port européen, le Havre

## Cartes — Utiliser les échelles

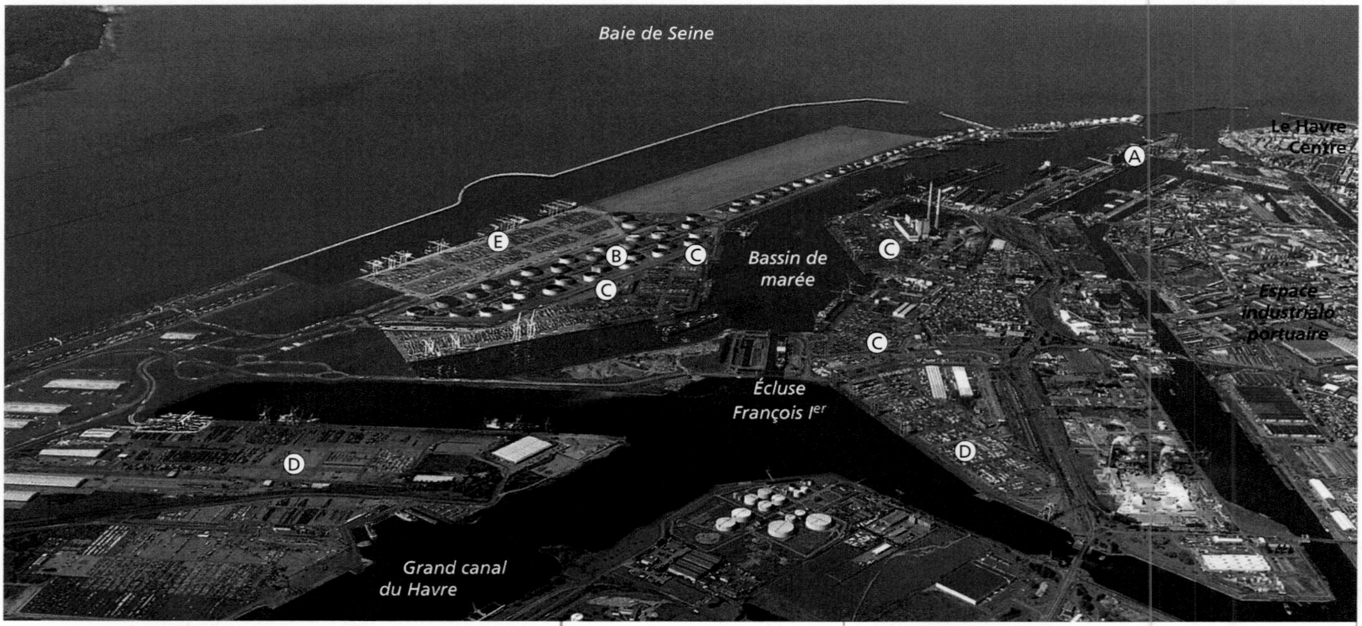


**1. Le port du Havre et le projet d'extension Port 2000** *(Photomontage)*

**A.** Bassins portuaires anciens.
**B.** Aire de stockage des produits pétroliers.
**C.** Quai terminal de conteneurs (soumis à la marée).
**D.** Quai terminal de conteneurs (à l'abri de la marée).
**E.** Extension prévue du port du Havre.

# Méthode

**Point**

### Les échelles

Sur toutes les cartes, les distances réelles sont réduites.
**L'échelle d'une carte exprime le rapport entre les distances réelles et celles de la carte.**
L'échelle est indiquée par :
- **une fraction :** 1/25 000 (1 cm correspond à 250 mètres), 1/50 000, etc...
- **une échelle graphique :**

0 1 2 3 km

Une carte à 1/25 000 est à **grande échelle.**
Une carte à 1/1 000 000 est à **petite échelle.**
**Plus l'échelle est grande plus la carte est précise et contient beaucoup d'informations.**

### Exercices

#### 1. Repérage des échelles

■ Observez les cartes 1, 2 et 3, ainsi que la carte pages 160-161 :
– quelle carte couvre l'espace géographique le plus vaste ? le plus réduit ?
– classez les 4 cartes de la plus grande à la plus petite échelle.

#### 2. Utilisation du changement d'échelle

■ Reproduisez, puis complétez le tableau ci-dessous, en indiquant les cartes qu' il faut utiliser pour :

| Cartes | 1 | 2 | 3 | 4 |
|---|---|---|---|---|
| Différencier les installations portuaires | | | | |
| Situer le Havre en Europe | | | | |
| Classer les ports européens | | | | |
| Comparer le trafic des ports | | | | |
| Comparer le Havre et Rotterdam | | | | |
| Montrer l'arrière-pays des ports | | | | |
| Décrire un grand port | | | | |

■ Pourquoi les liaisons ferroviaires sont-elles importantes pour les ports nord-européens ?
■ Quels sont les ports les mieux placés pour :
– la desserte ferroviaire ?
– l'accessibilité par voie maritime ?
■ En utilisant les cartes 1, 2 et 3, justifiez l'affirmation : « Le Havre, grand port européen ».

2. Les grands ports nord-européens *(Northern Range)*

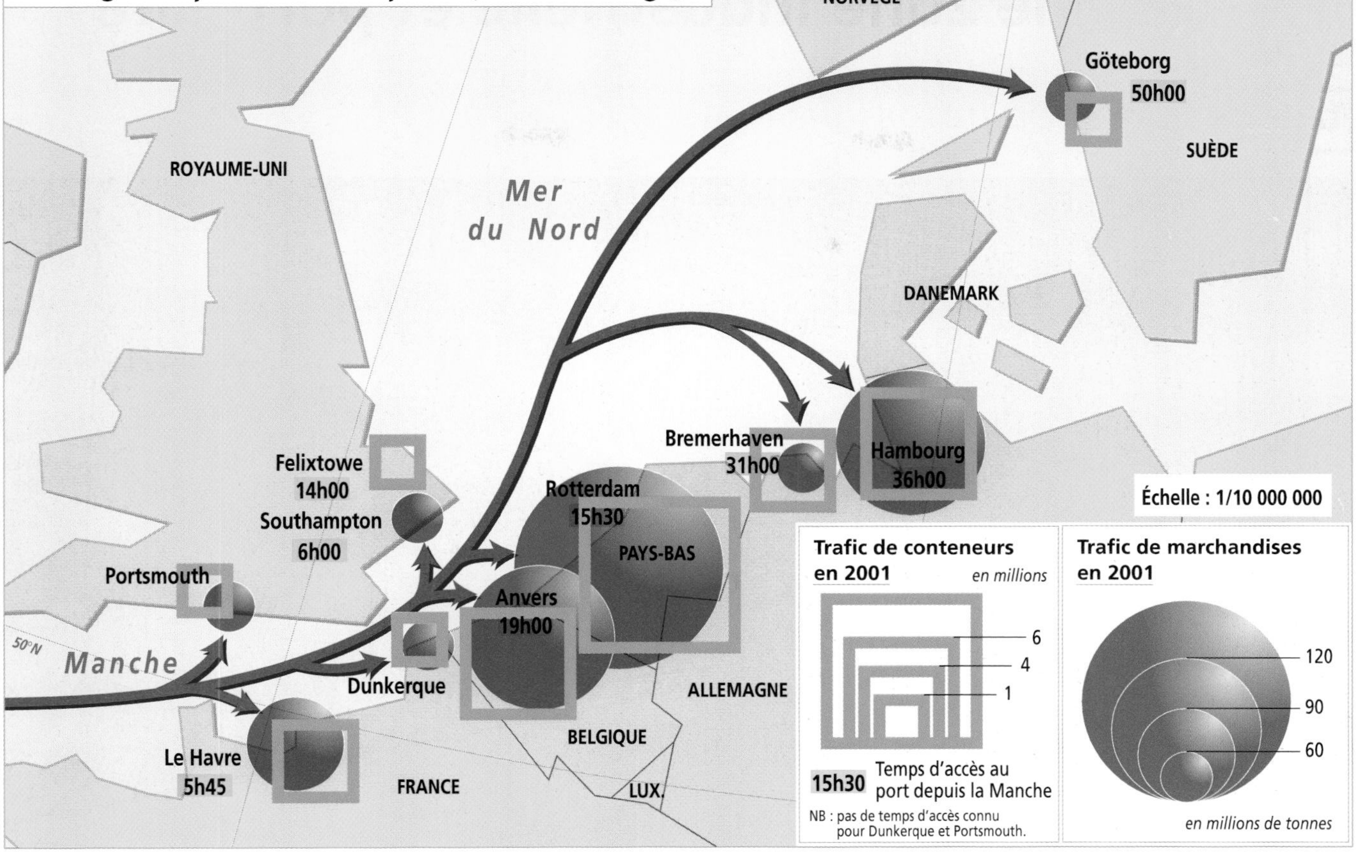


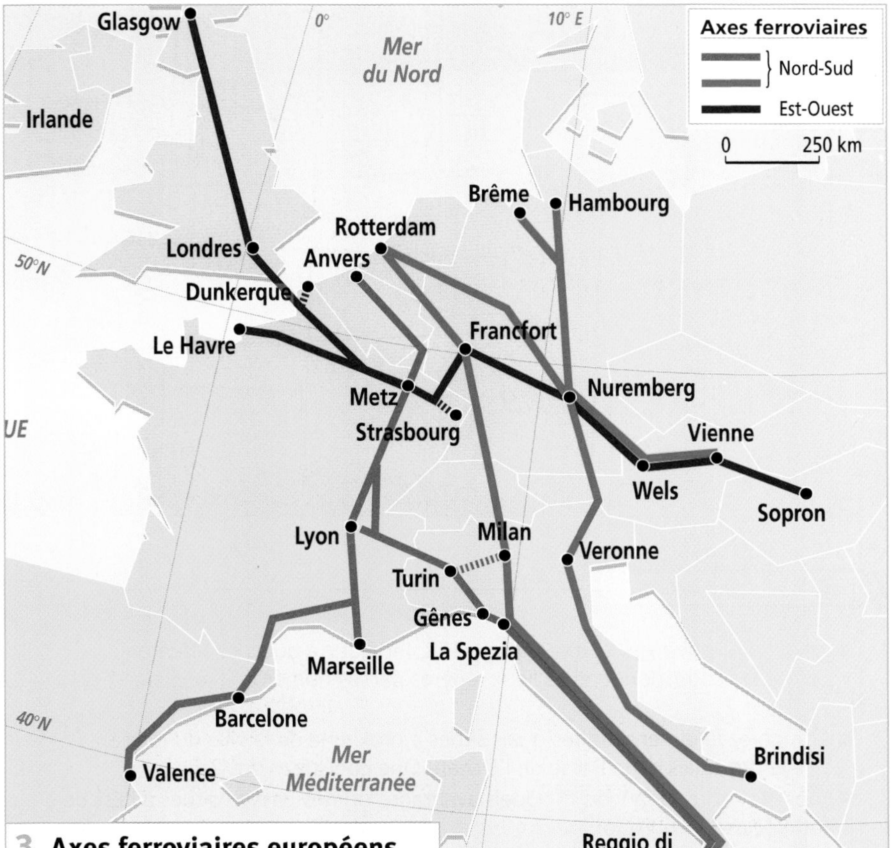


3. Axes ferroviaires européens de transport de marchandises

Point

# Méthode

## Le jeu des échelles

**Pour situer des phénomènes géographiques dans des espaces aux dimensions variées, on doit utiliser des cartes à différentes échelles.**

Lorsque l'on passe de la grande échelle (1/25 000, 1/50 000...) à la moyenne (1/250 000) ou à la petite échelle (1/500 000, 1/1 000 000...), on localise la portion d'espace étudié dans des ensembles de plus en plus vastes.

**En jouant avec les échelles, on obtient des informations qui facilitent la compréhension du phénomène géographique étudié.**

# Perspective BAC

# Le Havre, les aménagements d'une zone industrielle et portuaire

## Carte — Lire une carte topographique

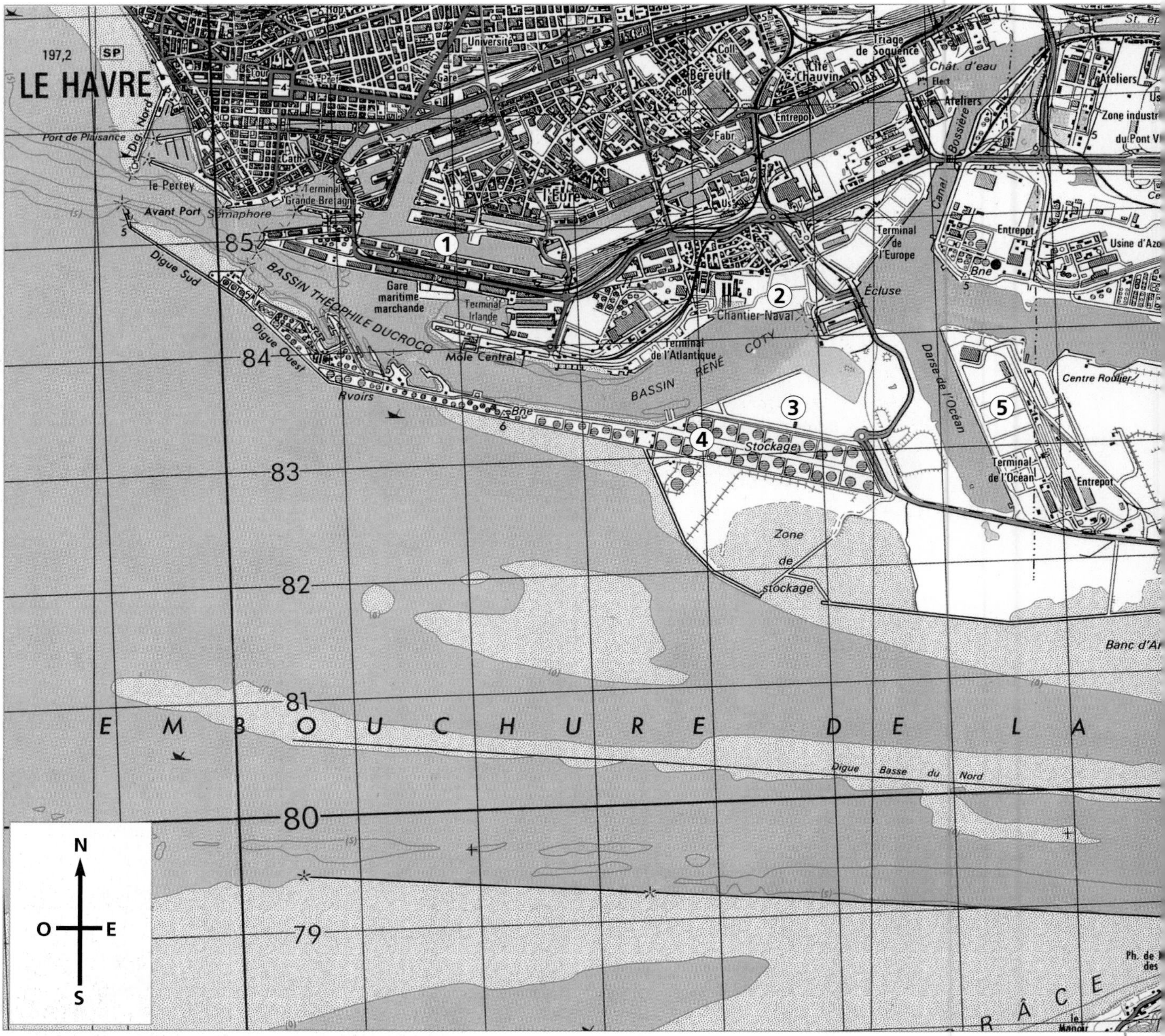


**1.** Extrait de la carte du Havre à 1/50 000 (IGN – 1997)

### Exercices

- À l'aide du **photomontage 1** page 158, indiquez à quels équipements portuaires correspondent les lieux repérés par les numéros ① à ⑤ sur la **carte 1** ci-dessus ?
- Comparez la dimension des quais situés à proximité de la ville du Havre à celle des quais de la Darse de l'Océan. Que concluez-vous ?
- Repérez l'écluse François Ier. Quels avantages ont les bassins situés à l'Est de cette écluse ? Pourquoi ?

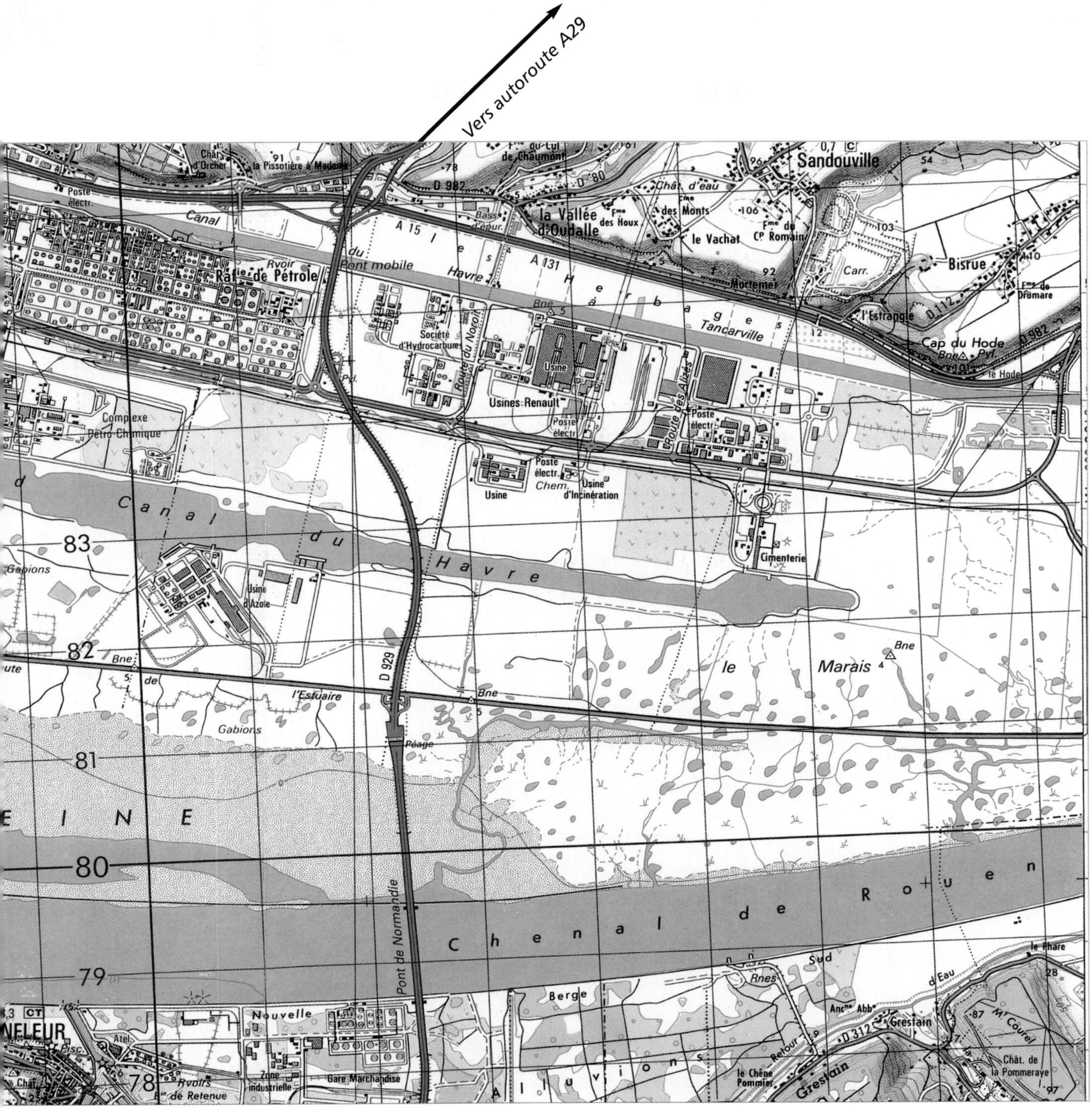


## Exercices

- Où va être aménagé Port 2000 ? (Utilisez le **photomontage 1** page 158). Ces quais seront-ils plus accessible pour les navires ?
- Quels types d'axes de communication relient le port à son arrière-pays ? Pour quelles raisons est-ce un atout pour le Havre ? (Utilisez la **carte 3** page 159).
- Relevez les activités industrielles du port du Havre.
- À l'aide des **cartes 1**, **2** et **3** pages 158-159 et de la **carte 1** ci-dessus, montrez que Le Havre possède une zone industrialo-portuaire* importante aussi bien à l'échelle locale qu'aux échelles nationale et européenne.

Perspective
# BAC

# Réseaux et flux en Europe et en France

## Cartes — Sélectionner des informations sur des cartes

## Point Méthode

### Les cartes de flux

Sur les cartes de flux, des **traits d'épaisseur différente** traduisent l'importance des flux de circulation terrestre, maritime ou aérienne de population et de marchandises.

Les cartes de flux montrent les espaces au sein desquels les échanges sont importants.
Elles permettent d'identifier **les lieux émetteurs** de biens, de flux de personnes...et **les lieux récepteurs** de ces biens ou de ces personnes...

**Les cartes de flux** reflètent souvent les densités de population et d'activités économiques des territoires concernés.

**1. Flux de circulation routière**

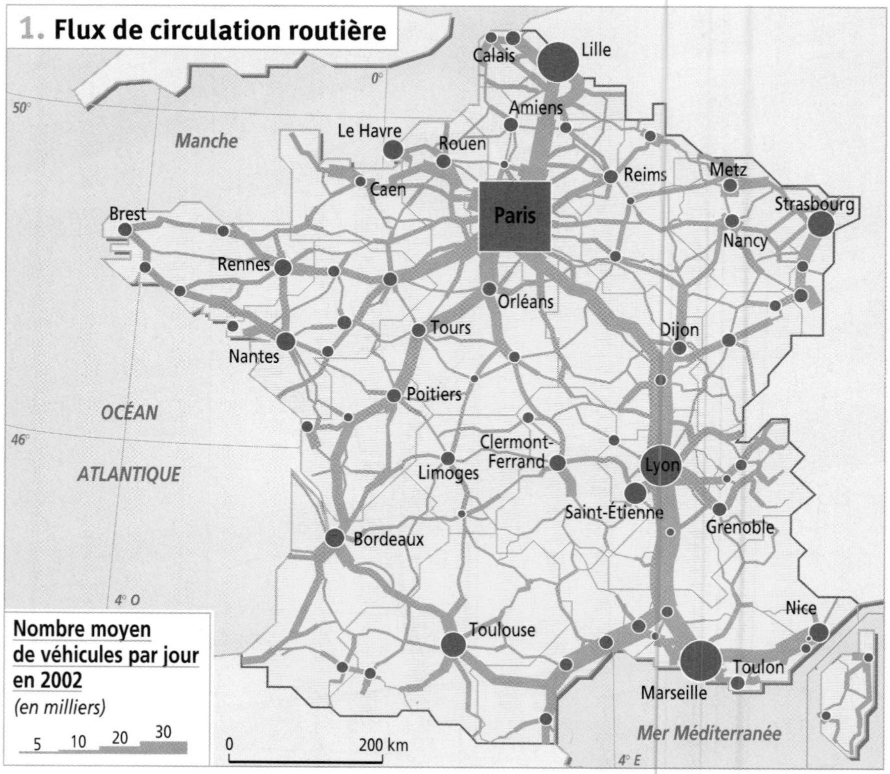


## Point Méthode

### Lire une carte de flux

L'épreuve *Étude de documents* peut comporter une carte de flux. Dans ce cas, vous devez :

- **présenter le document :** relever la date de la carte, sa source et la nature des flux représentés ;
- **sélectionner des informations :** pour cela, en fonction du sujet, il faut :
  - *faire une lecture globale* de la carte afin de noter les espaces où les échanges sont les plus denses, ainsi que leur direction générale ;
  - *faire une lecture détaillée* pour situer les pôles émetteurs, récepteurs, les espaces en marge des flux...

**2. Flux de circulation ferroviaire de marchandises**

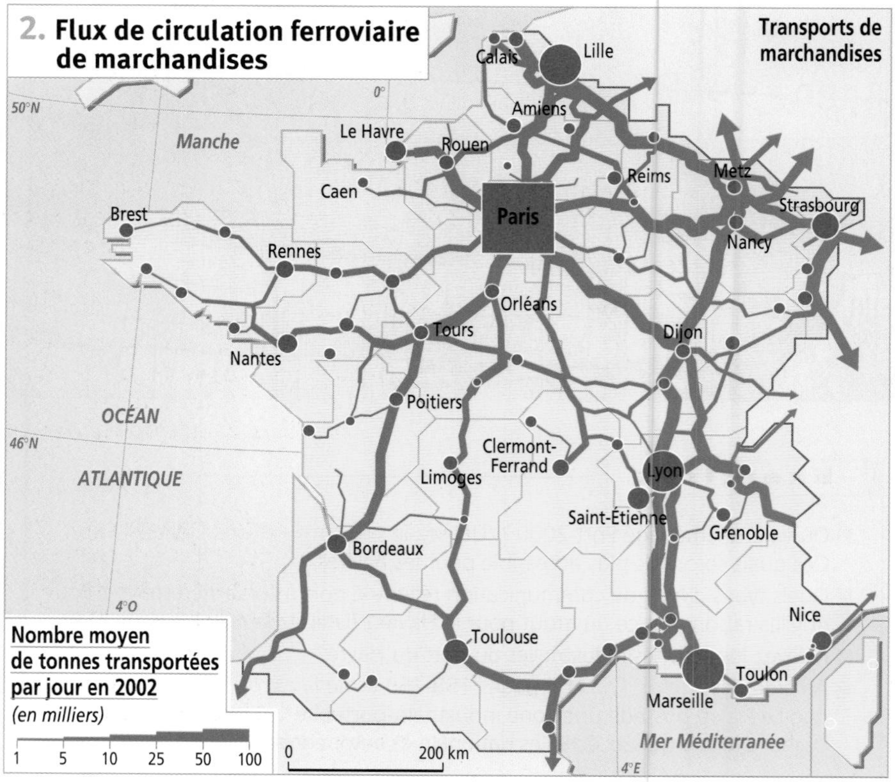

## 3. Grands axes et carrefours de communication en Europe

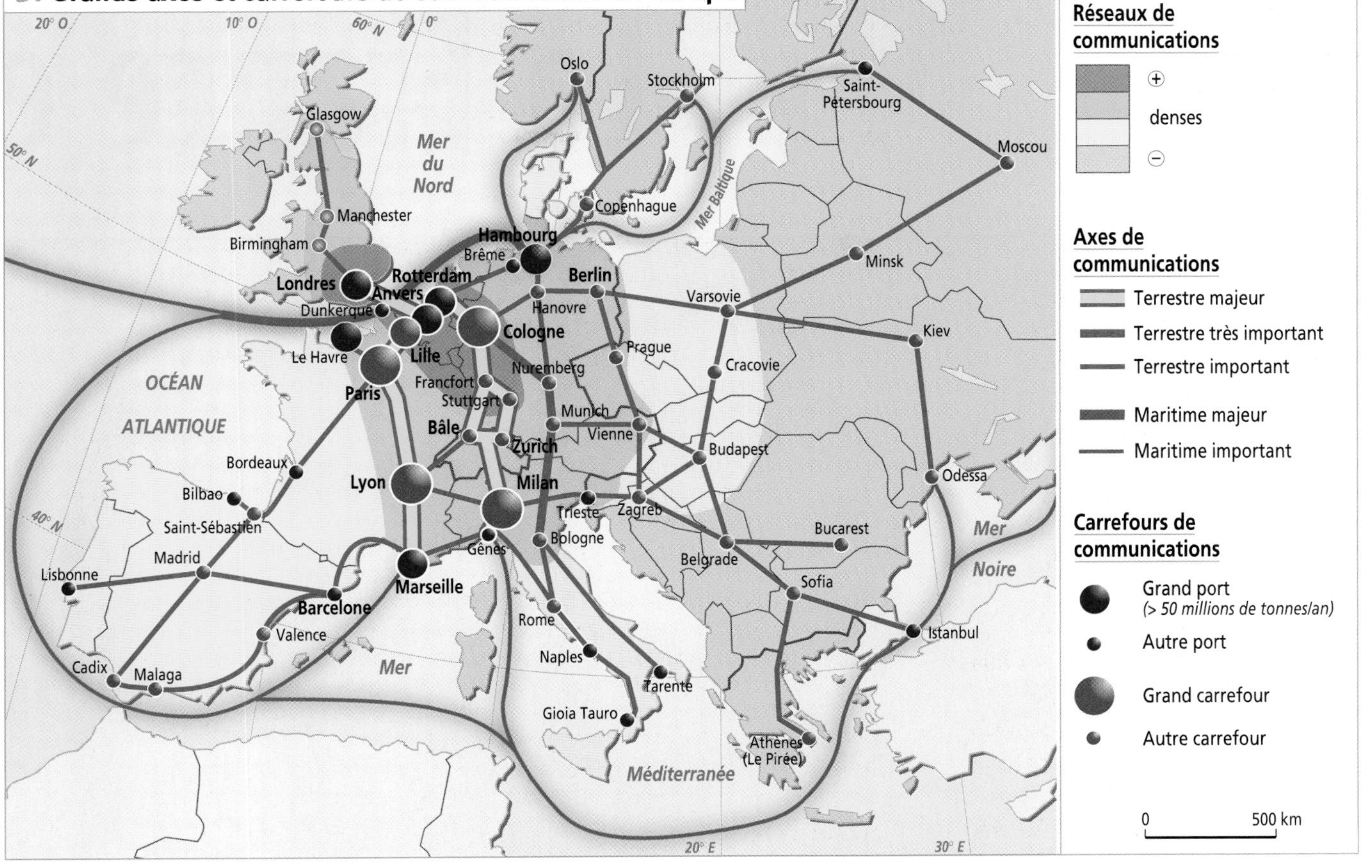


## Exercices

**Voir méthode page 28.**

### 1. Présenter les documents

- Les cartes 1, 2 et 3 sont-elles toutes des cartes de flux ? Pourquoi ?
- Quelle carte contient le plus d'informations ? Relevez ces informations.
- Quels sont les figurés utilisés sur les trois cartes (utilisez l'**annexe 15**) ?
- Présentez les cartes 1, 2 et 3.

### 2. Sélectionner des informations

***Lecture globale*** →

- Sur les cartes 1 et 2, où les flux routiers et ferroviaires sont-ils les plus importants ?
- Dans quelle partie de l'Europe la densité du réseau de communication est-elle très forte (3) ? Quelles parties du continent sont moins bien desservies ?

***Lecture détaillée*** →

**Cartes 1 et 2 :**

– à partir de quelle ville les flux rayonnent-ils ? Sur quel axe les flux sont-ils très denses ?
– quelles informations tirez-vous de l'observation et de la comparaison des flux : entre Lyon et Strasbourg, Paris et Bordeaux, le long du littoral méditerranéen et des frontières du Nord-Est, ainsi qu'entre les villes du quart Sud-Ouest du pays.

**Carte 3 :**

– quelle zone de l'Europe possède les axes majeurs de communication ? Quels sont les grands carrefours des réseaux de communication? Sont-ils tous de même nature ?
– localisez les carrefours secondaire. Où sont-ils plutôt situés ?
– comment est organisé le réseau de transport européen ?

**Cartes 1, 2 et 3 :**

– la carte 3 fournit-elle des informations utiles à la compréhension des cartes 1 et 2 ? Lesquelles ?

# La France et

# Partie 3

# son territoire

**Une image symbolique du territoire français : les vignobles de la montagne de Reims.** Cet espace, relativement peu peuplé (village de Cumières sur les bords de la Marne), traduit bien la diversité et les ressources du territoire de la France.
Mais ce paysage est surtout le fruit du travail des hommes qui ont au fil des siècles, transformé les pentes des côtes de Champagne en une grande région agricole. Le vignoble et le vin produit ici sont des fleurons de l'économie française. Ils sont une des formes du rayonnement de la France dans le monde.

# Chapitre 9

# Le territoire de la France

La France, bien située en Europe et présente sur d'autres continents, offre une grande variété de milieux et de paysages. Sa position géographique ne la protège pas totalement des risques naturels. La protection, et plus largement, la gestion « durable » du territoire constituent désormais une préoccupation majeure.

- **Comment définir le territoire français ? Quelles en sont les caractéristiques?**
- **Comment tente-t-on aujourd'hui de protéger le territoire des nuisances et des dangers qui l'affectent ?**

**La France vue par le satellite Landsat.** L'image montre le prolongement des grands ensembles de relief de l'Europe sur le territoire français. Les grands massifs forestiers apparaissent en vert dense pour les feuillus, en vert sombre pour les conifères (Landes, Sologne, Vosges, Ardenne). Dans les espaces agricoles, la teinte verte, dominante dans les espaces en prairies, laisse la place au jaune des régions cultivées (céréales...)
Les principales villes se distinguent sous la forme de taches bleutées ou jaune pâle.

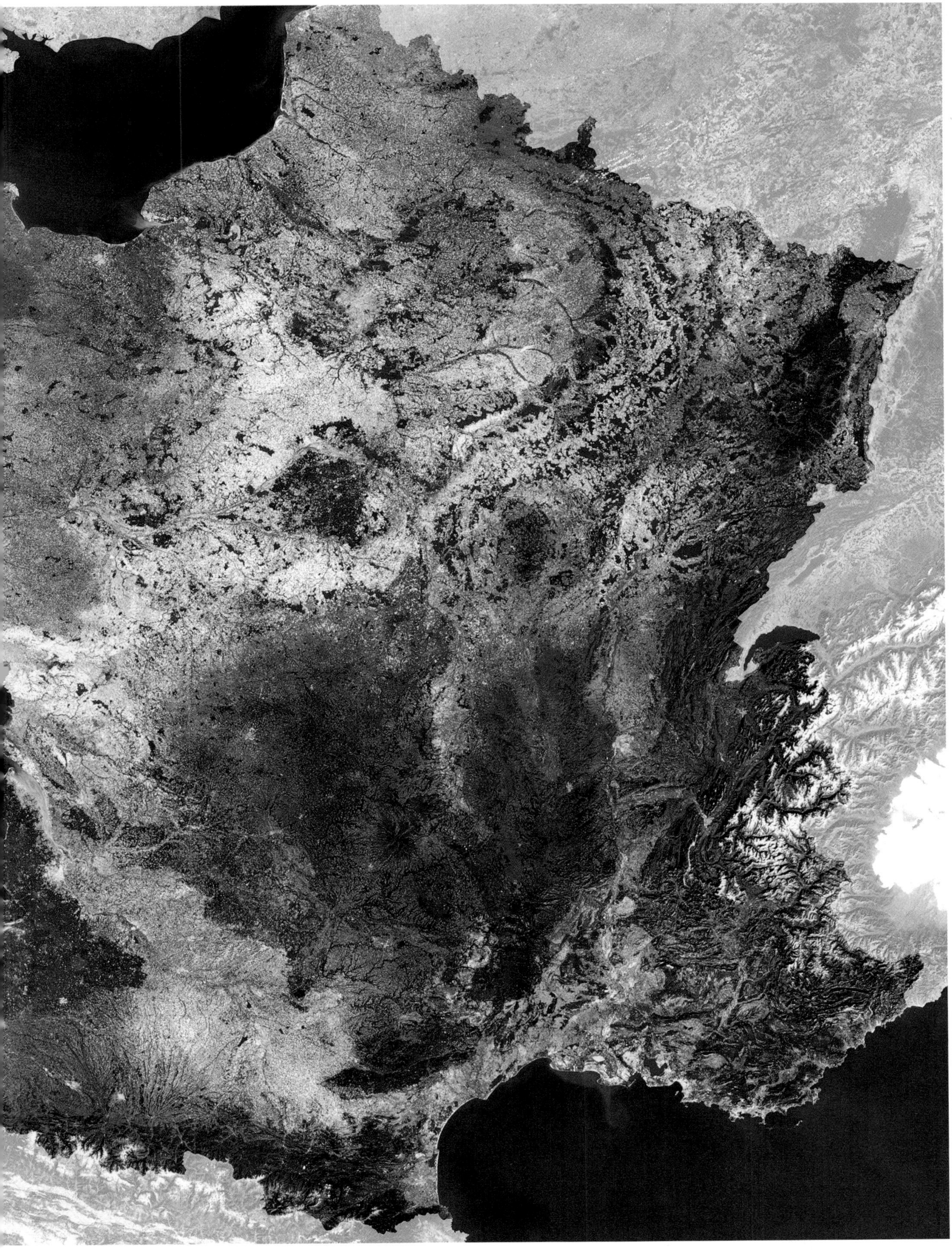

# La France : quelles potentialités ? quelles contraintes ? quels risques ?

## 1. Un territoire ouvert sur les mers et le continent européen

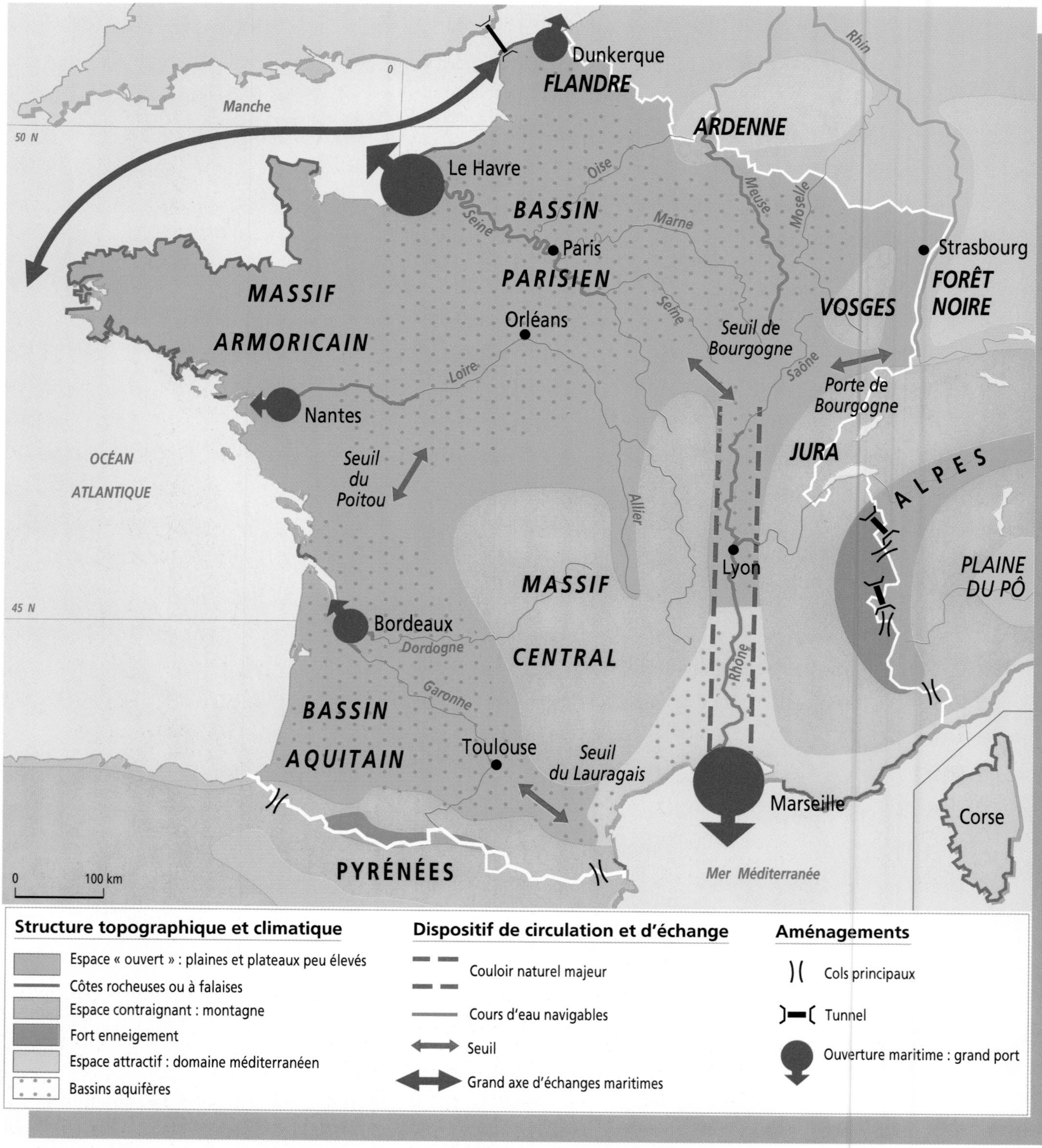

## 2. Les risques naturels en ville

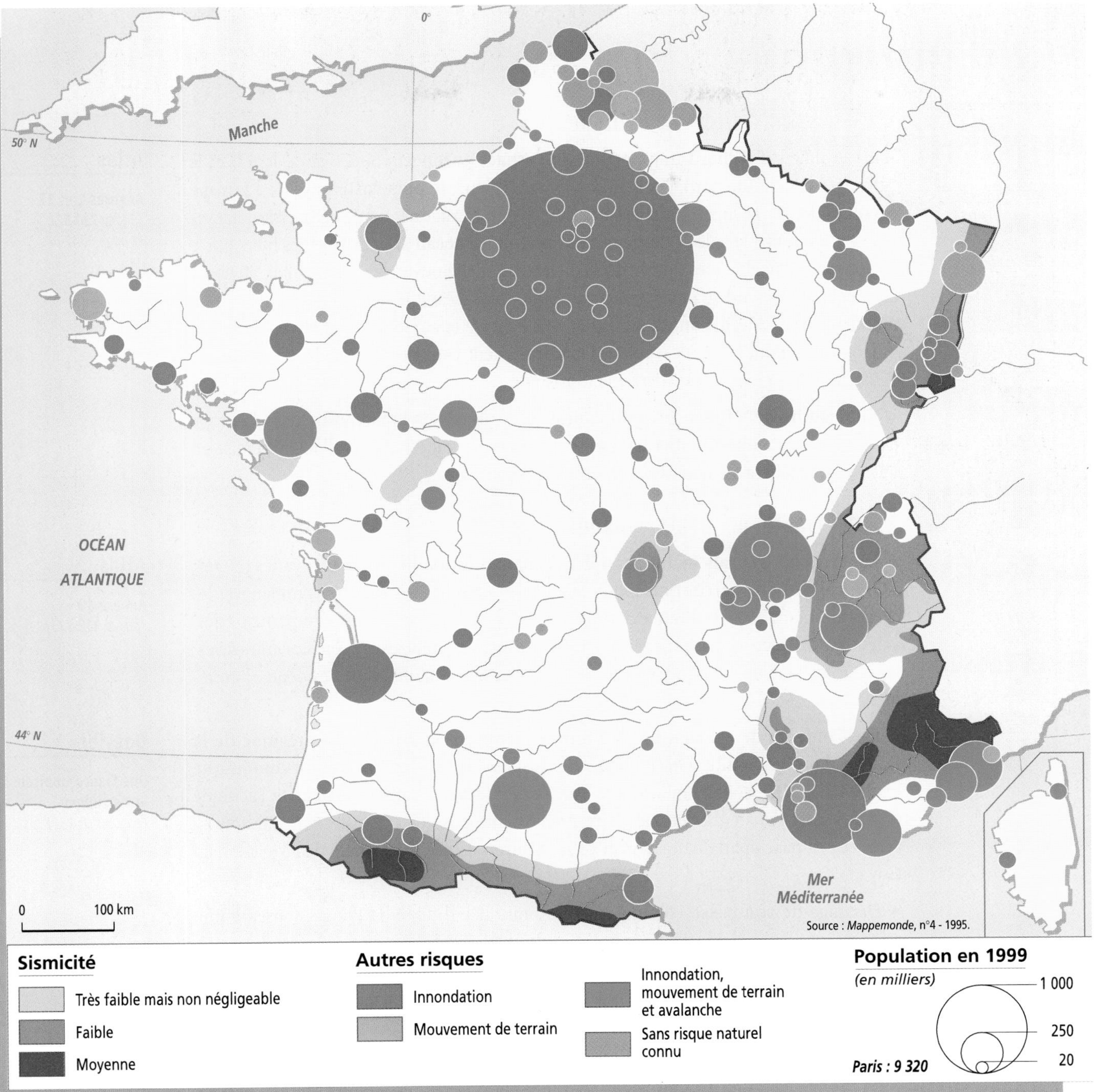


**Questions**

- Pourquoi peut-on dire que la France est un pays ouvert **(carte 1)** ? En quoi est-ce un avantage ?
- Quels atouts, quelles contraintes apparaissent sur la **carte 1** ?
- Quelles sont les régions les plus exposées à la séismicité **(carte 2)** ? Quelles parties du territoire sont les plus menacées par les risques d'inondation et de mouvements de terrain ?

# 1 De l'hexagone à la présence planétaire

## Mots-clés

**DOM (Département d'outre-mer) :** Guadeloupe, Guyane, Martinique, Réunion ; possessions françaises depuis le XVII$^{e}$ siècle, devenues départements français par la loi dite de l'assimilation, votée le 19 mars 1946.

**ZEE (Zone économique exclusive) :** espace maritime jusqu'à 200 milles nautiques (370 km) à partir des côtes, dont l'exploitation est réservée aux États souverains depuis la Convention sur les droits de la mer de 1982.

* voir Lexique

## 1. Le « finisterre » de l'Europe

**Atlas**

**Annexes 1 et 12**
*(pages 320-321 et page 334)*

• **La France est d'abord une portion de l'espace européen.** Située entre le 41$^{e}$ et le 51$^{e}$ degré de latitude nord, elle est, avec 551 000 km$^2$, **le plus vaste pays de l'Europe occidentale**. D'une forme ramassée qui rappelle un **hexagone**, figure géométrique devenue son symbole (1), elle est **largement ouverte sur l'océan** Atlantique et les mers qui le prolongent : Manche, mer du Nord, Méditerranée. Cette ouverture lui a donné, au cours des siècles, l'accès aux grandes routes maritimes transocéaniques et l'a intégrée très tôt au monde méditerranéen, contribuant ainsi à sa richesse et aux origines diverses de sa population. Ses grandes façades, aujourd'hui densément peuplées, ont favorisé les activités de pêche, le commerce maritime et le tourisme.

• **En position de « finisterre » du continent européen**, la France avait, dans l'Europe des quinze, une **situation de carrefour** ; celle-ci est aujourd'hui partiellement remise en question par l'élargissement de l'Union européenne à l'Est.

## 2. La France, un archipel mondial

**Atlas**

**Annexe 10**
*(pages 332-333)*

• **Le territoire français inclut aussi des domaines lointains** aux statuts variés (**DOM, TOM, collectivités territoriales**) qui assurent sa présence sur tous les continents et les océans du monde. **Cette France d'outre-mer**, très émiettée, occupe une superficie équivalente à celle de la métropole ; les terres tropicales françaises (Antilles françaises, Guyane et Réunion) rassemblent la quasi-totalité des 2 millions de résidents d'outre-mer.

**Dossier**

**Une France tropicale : la Martinique**
*(pages 178-181)*

• **Ces confettis de l'ancien Empire français assurent la présence stratégique de la France dans le monde.** Grâce à eux, elle dispose de la troisième **zone économique exclusive (ZEE)**, soit 10 millions de km$^2$ océaniques, en particulier dans le Pacifique (Polynésie) et dans l'Antarctique (terre Adélie). Elle possède un vaste domaine touristique et une **base spatiale** de premier plan : **Kourou**, située à proximité de l'équateur, en Guyane.

• **Héritage de son passé colonial** et de sa puissance d'antan, la France conserve **une certaine présence dans d'autres régions du monde**, notamment grâce au **français**, langue maternelle pour 134 millions de personnes, chiffre auquel viennent s'ajouter 25 millions d'autres locuteurs qui le parlent comme langue étrangère (3).

## 3. Un territoire, des territoires

• **La France est l'un des tout premiers États-nations en Europe ; c'est aussi le pays le plus centralisé de l'Union européenne**, même si les lois de décentralisation ont atténué ce fait. Une longue histoire (1), quasi millénaire, a fait de la France un territoire unique avec **un découpage administratif complexe**, en 36 600 communes, 95 départements, 22 régions auxquels s'ajoutent les 4 régions-départements d'outre-mer (avec 113 communes), les quatre territoires et les deux collectivités territoriales.

• **Ces territoires multiples recoupent une grande diversité culturelle** dont témoignent les paysages et les parlers. À côté du français dominant, existent des langues ou des dialectes comme le breton, le catalan, l'occitan, le corse, le basque, l'alsacien, le créole… (2). S'y ajoutent les langues et les cultures des populations immigrées. Ces différentes cultures connaissent aujourd'hui, avec la quête des identités régionales et locales, une certaine vitalité.

## 1. La France : la construction du territoire

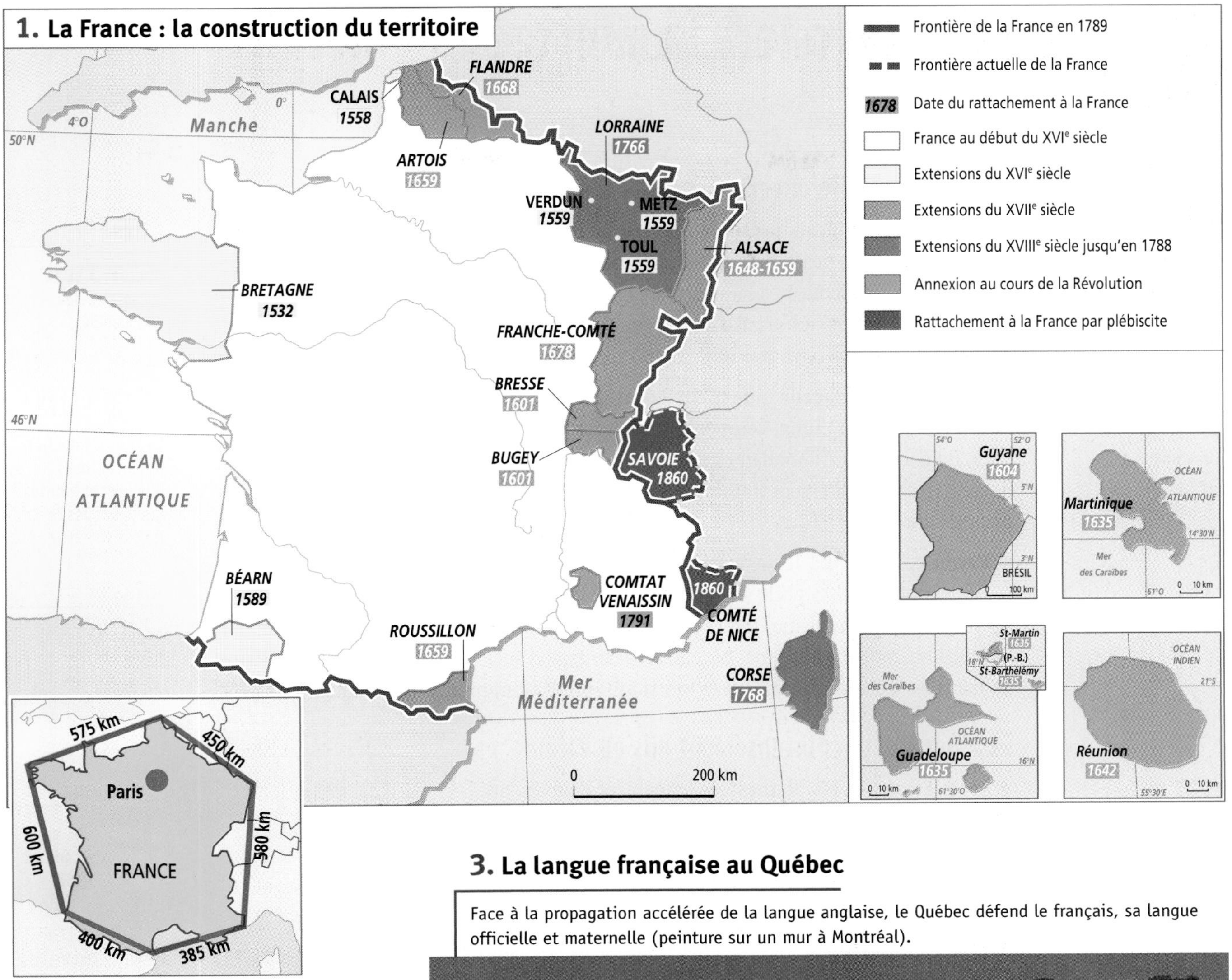


## 2. Langues et parlers

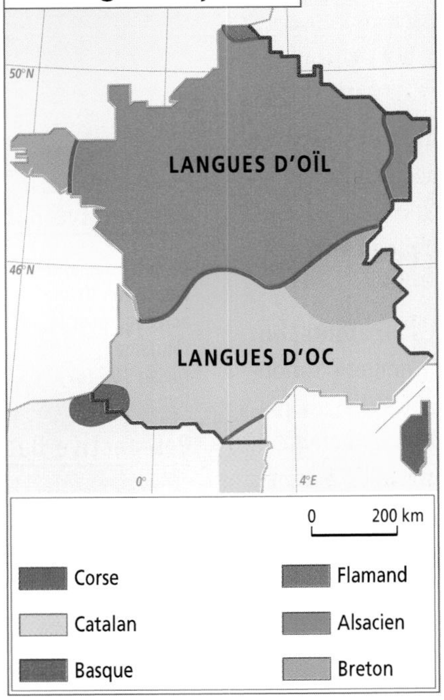


## 3. La langue française au Québec

Face à la propagation accélérée de la langue anglaise, le Québec défend le français, sa langue officielle et maternelle (peinture sur un mur à Montréal).

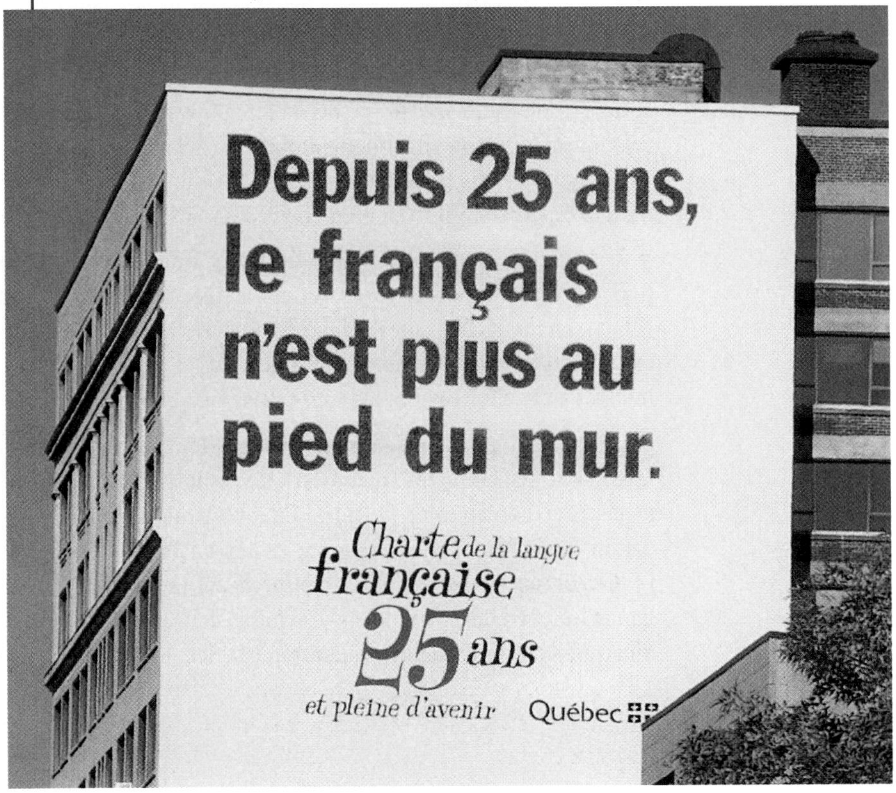

# 2 Un territoire très aménagé

## Mots-clés

**Station intégrée :** station touristique qui regroupe, sur un espace réduit, les logements, les commerces, les services et les équipements de loisirs.

## 1. Un territoire ouvert

• **Le territoire français présente un résumé des reliefs de l'Europe.** À l'Ouest d'une ligne Biarritz-Metz, prédominent des plateaux et des plaines ; à l'Est de celle-ci, des hauts plateaux, des moyennes et hautes montagnes où s'insinuent des couloirs de plaines. Le réseau de vallées, les seuils (Bourgogne, Lauragais, Poitou) et les façades maritimes font de la France un pays accessible où la circulation est aisée.

• **Située sur la façade ouest du continent européen**, aux latitudes moyennes, **la France offre un climat tempéré** nuancé par la distance à la mer, la latitude et l'altitude. En découlent d'abondantes ressources en eau et une grande diversité de milieux et de paysages profondément transformés pour les besoins d'une société aujourd'hui largement citadine.

• **Parmi ces milieux, les espaces forestiers ont fortement progressé** au cours de la seconde moitié du XX^e^ siècle. La forêt occupe 15 millions d'hectares, situés dans les massifs montagneux, en plaine (forêt landaise), et à proximité des grandes villes, notamment de l'agglomération parisienne, où elle est l'héritage d'anciennes forêts royales devenues domaniales. Cette forêt a plusieurs fonctions : protection, production et loisirs.

## 2. Des bas pays intensément mis en valeur

• **Les plateaux et les plaines**, anciennement cultivés, ont été à l'origine de **la richesse et la diversité de l'agriculture française**, pendant longtemps dépendante des facteurs physiques : pente, qualité des sols, gelées, sécheresse. La modernisation de l'agriculture, qui a permis de dépasser l'essentiel de ces facteurs physiques, est parfois à l'origine de nouveaux dysfonctionnements : érosion accélérée, pollution des sols et des eaux (5).

• **Les grandes vallées**, qui ont fixé villes et infrastructures (autoroutes, lignes TGV), **concentrent des trafics intenses**. Les fleuves qui les parcourent ont fait l'objet d'aménagements visant à la maîtrise de l'eau, à la production hydroélectrique, à l'amélioration de la navigation intérieure. Toutefois l'interconnexion entre les grands couloirs de circulation fluviale (basse Seine, Rhône, Rhin) reste à améliorer.

## 3. Des montagnes et des littoraux convoités

• **Les hautes montagnes et les littoraux français ont été longtemps des espaces périphériques soumis à de fortes contraintes physiques** : raideur des pentes, enneigement en montagne, côtes rocheuses ou marécageuses. Au cours des XIX^e^ et XX^e^ siècles, ces espaces de mieux en mieux reliés aux grands centres urbains ont été progressivement intégrés au territoire national et sont devenus fortement attractifs.

• **Les contraintes d'autrefois, désormais dépassées ou transformées en atouts, ont favorisé le développement touristique** comme en témoigne, sur le littoral et en montagne, la construction de **stations intégrées** qui sont parfois responsables de la dégradation du milieu. Plus encore que la montagne, le littoral a attiré d'autres activités : l'ostréiculture (4) ainsi que la sidérurgie ou le raffinage du pétrole installés dans les **zones industrialo-portuaires***. Les fortes densités de population sur les littoraux traduisent ce processus de **littoralisation** (5).

* voir Lexique


### Atlas

**Annexes 1 et 12**
*(pages 320-321 et page 334)*

### Cartes enjeux

**La France : quelles potentialités ? quelles contraintes ? quels risques ?**
*(pages 168-169)*

### Atlas

**Annexe 13**
*(page 335)*

### Document

**La France vue par le satellite Landsat**
*(pages 166-167)*

### Perspective Bac

**Réseaux et flux en Europe et en France**
*(page 162-163)*

### Perspective Bac

**Le golfe de Saint-Tropez, un littoral aménagé pour le tourisme**
*(pages 186-187)*

### Perspective Bac

**Tignes, une montagne pour les citadins**
*(pages 188-189)*

**4. Marais et claires à huîtres près de Marennes (Charentes-Poitou)**

**5. Milieux aménagés et environnement**

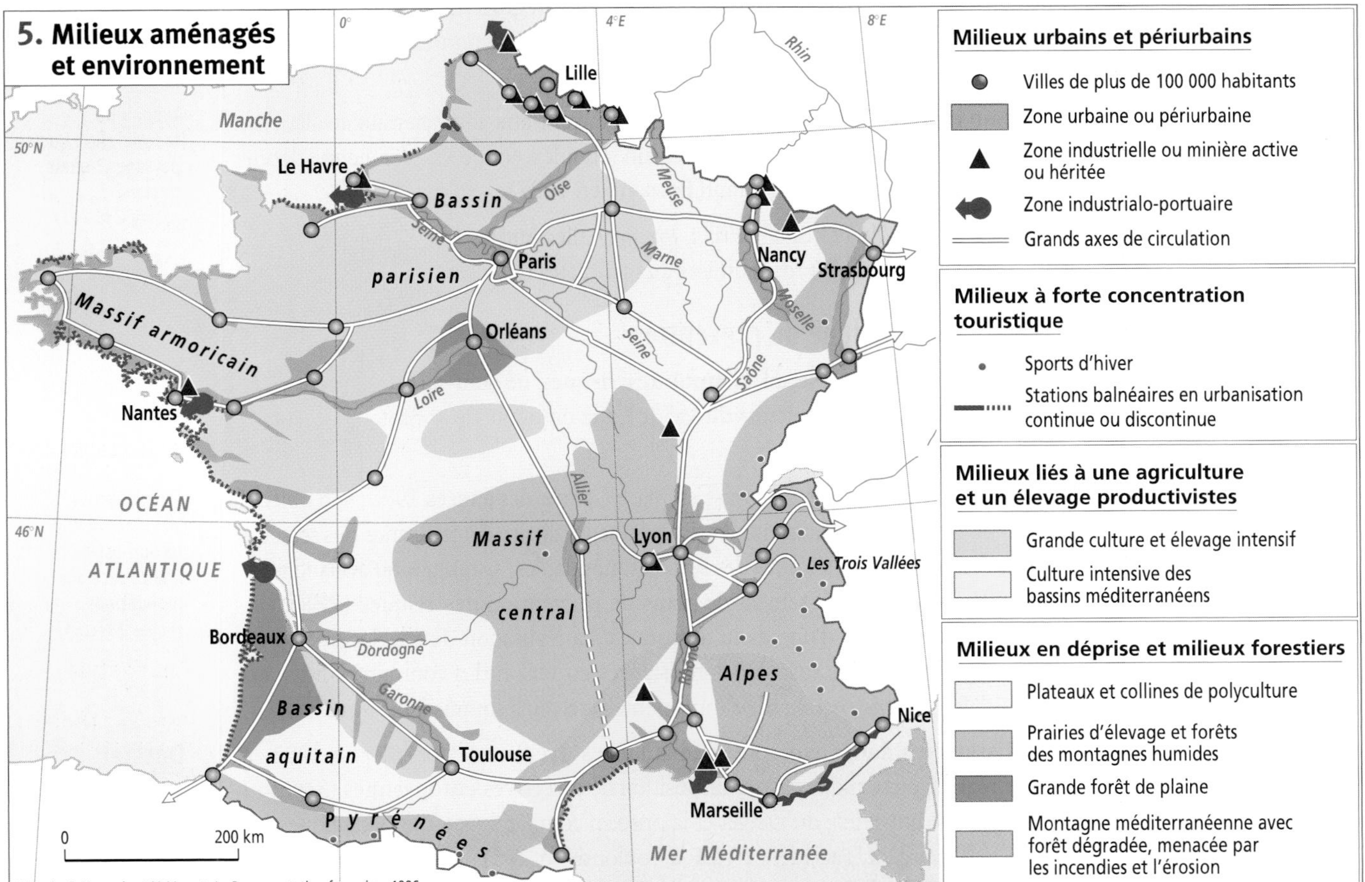


D'après G. Hugonie et Y. Veyret, *La Documentation française* - 1996.

# 3 La France, un territoire à risques ?

## 1. Un pays privilégié ?

• **La France métropolitaine**, perçue au travers de la qualité de son cadre de vie et de la modération de son climat, **est moins soumise aux risques naturels que les îles tropicales de la France d'outre-mer affectées par les séismes, les éruptions volcaniques et les cyclones. Cependant, la métropole est exposée à certains aléas*** : séismes, tempêtes, pluies intenses, mouvements de terrain, avalanches, inondations.

• **Des activités industrielles** (raffineries de pétrole, usines chimiques, centrales nucléaires) **et des installations de stockage**, concentrées **dans les centres urbains** (Lyon, Rouen, Marseille-Berre...), ainsi que **le transport des matières dangereuses** sont responsables **de risques technologiques*** : explosions, incendies, fuites de produits toxiques.

• **La perception des dangers s'est modifiée** avec le temps ; beaucoup de Français ont oublié les phénomènes naturels ou les ont aggravés par les aménagements ; mais ils demandent une sécurité toujours plus grande, difficile à assurer dans des milieux urbanisés.

## 2. Des populations très exposées

• **Les lotissements et les équipements** récemment développés dans les zones inondables des vallées subissent des **inondations récurrentes**, lentes dans la France soumise au climat océanique ou semi-continental, rapides dans le domaine méditerranéen. Les premières affectent essentiellement les biens, tandis que les autres, par leur caractère soudain, peuvent provoquer des victimes. Les villes enregistrent aussi des **accidents technologiques** liés à des produits dangereux (incendie dans le port Édouard-Herriot en 1987, explosion de l'usine AZF à Toulouse en 2001...).

• **Les implantations touristiques** en montagne peuvent être soumises aux avalanches (Chamonix en 1999), aux mouvements de terrain (éboulement de La Séchilienne depuis 1984), ou à l'action des torrents (le Grand Bornand en 1987).

• **Les marées noires** (*Amoco Cadiz, Erika, Prestige*) affectent les façades maritimes très fréquentées de l'Ouest et du Nord, soumises aux tempêtes de saison froide (6).

## 3. La difficile politique de prévention

• **La connaissance et la prise en compte des risques** ne sont pas totalement nouvelles ; dès le Moyen Âge, les habitants du Val de Loire ont tenté de se protéger des inondations en édifiant des digues (levées).

• **Une politique de prévention** s'est mise en place à partir des années 1980 ; son objectif principal est de maîtriser l'urbanisation à partir d'une meilleure connaissance des secteurs à risques par l'établissement de cartes des secteurs inondables, sismiques ou avalancheux. **La loi de 1995** impose l'établissement de **plans de prévention des risques (PPR)**, élaborés en principe à l'échelle d'un bassin de risques. La réalisation de ces documents réglementaires est longue ; elle suscite des résistances en raison des contraintes liées aux PPR : limitation de la construction, dévalorisation des terrains soumis aux risques.

• **Les établissements dangereux** sont soumis à une surveillance étroite depuis 1982 en raison d'une réglementation qui est la transposition de **directives européennes (Seveso I et II)**. Elle nécessite une étude du danger et la prise en compte de mesures techniques appropriées (7). Cependant, l'accident d'AZF à Toulouse en 2001 montre que la sécurité n'est jamais totale. Faut-il dès lors envisager de délocaliser les industries à risques ?

### Mots-clés

**Seveso I :** directive européenne portant le nom d'une ville italienne où s'est produit un grave accident industriel. Édictée en 1982, elle concerne les risques et accidents majeurs liés à certaines activités industrielles, et impose l'information des personnes exposées et la mise en œuvre de plans d'urgence.

**Seveso II :** en 1996, cette directive, qui remplace Seveso I, renforce la prévention. Elle distingue plusieurs niveaux de dangers. Les établissements industriels les plus dangereux doivent établir un rapport de sécurité, des plans d'urgence interne et externe à l'établissement et prévoir l'information du public. 1 239 établissements français sont concernés par Seveso II.

* voir Lexique

**Dossier**
Une France tropicale : la Martinique
*(pages 180-181)*

**Cartes enjeux**
La France : quelles potentialités ? quelles contraintes ? quels risques ?
*(pages 168-169)*

**Dossier**
Le Sud-Est de la France face aux inondations
*(pages 182-185)*

**Dossier**
Lyon, ville industrielle : quels paysages ? quels risques
*(pages 238-241)*

**Dossier**
Le Sud-Est de la France face aux inondations
*(pages 184-185)*

**Dossier**
Toulouse : gérer l'activité industrielle dans la ville
*(pages 264-267)*

## 6. La marée noire provoquée par le naufrage de l'*Erika* en 1999

Riveraine d'une des voies maritimes les plus fréquentées du monde, la France est très exposée aux risques de pollution dues au transport de pétrole ou de produits chimiques dangereux.

## 7. Faire connaître les risques majeurs

### Du préfet aux maires...

**Le préfet élabore pour son département** → Un **DOSSIER DÉPARTEMENTAL DES RISQUES MAJEURS (DDRM)**
Ce document de référence fournit des informations aux services de l'État pour établir :

↓

• Des **DOSSIERS COMMUNAUX SYNTHÉTIQUES (DCS)**
notifiés aux maires de chacune des communes concernées par arrêté préfectoral. Ces dossiers rendent compte des risques naturels et technologiques affectant les communes.

↓

**Le maire doit ensuite réaliser** → • Un **DOSSIER D'INFORMATION COMMUNAL SUR LES RISQUES MAJEURS (DICRIM)**
qui fixe les mesures de protection et de prévention. Ce dossier, mis à disposition du citoyen, a pour objectif de faire connaitre les risques dans la commune.

NUMÉRO SPÉCIAL

ROUEN MAGAZINE

www.rouen.fr

SUPPLÉMENT SPÉCIAL - N° 152

Notre région compte un grand nombre d'établissements à risques dont quelques-uns pourraient, en cas d'accident, avoir des conséquences graves sur Rouen. C'est le résultat de notre histoire et il faut que nous en prenions tous ensemble la mesure.

Ce document réalisé avec les services de l'État présente les risques majeurs prévisibles auxquels nous sommes exposés et les comportements à adopter en cas d'alerte. En effet, le risque zéro n'existe pas et, sans céder à la panique, il est important de savoir que faire en cas d'accident.

Les sites à risques font l'objet d'une surveillance de l'État et des moyens importants permettant une intervention rapide et concertée peuvent être mobilisés à tout moment.

Les pouvoirs publics et les entreprises conscients de leurs responsabilités travaillent en étroite collaboration. Les études de danger vont donc être approfondies. Il importe également de prendre les bonnes décisions en matière d'aménagement du territoire : par exemple, le contournement routier de Rouen afin de diminuer le trafic poids lourds en centre ville.

La diffusion large de ce document tant auprès des professionnels, des éducateurs que des plus jeunes est un moyen de prévention incontournable afin de développer une "culture du risque" comme d'autres possèdent la "culture du séisme".

Je souhaite qu'il vous apporte l'information claire que vous êtes en droit d'attendre.

Pierre Albertini
Maire de Rouen

LES RISQUES MAJEURS

MOUVEMENTS DE TERRAIN
TRANSPORT DE MATIÈRES DANGEREUSES
SILOS
INONDATIONS
ACCIDENTS INDUSTRIELS

L'INFORMATION PRÉVENTIVE
L'information préventive a été instaurée par l'article 21 de la loi du 22 juillet 1987 :
"Le citoyen a le droit à l'information sur les risques qu'il encourt en certains points du territoire et sur les mesures de sauvegarde pour s'en protéger."
Informés, les citoyens intégreront mieux le risque majeur dans leur vie courante, pour mieux s'en protéger et acquerront ainsi une confiance lucide, génératrice de bons comportements individuels et collectifs.

DOCUMENT COMMUNAL DE SYNTHÈSE

DOCUMENT D'INFORMATION COMMUNAL SUR LES RISQUES MAJEURS

ROUEN

# 4 Un territoire à ménager

## Mots-clés

**Agences de l'eau :** créées par la loi de 1964, ces agences sont au nombre de six : Seine-Normandie, Loire-Bretagne, Artois-Picardie, Rhin-Meuse, Rhône-Méditerranée, Adour-Garonne ; elles sont responsables de la qualité de l'eau, des prélèvements et des rejets.

* voir Lexique

## 1. Réglementer pour mieux gérer

• **Depuis plusieurs décennies, les acteurs de l'aménagement** et les citoyens français ont pris conscience de la nécessité de gérer le territoire de façon acceptable, ce qui recouvre la notion de **développement durable***. Ainsi, l'État applique de grands principes : précaution, prévention et principe du pollueur-payeur, qui fondent le code de l'**environnement*** ; il développe des politiques de **sensibilisation** des populations (**10**).

• **La gestion de l'environnement** est confiée à des organismes nationaux et régionaux (**8**) ; par exemple : **ADEME** (Agence de l'environnement et de la maîtrise de l'énergie), **DIREN** (Direction régionale de l'environnement), **DRIRE** (Direction régionale de l'industrie, de la recherche et de l'environnement), **INERIS** (Institut national de l'environnement industriel et des risques)...

## 2. Préserver ressources et paysages

• **L'eau, l'air, les milieux « naturels » font l'objet d'une surveillance et de réglementations de plus en plus strictes**, mais les solutions sont coûteuses et difficiles à mettre en œuvre. Des **plans régionaux pour la qualité de l'air** envisagent les relations entre qualité de l'air et santé ainsi que les effets des pollutions sur les milieux naturels et le patrimoine. Des dispositifs d'observation et des mesures de restriction ont été mis en place avec des résultats mitigés. Les **agences de l'eau** sont chargées de gérer les ressources et la qualité de l'eau. Les communes sont chargées de l'élimination des **déchets ménagers et industriels** et doivent mettre en place un tri sélectif et des déchetteries.

• **La protection des paysages** constitue un autre volet de la gestion environnementale. Jusqu'en 1993, n'étaient protégés que les **« grands sites »** connus pour leur valeur esthétique ou patrimoniale ; la loi de 1993, dite « loi paysage », intègre le paysage à toute politique d'aménagement (intégration paysagère d'une autoroute).

## 3. Protéger certains espaces

• **La France a mis en place, à partir des années 1960, une politique de protection de la nature**. Celle-ci a pris la forme de règlements, de contrats et d'acquisitions qui ont concerné plus particulièrement les milieux montagnards et littoraux. Néanmoins, le fait de soustraire certains espaces à toute action anthropique est encore objet de débat (**9**).

• **Sept parcs nationaux*** ont été créés en application de la loi de 1960, afin de conserver la faune, la flore et, de manière générale, le patrimoine naturel ; ils occupent environ 2 % du territoire. S'y ajoutent plus de **150 réserves naturelles. Les parcs naturels régionaux*** concilient le développement économique et la conservation des milieux et des paysages. Créés en 1967, ils couvrent un peu plus de 9 % du territoire national et regroupent plus de 2 millions d'habitants. **Certaines forêts, dites de protection** contre le ruissellement, les avalanches, l'action du vent sur les littoraux, sont à ce titre protégées.

• **Les littoraux, marqués par une occupation grandissante, font l'objet d'une politique spécifique dans le cadre de la loi « littoral » qui limite le mitage* et impose également le libre accès à la côte. Le Conservatoire du littoral***, créé en 1975, pratique une politique de sauvegarde et de respect des sites naturels par le biais d'acquisitions foncières. Il possède environ 700 km de linéaire côtier sur les 6933 km de la France métropolitaine et des DOM*.

**Leçon**

**Aménager aujourd'hui : pourquoi ? comment ?**
*(pages 260-261)*

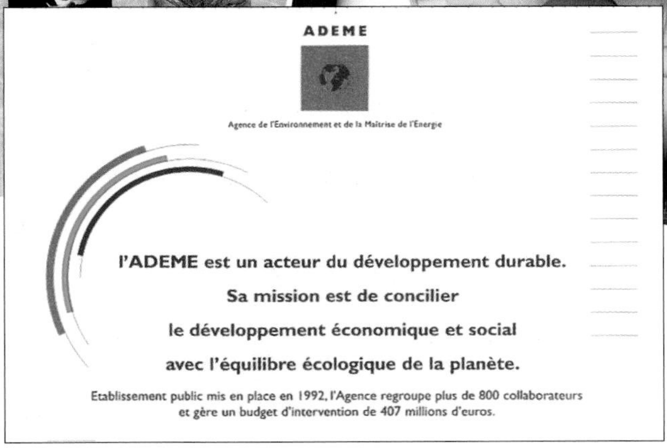
ADEME

Agence de l'Environnement et de la Maîtrise de l'Energie

l'ADEME est un acteur du développement durable.
Sa mission est de concilier
le développement économique et social
avec l'équilibre écologique de la planète.

Etablissement public mis en place en 1992, l'Agence regroupe plus de 800 collaborateurs et gère un budget d'intervention de 407 millions d'euros.

**8. Nombre d'organismes nationaux et régionaux sont chargés de la gestion de l'environnement**

## 9. Protéger des territoires, dans quel but ?

Les espaces ruraux protégés à divers titres occupent une part non négligeable du territoire français. La protection force à s'interroger sur ses finalités. Pour qui protège-t-on des espaces? Dans quels buts? Selon quels protocoles? La protection intégrale, sans intervention de l'homme, est-elle souhaitable? Dans bien des cas, le citoyen désire profiter de ces espaces à la protection desquels il participe, au moins financièrement, par le biais de l'impôt.

La protection des paysages, introduite par la « loi Paysage » de 1993, pose aussi le problème des types de paysages à protéger. S'agit-il seulement des beaux paysages? Mais comment les définir? Comment établir une hiérarchie? Comment échapper au fait de figer des paysages à un moment donné alors que, par définition, les paysages évoluent sans cesse? Autant de questions dont les réponses renvoient à des conceptions idéologiques différentes.

Y. Veyret, *Géo-environnement*, Sedes – 1999.

## 10. Sensibiliser aux questions d'environnement : un enjeu majeur

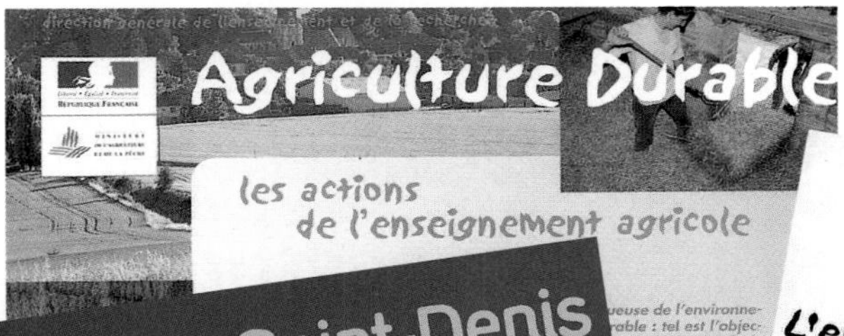

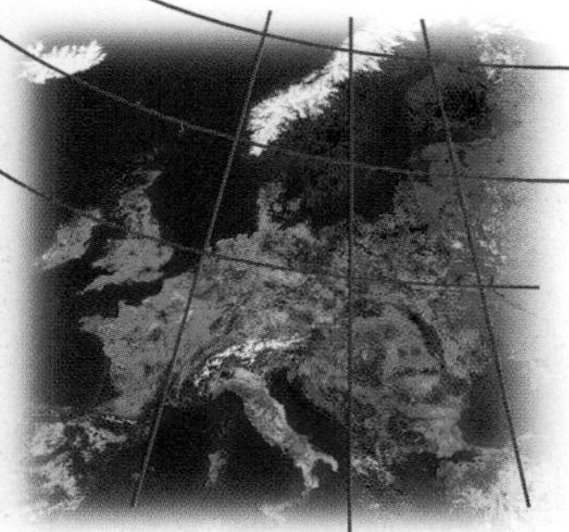

# Dossier

# Une France tropicale : la Martinique

*Située dans l'archipel des Caraïbes, la Martinique (370 000 habitants sur 11 000 km²) est caractéristique des îles de la France d'outre-mer.*

*De part sa situation et sa topographie, elle présente une nature à la fois paradisiaque et violente, source de richesses et de risques.*

## 1 ■ L'île tropicale attrayante pour le tourisme

La variété et la beauté de ses sites, sa diversité culturelle constituent pour la Martinique un capital touristique encore très inégalement exploité.

**1. De multiples atouts touristiques**

Plages de sables et végétation tropicale, volcan, navigation de plaisance, patrimoine, carnaval…

## 2. Un plan d'urgence pour le tourisme

Le tourisme représente 10 % du PIB et emploie près de 8,7 % de la population active. Ce secteur subit depuis quelques années les effets de la mondialisation et la concurrence des autres îles de la Caraïbe, avantagées par la qualité des prestations et des prix plus compétitifs. En 2001, la fréquentation touristique a reculé de 18 % par rapport à 2000 (jusqu'à – 30 % pour les croisières).

Pourtant, les potentialités touristiques sont présentes : la proximité du vaste marché de l'Amérique du Nord, le marché européen, les richesses naturelles et patrimoniales, les équipements. La première conférence départementale du tourisme, qui s'est tenue les 7 et 8 octobre 2002, a défini des actions à mener pour une relance du tourisme. Celle-ci passe par une meilleure formation des personnels, la valorisation des produits, la recherche d'une démarche de qualité, l'amélioration de la desserte aérienne...

Extraits de la conférence du tourisme – Octobre 2002.

## 3. Un grand équipement touristique

De nombreuses structures hôtelières se sont développées dans l'île, favorisées par le régime d'aide fiscale à l'investissement « défiscalisation » institué par la loi Pons de 1986, remplacé en 2001 par la loi Paul.

## 4. La Martinique, un pôle touristique (2001)

**Répartition de la clientèle touristique** *(en %)*

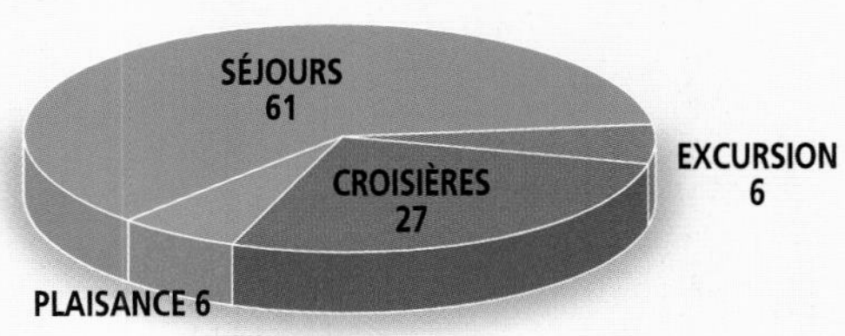


**Différents modes d'hébergement** *(en %)*

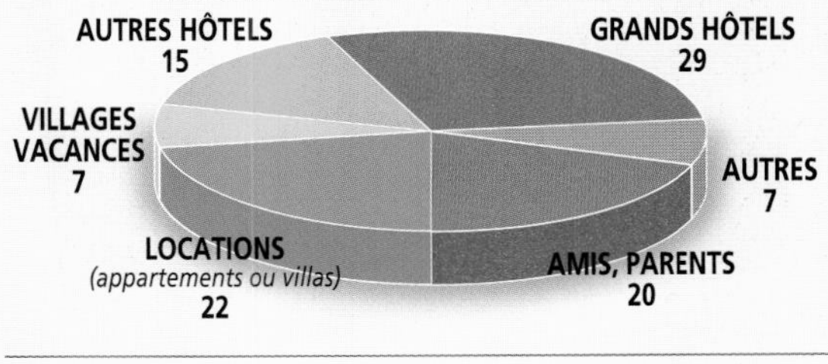


**Provenance des touristes**

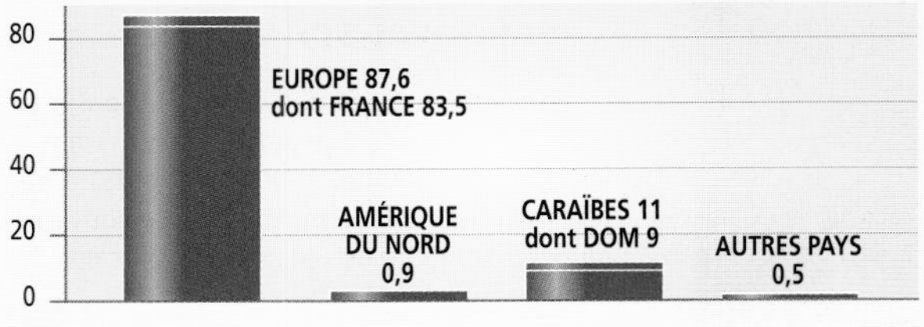


## 5. Les centres touristiques

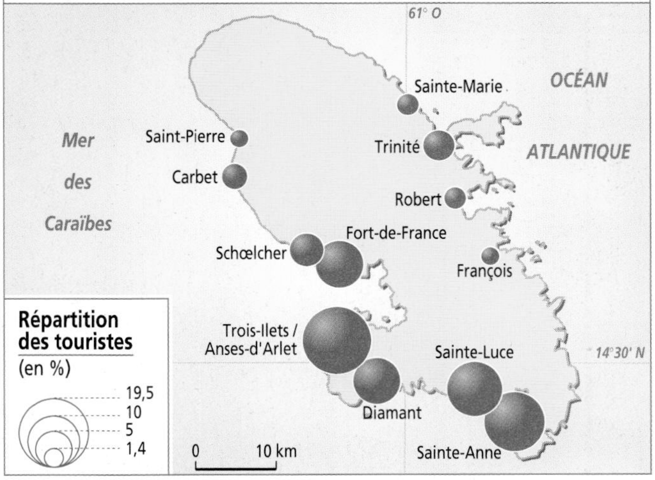


## Questions

**1.** De quels atouts dispose l'activité touristique (1, 2, 3) ?

**2.** Présentez l'activité touristique : place dans l'économie, types de tourisme, espaces et flux touristiques, problèmes (2, 3, 4, 5).

**3.** Quelles sont les actions préconisées ou mises en place pour relancer le tourisme (2, 3) ?

## 2 ■ L'île tropicale, terre à hauts risques

En raison de sa situation en latitude (10° de latitude nord) et en bordure de la plaque tectonique caraïbe, la Martinique est exposée à des risques majeurs. L'ampleur et la fréquence des catastrophes ont conduit à développer une culture du risque.

### 6. Aléas* et risques en Martinique

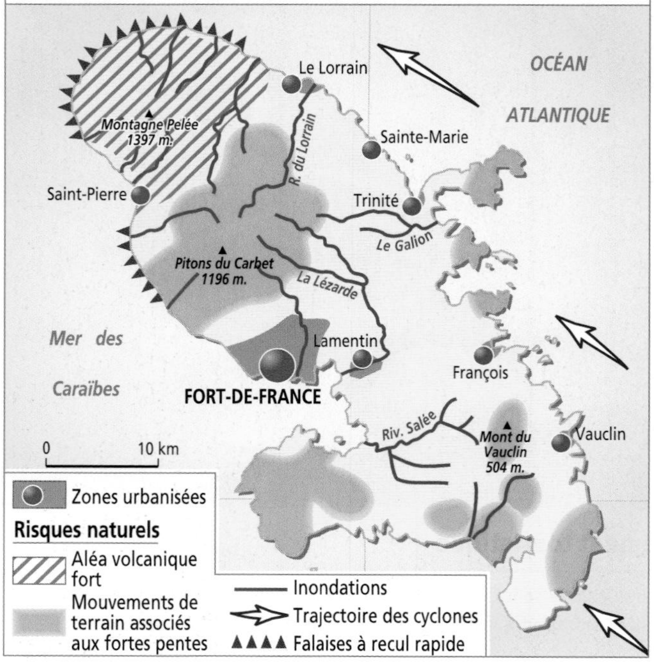


### 7. Quelques catastrophes en Martinique

| Dates | Types de catastrophes | Lieux et conséquences |
|---|---|---|
| 1780 | Ouragan | Plus de 7 000 morts |
| 1839 | Séisme | Plus de 300 morts, destruction quasi totale de Fort-de-France |
| 1902 | Éruption volcanique | 28 000 morts à Saint-Pierre le 8 mai, et 1 000 morts au Morne-Rouge le 30 août |
| 1915 | Mouvements de terrain | Région de Fort-de-France ; 10 morts |
| 1970 | Tempête tropicale Dorothy et mouvements de terrain | 44 morts dont 19 dus à des mouvements de terrain (Saint-Joseph et Rivière d'Or) ; 200 millions de francs de dégâts |
| 1979 | Ouragan David | 30 morts et 500 millions de francs de dégâts |

### 8. Saint-Pierre : vivre avec son volcan

Le 8 mai 1902, jeudi de l'Ascension, à 8 h 02, la montagne Pelée a explosé, anéantissant Saint-Pierre. La ville (5 000 habitants) a été reconstruite sur son ancien site. Le souvenir de cette tragédie est encore très présent dans l'esprit des Martiniquais et a été commémoré en mai 2002.

## 9. L'aléa volcanique

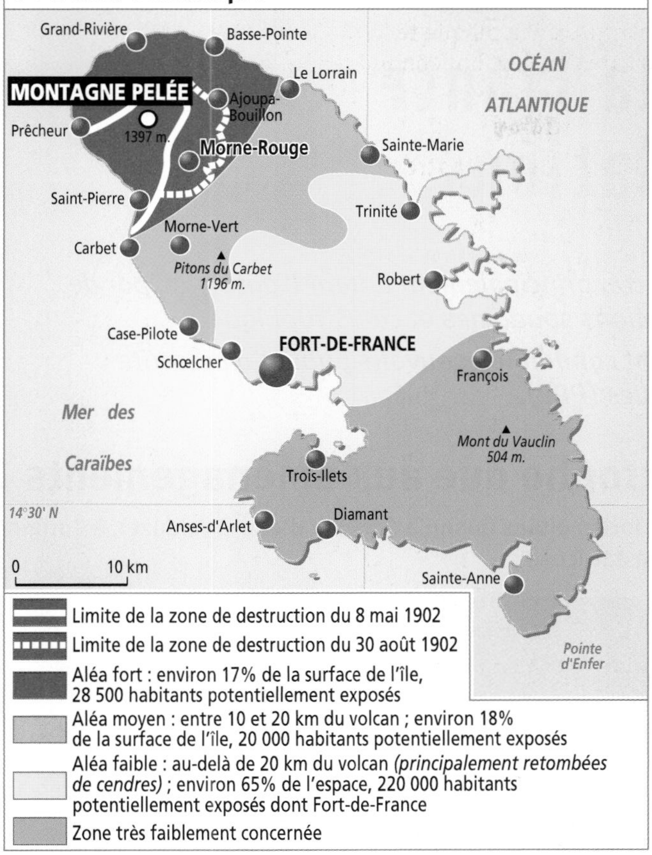
Grand-Rivière
Basse-Pointe
Le Lorrain
OCÉAN
ATLANTIQUE
MONTAGNE PELÉE
1397 m
Ajoupa-Bouillon
Prêcheur
Morne-Rouge
Sainte-Marie
Saint-Pierre
Trinité
Morne-Vert
Carbet
Pitons du Carbet 1196 m.
Robert
Case-Pilote
FORT-DE-FRANCE
Schœlcher
François
Mer des Caraïbes
Mont du Vauclin 504 m.
Trois-Ilets
14°30' N
Diamant
Anses-d'Arlet
0 10 km
Sainte-Anne
Pointe d'Enfer
Limite de la zone de destruction du 8 mai 1902
Limite de la zone de destruction du 30 août 1902
Aléa fort : environ 17% de la surface de l'île, 28 500 habitants potentiellement exposés
Aléa moyen : entre 10 et 20 km du volcan ; environ 18% de la surface de l'île, 20 000 habitants potentiellement exposés
Aléa faible : au-delà de 20 km du volcan (principalement retombées de cendres) ; environ 65% de l'espace, 220 000 habitants potentiellement exposés dont Fort-de-France
Zone très faiblement concernée

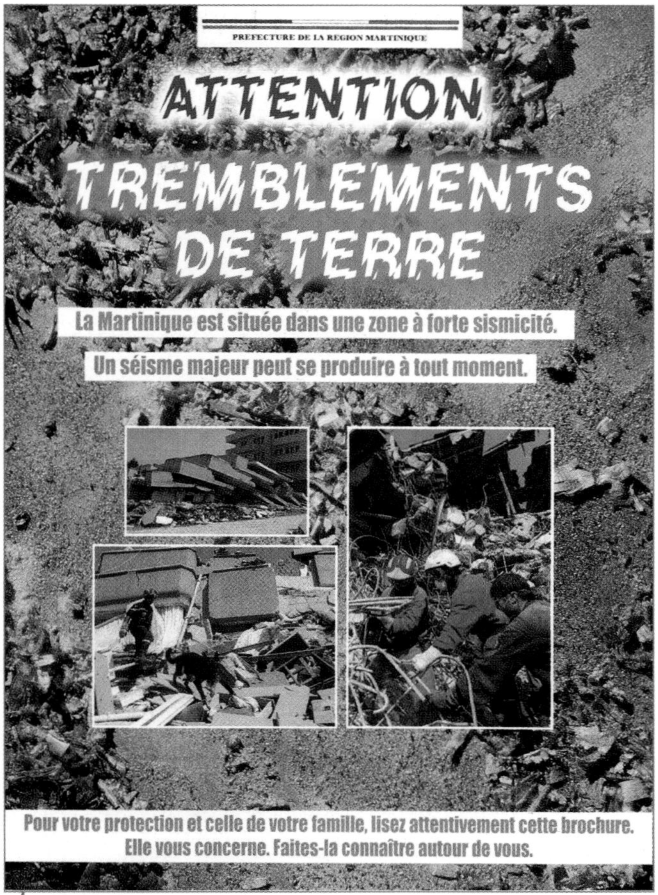
PREFECTURE DE LA REGION MARTINIQUE
ATTENTION TREMBLEMENTS DE TERRE
La Martinique est située dans une zone à forte sismicité.
Un séisme majeur peut se produire à tout moment.
Pour votre protection et celle de votre famille, lisez attentivement cette brochure.
Elle vous concerne. Faites-la connaître autour de vous.

## 10. Développer une culture du risque

L'information des populations constitue un élément important de la prévention des risques majeurs.

PREFECTURE DE LA REGION MARTINIQUE
ATTENTION AUX CYCLONES
Chaque année, de juillet à novembre, notre région peut être soumise à des phénomènes cycloniques.
Pour s'en protéger, la population devra suivre les consignes données par la préfecture à chaque stade d'alerte.
Le cyclone Georges le 20 septembre 1998
Les Stades d'Alerte
1 LA PRÉALERTE (ancienne alerte 1) : 24 à 36 heures avant le passage du phénomène
2 L'ALERTE (ancienne alerte 2) : 6 à 8 heures avant le passage du phénomène
3 CONFIRMATION DU PASSAGE (ancienne alerte 2 renforcée) : juste avant le début des premiers effets

## 11. Si une nouvelle éruption se produisait demain ?

Un réseau de surveillance de la Montagne Pelée a été mis en place pour suivre l'activité du volcan : séismes, déformations de terrain, montée des gaz et du magma. L'ensemble des informations enregistrées est transmis à l'observatoire installé au pied du volcan.

S'il existe des signes précurseurs, il reste difficile de connaître à l'avance la nature et l'intensité du phénomène volcanique. Les services de l'État ont établi un plan d'évacuation à partir de différents scénarii. Dès l'apparition de signes d'activité forte, le préfet déclenche la mobilisation des services opérationnels de l'État ; parallèlement, la population est informée et les maires prennent les mesures nécessaires. Puis survient la phase d'alerte ; l'évacuation s'effectue en deux temps : de manière spontanée et partielle, puis de façon totale et organisée en direction de Fort-de-France, de Trinité ou du Sud de l'île.

Sources diverses.

## Questions

**1.** Quels sont les dangers (aléas*) qui menacent la Martinique (6, 7) ?

**2.** Quels sont les manifestations, les effets et les enseignements de l'éruption de la montagne Pelée en 1902 (6, 7, 8, 9) ?

**3.** Quelles sont les formes de prévention des risques majeurs (9, 10, 11) ?

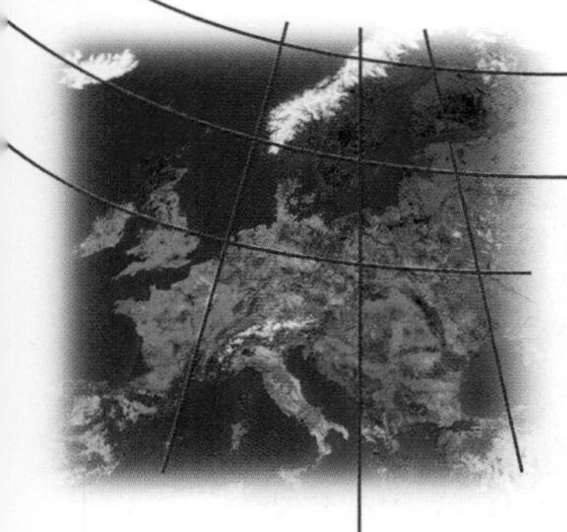

# Dossier

# Le Sud-Est de la France face aux inondations

*Le Sud-Est de la France est régulièrement affecté, principalement durant l' automne, par de fortes précipitations accompagnées d' inondations soudaines et catastrophiques.*

*Leur répétition et leur caractère dramatique ont conduit les pouvoirs publics à prescrire l' élaboration de Plans de prévention des risques (PPR).*

## 1 ■ Catastrophe naturelle ou catastrophe due aux aménagements ?

La région languedocienne a reçu, les 8 et 9 septembre 2002, de fortes pluies (jusqu'à 670 mm d'eau à Anduze), à l'origine du gonflement très rapide des cours d'eau et d'inondations dévastatrices.

**1. Le Gard, département le plus touché par les inondations en 2002. Commune de Codolet**

19 morts, 313 communes inondées, 600 000 sinistrés, des dégâts estimés à environ 150 millions d'euros.

**2. La répétition des catastrophes dans le Sud-Est de la France**

| Lieux | Dates | Conséquences |
|---|---|---|
| **Nîmes (Gard)** | 3 octobre 1988 | 10 morts |
| **Vaison-la-Romaine et autres communes du Vaucluse et de la Drôme** | 22 septembre 1992 | 4 morts à Vaison, 43 morts au total ; 718 communes sinistrées |
| **Vallée du Rhône-Camargue** | 1993/1994 | 10 morts |
| **Hérault** | 28 janvier 1996 | 4 morts ; 87 communes sinistrées |
| **Aude, Hérault, Tarn, Pyrénées-Orientales** | 12-13 novembre 1999 | 34 morts et un disparu |
| **Sud-Est (de Marseille à Montpellier)** | 19 septembre 2000 | 3 morts à Marseille, 3 morts à Montpellier |
| **Gard, Hérault, Vaucluse** | 8-9 septembre 2002 | 23 morts, un disparu |

## 3. Le Gard et l'Hérault sous les eaux

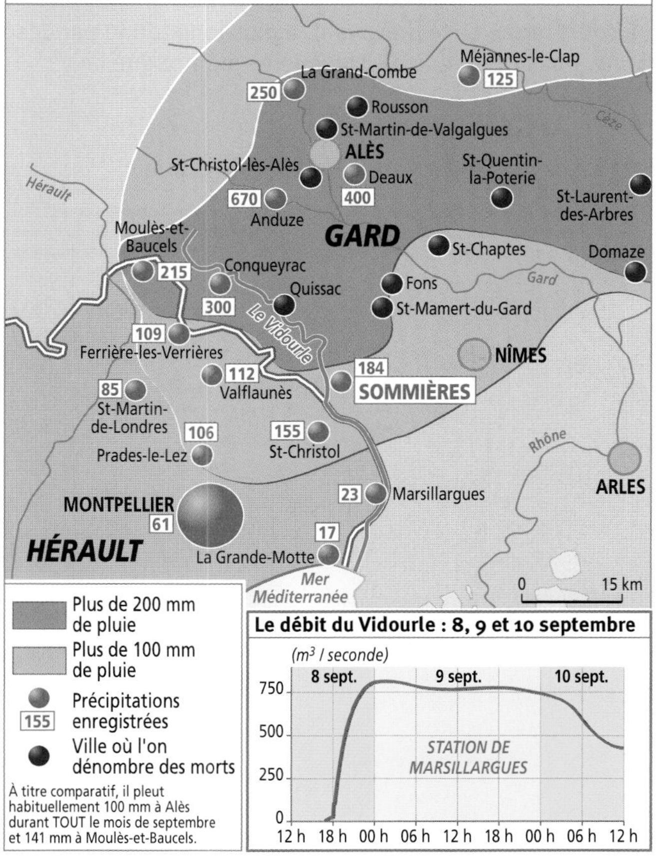


## 4. Les pluies cévenoles

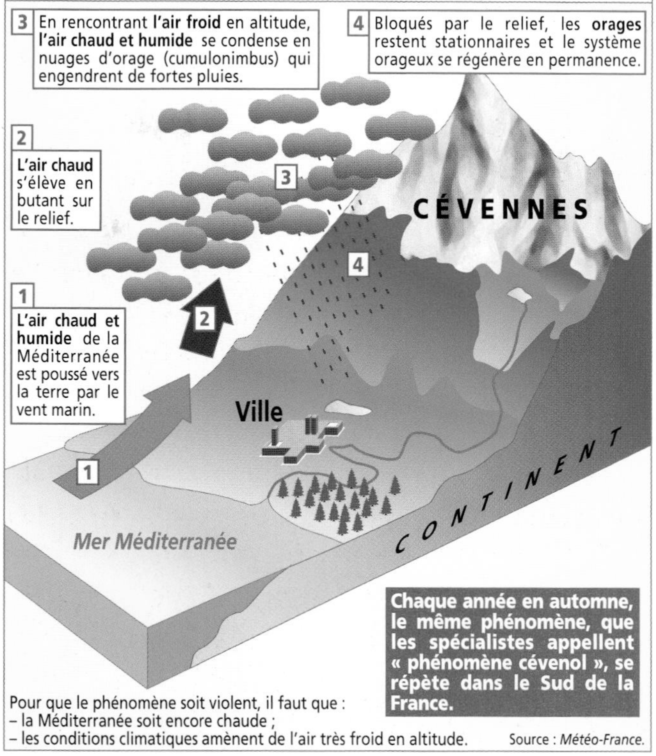

3 En rencontrant l'air froid en altitude, l'air chaud et humide se condense en nuages d'orage (cumulonimbus) qui engendrent de fortes pluies.
4 Bloqués par le relief, les orages restent stationnaires et le système orageux se régénère en permanence.
2 L'air chaud s'élève en butant sur le relief.
1 L'air chaud et humide de la Méditerranée est poussé vers la terre par le vent marin.
CÉVENNES
Ville
CONTINENT
Mer Méditerranée
Chaque année en automne, le même phénomène, que les spécialistes appellent « phénomène cévenol », se répète dans le Sud de la France.
Pour que le phénomène soit violent, il faut que :
– la Méditerranée soit encore chaude ;
– les conditions climatiques amènent de l'air très froid en altitude.


Source : *Météo-France*.

## 5. Les aménagements en question

Les aménagements urbains effectués dans de nombreux secteurs inondables du Languedoc contribuent à expliquer l'ampleur des dégâts et le nombre de victimes liés à une montée très rapide des eaux. La petite commune de Sommières en témoigne.

Située en bordure du Vidourle, Sommières compte 3 250 habitants. Son centre ancien s'est développé sur la rive gauche dans un site resserré, délimité à l'Est par le talus de la Coustelle. Dans le passé, la population du village de Sommières connaissait le risque, puisque le village était soumis aux « vidourlades » (1891, 1907, 1933, 1958) marquées par des hauteurs d'eau d'environ 7 m tandis que la cote d'alerte est de 3 mètres. Habitations et commerces étaient en étage, et les rez-de-chaussée étaient peu utilisés.

Une croissance démographique assez forte, qui a commencé dans les années 1950 et s'est accentuée entre 1982 et 1990, a entraîné une extension en rive droite dans la plaine inondable : habitations individuelles et collectives, équipements commerciaux, équipements publics dont le collège.

Comment expliquer l'extension de l'urbanisation dans la zone à risque parcourue maintes fois par des « vidourlades » dangereuses ? Est-ce l'oubli ou la méconnaissance du danger, ou encore l'illusion de la maîtrise de celui-ci après la construction de barrages à l'amont de Sommières ?

Source : Ministère de l'Écologie et du Développement durable.

## 6. Sommières en 1957

Extrait de la carte IGN à 1/50 000.

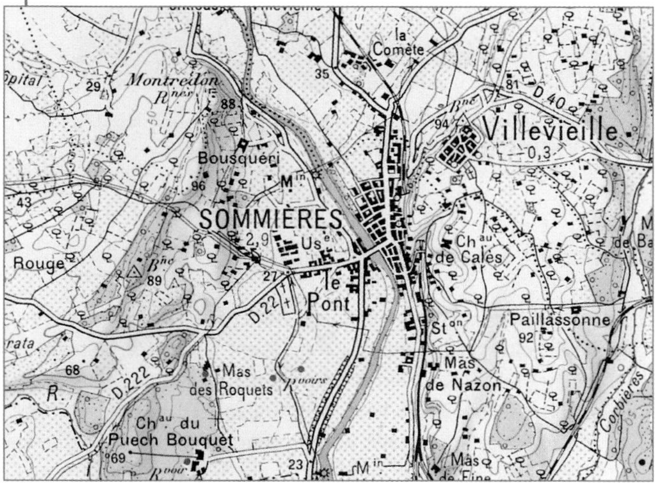


# Questions

**1.** Décrivez la catastrophe qui a affecté le département du Gard (phénomènes naturels et conséquences) (1, 2, 3) ?

**2.** Quelle est l'origine des pluies cévenoles (4) ? Comment a évolué le débit du Vidourle (3) ?

**3.** Quels facteurs permettent d'expliquer les pertes humaines et les dégâts liés à ces événements (3, 4, 5, 6) ?

## 2 ■ Gérer le risque

Il est possible de se protéger du danger de plusieurs manières : à court terme en le prévoyant, à plus long terme par des équipements adaptés et en l'incluant dans la politique d'urbanisme. Mais l'exemple de Sommières montre que la sécurité n'est jamais totale.

**7. Le centre-ville de Sommières sous les eaux du Vidourle (9 septembre 2002)**

### 8. La carte de vigilance météorologique

Météo-France joue un rôle majeur dans la prévision et l'information des populations. Dès le 8 septembre 2002, Météo-France a placé le département du Gard au quatrième niveau de vigilance, dit « rouge ». Des conseils de prudence ont été transmis à la population.

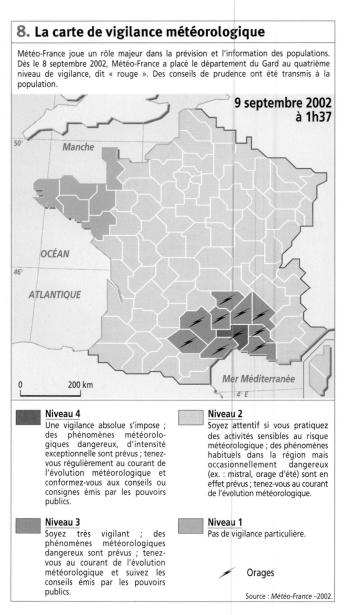

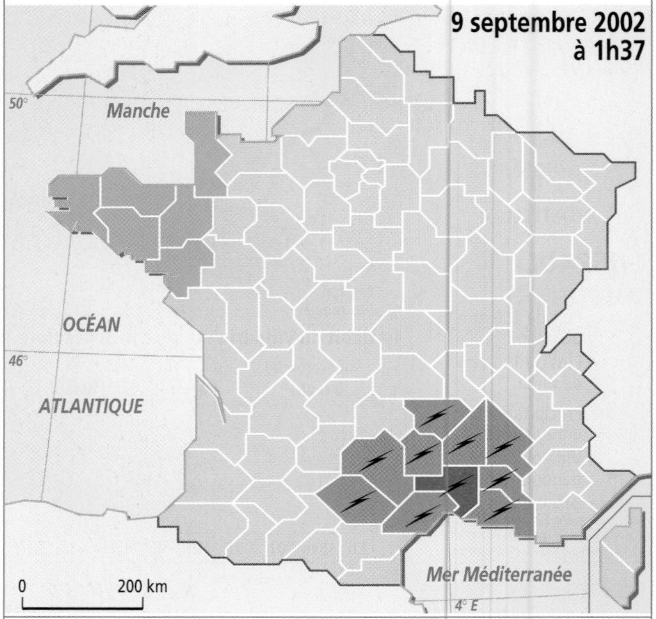


**Niveau 4** Une vigilance absolue s'impose ; des phénomènes météorologiques dangereux, d'intensité exceptionnelle sont prévus ; tenez-vous régulièrement au courant de l'évolution météorologique et conformez-vous aux conseils ou consignes émis par les pouvoirs publics.

**Niveau 3** Soyez très vigilant ; des phénomènes météorologiques dangereux sont prévus ; tenez-vous au courant de l'évolution météorologique et suivez les conseils émis par les pouvoirs publics.

**Niveau 2** Soyez attentif si vous pratiquez des activités sensibles au risque météorologique ; des phénomènes habituels dans la région mais occasionnellement dangereux (ex. : mistral, orage d'été) sont en effet prévus ; tenez-vous au courant de l'évolution météorologique.

**Niveau 1** Pas de vigilance particulière.

Orages

Source : *Météo-France* –2002.

### 9. La surveillance des crues

La surveillance des cours d'eau du Gard est assurée 24 h sur 24 par des agents d'astreinte qui composent le Service d'annonce des crues (SAC). Ils suivent en temps réel l'évolution des cours d'eau. Entre le 8/09 à 20 heures et le 10/09 à 3 heures, 31 messages d'information et d'avis de crue concernant l'évolution de la situation sur le Vidourle ont été transmis toutes les heures aux services préfectoraux pour la mise à jour des répondeurs vocaux destinés à renseigner les maires et la population. Ces données ont permis de préciser que la cote maximale de 7,08 m était atteinte à Sommières, entre 15 et 16 heures le 9/09.

À partir de ces informations, le préfet doit alerter les maires concernés qui, eux-mêmes, doivent prévenir la population et prendre les mesures qui s'imposent.

Mais face à des inondations très rapides, comme celle du Vidourle, l'efficacité du service d'annonce des crues demeure limitée. Certaines communes se sont plaintes de n'avoir pas été suffisamment informées.

Sources diverses.

### 10. La protection : les barrages

À partir de 1958, pour tenter de diminuer l'impact des crues et pour protéger les secteurs bâtis, cinq barrages ont été prévus dans le bassin du Vidourle ; trois seulement ont été réalisés : Ceyrac (1968), La Rouvière (1971), Conqueyrac (1982).

En raison de l'importance des précipitations, ces barrages se sont entièrement remplis, puis ont déversé, ce qui a contribué à aggraver l'ampleur de l'onde de crue en aval : la hauteur d'eau enregistrée à Sommières a été identique à celle de 1958, considérée comme indiquant une crue centennale.

Sources diverses.

## 11. La carte des zones inondables

Cette carte de Sommières à 1/25 000 provient de l'atlas des zones inondables fourni par la Direction régionale de l'environnement (DIREN de la Région Languedoc-Roussillon). Il s'agit d'un document majeur de connaissance du risque, qui fournit un état des lieux des secteurs inondables. C'est un outil de référence pour les aménageurs et d'information pour les élus. La carte porte la ligne des plus hautes eaux connues et définit la surface inondable dans la vallée.

Ce document a servi de base à la réalisation de la carte réglementaire du Plan de prévention des risques (PPR). Prescrit par la loi du 2 septembre 1995, le PPR, pour les 11 communes du moyen Vidourle dont Sommières, a été approuvé en septembre 1998.

Il distingue, dans le champ d'inondation, deux secteurs : une zone R1 dite « de grand écoulement » (risque très élevé), et une zone R2 « d'expansion des crues » (risque élevé). À Sommières, le premier secteur est divisé en sous-secteurs urbanisés.

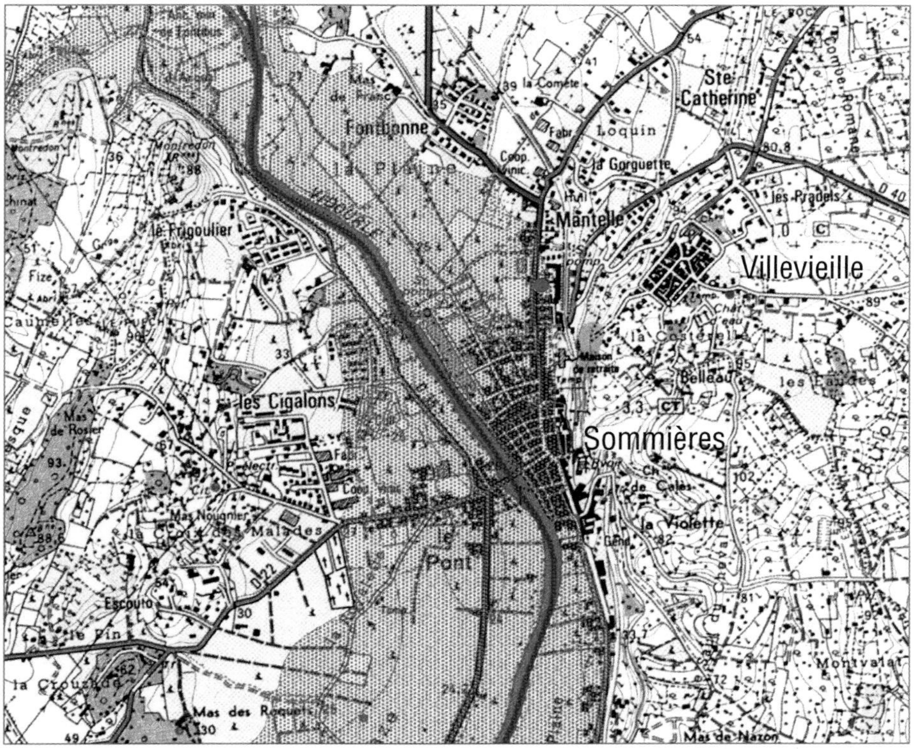


Emprise inondable.

● Caserne des pompiers et gendarmerie détruits par la crue.

## 12. Le zonage de la commune de Sommières

| Secteurs | Sous-secteurs | Prescriptions concernant les différents sous-secteurs | Hauteur d'eau moyenne possible (crue centennale) |
|---|---|---|---|
| R1 | R1/u1 | Centre ancien dense en rive gauche : seule l'évolution des constructions récentes est possible. | |
| | R1/u2 | Extensions urbaines récentes et peu denses dans le prolongement du centre historique et sur la rive droite (habitats pavillonnaire et collectif, équipements publics ou activités diverses) : éviter toute nouvelle urbanisation. | Entre 1 et 2 m |
| | R1/u3 | Zone d'équipements à vocation touristique ou de loisirs (camping, arènes, tennis...) dans la plaine alluviale : limiter l'extension des bâtiments existants. | Supérieure à 2 m |
| R2 | R2/u | Extensions urbaines récentes et peu denses : urbanisation possible sous réserve du respect de certaines dispositions de constructions. | Inférieure à 1 m |

## 13. Les limites du PPR

Les inondations des 8-9 septembre 2002 ont révélé les limites du zonage réglementaire et de la connaissance du risque. La ligne des plus hautes eaux retenue dans le PPR a été dépassée. La caserne des pompiers et la gendarmerie ont été rapidement envahies par les eaux. Le PPR devra donc être retouché. Que faire désormais des secteurs bâtis les plus affectés par la crue ? Faut-il envisager de déplacer la population des quartiers les plus menacés ?

DIREN Languedoc-Roussillon – Septembre 2002.

## Questions

**1.** Quels sont les différents moyens de prévention mis en place pour lutter contre les inondations (8, 9, 10) ?

**2.** Quel est l'intérêt du PPR (11, 12, 13) ? Que contient-il ? Quelles sont ses limites ?

Perspective BAC

# Le golfe de Saint-Tropez, un littoral aménagé pour le tourisme

## Étude de documents

Lire une photographie et réaliser la légende d'un croquis

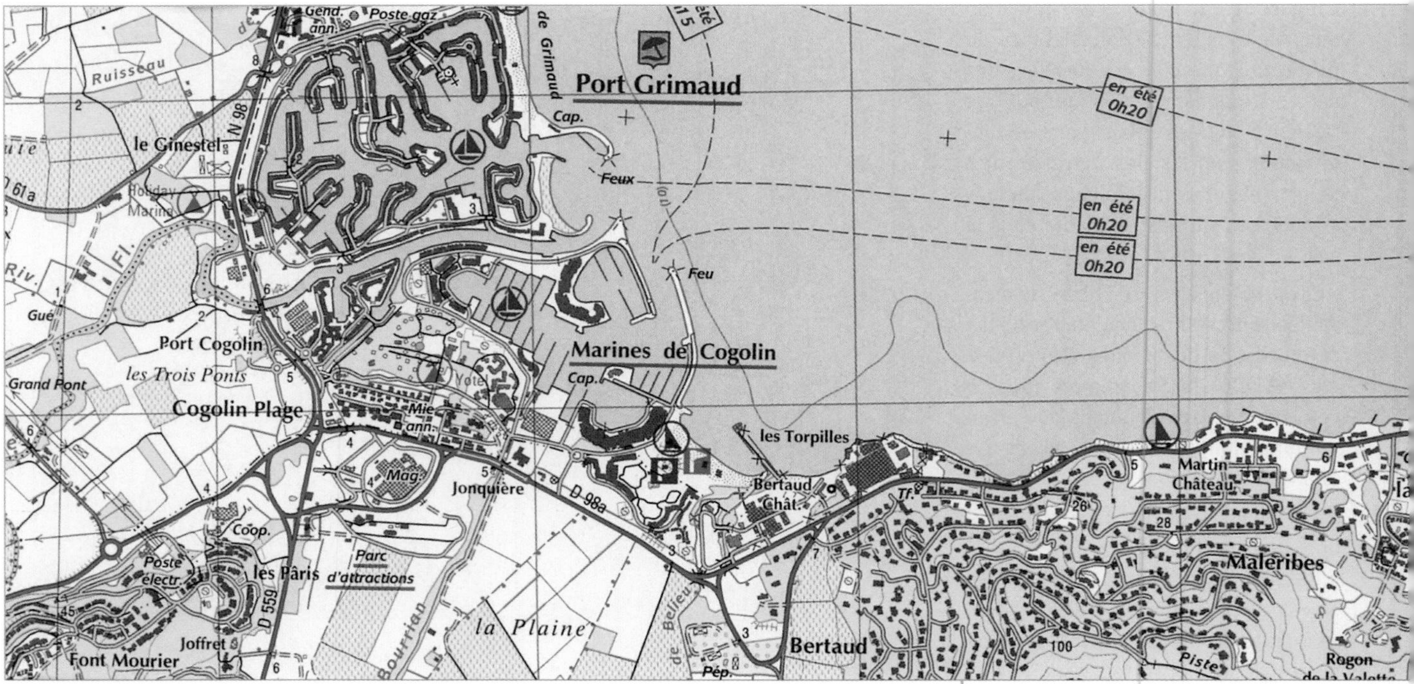


1. Extrait de la carte Saint-Tropez – Sainte-Maxime à 1/25000 (IGN – 2000)

2. La marina de Port-Grimaud et le golfe de Saint-Tropez

## Exercices

### 1. Lire la photographie

- À l'aide de la carte 1, indiquez à quel numéro porté sur la photographie 2 correspondent les éléments ci-dessous :
  - *Marines de Cogolin*
  - *Route nationale 98*
  - *Marina* de Port-Grimaud*
  - *Maleribes*
  - *Saint-Tropez*
  - *Golfe de Saint-Tropez*
  - *Port-Cogolin*
  - *Plage de Grimaud*
- Quels types d'habitat se sont développés en bordure du golfe de Saint-Tropez ?
- Décrivez l'organisation de la marina de Port-Grimaud.
- Relevez et classez tous les aménagements réalisés pour l'accueil, l'hébergement et les loisirs des touristes.

### 2. Réaliser la légende du croquis

- Reproduisez la légende du croquis 3 ; puis, à l'aide des informations fournies par la photographie 2 et la carte 1, reportez tous les figurés qui conviennent (utilisez **l'annexe 15 « Le langage cartographique »**).
- Donnez un titre aux trois rubriques de la légende ainsi qu'au croquis.

### 3. Exploiter le croquis

- Montrez comment le tourisme a transformé le littoral méditerranéen.

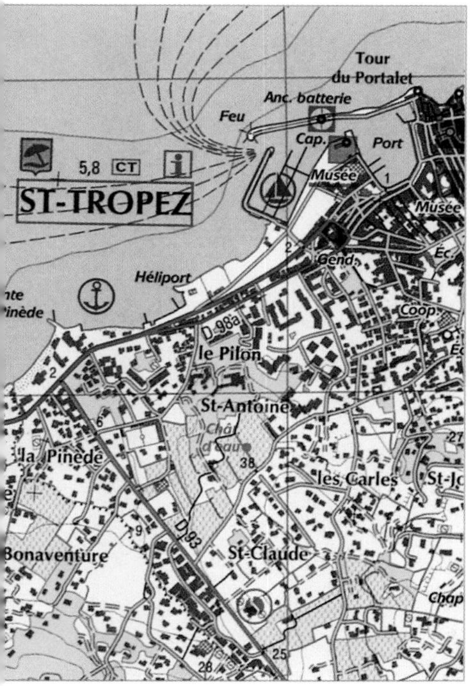


**3. Croquis :** ..........................................................

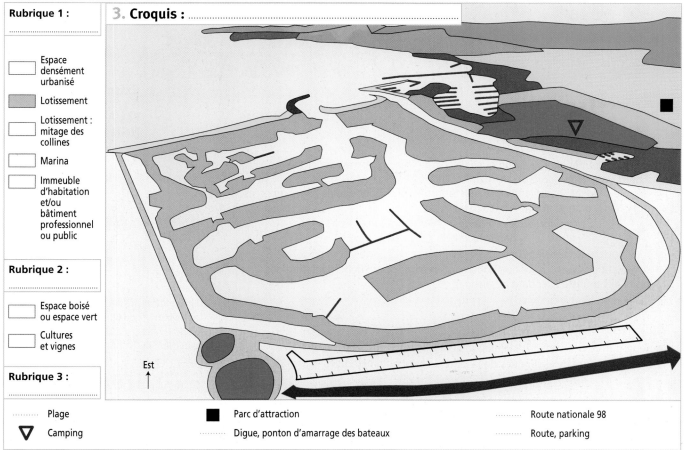

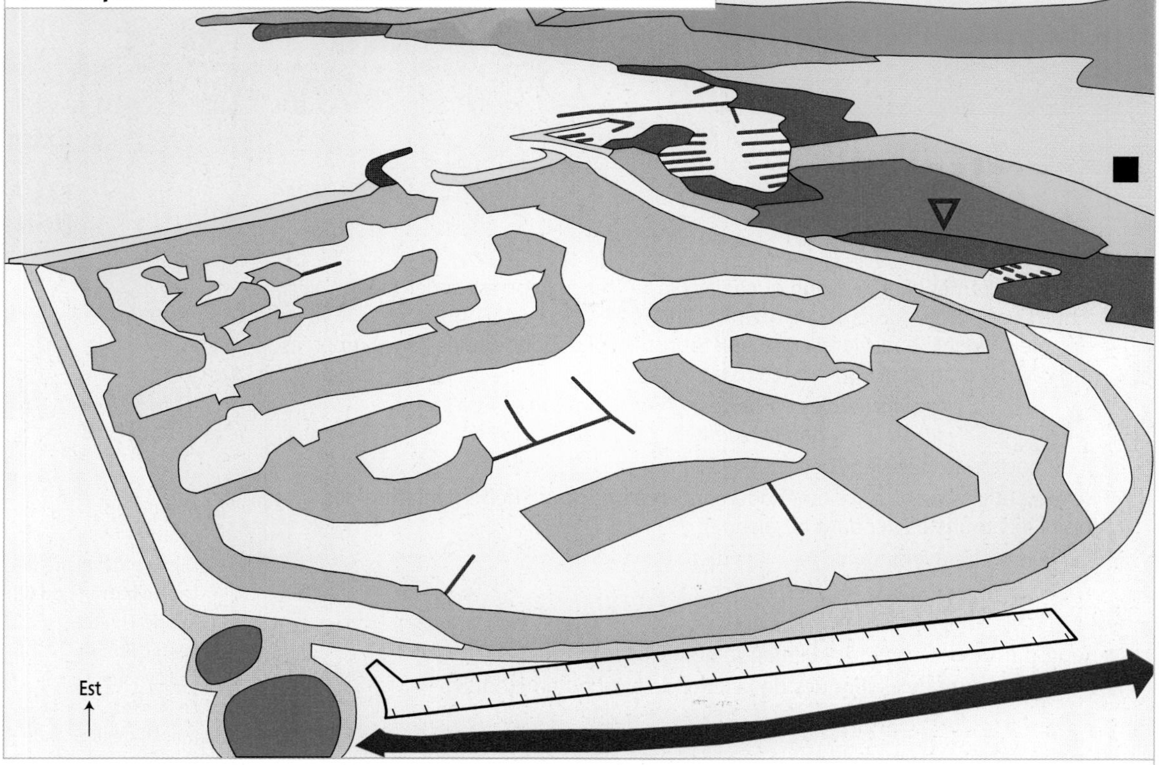


**Rubrique 1 :** ..............................

- [ ] Espace densément urbanisé
- [ ] Lotissement
- [ ] Lotissement : mitage des collines
- [ ] Marina
- [ ] Immeuble d'habitation et/ou bâtiment professionnel ou public

**Rubrique 2 :** ..............................

- [ ] Espace boisé ou espace vert
- [ ] Cultures et vignes

**Rubrique 3 :** ..............................

- ........ Plage
- ▽ Camping
- ■ Parc d'attraction
- ........ Digue, ponton d'amarrage des bateaux
- ........ Route nationale 98
- ........ Route, parking

Perspective **BAC**

# Tignes, une montagne pour les citadins

## Photographie et croquis

Lire une photographie
Réaliser la légende d'un croquis

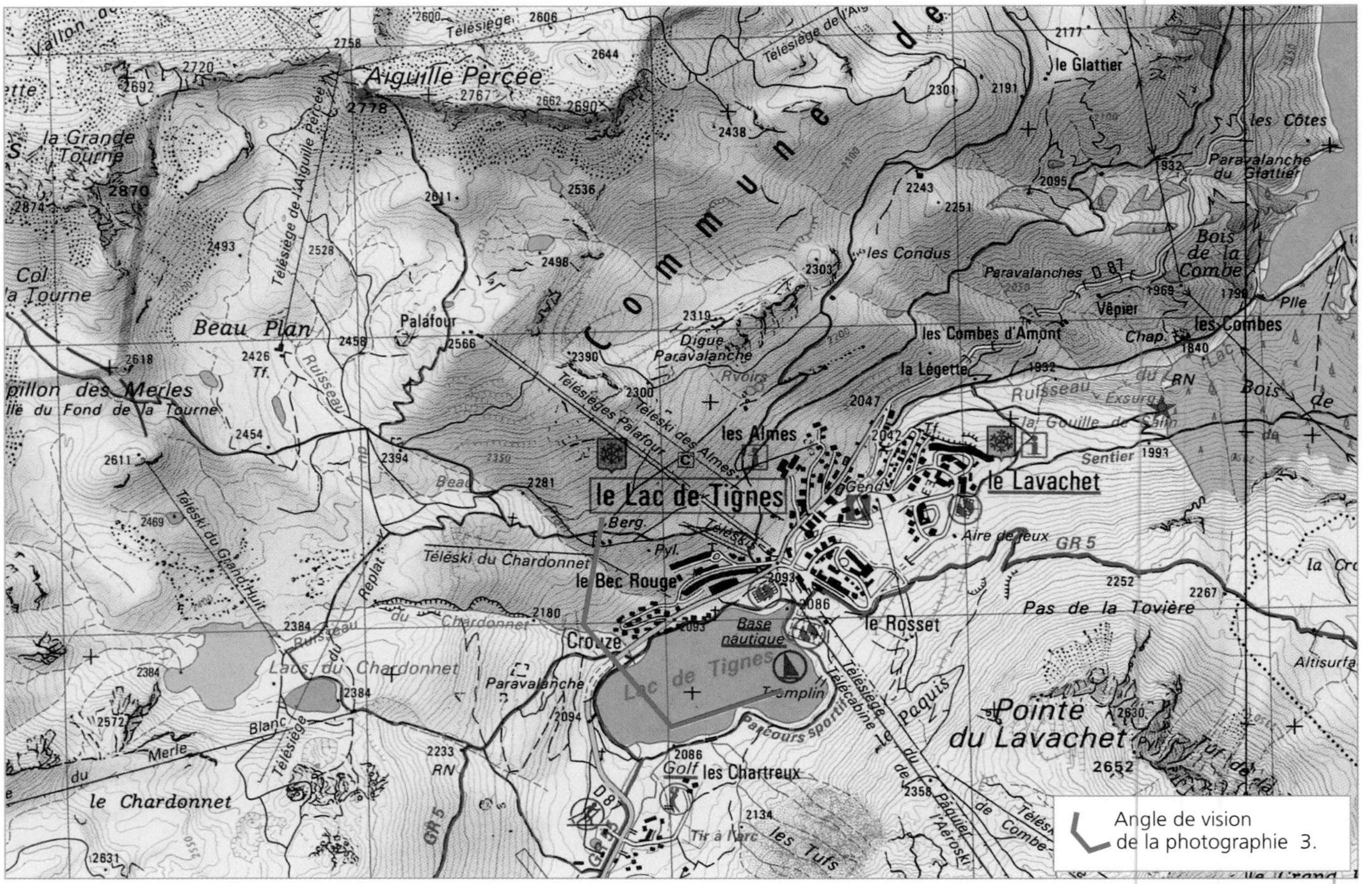

Angle de vision de la photographie 3.

**1. Extrait de la carte à 1/25 000 Les Arcs-La Plagne (IGN – 1999)**

### Exercices

#### 1. Lire la photographie

- D'après la carte 1 :
  - à quels éléments et lieux indiqués dans le tableau 2 correspondent les numéros portés sur la photographie 3 ?
  - à quels types d'habitat réservés aux touristes correspondent les zones repérées en jaune, orange et vert sur le croquis 4 :

    *gros immeubles en barres – petits immeubles isolés – habitat individuel (chalets)*
- D'où partent les télésièges et téléskis ?
- Relevez et classez tous les aménagements réalisés pour l'hébergement et les loisirs des touristes pendant la saison :
  - d'hiver (photographie 3) ? – d'été (carte 1) ?

#### 2. Réaliser la légende du croquis

- Reproduisez et complétez la légende du croquis 4.
- Donnez un titre aux rubriques de la légende ainsi qu'au croquis.

#### 3. Exploiter le croquis

- En utilisant les informations du croquis et de sa légende, justifiez l'affirmation : « Tignes, une montagne pour les citadins ».

**2. Tableau**

| | |
|---|---|
| Aire de jeux | ⑤ |
| Crouze | |
| Digue paravalanche | ① |
| Lac de barrage du Chevril | ⑪ |
| Lac de Tignes | |
| Le Bec Rouge | |
| Le Lavachet | |
| Le Rosset | |
| Massif de la Grande Sassière | ⑦ |
| Parkings | |
| Route | |
| Télésièges/ téléskis | |

## 3. Le Lac de Tignes (Savoie)

Au fond, le lac de barrage du Chevril et les Aiguilles de la Grande Sassière (3 747m).

## 4. Croquis : ....................................................................................................

1 : ....................................
....................................

[ ] ....................................
....................................

[ ] ....................................
....................................

[ ] ....................................
....................................

2 : ....................................
....................................

............ Domaine skiable

[ ] ....................................

[ ] ....................................

[ ] ....................................

............ Route

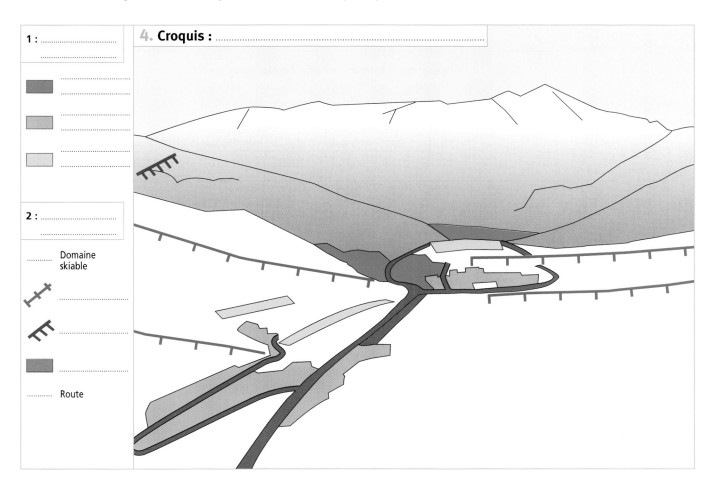

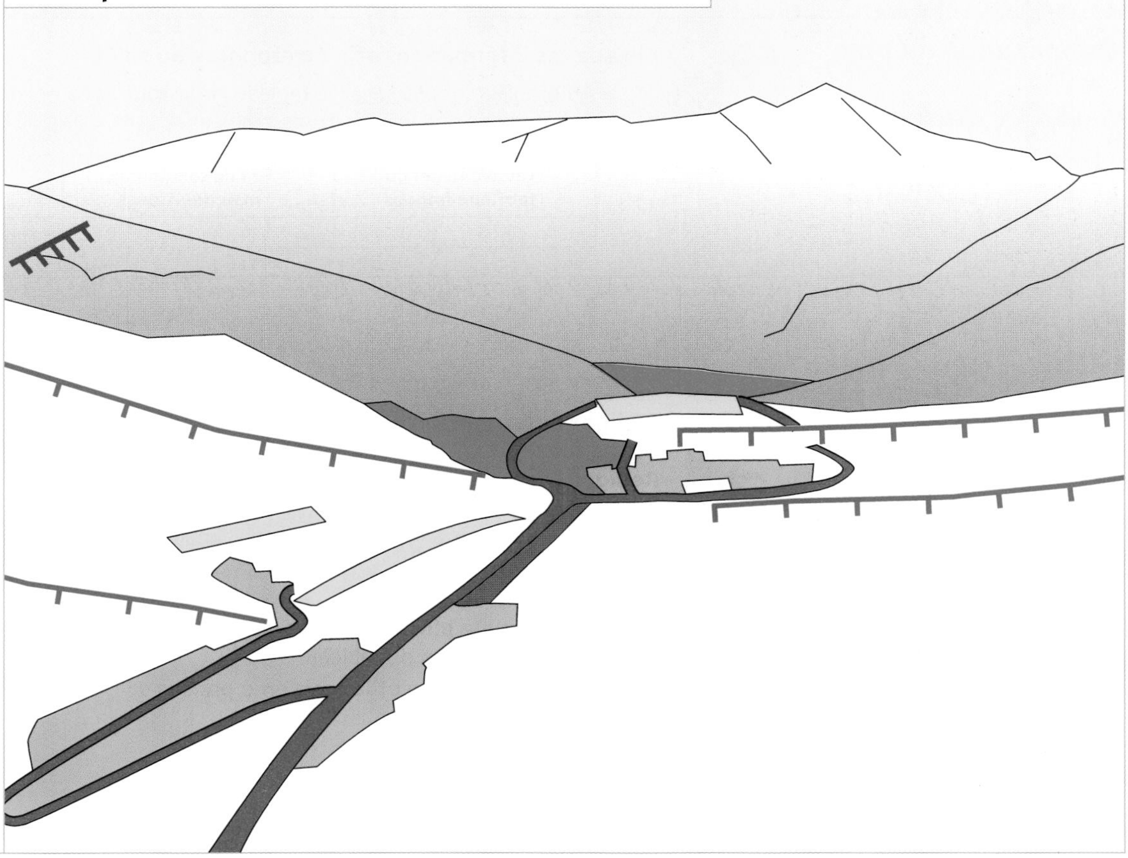

Perspective BAC

# Aptitudes et contraintes du territoire français

**Composition et croquis** — Organiser le plan, rédiger la composition et réaliser un croquis

## Travail sur le sujet

## Application (Méthode page 44)

**Analyse du sujet** →

| Aptitudes | et contraintes du territoire français |
|---|---|
| *Les atouts, les avantages du territoire* | *Les obstacles, les limites à la mise en valeur du territoire* |

**Problématique du sujet** →

**L'analyse du sujet induit les questions suivantes :**

- Quels éléments constitutifs du territoire français facilitent son occupation et son aménagement par les hommes ?
- Des éléments naturels peuvent-ils contrarier sa mise en valeur ?

**Mobilisation des connaissances** →

**En fonction de la problématique, rassemblez les informations suivantes :**

- Superficie de la France, position en Europe (Leçon p.170)
- Variété des climats et des reliefs ; les plaines, les vallées, la montagne et le littoral : des ressources (Leçon p. 172, Dossier p.178 et Perspective Bac p.186-189)
- Les contraintes : espaces « fermés » (montagnes), des aléas, des risques (Leçon p. 174, Cartes Enjeux p. 168-169 et Dossier p.182)
- Des espaces et des paysages naturels à ménager (Leçon p. 176)

**Organisation du plan** →

**Classez ces informations afin de répondre au sujet.**

- Au brouillon, reproduisez le tableau ci-dessous et complétez-le à l'aide des informations que vous avez rassemblées.

| Les avantages du territoire français | Peu de contraintes, mais des risques | Un territoire à ménager |
|---|---|---|
| | | |

## Rédaction de la composition

## Application

**Introduction** → **Rédigez l'introduction** en utilisant **l'analyse et la problématique du sujet**.

**Développement** → **Rédigez la composition en l'organisant en trois parties** (utilisez les informations regroupées dans le tableau ci-dessus).

*Partie 1* →

**La première phrase doit donner le ton de la première partie**

Exemple : *En Europe, la France, par sa situation et ses milieux naturels possède un territoire privilégié.*

Rédigez ensuite **plusieurs paragraphes** abordant chacun des points relevés dans la première colonne du tableau.

*Parties 2 et 3* → **Rédigez la seconde et la troisième parties sur le même modèle.**

**Conclusion** → **Rédigez la conclusion.**

## 1. Croquis : ..............................................................................

**1.** ...................................

- Plaines et plateaux : potentiel agricole élevé
- Montagnes : espaces contraignants
- Domaine méditerranéen : espace attractif

**2.** ...................................

Grande vallée canalisant la circulation
- ⊕ importantes
- ⊖
- Seuil
- Littoral ouvert sur l'espace maritime mondial
- Estuaire

**3.** ...................................

- Cols principaux
- Tunnel
- Littoral balnéaire
- Stations de sports d'hiver

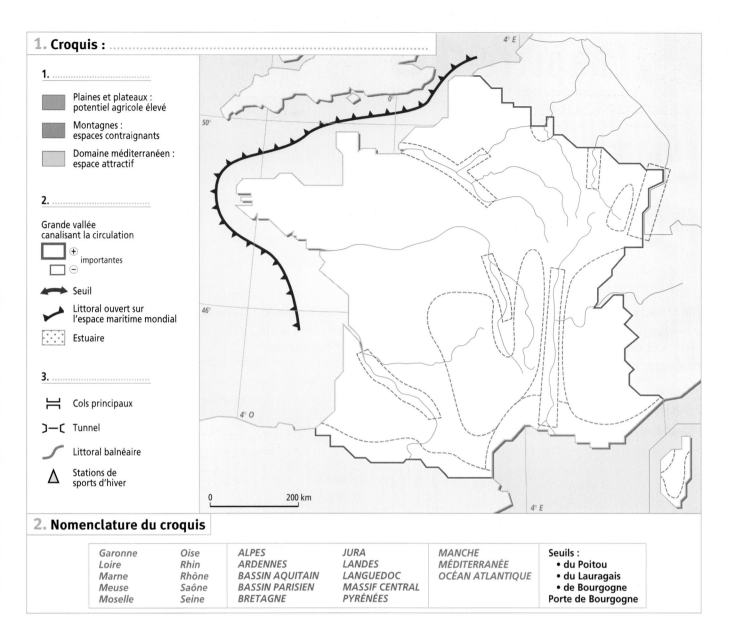

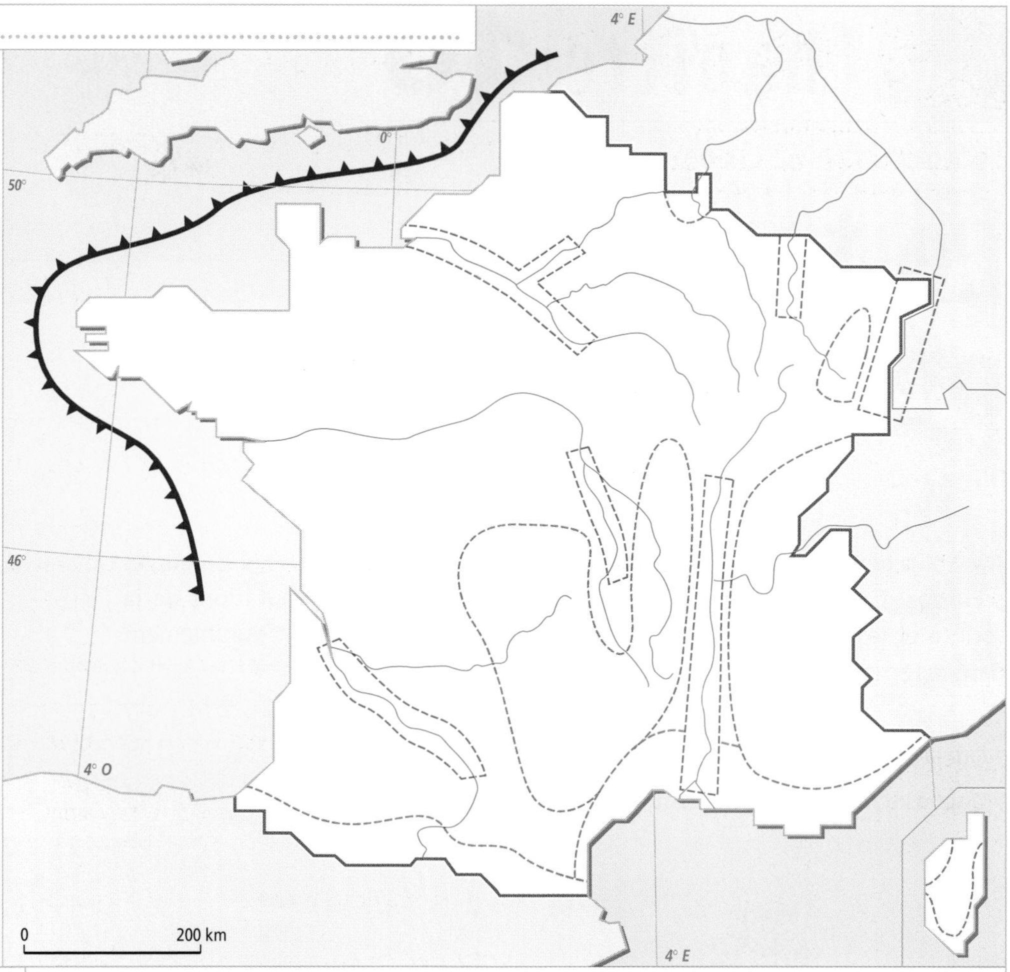


## 2. Nomenclature du croquis

| | | | | | |
|---|---|---|---|---|---|
| *Garonne* | *Oise* | *ALPES* | *JURA* | *MANCHE* | **Seuils :** |
| *Loire* | *Rhin* | *ARDENNES* | *LANDES* | *MÉDITERRANÉE* | **• du Poitou** |
| *Marne* | *Rhône* | *BASSIN AQUITAIN* | *LANGUEDOC* | *OCÉAN ATLANTIQUE* | **• du Lauragais** |
| *Meuse* | *Saône* | *BASSIN PARISIEN* | *MASSIF CENTRAL* | | **• de Bourgogne** |
| *Moselle* | *Seine* | *BRETAGNE* | *PYRÉNÉES* | | **Porte de Bourgogne** |

# Réalisation du croquis

# Application

## Choix des informations →

- Dans la légende du croquis 1, relevez les figurés qui informent sur : les atouts du territoire français ; ses contraintes ; ses aménagements.
- À l'aide des informations de la rubrique 3 de la légende, montrez que les contraintes sont toujours relatives.

## Organisation de la légende →

- Reproduisez le croquis et sa légende. Reportez les titres qui conviennent aux trois rubriques de la légende : *Les grands domaines « naturels », Un territoire aménagé, Un territoire ouvert sur l'Europe et le monde.*

## Choix des figurés →

- Les figurés de la légende répondent-ils aux règles du langage cartographique (utilisez l'**annexe 15**) ?

## Réalisation du croquis →

- Réalisez le croquis en vous aidant des traits pointillés (utilisez les Cartes Enjeux p. 168-169).
- Reportez la nomenclature du document 2 (utilisez les **cartes annexes 8 et 9**).
- Donnez un titre au croquis.

# Chapitre 10

# Le territoire peuplé

Avec plus de 61 millions d'habitants, la France est l'un des pays les plus peuplés d'Europe. Cette population est majoritairement urbaine. Les mutations de la société et les dynamiques spatiales de la population s'inscrivent durablement dans le territoire.

**Quels sont les caractères de la démographie de la France ?**

**Quelles dynamiques affectent les espaces urbains et ruraux ?**

**Dijon, capitale de la Bourgogne.** L'essor de Dijon s'explique par sa position de carrefour routier et ferroviaire. Aujourd'hui, la ville compte un peu plus de 150 000 habitants et son centre historique autour de 15 000. En revanche, l'aire urbaine dijonnaise est forte de plus de 300 000 habitants. L'urbanisation a gagné plusieurs villages situés à l'Ouest. Mais là, le plateau bourguignon constitue un obstacle à l'extension de la ville. À L'Est, la plaine offre les vastes espaces propices à la progression du front d'urbanisation. La périphérie rassemble les fonctions résidentielle, commerciale, industrielle, récréative...

Centre historique
1 Centre commercial
2 Gare
3 Université
4 Hôpital, faculté de médecine
5 Zone d'activités ou industrielle
6 Vignoble
7 Port fluvial
Plaine de la Saône
Saint-Apollinaire
Quetigny
Canal de Bourgogne
A 311
A 39
Sennecey

Cartes Enjeux

# La population de la France : quelles dynamiques spatiales ?

## 1. Quelle distribution des hommes sur le territoire français ?

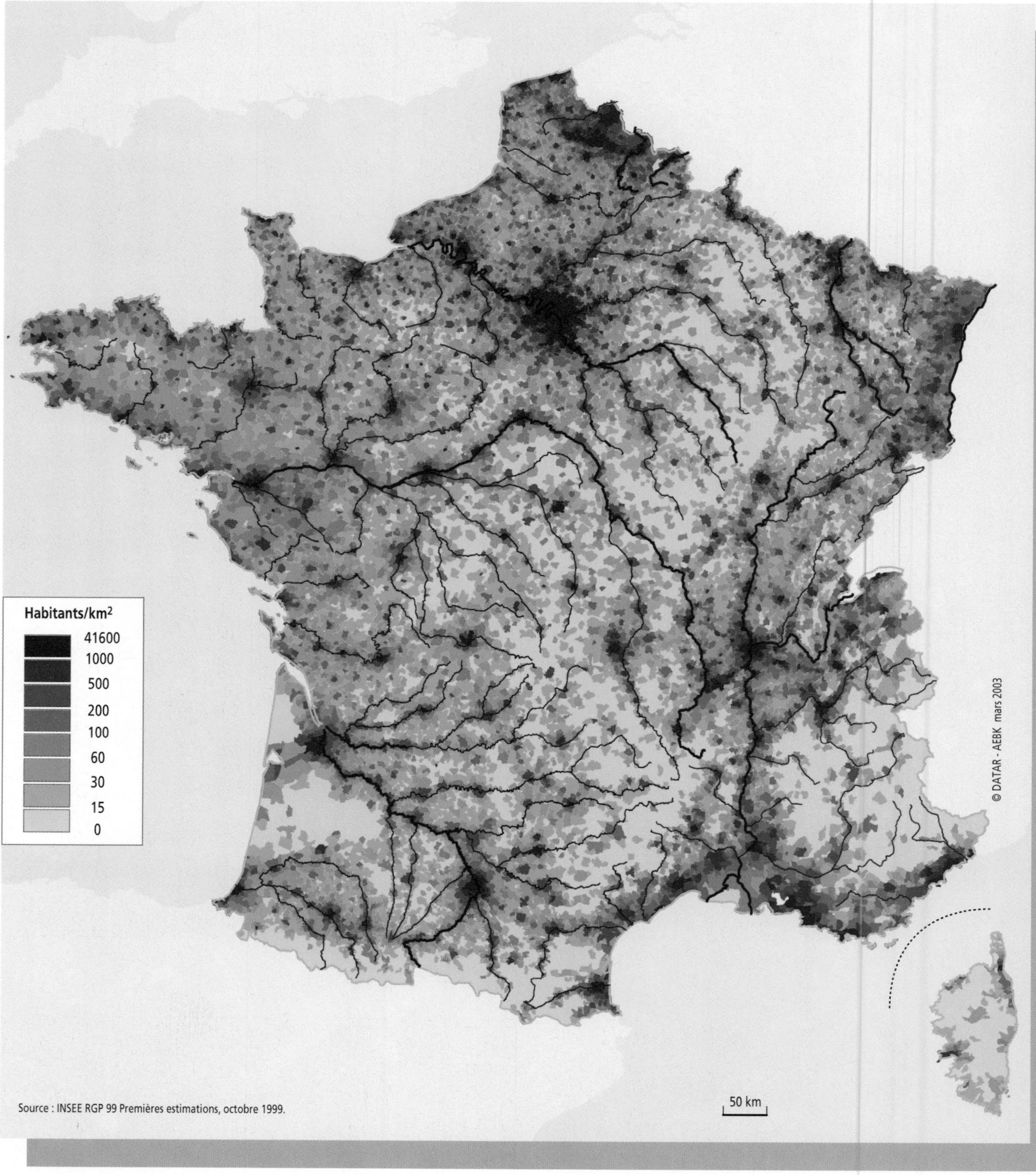

## 2. Les Français vivent essentiellement en ville

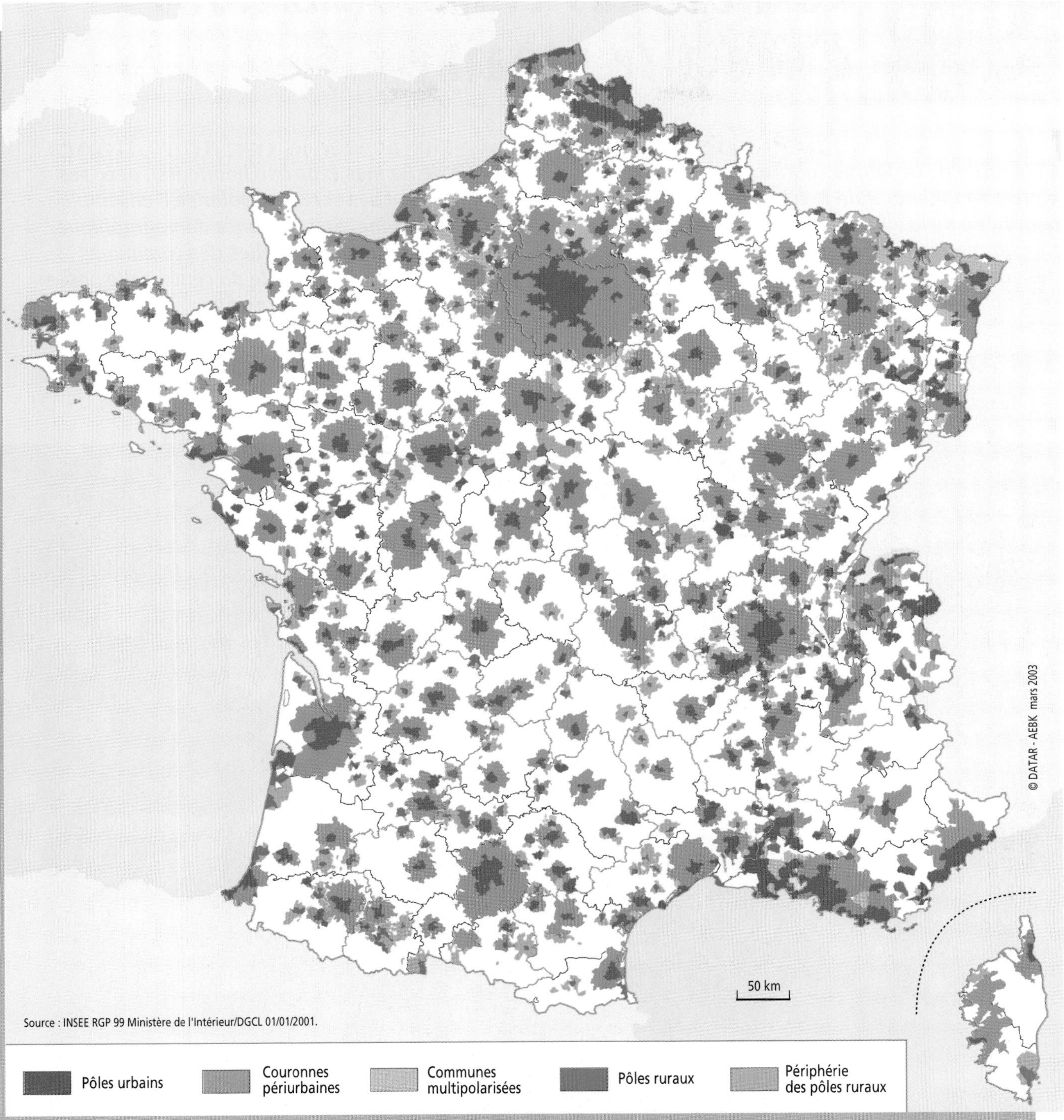

**Questions**

- Décrivez les contrastes dans la distribution spatiale de la population sur le territoire de la France **(carte 1)**.
- Où se trouvent les plus fortes concentrations de population ? et les espaces à dominante rurale **(cartes 1 et 2)** ?
- Où sont situées les aires urbaines les plus importantes **(carte 2)** ?

# Étude de cas

# Rennes : les transformations d'une aire urbaine

*L'aire urbaine de Rennes abrite plus de 520 000 habitants. Tout le territoire situé à la périphérie de la ville connaît d'importantes transformations. L'extension de l'habitat, des zones commerciales ou d'activités, crée un nouveau paysage urbain.*

*La ville de Rennes (200 000 habitants), avec ses commerces et ses services, polarise l'ensemble de l'aire urbaine. Sa croissance démographique est moins soutenue que celles des communes périurbaines. La reconquête du centre-ville passe par de multiples aménagements.*

## 1 ■ Aux portes de Rennes, les nouveaux « habits » de la ville

La ville est sortie de ses limites traditionnelles et déborde sur la campagne environnante.

**1. Rennes (photographie IGN – 2001)**

## Questions

**1.** Comparez la population des communes en 1970 et en 1998 (sur les cartes, les valeurs sont indiquées en milliers sous le nom de la commune) **(2, 3)**.

**2.** Décrivez les types d'habitats qui se sont développés autour de Rennes entre 1970 et 2001 **(1, 2, 3)**.

**3.** Quelles sont les activités implantées sur les franges de la ville **(1, 2, 3)** ?

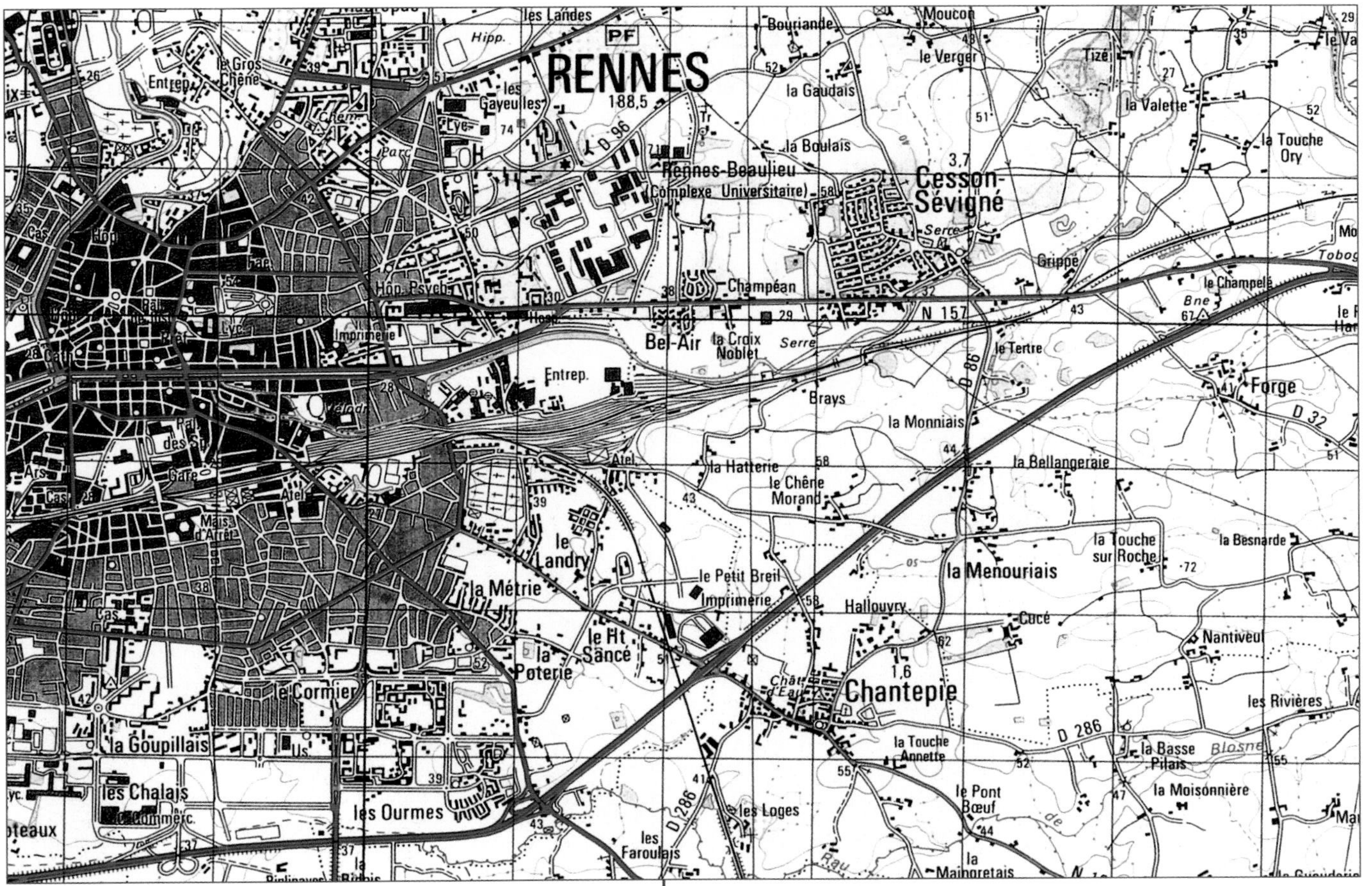


2. **Rennes : extrait de la carte IGN à 1/50 000 (1970)**

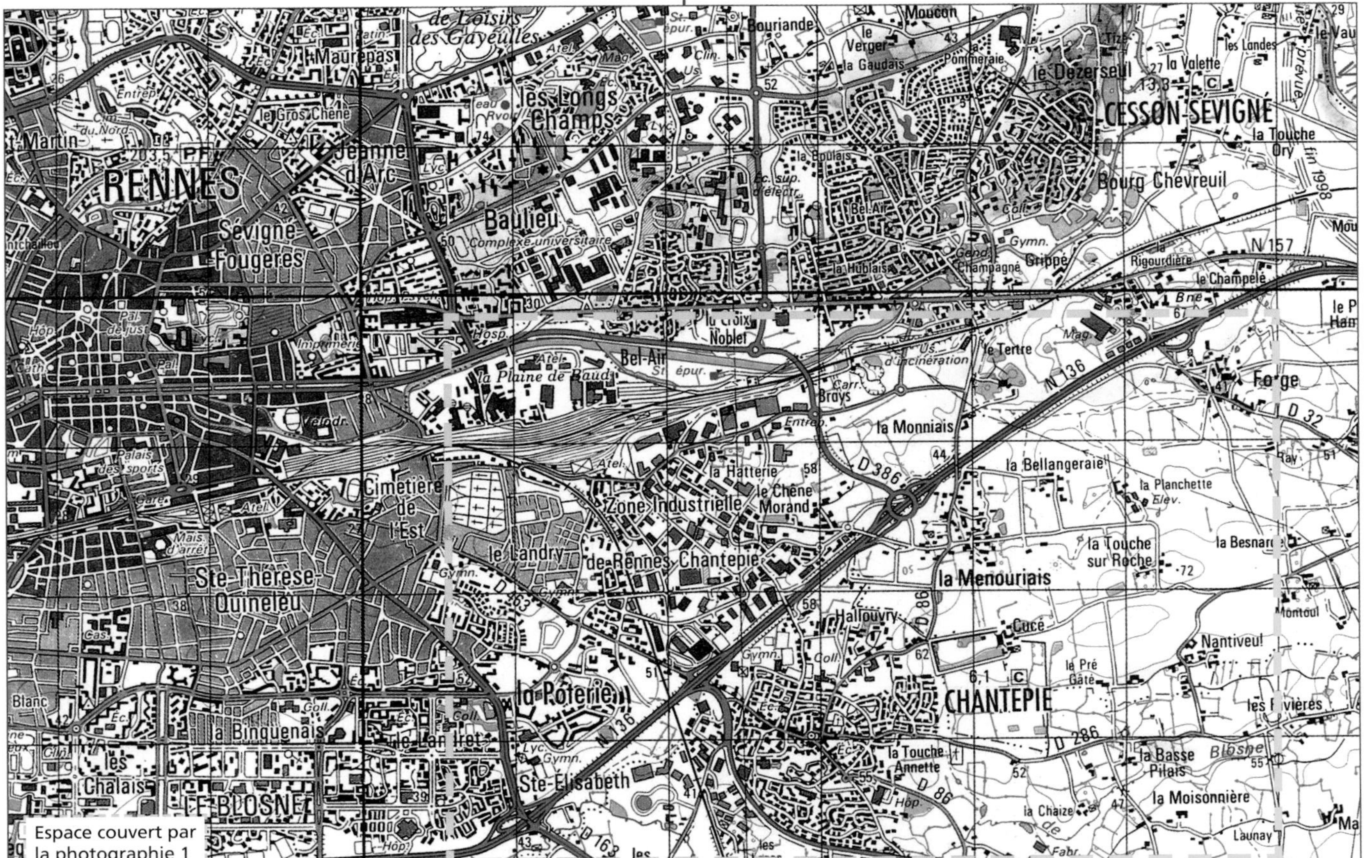


3. **Rennes : extrait de la carte IGN à 1/50 000 (1998)**

# 2 ■ Rennes : une renaissance du centre ?

Des opérations de rénovation et d'amélioration des moyens de déplacements, réalisés ou en projet, ont pour but de revitaliser l'espace central de l'aire urbaine de Rennes.

### 4. Aire urbaine : densité de population (1999)

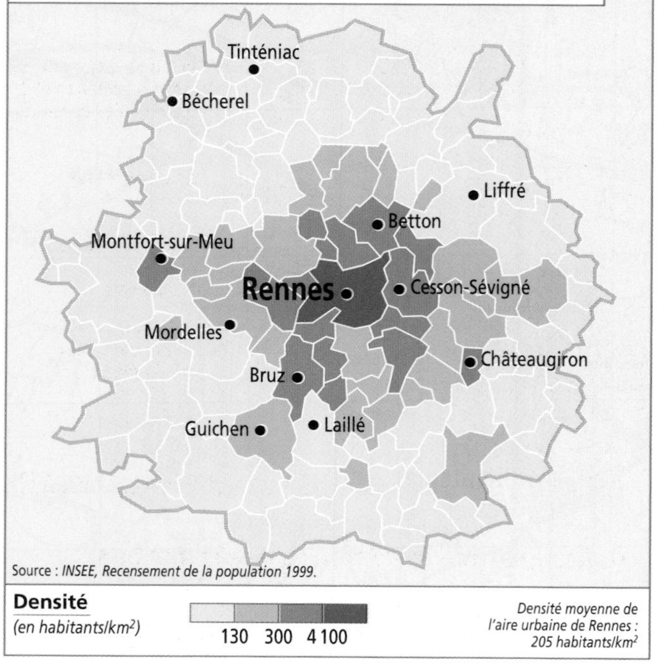


### 5. Aire urbaine : solde migratoire (1990-1999)

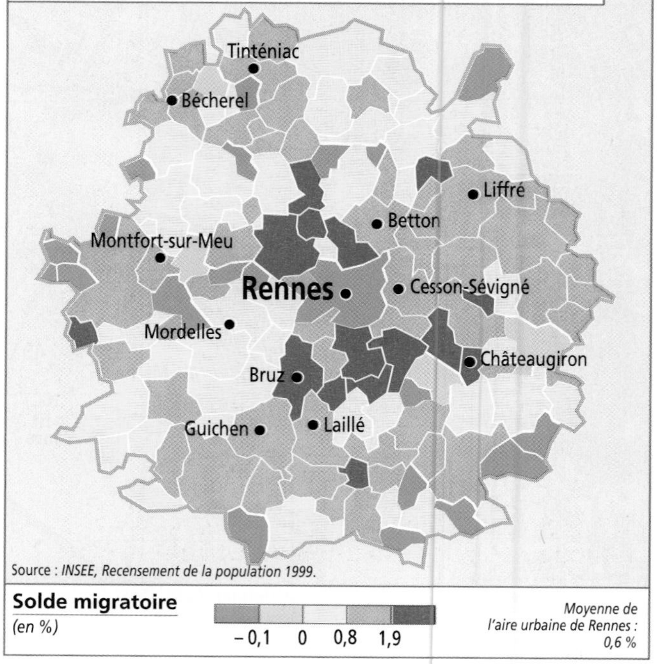


### 6. Rendre le centre encore plus attractif

Le nouveau métro, station Sainte-Anne.

### 7. Le métro de Rennes

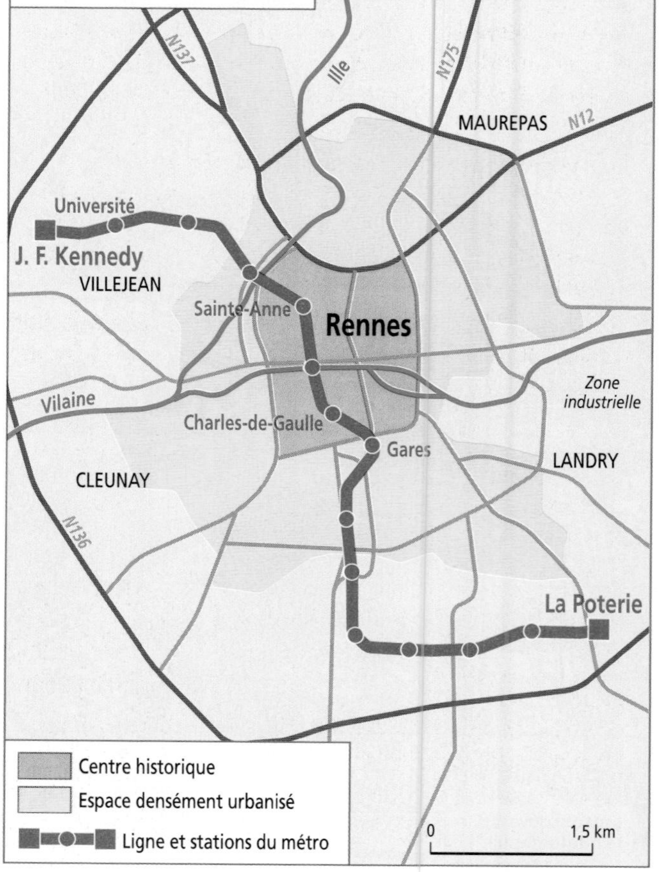

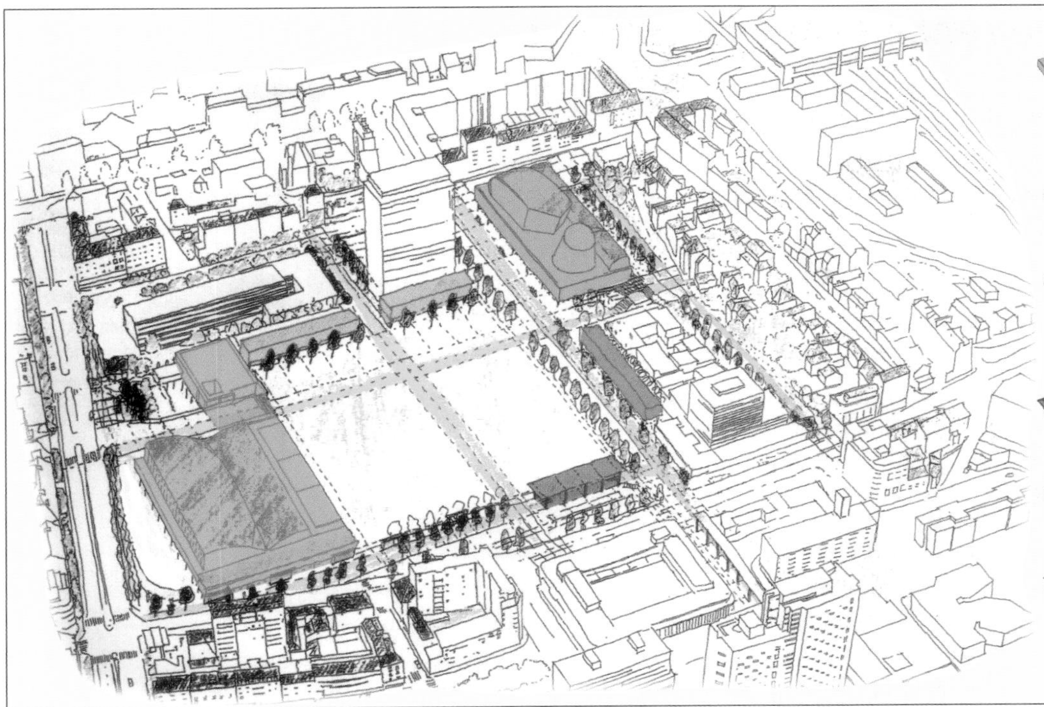


Source : *Le Rennais* - novembre 2001.

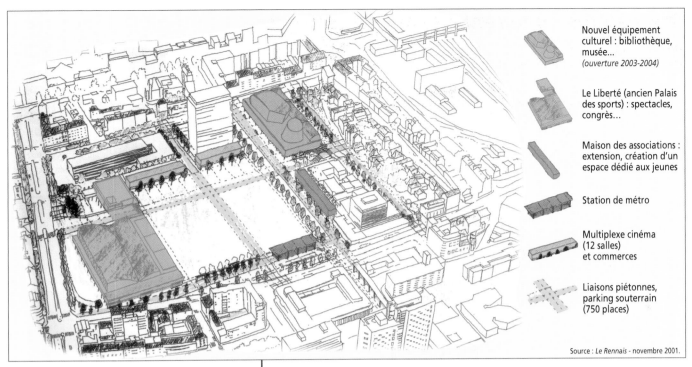

## 8. Projet d'aménagement du centre : future esplanade Charles-de-Gaulle

## 9. Rennes a son métro

Depuis le lancement du métro en mars, Rennes a changé. Les places desservies par des stations attirent à nouveau les promeneurs. Les terrasses des cafés ont pris leurs aises place Sainte-Anne, l'un des carrefours du centre historique étouffé pendant des années par les travaux. Pour les Rennais, « le métro a embelli la ville ».

Les profondeurs de Rennes sont métamorphosées. La ligne du VAL (véhicule automatique léger), de 9 kilomètres, relie le Nord-Ouest au Sud-Est en seize minutes et dessert des points névralgiques : les deux grandes cités HLM, une université, l'hôpital, la gare et tout le Sud auparavant enclavé.

Les commerces, en particulier les restaurants, découvrent une nouvelle clientèle. Une deuxième ligne, qui ne devrait voir le jour qu'autour de 2010, est dans les cartons.

G. Dupont, *Le Monde* – 4 juillet 2002.

## 10. Les quais de la Vilaine réservés aux bus

Couverture du magazine *Le Rennais* – Février 2000.

## Questions

**1.** Décrivez la répartition et l'évolution de la population des communes de l'aire urbaine de Rennes **(4, 5)**.

**2.** À Rennes, quels sont les aménagements réalisés ou en projet **(6, 7, 8, 9, 10)** ?

**3.** Quels en sont les objectifs ?

## Synthèse et prolongements de l'ÉTUDE DE CAS

D'après le cas de Rennes :

- Comment se redistribuent les hommes et les activités dans les espaces urbanisés ?
- Dans l'espace périurbain, le paysage est-il rural ou urbain ?
- Quels sont les atouts du centre des villes ? Quels aménagements peuvent en améliorer l'attrait ?

# 1 Le peuplement du territoire

## Mots-clés

**Densité de population :** nombre d'habitants par km².

**Dépeuplement :** il apparaît lorsque l'émigration est supérieure à l'immigration. Quand une région perd des habitants par un excédent des décès sur les naissances, on parle de **dépopulation.**

* voir Lexique

## 1. La France, pays sous-peuplé ?

• **Par rapport aux autres pays d'Europe occidentale,** la France, avec une **densité de population** de **108 habitants/km²**, fait depuis longtemps figure de **« désert relatif »**. Les densités moyennes de population allemandes ou anglaises sont plus de deux fois supérieures, les densités belges et néerlandaises plus de trois et quatre fois.

• **L'essentiel de la population française se concentre sur quelques lieux.** Plus de 40 % des habitants occupe 1/100ᵉ du territoire, tandis qu'une très grande partie du pays demeure peu peuplée : 10 % des habitants sont sur 2/3 de la superficie.

• **Jusqu'au XIXᵉ siècle, le peuplement fut plus dispersé** et plus homogène qu'aujourd'hui. Depuis, les contrastes se sont accusés. Les migrations internes ont été le facteur fondamental du changement **(2)**.

• **L'Île-de-France** (sa population a été multipliée par 8 en deux siècles, celle des départements de la petite couronne parisienne par 50), et plus modestement **les régions industrielles de l'Est et du Nord** (région lyonnaise, Alsace, Nord-Pas-de-Calais) ont longtemps été les principales bénéficiaires de ce mouvement de concentration, au détriment des régions du centre et de l'Ouest. Après la Seconde Guerre mondiale, la reprise démographique, la modification des données économiques et des formes de l'urbanisation, ont davantage équilibré la répartition de la population **(1)**.

## 2. Quelques grands foyers de peuplement

• **Près de deux Français sur dix résident dans l'aire urbaine* de Paris**, centre de gravité économique et politique du pays, mais aussi cœur de son peuplement. Aux côtés de cette métropole de rang mondial, il n'y a **pas de place pour d'autres grandes agglomérations** : celles de **Lyon**, de **Marseille**, de **Lille** ne comptent que 1 à 1,5 million d'habitants.

• **Les foyers secondaires** de fortes densités sont périphériques. Ce sont :
– les **bassins industriels** et **urbains** du Nord-Pas-de-Calais (445 habitants/km² dans le département du Nord), de Lorraine, de l'Alsace ou de la région Rhône-Alpes ;
– les **littoraux** de la Méditerranée, de l'Atlantique et de la Manche ;
– les **grandes vallées**, le sillon de la Saône et du Rhône, les moyennes et basses vallées de la Garonne, de la Loire et de la Seine.

• **Ailleurs, les concentrations ne sont que ponctuelles**, associées aux **aires urbanisées** des métropoles régionales : Nancy-Metz, Grenoble, Toulouse, Clermont-Ferrand, Rennes…

## 3. Une « France du vide » ?

• Dans une **large diagonale**, qui s'étend quasiment sans interruption des Ardennes et des Vosges jusqu'au littoral languedocien, les **densités sont faibles, inférieures à 50 habitants/km²** (2). On peut y associer les **zones de montagne** alpine, jurassienne ou pyrénéenne, les Landes et les franges orientales du Bassin parisien.

• Cette **« France du vide »**, **dépeuplée**, est composée de **territoires à dominante rurale et agricole**, constellés de villes petites ou moyennes, souvent peu dynamiques. Parcs naturels, **tourisme vert***, résidences secondaires peuvent localement et saisonnièrement contribuer à les densifier quelque peu. Malgré tout, l'essentiel du basculement estival des densités concerne les grandes zones touristiques littorales.

**Carte Enjeux**
**Europe : quelle répartition spatiale de la population ?**
*(pages 14-15)*

**Cartes Enjeux**
**La population de la France : quelles dynamiques spatiales ?**
*(pages 194-195)*

**Perspective Bac**
**Répartition et évolution spatiale de la population française**
*(pages 216-217)*

**Cartes Enjeux**
**Un monde d'urbains**
*(pages 106-107)*

**Dossier**
**En Auvergne, quel avenir pour l'espace rural ?**
*(pages 208-211)*

## 1. Variation de la population communale entre 1990 et 1999

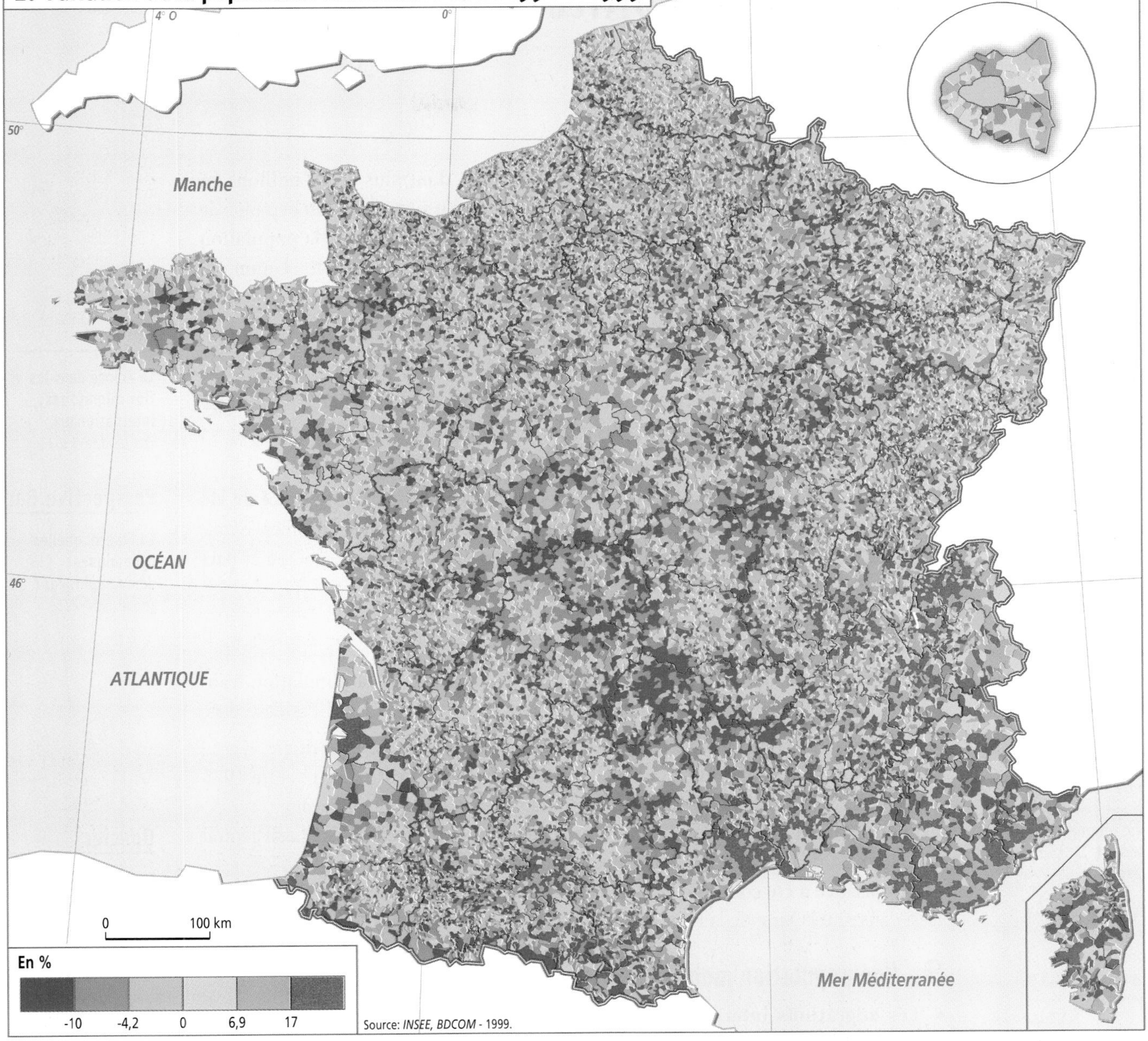


Source: *INSEE, BDCOM* - 1999.

## 2. Évolution de la densité de population

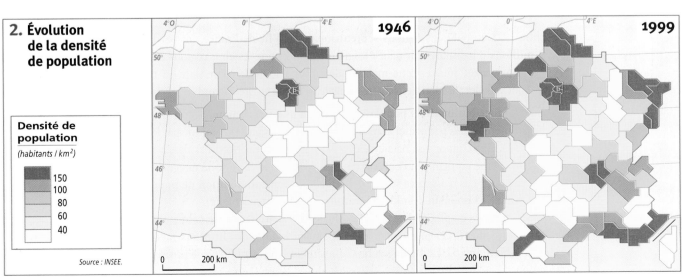

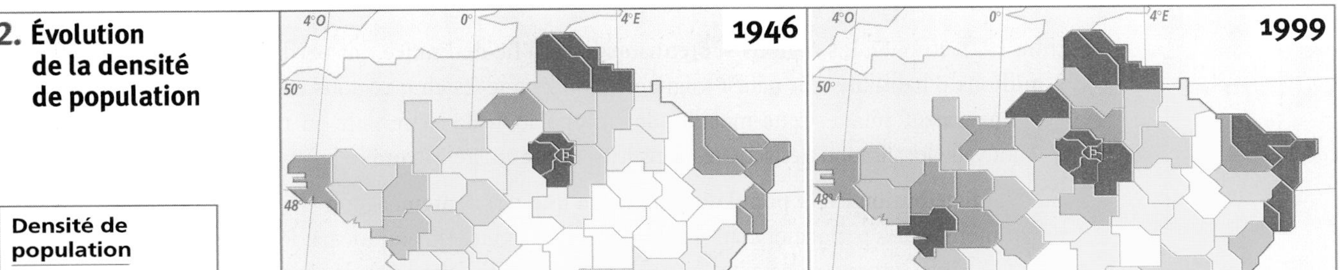


Source : *INSEE.*

# 2 Croissance et mobilité de la population

## 1. Un « baby-boom » français ?

• **Plus de 60 millions d'habitants résident en France, dont plus de 59 millions en métropole.** Depuis le recensement de 1990, la population a augmenté d'un peu plus de 2 millions de personnes. Si la population française correspond à **1 % de la population mondiale**, 1 Européen sur 6 est français. **La France occupe le 2e rang de l'Union européenne** après l'Allemagne, légèrement devant le Royaume-Uni.

• La France enregistre **un des soldes naturels les plus élevés d'Europe** (3). En revanche, elle a l'**excédent migratoire** le plus faible de l'Union européenne.

• **Depuis 1993, les naissances sont en hausse régulière** et le nombre d'enfants par femme est remonté à 1,9. Ce **mini baby-boom** se produit alors que l'Italie, l'Espagne, l'Allemagne et la Russie connaissent une sous-natalité.

• **Mais, dans le même temps, la population vieillit.** Depuis 1950, **l'espérance de vie** s'est allongée de douze ans pour les hommes et de quatorze ans pour les femmes. Néanmoins, la France, après l'Irlande, reste l'un des pays de l'Union européenne où la **part des moins de vingt ans est la plus forte** (25 %).

## 2. Un dynamisme régional inégal

• **Quatre régions concentrent désormais près de la moitié de la population française :** l'Île-de-France, Rhône-Alpes, Provence-Alpes-Côte-d'Azur et Nord-Pas-de-Calais.

• Plusieurs dynamiques marquent la redistribution des hommes sur le territoire :
– **le mouvement de concentration sur la région parisienne s'est ralenti :** entre 1975 et 1999, sa croissance a même été légèrement inférieure à la moyenne française ;
– **la population a diminué ou a connu une tendance à la baisse** dans le Massif central et le Nord-Est de la France : Bourgogne, Champagne-Ardenne, Lorraine ;
– **la croissance a été continue et forte** dans le Sud (Midi-Pyrénées) et le Sud-Est, mais aussi dans tout l'Ouest de la France.

## 3. Une population mobile

• **Les migrations internes tendent à faire glisser la population du Nord vers le Sud** (6). Les régions les plus attractives forment un **croissant périphérique** qui court de la Bretagne à l'Alsace en passant les Midis.

• Entre 1975 et 1999, **les régions septentrionales et l'Île-de-France ont perdu près de 2 millions d'habitants** par déficit migratoire, tandis que les **cinq régions méridionales** en gagnaient autant. Cette mobilité de la population doit être mise en relation avec la nouvelle localisation des activités dans le territoire et l'**héliotropisme**.

• **Mais la distribution de la population n'évolue que très lentement.** En effet, l'impact de la mobilité des populations sur le peuplement est limité ou contrarié par le **solde naturel** (4). Ainsi, grâce à sa natalité élevée, la population du Nord-Pas-de-Calais s'est lentement accrue en dépit du contexte de crise industrielle et de forte émigration. Par contre, le déficit des naissances sur les décès a entraîné une **diminution de population en Auvergne et Limousin**, à **solde migratoire** pourtant excédentaire.

• À un niveau géographique inférieur, **l'évolution du peuplement se calque sur celle des aires urbaines***. Les plus dynamiques se situent **le long des littoraux méditerranéen et atlantique** (5). Là, les migrations compensent largement un solde naturel en diminution.

## Mots-clés

**Baby-boom :** forte augmentation de la natalité.

**Espérance de vie :** nombre moyen d'années vécues par une génération d'individus.

**Héliotropisme :** attirance vers les régions ensoleillées.

**Migrations internes, ou mobilité interne :** déplacement de la population à l'intérieur du territoire.

**Solde migratoire :** différence entre les arrivées et les départs. Lorsque les entrées sont supérieures aux sorties, on parle d'**excédent migratoire.**

**Solde naturel :** différence entre le nombre des naissances et celui des décès.

* voir Lexique


**Leçon**

**La France dans les flux migratoires internationaux**
*(pages 132-133)*

**Perspective Bac**

**La France, quelles dynamiques démographiques ?**
*(pages 214-215)*

**Dossier**

**En Auvergne, quel avenir pour l'espace rural ?**
*(pages 208-211)*

**Perspective Bac**

**Répartition et évolution spatiale de la population française**
*(pages 216-217)*

## 3. L'UE : de forts contrastes démographiques

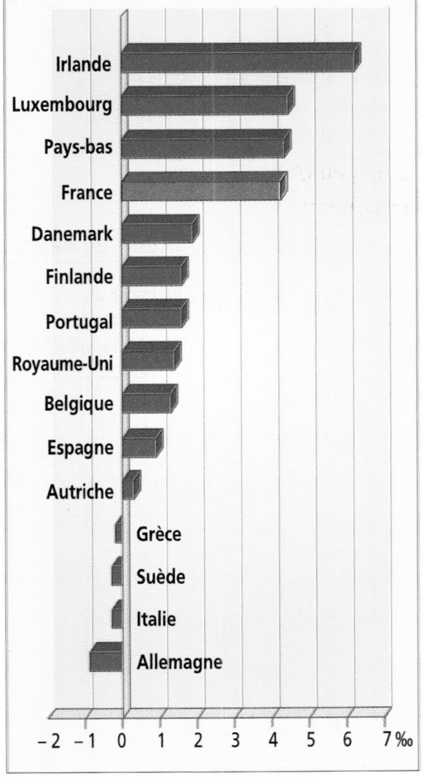


## 4. Variation de la population due au solde naturel entre 1990 et 1999

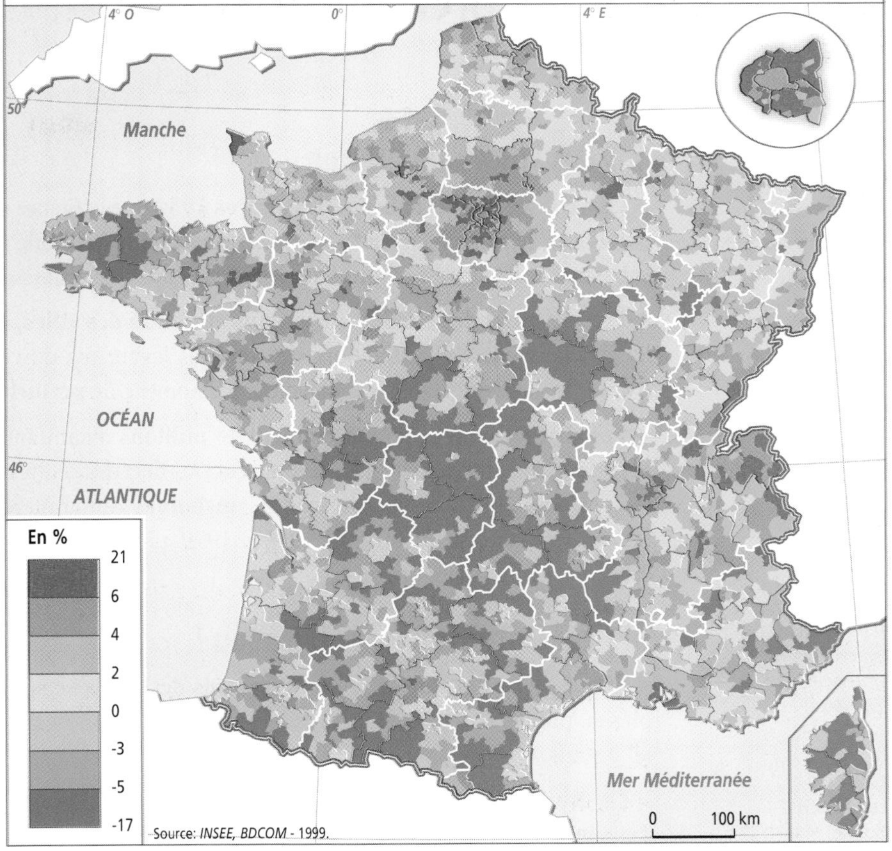


## 5. Concentrations littorales

De 1990 à 1999, la population du Pays basque a continué de s'accroître. Les naissances équilibrant à peine les décès, cette progression est due essentiellement à des personnes venues du reste de la France : des retraités, mais surtout des cadres et des techniciens changeant d'emplois et leurs familles.

La côte basque vit une urbanisation croissante autour des agglomérations. De plus, elle subit un attrait pour le littoral. Ces deux mouvements ont été mis en évidence par les recensements de la population : 70 % des habitants du Pays basque de France résident sur un rivage qui ne correspond qu'à 9 % de ce territoire.

Or le parc de logements est très insuffisant pour les besoins. Les personnes venant de l'extérieur ont donc le plus grand mal à trouver un toit sur la côte et reportent leur demande vers le Pays basque intérieur ou le Sud des Landes.

M. Garoix, *Le Monde* – 11 janvier 2002.

## 6. Variation de la population due au solde migratoire entre 1990 et 1999

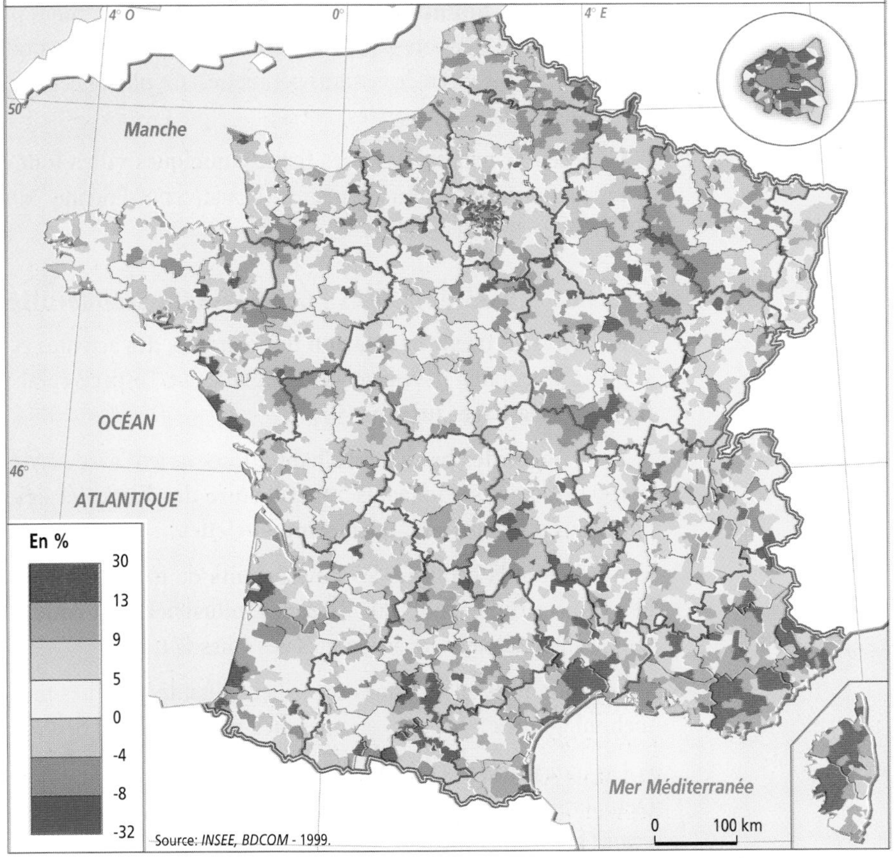

# 3 Les paysages de la ville

## 1. Des villes qui s'étalent

• Ce n'est que **depuis le début des années 1930** que la France compte davantage de citadins que de ruraux. Depuis, **la population urbaine a doublé**. Une grande partie de la croissance urbaine s'est reportée sur les campagnes avoisinantes.

• **Près du quart des citadins ne vit plus au centre des villes,** mais à leurs périphéries. La généralisation de l'automobile, le coût des logements du centre-ville, la recherche d'un cadre de vie agréable, expliquent le phénomène de **périurbanisation**.

• **Les aires urbaines, qui rassemblent 44 millions d'habitants**, se sont diversifiées et complexifiées à mesure qu'elles s'étendaient. Au-delà des centres-villes et des **banlieues**, se sont développées les **couronnes périurbaines** qui abritent désormais 13 % de la population française. Ainsi, entre 1990 et 1999, plus de 3 000 communes rurales ont été classées en communes urbaines.

## 2. Les centres des villes reconquis ?

• Depuis la fin des années 1960, **les centres des villes se sont généralement dépeuplés** au profit des zones périurbaines aux populations plus jeunes et aux excédents naturel positifs.

• Or, actuellement, la plupart des **villes de plus de 100 000 habitants** sont parvenues à enrayer ce déclin ; **leurs centres se repeuplent**. Ainsi, les centres de Toulouse, Nantes, Lyon ont gagné plus de 25 000 habitants entre 1990 et 1999.

• Le tissu urbain du **cœur historique** de la plupart des villes ont bénéficié de **politiques actives de réhabilitation** de l'habitat, de la création de zones piétonnes et d'embellissements divers (8). Les opérations de **rénovation** ont parfois conduit à un renouvellement total du contenu social de certains périmètres. Ce phénomène de **gentrification*** bénéficie aux couches les plus aisées.

• Dans cette « renaissance » des centres, **quelques villes font exception** : les villes industrielles spécialisées ou portuaires (Douai, Saint-Étienne, Montbéliard, Le Havre...), ainsi que Paris et Marseille.

## 3. Aux portes des villes : des paysages standardisés

• Le processus d'**exurbanisation** des hommes, des activités et des équipements a provoqué un véritable déversement de la ville sur l'espace rural périphérique, créant de **nouveaux paysages urbains** (9).

• **Les visages des banlieues d'habitations** varient avec l'âge et les types de constructions et d'activités dominants : **architecture des barres et des tours**, habitat pavillonnaire plus ou moins aisé, **friches industrielles**...

• Au-delà de la banlieue, les **lotissements** de maisons individuelles grignotent peu à peu l'espace rural, tandis que les **zones industrielles et commerciales** engendrent partout les mêmes paysages aux portes des villes (7).

• Les couronnes suburbaines accueillent aussi les activités modernes au sein des **parcs technologiques***, et pour certaines, **des parcs de loisirs.**

• Les indispensables échangeurs autoroutiers et les **grands nœuds de communication** (aéroports, gares TGV), ainsi que les aires récréatives, complètent le portrait de ces **nouveaux territoires de la ville**.

### Mots-clés

**Banlieue :** extension urbaine la plus proche du centre.

**Couronne périurbaine :** ensemble des communes qui entourent la ville-centre.

**Exurbanisation :** transfert des populations et des activités du centre-ville vers la périphérie.

**Friche industrielle :** espace industriel abandonné.

**Périurbanisation :** processus d'avancée de la ville sur sa frange, au-delà de la banlieue, dans laquelle ville et campagne s'interpénètrent.

**Rénovation :** démolition, puis reconstruction d'un quartier vétuste.

**Réhabilitation :** amélioration des conditions d'habitation des immeubles d'un quartier ancien.

* voir Lexique

**Étude de cas**

**Rennes : les transformations d'une aire urbaine**
*(pages 196-199)*

**Perspective Bac**

**Aménager la ville : un tramway pour Toulon**
*(pages 212-213)*

**Document**

**Le technopôle de Brest-Iroise**
*(pages 218-219)*

**Étude de cas**

**Disneyland Resort Paris, pôle de développement économique**
*(pages 222-225)*

## 7. Les nouvelles zones d'activités tertiaires des périphéries urbaines

Des paysages standardisés, mais sans cohérence ni recherche esthétique.

## 8. Le réveil de Bordeaux

Le réveil de Bordeaux est visible à l'œil nu. Le centre historique est un gigantesque capharnaüm, avec ses avenues éventrées par le chantier du tramway, qui entrera en service à l'automne 2003, et paralysées par les embouteillages. Les façades des élégants immeubles des bords de la Garonne ont été nettoyées, les vieux hangars démolis, les quais aménagés en promenade.

Mais le changement est bien plus profond qu'une simple rénovation urbaine. « C'est important, une ville qui bouge, témoigne le directeur de l'agence de développement économique de Bordeaux et de la Gironde. Pendant des années, je n'avais pas grand'chose à montrer à mes visiteurs. »

Bordeaux a retrouvé son pouvoir de séduction. Un signe : les prix de l'immobilier ont augmenté de 40 % dans les quartiers du centre et il faut compter plusieurs mois avant de trouver un appartement à louer.

H.Constanty, *L'Express* – 17 octobre 2002.

## 9. La transformation des espaces urbains

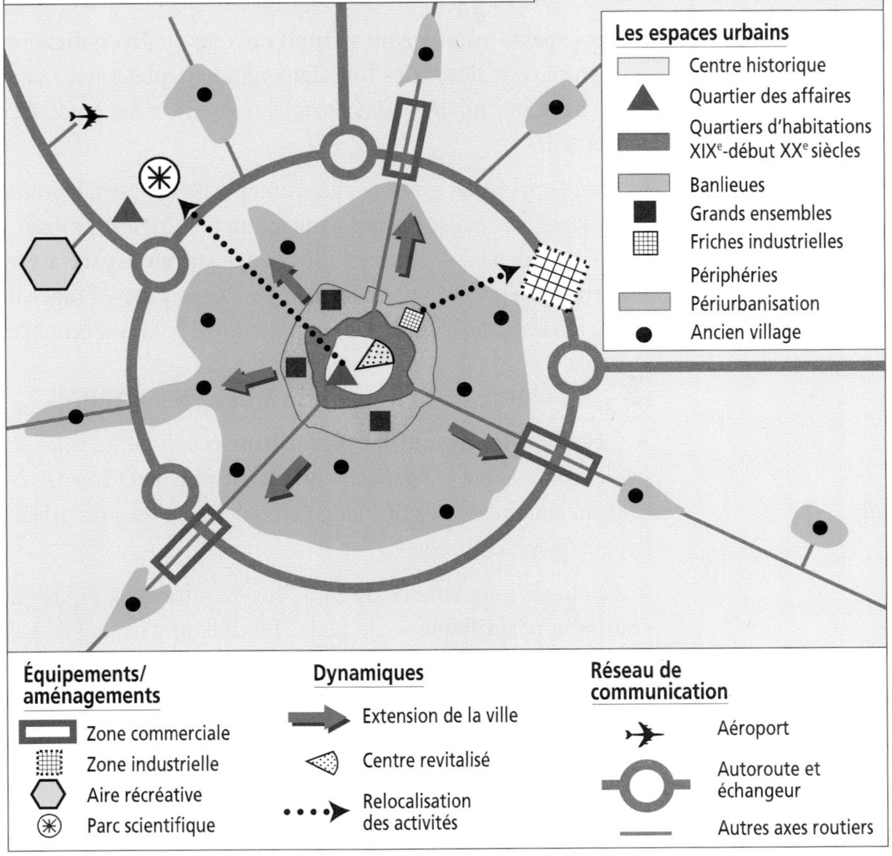

# 4 Une renaissance des campagnes ?

## 1. La fin de l'exode rural

• **Les campagnes françaises se revivifient.** La page de l'**exode rural** massif, qui avait caractérisé la France jusque dans les années 1960, est désormais tournée. Après avoir continuellement diminué, du milieu du XIXe siècle jusqu'au milieu des années 1970, **la population rurale s'est stabilisée** : 20 millions de ruraux vers 1930, 17 millions vers 1960, 14 millions environ depuis 1975.

• **Le solde migratoire* s'est inversé** entre 1975 et 1982. Le **mouvement de départ depuis les centres-villes et les banlieues** a conduit les populations à s'installer bien au-delà des auréoles périurbaines, jusque dans les campagnes de plus en plus reculées. Il en résulte une baisse des effectifs des populations agricoles, compensée globalement par l'installation d'anciens citadins.

• **La situation des campagnes est cependant hétérogène.** Le regain démographique n'est pas général et **certaines zones rurales continuent à se dépeupler** (12). La reprise ne concerne qu'une moitié des communes rurales et elle demeure fragile car elle repose exclusivement sur l'apport migratoire. Le déficit des naissances sur les décès tend à s'accentuer avec le **vieillissement général de la population rurale**.

## 2. Une grande diversité de campagnes

• **Les mutations de la société et de l'économie ont profondément transformé les espaces ruraux** (10). L'espace rural ne se réduit plus aujourd'hui à l'activité agricole, même s'il y a **encore des campagnes à vocation agricole affirmée**, comme celles du Bassin parisien, de l'Ouest de la France et d'une partie des massifs montagneux.

• **Les espaces ruraux sont partout en voie de diversification** (11). Ils accueillent de plus en plus de **nouvelles fonctions non agricoles** : fonctions résidentielles (60 % des résidences secondaires sont en milieu rural), mais aussi récréatives, commerciales, industrielles...

• Mais l'opposition entre ce que l'on appelle le « **rural profond** », qui continue à se désertifier (13), et le rural qui participe au desserrement urbain, revitalisé, s'est vivement creusée. Se dessine de plus en plus nettement **un espace à évolution démographique négative** qui épouse grossièrement le « S » de la vaste « **France du vide** », depuis le cœur des Pyrénées jusqu'à l'Ardenne, en passant par le Massif central et la Bourgogne (12).

## 3. À l'ombre des villes, des campagnes vivantes

• **C'est dans les régions les plus urbanisées**, là où les villes sont facilement accessibles par les ruraux, **que le changement a été le plus net** (11). Les communes rurales dont le solde migratoire est positif sont proches des grandes aires urbaines, surtout pour les plus dynamiques d'entre elles.

• Autour de l'aire urbaine de Paris, par exemple, s'est formée une sorte de « **deuxième couronne périurbaine** », de plus d'un million d'habitants, à croissance vive. Dans cet espace à dominante rurale, plus du quart des actifs travaillent dans l'agglomération parisienne.

• **On constate le même phénomène**, toutes proportions gardées, autour de Lyon, Marseille, Toulouse, Montpellier, Nantes... Parmi les communes situées aux abords immédiats des aires urbaines, celles dont la population a été suffisamment rajeunie par l'apport migratoire ont même renoué avec l'excédent naturel.

**Mots-clés**

**Exode rural :** départ des habitants d'une zone rurale.

* voir Lexique

**Dossier**

**En Auvergne, quel avenir pour l'espace rural ?**
*(pages 208-211)*

**Étude de cas**

**Rennes : les transformations d'une aire urbaine**
*(pages 196-199)*

## 10. Mutations de l'espace rural

À partir de 1975, le recul de la population rurale s'est arrêté pour la première fois depuis 130 ans et son augmentation sensible a même été constatée.

Est-ce une revitalisation de l'espace rural après un long déclin ? Pas exactement. Les gains sont localisés essentiellement à la périphérie des agglomérations.

Il s'agit en réalité d'un mouvement d'étalement des populations urbaines qui, grâce au développement des moyens de transport individuels, résident de plus en plus loin du centre des villes.

Au sein de la population rurale, un autre changement majeur s'est produit : la part des agriculteurs n'a cessé de décliner. La population active agricole est aujourd'hui six fois inférieure à ce qu'elle était en 1866, date à laquelle elle avait déjà commencé à s'amenuiser.

Désormais, en milieu rural, plus de trois personnes sur quatre vivent d'activités non agricoles.

D. Noin et Y. Chauviré, *La Population française*, A. Colin – 2002.

## 11. Un paysage rural en voie de transformation près de Marne-la-Vallée

De multiples acteurs y contribuent : aménageurs, promoteurs et citadins toujours plus mobiles.

## 12. Évolution de la population de l'espace rural

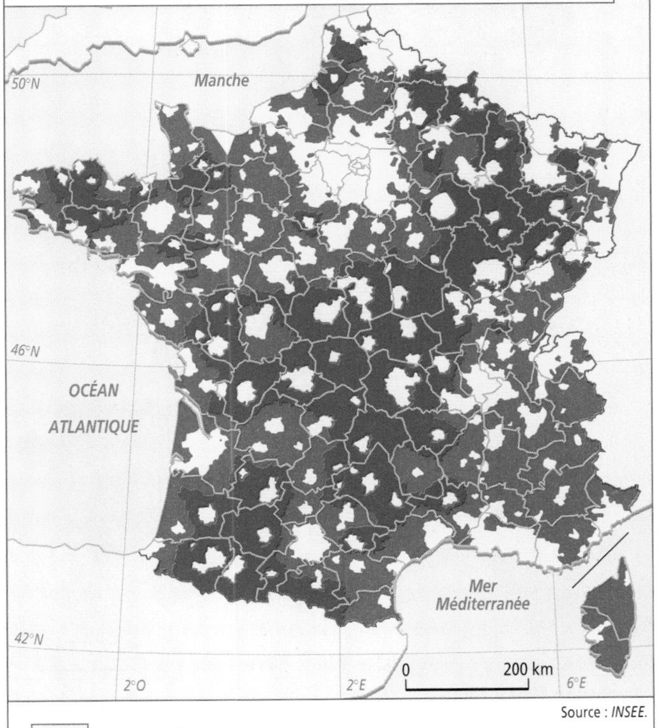


Source : *INSEE*.

Aire urbaine

**Croissance des espaces ruraux (1990-1999) :** Négative / Positive

## 13. Les Cévennes dans la « France du vide »

Déprise agricole, mais potentiel touristique élevé.

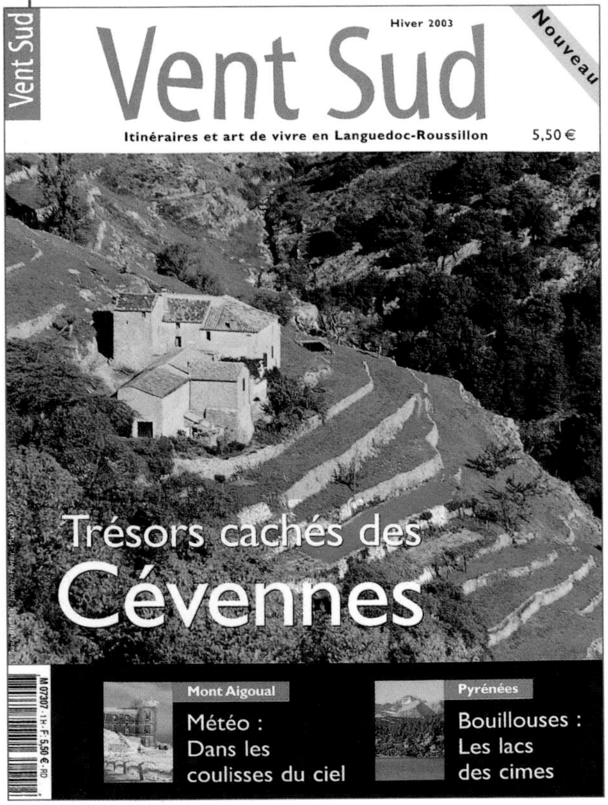

Dossier

# En Auvergne, quel avenir pour l'espace rural ?

*Au cœur du Massif central, l'Auvergne est une région de moyenne montagne peu peuplée. Dans un milieu plutôt contraignant, les campagnes occupent une place importante.*

*L'Auvergne est un « poumon vert » de la France. La région peut valoriser un riche patrimoine naturel et culturel.*

*La coopération intercommunale sous la forme des communautés de communes, est le moyen de faire face à la déprise rurale qui touche les parties les moins favorisées du territoire.*

## 1 ■ L'Auvergne, un espace à dominante rurale

Plus du tiers de la population et des emplois de la région sont localisés en milieu rural. La densité de population de l'espace à dominante rurale est à peine de 24 habitants par km².

**1. Part de la population agricole**

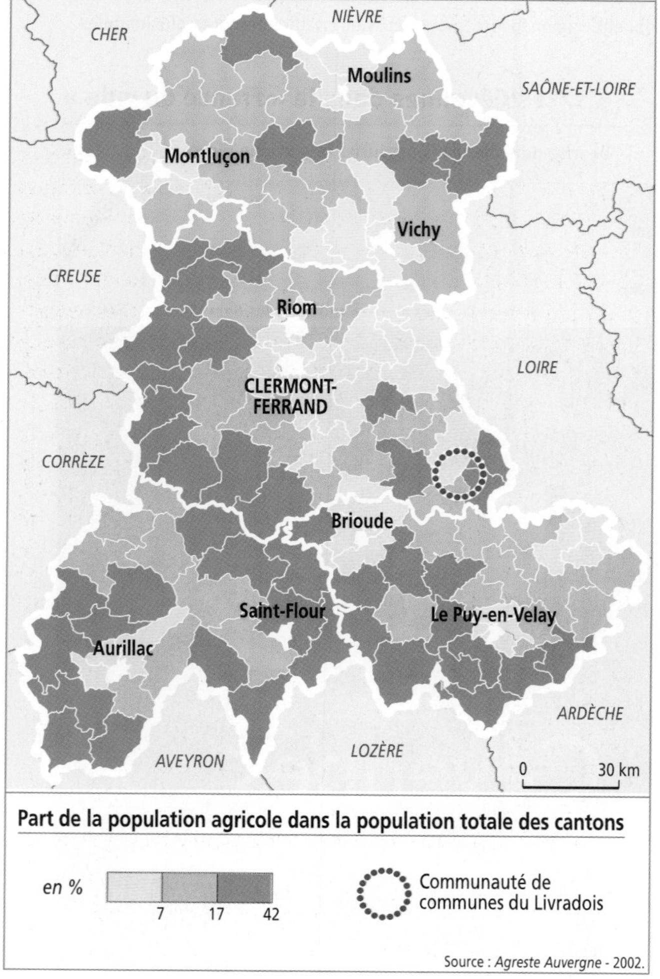


Source : *Agreste Auvergne* - 2002.

**2. Évolution de la superficie agricole utilisée (SAU)**

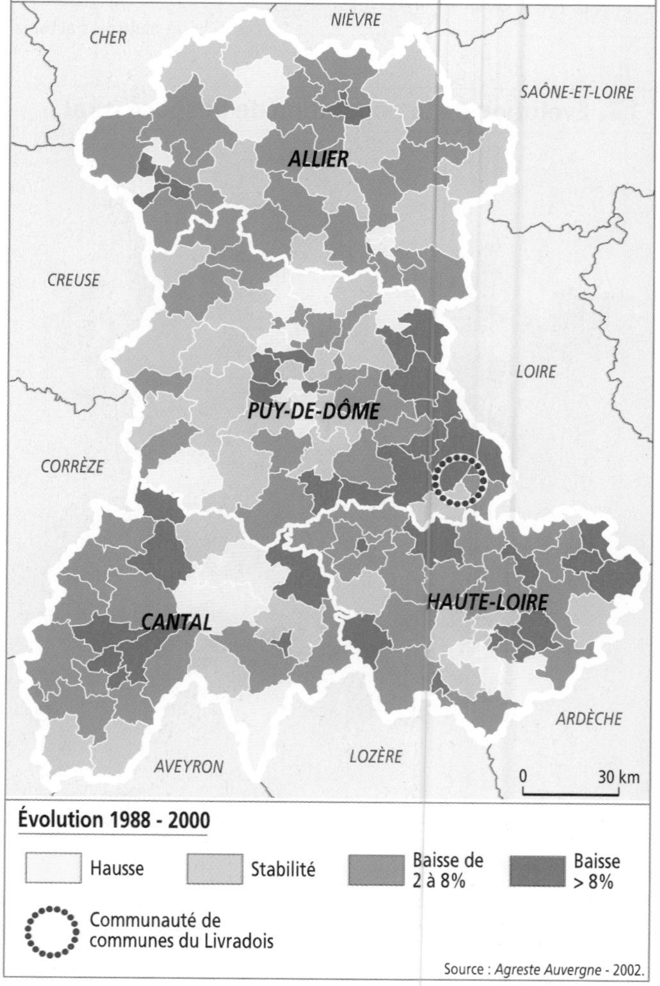


Source : *Agreste Auvergne* - 2002.

## 3. Lavoûte-Chilhac (Haute-Loire)

À peine plus de 300 habitants ; de nombreux petits villages ponctuent l'espace rural auvergnat.

## 4. Part des plus de 75 ans

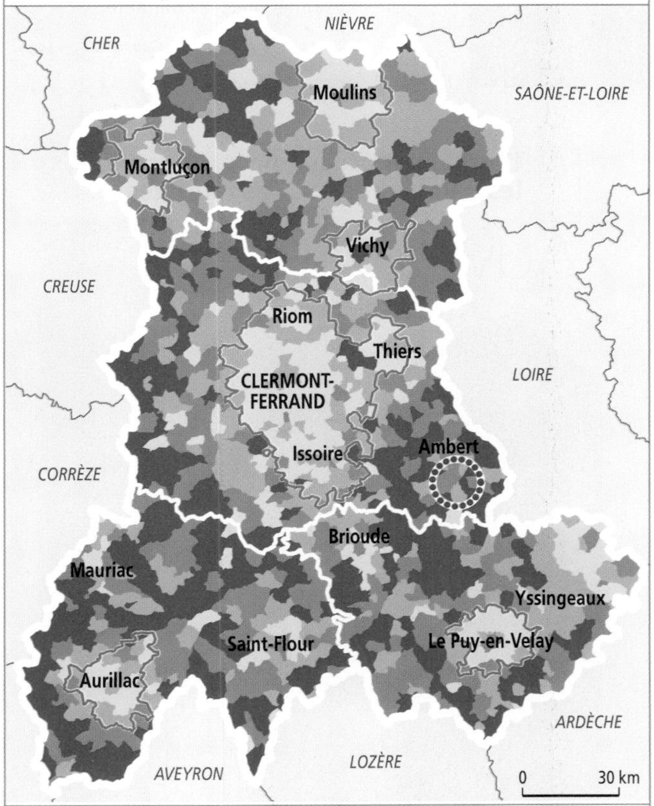


**Part des 75 ans ou plus dans la population totale des communes**

en % : 7 – 10 – 13

France métropolitaine : 7,7% de plus de 75 ans

Communauté de communes du Livradois

Espace urbain

Source : *INSEE* - 2000.

## 5. De faibles densités de population

L'Auvergne, dont plus de la moitié des communes sont classées en zone de montagne, figure parmi les quatre régions françaises les moins peuplées. La densité de population est inférieure de moitié à la densité française et se trouve très inégalement répartie sur le territoire régional, se concentrant dans les vallées et les principaux centres urbains. La région est aussi caractérisée par une part importante de petits villages puisque 28 % de la population vit dans une commune de moins de 1 000 habitants. Seulement 30 % des Auvergnats vivent dans des villes de plus de 10 000 habitants, alors que la moyenne nationale est de 50 %. Le dynamisme démographique bénéficie aux plus grandes agglomérations. Enfin, la pyramide des âges fait apparaître un vieillissement continu de la population.

Site internet DIREN Auvergne – 2003.

## Questions

**1.** Situez l'Auvergne ; puis décrivez son relief et la répartition de sa population (annexe 9 et Cartes Enjeux page 194).

**2.** Relevez les caractères de la démographie de l'Auvergne (4, 5).

**3.** Quels sont les traits principaux de l'espace rural auvergnat (1, 2, 3, 5) ?

## 2 ■ Valoriser les atouts du territoire auvergnat

L'arrêt du déclin démographique des campagnes passe par la valorisation des ressources régionales et par la mise en place de nouvelles formes de gestion des territoires.

**6.** **L'environnement auvergnat : un potentiel important pour le tourisme vert (le lac du Guéry)**

### 7. Les « Nuits de Marcolès »

Certains villages se dépeuplent, d'autres non, comme Marcolès dans le Cantal. Ce bourg médiéval, bien restauré, compte une quarantaine de maisons anciennes. Il abrite 300 habitants et est entouré de soixante-huit exploitations agricoles.

L'équipe municipale s'efforce de développer la démographie de la commune. Pour cela, elle a entraîné la population dans la valorisation du patrimoine bâti et l'événement touristique qui en découle : « Les Nuits de Marcolès ». Belles soirées de juillet éclairées aux flambeaux où, sous la conduite d'un conteur occitan, les visiteurs se promènent de rue en ruelle parmi les habitants mimant la vie traditionnelle de leur village ; persuadés que le tourisme ne doit pas remplacer la vie paysanne, mais la compléter.

D'après *Géo*, n° 245 – 1999.

### 8. Des produits de qualité

En Auvergne, une exploitation sur cinq valorise des produits agricoles sous un signe de qualité.

**Label rouge**
- Un quart de la production de volailles
- 12 % des bovins

**Produits AOC** (Appellation d'origine contrôlée)
- *Fromages :* Cantal, Salers, Saint-Nectaire, Bleu d'Auvergne, Fourme d'Ambert
- *Lentille verte* du Puy
- *Vins délimités de qualité supérieure :* côtes d'Auvergne, Saint-Pourçain.

### 9. Une terre d'accueil pour les congrès, les séminaires et... les touristes

Communauté de communes

Livradois

Bienvenue

Porte d'Auvergne

63600 - Mairie de Grandrif

## 10. L'environnement de la communauté de communes du Livradois

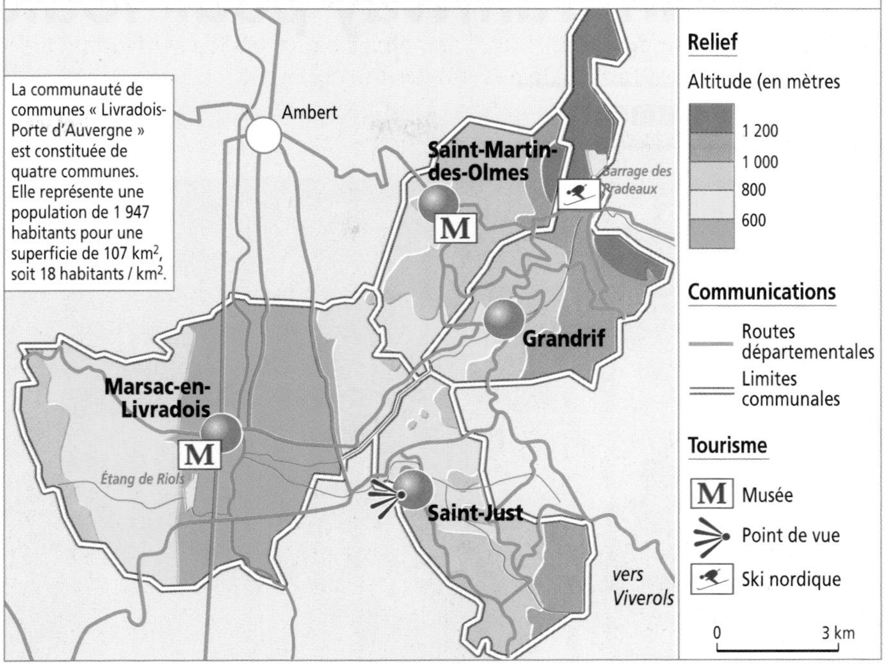


## 11. Les compétences de la communauté de communes du Livradois

- **Aménagement de l'espace**

Élaboration d'une charte de territoire afin de choisir les orientations et actions à mettre en œuvre. Mise en valeur de la forêt. Réhabilitation des sites, valorisation du patrimoine, entretien des rivières, des chemins et protection des zones humides.

- **Développement économique**

Soutien à la création d'activités artisanales et commerciales. Promotion de la filière bois. Promotion des produits agricoles. Circuits d'animation touristique.

- **Logement et cadre de vie**

Encouragement à la restauration de l'habitat. Réhabilitation des abords des villages. Favoriser l'implantation de nouveaux habitants.

- **Voirie d'intérêt communautaire**

Aménagement des routes forestières. Mise en commun et acquisition de matériel d'entretien de voirie.

- **Activités scolaires, sportives et culturelles**

Développement de la vie culturelle.

Site Internet www.cc-livradois.fr.

## 12. La parole à un acteur de la communauté de communes

*– Pourquoi une communauté de communes du Livradois ?*

La communauté de communes a été impulsée par les élus et le Conseil général du Puy-de-Dôme. Les communes veulent établir une solidarité entre les communes dynamiques de la vallée et les communes de la montagne « désertées ».

*– Qu' avez-vous réalisé, quels sont vos projets ?*

Les réalisations ? Un bulletin intercommunal, le syndicat d'initiatives, un site Internet, la mise en réseau des écoles, l'entretien en commun de la voirie, l'aide aux associations. Des projets sont à l'étude : une zone d'activité, une zone touristique (ski de fond et tourisme vert), l'aménagement des dessertes forestières, l'aménagement des abords des villages.

*– Comment les habitants vivent-ils l' intercommunalité ?*

Positivement avec, par exemple, des animations intercommunales plus nombreuses. Les projets devraient permettre, à l'échelon intercommunal, d'apparaître comme l'unité élémentaire pertinente d'aménagement du territoire.

*– Les communautés de communes peuvent-elles revitaliser le monde rural ?*

Oui, en intégrant les communes les plus petites dans des structures viables.

Michel Sauvade, membre de la communauté de communes, conseiller municipal de Marsac-en-Livradois.

## 13. Évolution démographique de la communauté de communes

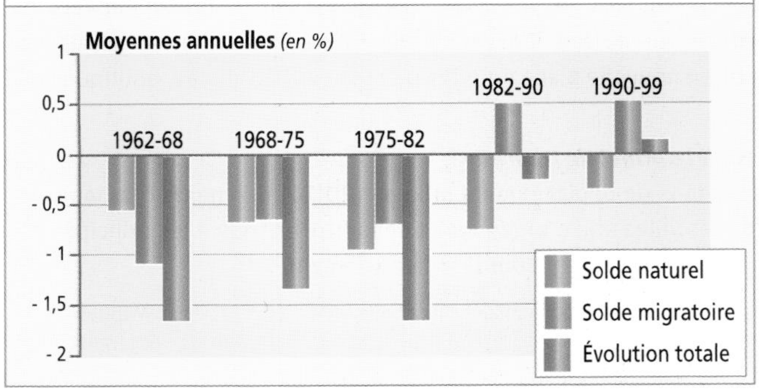


## Questions

1. Relevez et classez les ressources des espaces ruraux de l'Auvergne (6, 7, 8, 9).

2. Dressez le portrait du territoire de la communauté de communes du Livradois (10, 13).

3. Dans quels domaines la communauté de communes peut-elle agir (11, 12) ?

4. À l'aide de l'ensemble des documents, montrez que le déclin des espaces ruraux n'est pas inexorable.

# Aménager la ville : un tramway pour Toulon ?

## Étude de documents — Sélectionner des informations et rédiger une synthèse

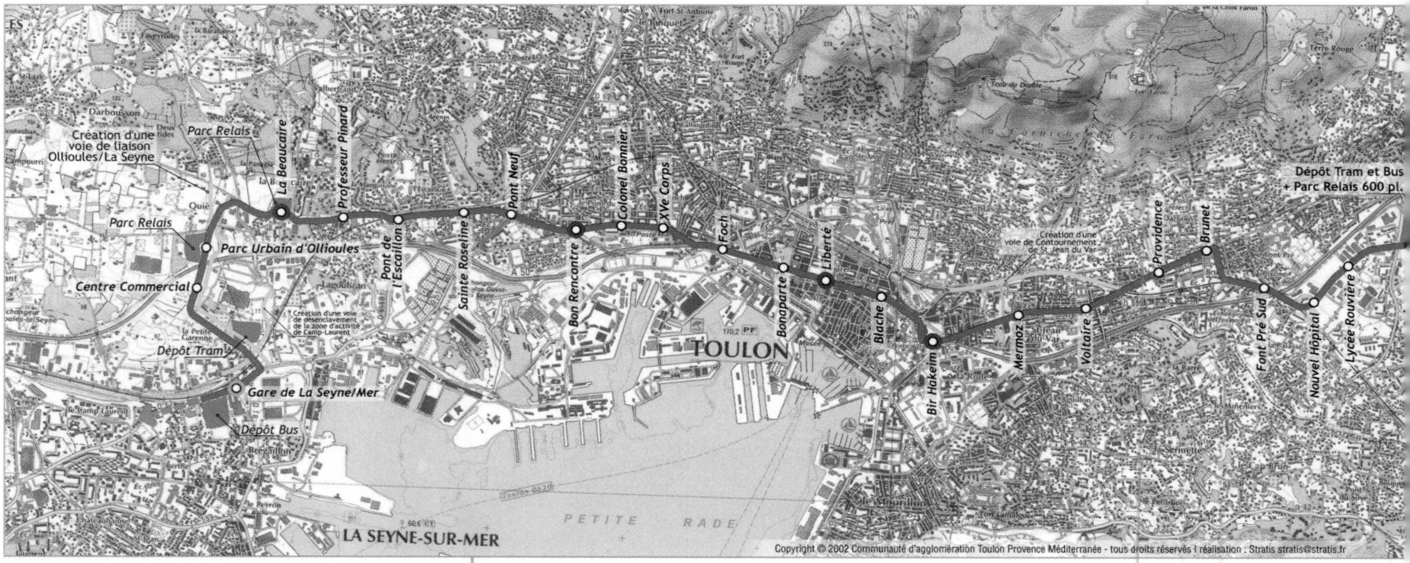


### 1. Projet de tracé du futur tramway

La ligne, d'une longueur de plus de 18 km, devrait desservir une trentaine de stations et transporter chaque jour plus de 50 000 passagers

Source : Communauté d'agglomération : Toulon-Provence-Méditerranée.

### 2. Les déplacements à Toulon

**Répartition des modes de déplacement**

*(en %)*

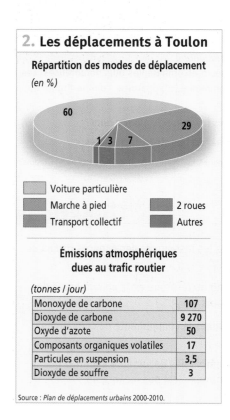

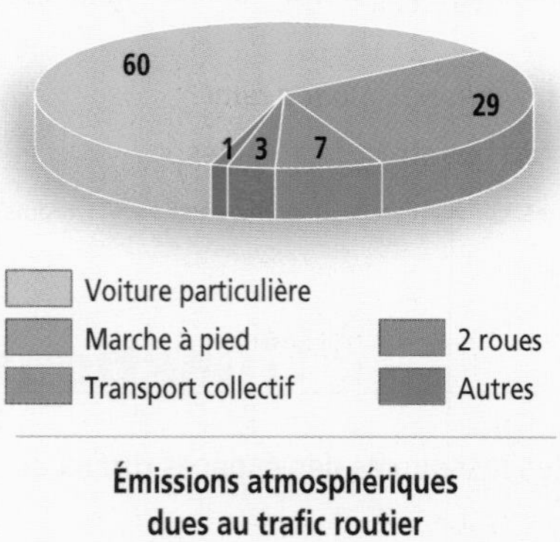


**Émissions atmosphériques dues au trafic routier**

*(tonnes / jour)*

| | |
|---|---|
| Monoxyde de carbone | 107 |
| Dioxyde de carbone | 9 270 |
| Oxyde d'azote | 50 |
| Composants organiques volatiles | 17 |
| Particules en suspension | 3,5 |
| Dioxyde de souffre | 3 |

Source : *Plan de déplacements urbains* 2000-2010.

### 3. Interview : pourquoi un tramway à Toulon ?

***– Quels problèmes posent les déplacements dans l'agglomération toulonnaise ?***

Les problèmes de « mobilité urbaine » rencontrés dans l'agglomération traduisent un modèle de développement de nos villes basé sur l'usage prépondérant de l'automobile. Les caractéristiques géographiques de Toulon, étirée entre le littoral et le relief du Mont Faron, accentuent la gravité d'une croissance urbaine non maîtrisée.

L'abandon des réseaux de tramway dans les villes et la politique du « tout automobile » sont source de nuisances graves. La congestion des villes représente une perte de temps, d'argent et porte atteinte au bon fonctionnement de la ville. La pollution engendrée est dangereuse pour la santé publique. L'atteinte porte aussi sur l'environnement en général : nuisances visuelles, perte d'attractivité des quartiers et des paysages urbains et donc dégradation parfois préoccupante du cadre de vie.

***– Le projet de tramway peut-il être une réponse à ces problèmes ?***

Le retour du tramway veut proposer une offre de déplacements nouvelle et efficace. Le tramway représente un investissement lourd ; il occupe donc les axes principaux et relie les grands équipements de la ville. Le projet est aussi l'occasion de repenser toute la mobilité urbaine. Il a un rôle « structurant » car les autres modes de transports convergent vers lui pour assurer une efficacité maximale. Il doit aussi redonner vie aux quartiers engorgés par l'omniprésence de la voiture : nouvelle place pour les piétons et les cyclistes, politiques de rénovation du bâti...

***– Dans quel cadre s'inscrit le projet de tramway ?***

Ces projets relèvent des Plans de déplacements urbains (PDU), documents d'urbanisme obligatoires dans les grandes villes afin d'organiser et de mettre en œuvre les principes de développement d'une « mobilité durable » pour la ville de demain.

Gilles Rondeau, chargé de mission à la Communauté d'agglomération Toulon-Provence-Méditerrannée (Direction des transports).

## 4. L'implantation du tramway permettra la rénovation du tissu urbain

Photomontage d'une des artères principales de Toulon.

Source : Communauté d'agglomération.

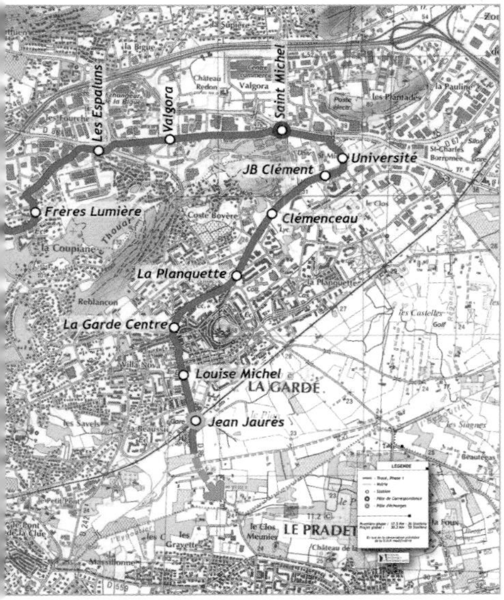

## 5. Le cœur de la ville paralysé

Chaque jour, l'agglomération enregistre 1 million de déplacements, dont 600 000 en voiture.

Source : Communauté d'agglomération.

## Exercices

**Voir méthode page 28.**

### 1. Présenter les documents

- Relevez la source, la nature et le thème de chacun des documents. Rédigez la présentation des documents.

### 2. Sélectionner, classer, confronter les informations et les regrouper par thèmes

- Après avoir lu le sujet et observé les cinq documents indiquez :
  - en matière de déplacements, quels problèmes connaît l'agglomération ?
  - quel aménagement est projeté ?
- Sélectionnez, dans les documents, toutes les informations qui :
  - justifient le projet de création d'une ligne de tramway à Toulon (2, 3, 5) ;
  - évoquent les avantages du tramway pour l'agglomération toulonnaise (1, 3, 4) ;
  - envisagent les effets de cet aménagement sur la qualité de vie dans la ville (2, 3, 4).
- Classez, confrontez toutes les informations. Regroupez-les en 2 ou 3 thèmes.

### 3. Rédiger une synthèse

- Rédiger la synthèse sous la forme de 2 ou 3 courts paragraphes en reprenant les thèmes choisis. Exemple :
  - 1er paragraphe : *une agglomération confrontée aux problèmes de circulation.*
  - 2e paragraphe : *le tramway, un aménagement indispensable.*
  - 3e paragraphe : *un nouveau visage pour la ville.*

# Perspective BAC

# La France, quelles dynamiques démographiques ?

## Étude documents — Sélectionner des informations sur des graphiques

### Point Méthode

**L'épreuve « Étude de documents » peut comporter un ou plusieurs graphiques.**
Dans ce cas vous devez :

- **Présenter le document**
  Repérer la nature du graphique (voir le Point Méthode ci-contre), sa date, sa source et le sujet qu'il traite.

- **Sélectionner des informations**
  Il faut, en fonction du sujet :
  – *Faire une analyse globale* du graphique afin de saisir l'information principale que donne le document :
    - tendance générale d'une courbe (hausse, baisse...) ;
    - valeurs remarquables d'un graphique en barres...

  – *Faire ensuite une lecture détaillée* pour identifier les informations plus précises sur le phénomène représenté :
    - phases de l'évolution d'une courbe ;
    - répartition des valeurs d'un graphique circulaire...

### 1. Évolution des taux de natalité et de mortalité

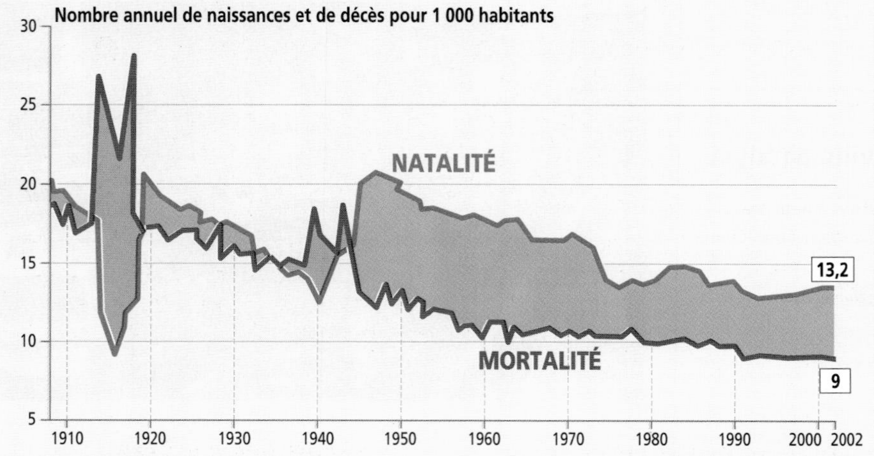


Source : *INSEE* - 2002.

### Exercices

**Présentez le document 1.**

- À quoi correspondent les parties coloriées en rouge et en gris ?
- Quelle est la tendance générale des deux courbes ?
- Combien de phases de l'évolution de l'accroissement naturel* peut-on dégager ?
- À quoi sont dus les deux « accidents démographiques » ?
- Quelle est l'évolution récente de l'accroissement naturel ? Pourquoi (3) ?

### 2. Évolution de la population

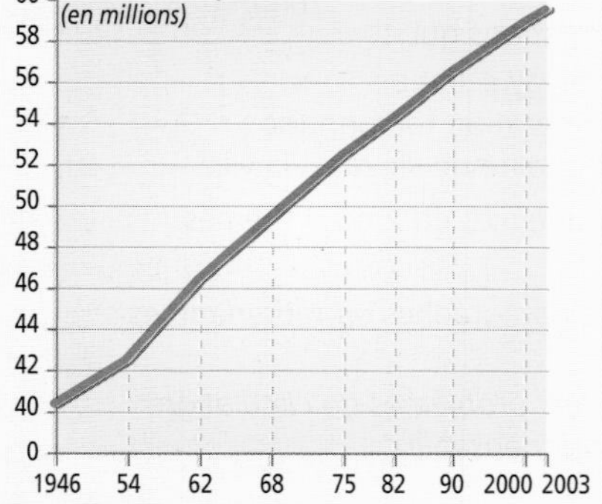


Source : *INSEE* - 2003.

### 3. Évolution de la fécondité

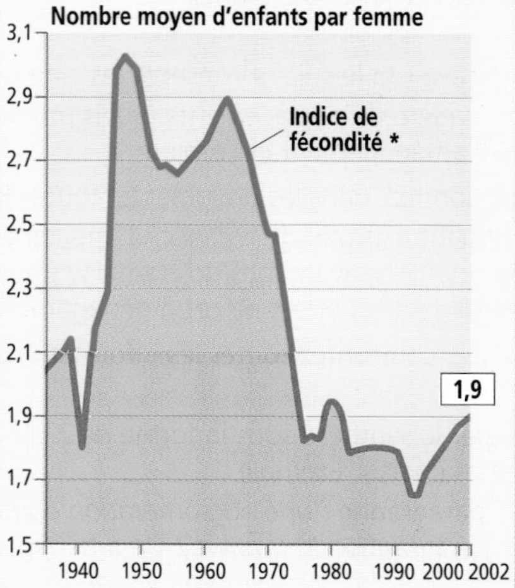


Source : *INSEE* - 2003.

### Exercices

**Présentez les documents 2 et 3.**

- Analysez le document 2. Durant quelle période la croissance de la population française a-t-elle été la plus forte ?
- Comment la fécondité a-t-elle évolué depuis les années 1940 (3) ?
- En quoi le document 3 explique-t-il les informations fournies par le graphique 2 ?

Point

# Méthode

## Principaux types de graphiques

**Graphique évolutif**

Le graphique est constitué par une courbe qui joint les points correspondant aux valeurs du phénomène représenté. Ce graphique montre l'évolution (croissance, diminution, stagnation) du phénomène dans le temps.

**Graphique en barres**

Le graphique en barres ou histogramme est composé de rectangles de même base dont la taille est proportionnelle au phénomène représenté.
*La pyramide des âges* est un graphique en barres particulier. Ce type de graphique facilite la comparaison des différentes valeurs représentées.

**Graphique circulaire**

Le graphique est un cercle divisé en secteurs dont les surfaces sont proportionnées aux valeurs représentées.
Il permet de comparer et d'apprécier d'un seul coup d'œil l'importance d'une valeur par rapport à l'ensemble des autres valeurs.

### Exercices

**Présentez la pyramide des âges (4).**

- Quel est le profil général de la pyramide des âges ? Quelle tranche d'âges est la plus importante ?
- À l'aide de la liste ci-dessous, retrouvez et expliquez les irrégularités de la pyramide des âges (numéros de 1 à 6) :
  - *« baby-boom »*
  - *déficit des naissances dû à la Seconde Guerre mondiale*
  - *déficit dû à la Première Guerre mondiale*
  - *surmortalité masculine*
  - *fin du « baby-boom »*
  - *croissance récente de la natalité.*
- Pour le futur peut-on s'attendre à un vieillissement de la population française ?

### 4. Pyramide des âges de la France en janvier 2003

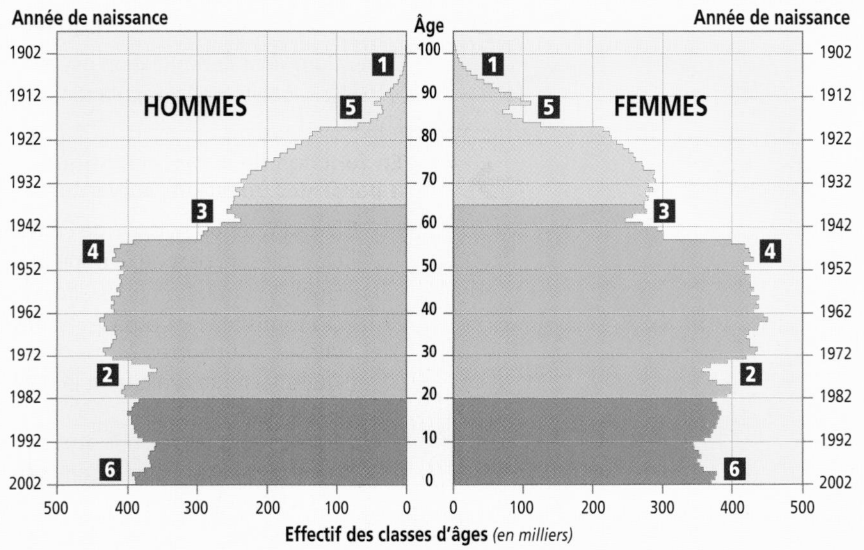


Source : *INSEE*.

### Exercices

**Présentez les documents 5 et 6.**

- Faites une analyse globale puis une lecture détaillée du document 5.
- Quelle est l'information principale fournie par le document 6b ?
- Comment les trois groupes d'âges ont-ils évolué depuis 1970 (6a) ?

### Exercices

À l'aide de l'ensemble des informations sélectionnées sur les documents, rédigez un paragraphe répondant à la question :
« La France, quelles dynamiques démographiques ? »

### 5. Nombre de mariages par an

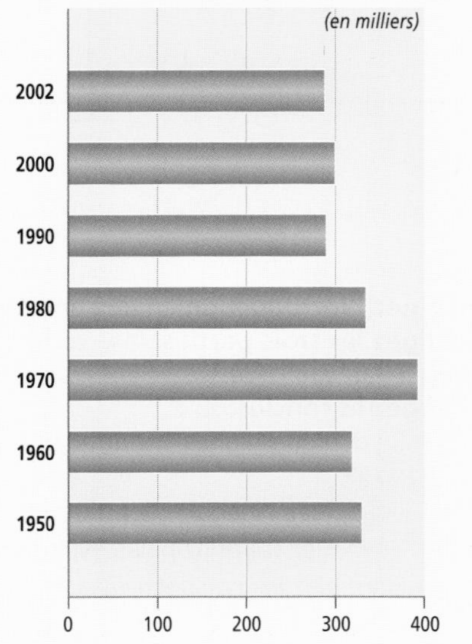


Source : *INSEE* - 2002

### 6. Répartition par âges

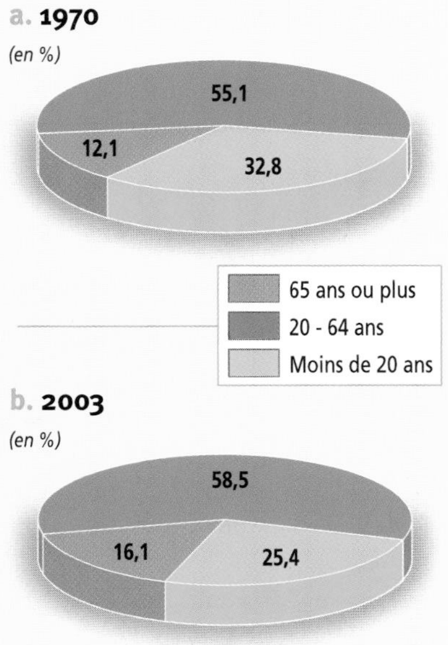


Source : *INSEE* - 2002.

Perspective **BAC**

# Répartition et évolution spatiale de la population française

## Composition et croquis

Rédiger une composition et réaliser un croquis

### Travail sur le sujet

### Application

(Méthode page 44)

**Analyse du sujet** →

| Répartition | et évolution spatiale de la population française |
|---|---|
| *La distribution des hommes sur le territoire* | *Les dynamismes spatiales, les déplacements de la population* |

**Problématique du sujet** →

**L'analyse du sujet induit les questions suivantes :**

- Comment la population est-elle répartie sur le territoire français ?
- La mobilité de la population modifie-t-elle cette répartition ?

**Mobilisation des connaissances** →

**En fonction de la problématique, rassemblez des informations à partir des questions suivantes :**

- Où sont les 60 millions de Français ? (Carte p.194 et leçon p 200)
- Quelle est la part de la population urbaine ? (Carte p. 195 et leçon p.114)
- Quelles sont les grandes aires urbaines ? (Leçon p. 114)
- Où sont situés les espaces les moins peuplés ? Les plus densément peuplés ? (Leçons p. 200 et p. 204)
- Quels facteurs expliquent la distribution des hommes sur le territoire ? (Leçon p. 200)
- Quelles sont les régions attractives ? De départ ? (Leçon p.202)
- Dans les aires urbaines, comment la population se redistribue-t-elle ? (Étude de cas p. 196-199 et Leçon p.204)

**Organisation du plan** →

**Classez ces informations afin de répondre au sujet.**

- Au brouillon, reproduisez le tableau ci-dessous et complétez-le à l'aide des informations que vous avez rassemblées.

| La répartition de la population | Les facteurs de la répartition | L'évolution de la répartition de la population |
|---|---|---|
| | | |

### Rédaction de la composition

### Application

**Introduction** →
**Développement** →
**Conclusion** →

**Rédigez l'introduction** en utilisant **l'analyse et la problématique du sujet**.
**Rédigez les trois parties** de la composition en utilisant les informations regroupées dans le tableau ci-dessus.
**Rédigez la conclusion :**

- En quelques lignes, montrez que le devoir a apporté les réponses à la question posée :
  - rappelez l'inégale répartition de la population ;
  - évoquez les principales dynamiques spatiales.
- Élargissez les perspectives du sujet :
  - montrez que la mobilité de la population modifie peu la répartition générale de la population sauf à l'échelle des aires urbaines.

**Croquis :** ..............................................................................................

**LÉGENDE**

**Répartition de la population**

**Densité de la population**

- **Forte**

............................ Grandes aires urbaines

☐ Littoraux

☐ ............................

- **Moyenne**

☐ Plaines, plateaux

- **Faible**

☐ ............................

**Dynamiques spatiales de la population**

◌ ............................

☐ ............................

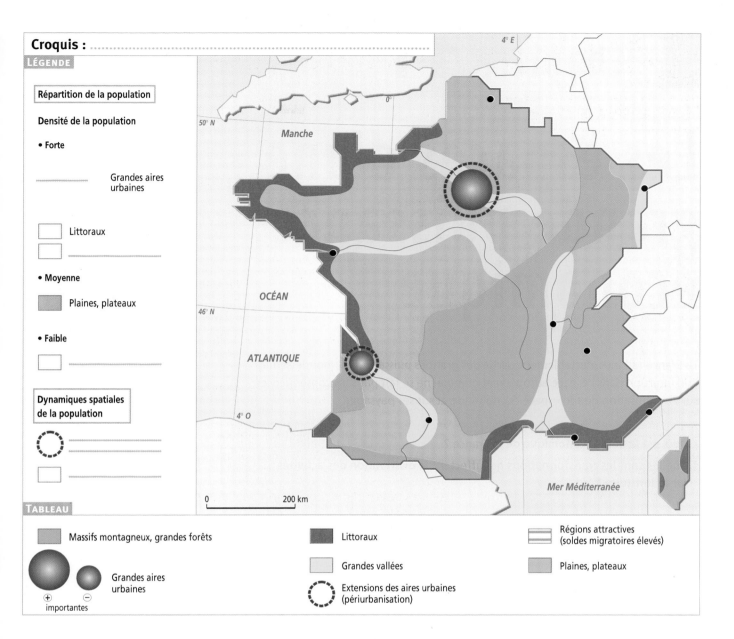

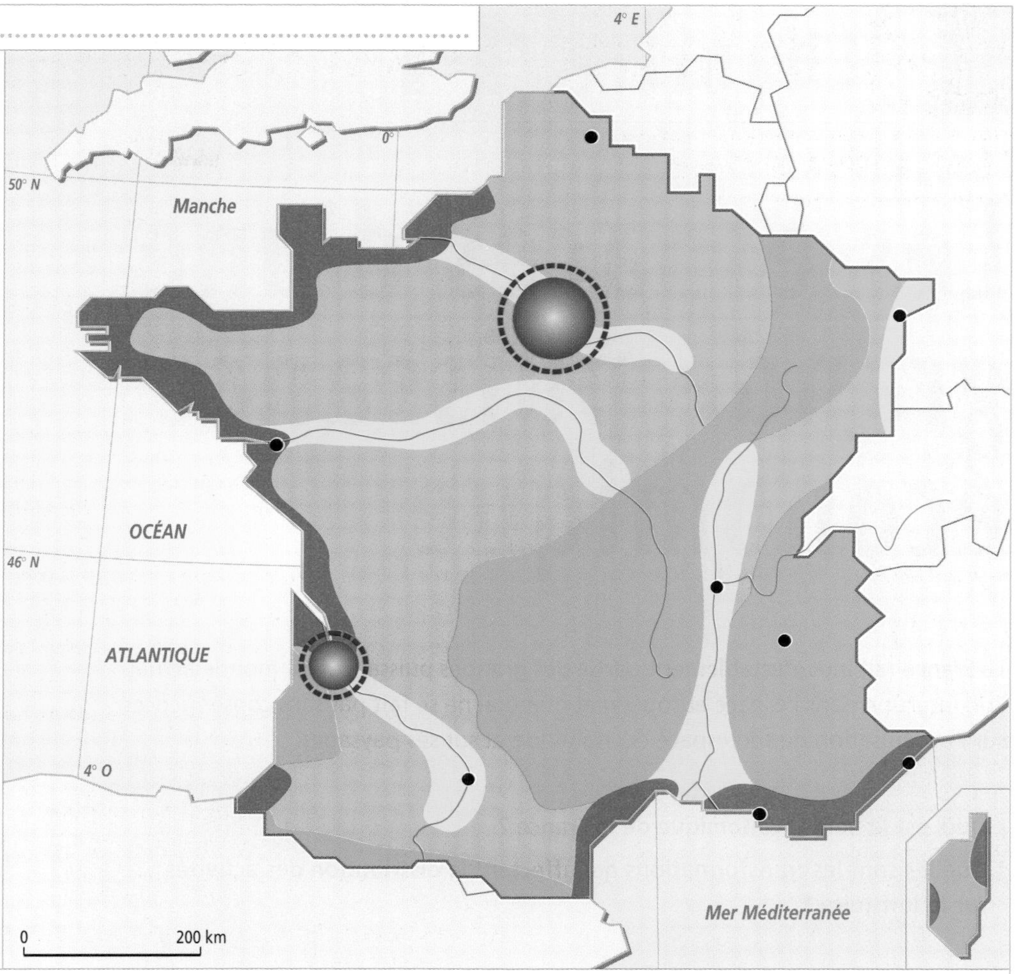


**TABLEAU**

- Massifs montagneux, grandes forêts
- Grandes aires urbaines (+ / − importantes)
- Littoraux
- Grandes vallées
- Extensions des aires urbaines (périurbanisation)
- Régions attractives (soldes migratoires élevés)
- Plaines, plateaux

## Réalisation du croquis

## Application

**Choix des informations** →

- D'après la légende du croquis, quels sont les deux types d'informations qu'il faut sélectionner pour réaliser un croquis répondant au sujet de la composition.

**Organisation de la légende** →

- La première rubrique de la légende montre-t-elle :
  – la répartition des densités de population ?
  – la répartition de la population et les facteurs de cette répartition ?
  Justifiez votre réponse.

**Choix des figurés** →

- Reproduisez le croquis.
- À l'aide du tableau, complétez la légende du croquis.
  Quels types de figurés a-t-on utilisés (voir **annexe 15**) ?

**Réalisation du croquis** →

- Complétez le croquis.
- Indiquez les noms des villes et des fleuves.
- Donnez un titre au croquis.

# Chapitre 11

# Les espaces d'une grande puissance économique

La France fait incontestablement partie des grandes puissances du monde actuel. Son insertion dans l'espace européen et mondial ne se fait pas sans conséquences sur l'organisation de son espace économique et sur ses paysages.

- **Quel est le poids économique de la France ?**
- **Quelles sont les transformations qui affectent la distribution des activités sur le territoire ?**



**Le technopôle de Brest-Iroise.**
Depuis 1990, le technopôle de Brest-Iroise est un acteur du développement économique en Bretagne. Sur le site, de nombreux organismes de recherche et des grandes écoles (2 100 étudiants, 1 000 enseignants-chercheurs et chercheurs) tournés vers les sciences et ingénierie océaniques, les technologies de l'information et de la communication, les sciences du vivant, de la santé et des biotechnologies, côtoient une centaine d'entreprises de haute technologie employant plus de 2 600 personnes (Thalès, Alcatel...). Les technopôles sont le symbole de la transformation que connaissent les activités et les espaces de production français depuis une trentaine d'années.

1. **I.F.R.E.M.E.R.**
   Institut français de recherche pour l'exploitation de la mer
2. **B.R.G.M.**
   Bureau de recherche en géosciences marines
3. **I.F.R.T.P.** et **I.N.S.U.**
   Institut français pour la recherche et la technologie polaire
   et Institut national des sciences de l'Univers
4. **Telecom**
   École nationale supérieure des télécommunications de Bretagne
5. **E.N.I.B.**
   École nationale d'ingénieurs de Brest
6. **Thomson broadcast system** (haute technologie)
7. **E.S.M.I.S.A.B.**
   École supérieure en microbiologie et sécurité alimentaire de Brest
8. **I.S.A.M.O.R.**
   Institut des sciences agroalimentaires et du monde rural

# La France : quels espaces de production ?

## 1. Où sont les agriculteurs ?

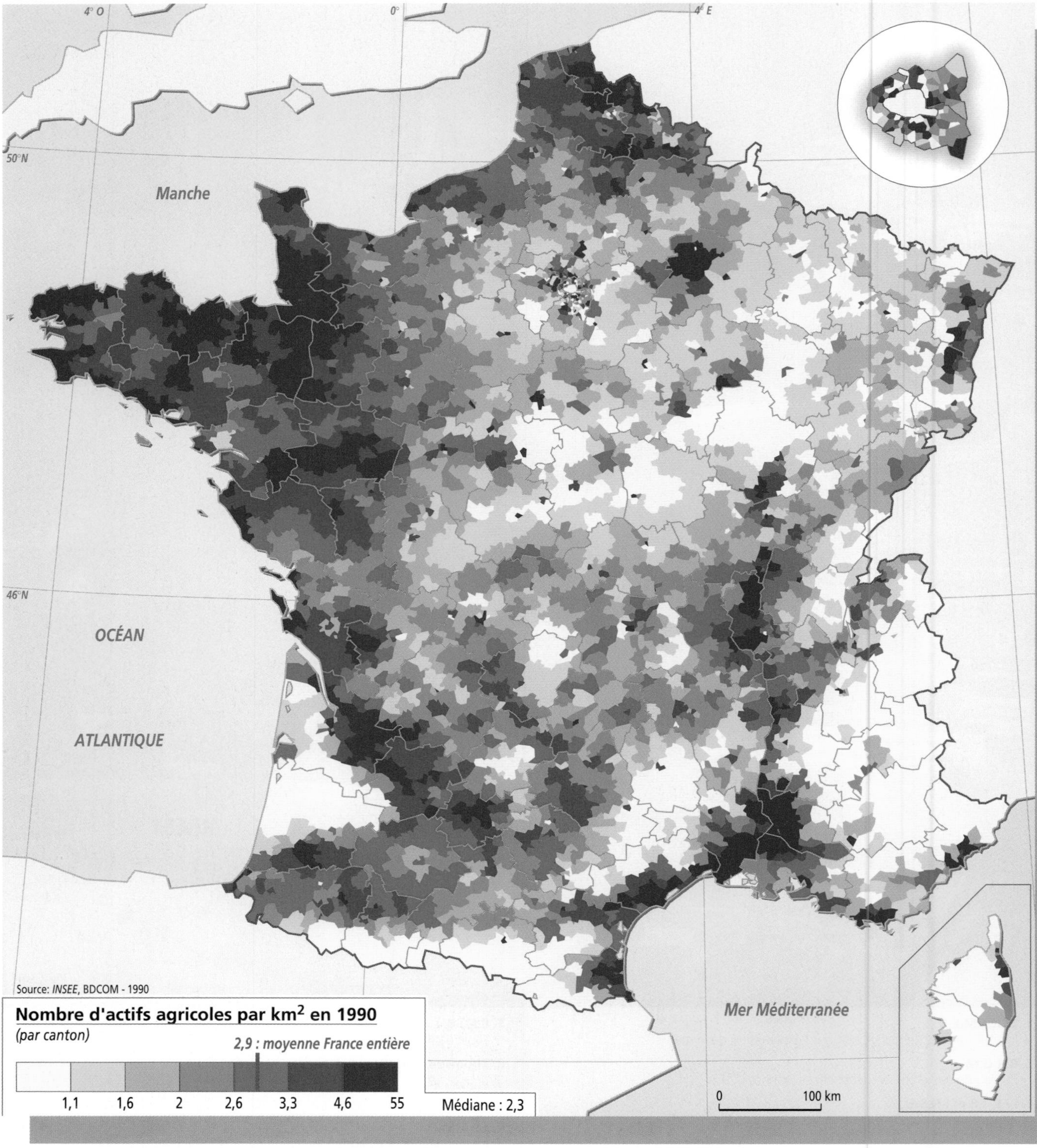

## 2. Où sont les emplois industriels ?

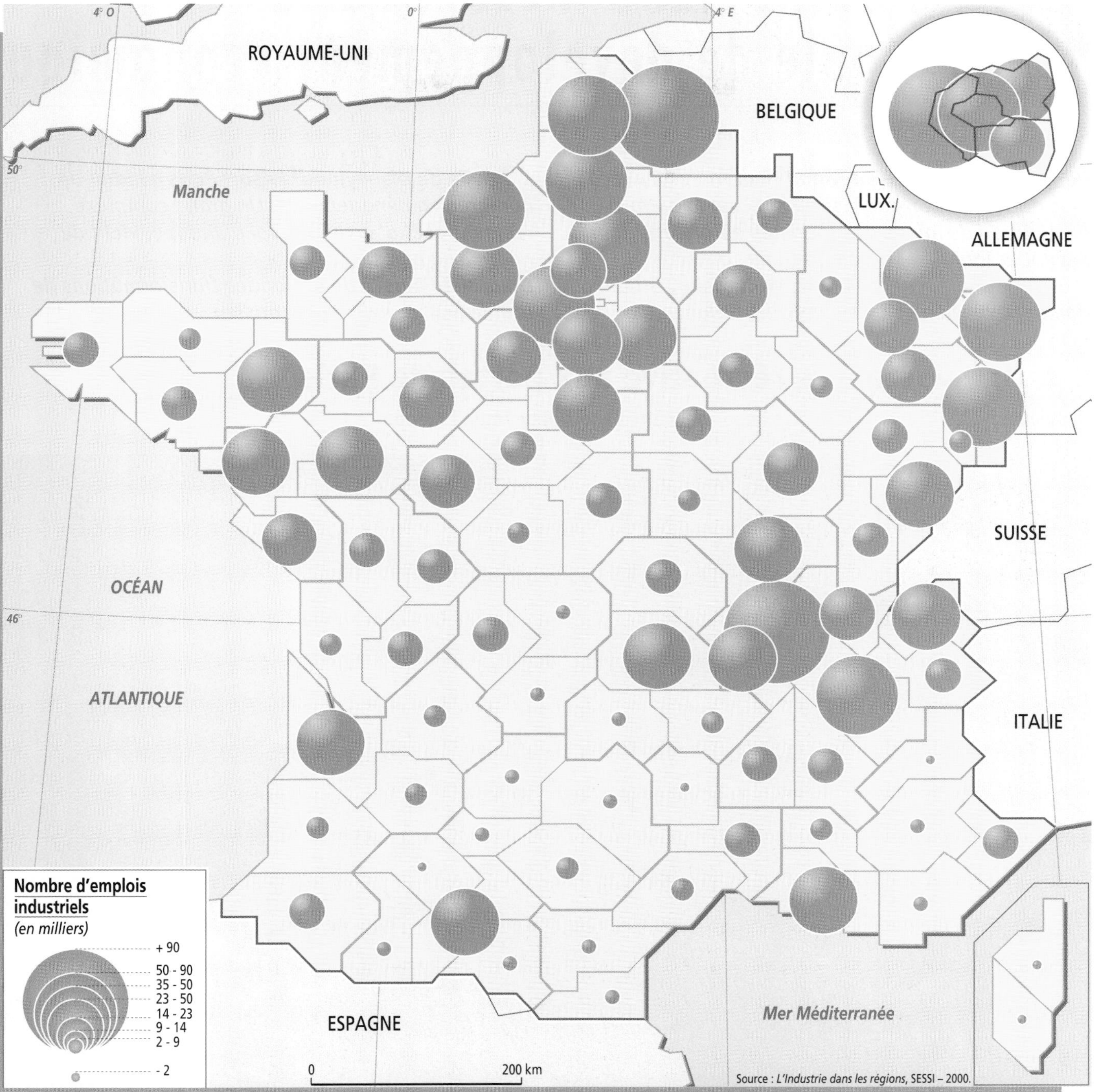


Source : *L'Industrie dans les régions*, SESSI – 2000.

**Questions**

- Dans quelles régions les actifs agricoles sont-ils les plus nombreux **(carte 1)** ?
- Quelles portions du territoire français concentrent la majorité des emplois industriels **(carte 2)** ?
- Peut-on opposer une France plus agricole à une France plus industrielle **(cartes 1 et 2)** ?

# Étude de cas

# Disneyland®Resort Paris pôle de développement économique

*Depuis sa création, Disneyland®Resort Paris a reçu plus de 100 millions de visiteurs. C' est la première destination de loisirs des touristes européens, loin devant la Tour Eiffel et le musée du Louvre.*
*L' ouverture d' un second parc, Walt Disney Studios, doit en accentuer encore la fréquentation.*

*L'arrivée de Disneyland®Resort Paris a induit de nombreux aménagements. Un grand complexe résidentiel et d' activités, Val d' Europe, vient de naître à sa porte.*
*On assiste ainsi à de profondes transformations de tout le paysage de l' Est parisien.*

## 1 ■ Une vaste aire récréative aux portes de Paris

Disneyland®Resort Paris est la plus importante aire de loisirs de toute l'Europe.

**1. Le parc Disneyland**

1. Disneyland Park. 2. Walt Disney Studios.
3. Disneyland Hôtel. 4. Disney Village.
5. Gare TGV-RER. 6. Vers autoroute A6.
7. Parking.

### Questions

**1.** Situez le parc d'attraction Disneyland®Resort par rapport à Paris (**2, 5**).

**2.** Relevez les aménagements réalisés ou en projet à proximité du parc (**1, 2, 3, 7, 8**).

**2. Le site Disneyland®Resort Paris (Photographie IGN – 1999).**

# 2 ■ Un espace tertiaire en plein développement

Tout le territoire autour des Parcs Disney connaît un essor spectaculaire. C'est un élément structurant de l'espace économique français.

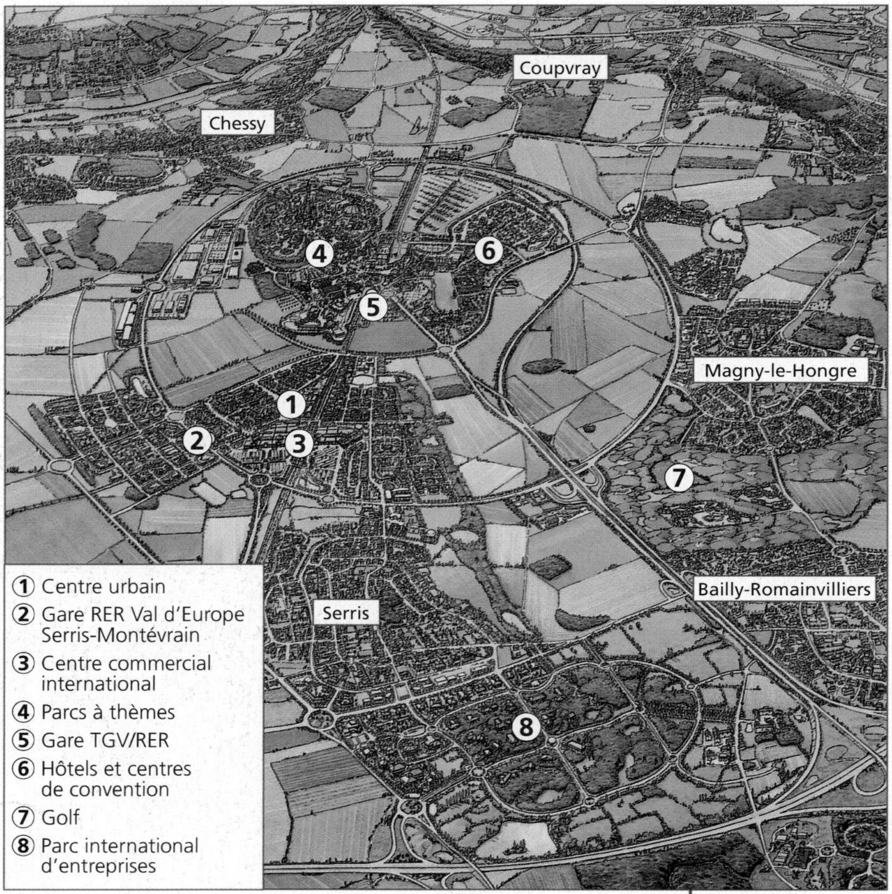


**3. Aménagements prévus à Disneyland®Resort Paris et à Val d'Europe**

## 4. Val d'Europe : pôle résidentiel et tertiaire

La naissance de Val d'Europe est liée à la décision de Walt Disney Company d'installer un parc de loisirs en Europe. Aujourd'hui, 800 hectares sont aménagés sur les 2 000 dévolus au groupe américain. Outre l'extraordinaire carrefour d'infrastructures de communication, le site comprend les aménagements liés au tourisme (Parc Disneyland, Walt Disney Studios, Disney Village, hôtels et centres de convention), mais également plusieurs programmes résidentiels en continuation des villages existants et dans le nouveau centre-ville de *Val d' Europe*.

Par ailleurs, avec ses programmes de bureaux et d'espaces tertiaires, *Val d' Europe* se confirme comme terre d'accueil des entreprises avec, à terme, 300 000 m² de bureaux dans le centre urbain et 660 000 m² dans le parc international d'entreprises. Sur le plan commercial, en octobre 2000 a été inauguré le Centre commercial international Val d'Europe. Il abrite, sur 100 000 m², plus de 130 commerces et services.

*Les Cahiers M2, Val d' Europe,* n° 100 – Septembre 2002.

**5. Disneyland® Resort Paris en Île-de-France**

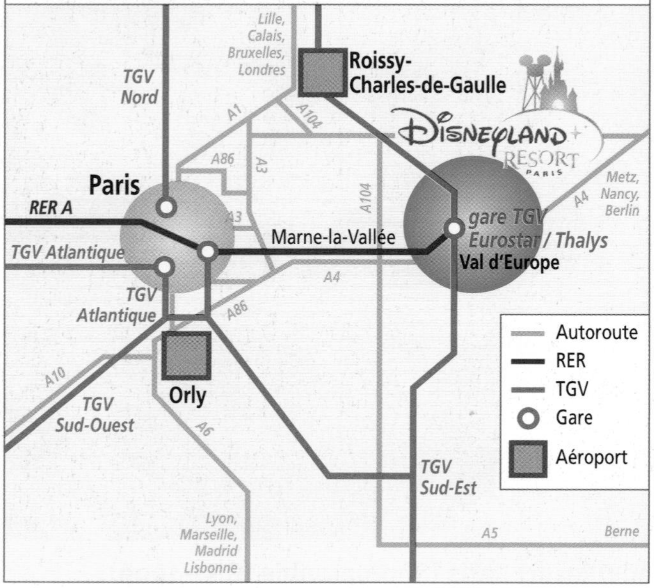


**6. Val d'Europe au cœur de l'Europe**

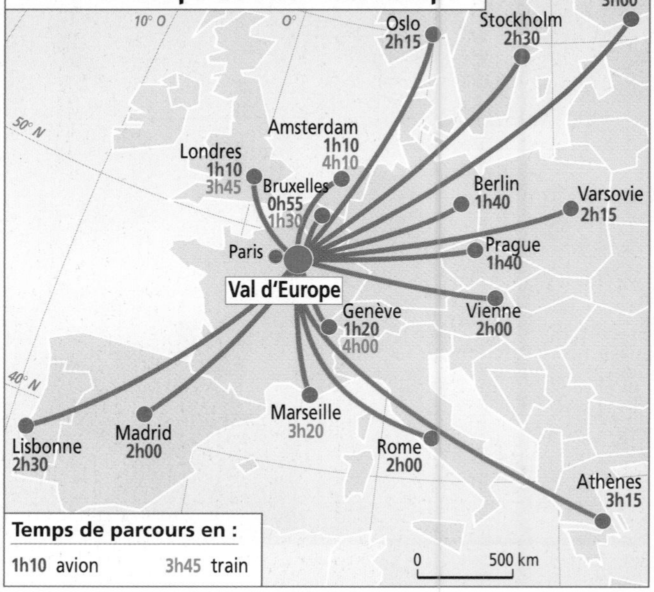

## 7. Le centre commercial Val d'Europe

## 8. « Il était une fois deux parcs »

Publicité en italien pour promouvoir le Parc Walt Disney Studios.

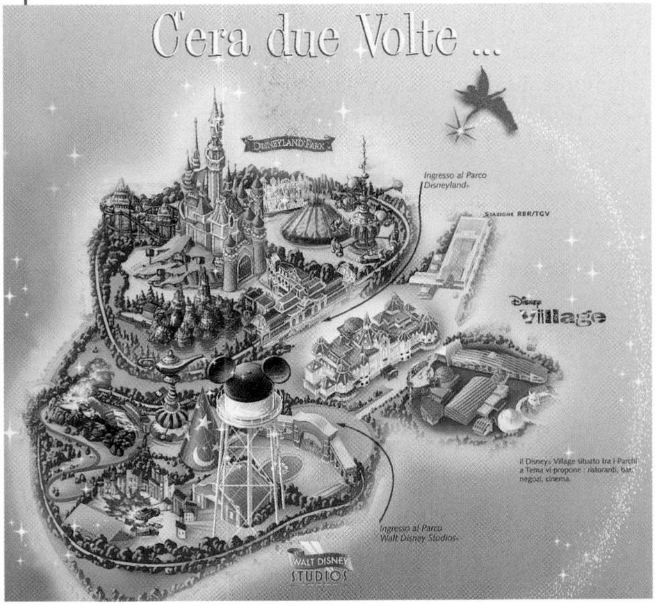


## 9. Val d'Europe, lieu de travail

Val d'Europe devrait générer 40 000 emplois, soit un par habitant. L'Arlington Business Park et les bureaux du cœur de ville sont des éléments moteurs du dynamisme de la ville. Ils accompagnent, mieux, ils conditionnent son expansion. D'où la place toute logique qu'ils occupent au cœur de la cité.

L'Arlington Business Park est un centre de haute productivité ; il couvre 180 hectares, dont une première tranche de 3 hectares sera disponible en 2003. À terme, 10 000 étudiants (800 dès la rentrée 2002) seront installés dans le pôle universitaire implanté à Val d'Europe.

D'après le site Internet valdeurope.com.

## Questions

**1.** Classez les différentes activités tertiaires installées ou prévues autour du parc (3, 4, 7, 9).

**2.** Pourquoi peut-on dire que Disneyland®Resort et Val d'Europe sont au cœur de l'Europe (5, 6, 8) ?

**3.** À l'aide de l'ensemble des documents, montrez comment l'installation du parc de loisirs a dynamisé l'ensemble de la région.

## Synthèse et prolongements de l'ÉTUDE DE CAS

- À partir de l'exemple de Disneyland®Resort et de Val d'Europe, montrez :
  - quelles transformations et quels aménagements le tourisme introduit dans les paysages ;
  - quels types d'activités s'installent à la périphérie des métropoles.
- Pourquoi, d'une manière générale, le rôle des réseaux de transport est-il fondamental pour le développement et l'organisation de l'espace économique d'une région ?

# 1 Une puissance économique en mutation

## Mots-clés

**Déprise agricole :** recul de la mise en valeur agricole d'un territoire.

**Désindustrialisation :** diminution ou disparition de l'activité industrielle.

**Industrie agroalimentaire (IAA) :** toutes les industries qui transforment les produits agricoles.

**Reconversion industrielle :** rénovation du tissu industriel des régions en crise par la création d'activités industrielles nouvelles.

* voir Lexique

## 1. Une des cinq premières puissances économiques mondiales

• **En dépit d'une taille modeste à l'échelle mondiale, la France est une puissance économique importante** (2). Ses capacités productives la placent au quatrième rang mondial derrière les États-Unis, le Japon et l'Allemagne. Dans certaines statistiques, elle serait dépassée depuis peu par le Royaume-Uni (3).

• **Cette puissance repose sur le développement d'activités réparties dans différents secteurs de l'économie :**
– **l'agriculture** : **puissance agroalimentaire**, la France est le premier pays agricole de l'Union européenne et le deuxième exportateur mondial de denrées agricoles ;
– **l'industrie de haute technologie :** l'espace (fusée Ariane), l'industrie nucléaire civile, le matériel militaire, les moyens de transport (automobile, TGV, aéronautique), les grands travaux ;
– **les services*** : (2$^{e}$ exportateur mondial), qui occupent plus de 70 % des actifs : tourisme, services financiers, télécommunications, santé, logistique*...

## 2. Une économie ouverte sur l'Europe et le monde

• **Le développement des échanges internationaux et la construction européenne**, ont permis une forte intégration de l'économie française dans l'économie mondiale. La France réalise près de 5 % des échanges mondiaux et sa balance commerciale reste largement excédentaire grâce à une **compétitivité améliorée**. La disparition progressive des barrières douanières s'accompagne d'une **ouverture de l'économie** et d'une **forte concurrence extérieure**.

• Au sein de l'Union européenne, l'instauration de l'euro, l'ouverture des marchés de l'énergie, des transports, obligent les entreprises françaises à **se regrouper** (fusion TotalFinaElf, rachat du Japonais Nissan par Renault), et à **perdre progressivement leur situation de monopole** (EDF, SNCF).

• Ces transformations ont permis à la fois l'arrivée **d'investissements étrangers et l'exportation de capitaux français à l'étranger** (4$^{e}$ investisseur mondial), affirmant ainsi la présence des firmes françaises dans le monde (1). Là, elles sont confrontées aux firmes multinationales européennes, américaines ou japonaises.

## 3. Les transformations de l'espace économique français

• Les mutations de l'économie, tant au niveau européen que mondial, affectent **la répartition des activités sur le territoire national**. L'opposition d'une France industrialisée à l'Est d'une ligne Le Havre-Marseille, à une France agricole située à l'Ouest de cette ligne, s'estompe progressivement.

• **La recomposition du tissu des activités se traduit aussi par une mosaïque de situations : désindustrialisation** de certains bassins d'emploi (Saint-Étienne, Le Creusot...), **reconversions industrielles** réussies ailleurs (Valenciennes, Metz, Nancy...) ; **concentration de l'activité agricole** dans quelques régions ou départements, **déprise agricole** dans d'autres ; spécialisation dans les **activités récréatives** pour les littoraux ou les montagnes (Côte d'Azur, Haute-Savoie...).

• Mais, sur tout le territoire, les **migrations d'actifs** soulignent le poids **de Paris et des métropoles* régionales**. Ces dernières, Lyon, Strasbourg, Lille mais aussi Nantes, Bordeaux, Toulouse ou Montpellier, animent l'activité économique à l'échelle des régions.

**Dossier**
Le Bassin parisien, grenier agricole de l'Europe et du monde
*(pages 234-237)*

**Perspective Bac**
Michelin, firme française ou multinationale ?
*(pages 242-243)*

**Perspective Bac**
L'espace économique français dans la dynamique européenne
*(pages 246-247)*

**Perspective Bac**
Le Nord : reconvertir un vieux bassin industriel
*(pages 244-245)*

## 1. Des entreprises françaises de dimensions européenne et mondiale

Le Crédit lyonnais en Slovénie ; Renault en Argentine ; Carrefour à Taïwan ; L'Oréal en Chine.

## 2. La France, une « vieille » puissance économique ?

À la veille de la Révolution de 1789, la France était la 2e puissance économique mondiale, derrière l'Angleterre. En 1913, elle figurait au 4e rang mondial, derrière les États-Unis, l'Angleterre et l'Allemagne. En 1973, elle était toujours 4e, cette fois derrière les États-Unis, le Japon et l'Allemagne. Aujourd'hui, nous sommes toujours la 4e puissance économique mondiale alors que la France ne représente que 1 % de la population mondiale.

Il y a donc une permanence historique selon laquelle la France fait partie du peloton de tête des pays les plus riches, à l'économie la plus puissante.

Dans le même temps, on sent bien ce sentiment, lui aussi permanent, selon lequel les Français auraient été moins inventifs que les Anglais au moment de la première révolution industrielle, moins bons que les Allemands, sur le plan du commerce et de la croissance, au moment de la deuxième révolution industrielle.

Autre rengaine, nos entreprises seraient moins disciplinées qu'au Japon et la France créerait moins d'emplois que les États-Unis. C'est un lamento permanent sur une France protectionniste qui ne sait pas vendre, repliée sur elle même et qui ne sait pas évoluer, agressée par la mondialisation, toujours derrière quelqu'un comme l'était le coureur cycliste Raymond Poulidor. Ce pays souffre d'un « complexe poulidorien » alors que, sur la longue durée, il a plutôt à se féliciter de sa position internationale et de ses performances économiques.

D'après J. Marseille, *Le Monde* – 16 avril 2002.

## 3. En Europe, une âpre compétition économique

Alternatives Economiques
www.alternatives-economiques.fr
Pourquoi il faut réformer la formation continue
Dossier page 32
NUMÉRO 201 ■ MARS 2002 ■ 3,50 €
Emploi : le bilan des années Jospin page 56 Schröder face au pacte de stabilité page 22
Pari risqué pour la télévision numérique page 27 La sociologie selon Bourdieu page 65
La France est-elle encore dans la course ?
Croissance, social, emploi, productivité... page 6
ISSN 0247-3739
T 02125 - 201 - F: 3,50 €
(France métropolitaine)

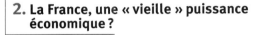

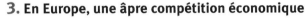

# 2 Le premier espace touristique mondial

**Mots-clés**

**Tourisme vert :** désigne les loisirs pratiqués en pleine nature : découverte du patrimoine naturel, randonnées...

## 1. Un territoire attractif

• **La France est le premier pays d'accueil du tourisme mondial.** Sur plus de 700 millions de touristes internationaux, dont 400 millions d'Européens, la France en capte plus de 76 millions, ce qui lui vaut d'occuper le **1er rang mondial**.

• **Le tourisme est devenu une activité fondamentale.** Il représente 7 % du PIB du pays et il génère plus d'un million d'emplois.

• **La France accueille surtout des touristes en provenance de l'Union européenne** (8 entrées sur 10). À ces flux internationaux, il faut ajouter **les touristes français,** dont 80 % choisissent l'hexagone pour partir en vacances.

## 2. Un patrimoine historique et naturel exceptionnel

• **L'espace le plus attractif** et le mieux équipé est constitué par l'ensemble des régions formant **un grand croissant périphérique**, de la Manche aux Alpes en passant par la Méditerranée (4) :
– **sur le littoral**, les stations fournissent un hébergement diversifié et une multitude de loisirs balnéaires à proximité du **patrimoine de l'arrière-pays** ;
– **dans les massifs montagneux**, les aménagements concernent en premier lieu les pratiquants des sports d'hiver (près de 5 millions de pratiquants). « L'or blanc » profite surtout aux Alpes du Nord avant les Pyrénées et les autres massifs (Jura, Vosges...).

• **À l'intérieur du territoire, le tourisme est plus diffus :**
– **le tourisme culturel** est en forte progression. Il correspond souvent à des circuits de découverte de monuments historiques (6). Depuis une vingtaine d'années, des **parcs de loisirs** (parcs d'attraction, parcs nautiques) ont vu le jour ;

– **le tourisme vert** concerne les espaces ruraux. Il mobilise surtout une clientèle familiale. Là où l'agriculture est en déclin, le tourisme vert peut constituer une activité essentielle (5).

• **Paris occupe une place à part.** Son patrimoine muséographique et artistique est tel que la capitale accueille **près de la moitié des séjours d'étrangers en France.**

## 3. Aménager et gérer les espaces du tourisme

• La gestion de ce tourisme de masse nécessite l'**action des pouvoirs publics** (autoroutes, lignes TGV...), et de **puissants investissements privés** (logements, services...). Les aménagements destinés aux touristes ont donné naissance à des **paysages spécifiques**.

• Dès les années 1960, les **plans d'aménagement du littoral** se sont succédé : réalisation des **grands complexes touristiques** de la côte du Languedoc-Roussillon et de la côte aquitaine. Le **plan neige** (1964) a assuré la promotion des sports d'hiver et a contribué à la construction de **stations intégrées*** (Chamrousse, La Plagne...).

• La création de **parcs naturels* régionaux et nationaux** a permis à la fois la protection d'espaces fragiles et le maintien d'activités agricoles tout en développant le tourisme rural.

• La production d'espaces touristiques peut provoquer **une dégradation de l'environnement*** : destruction de sites sensibles, atteintes aux paysages (5). La saturation des sites littoraux ou alpins présente des **risques*** : pollution marine, avalanches...

* voir Lexique

**Perspective Bac**
Le golfe de Saint-Tropez, un littoral aménagé pour le tourisme
*(pages 186-187)*

**Étude de cas**
Disneyland®Resort Paris, pôle de développement économique
*(pages 222-225)*

**Étude de cas**
Paris, ville mondiale
*(pages 108-111)*

**Perspective Bac**
Tignes, une montagne pour les citadins
*(pages 188-189)*

**Leçon**
Un territoire à aménager
*(pages 176-177)*

## 4. Les espaces touristiques

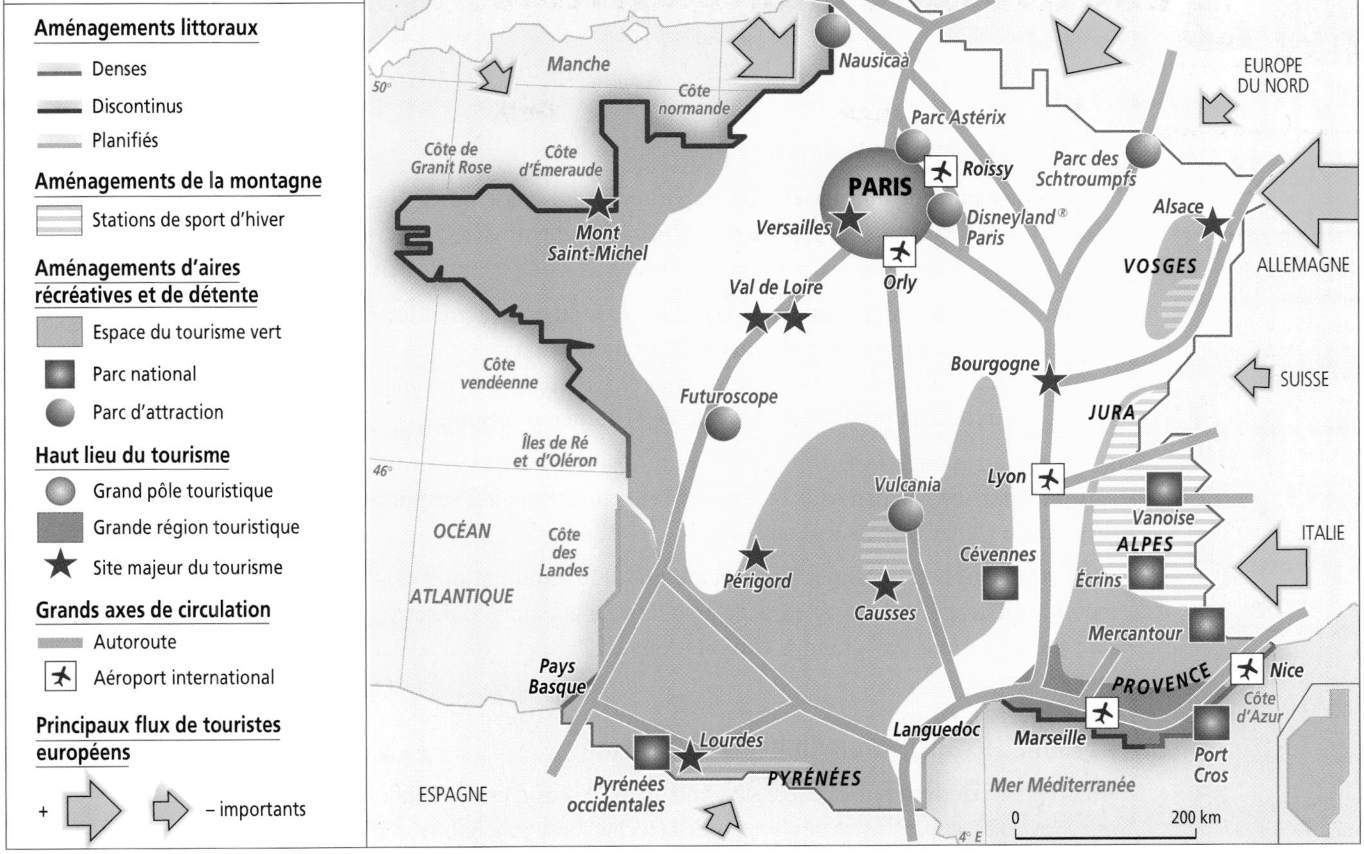


## 5. Le tourisme rural

Certains espaces ruraux peuvent être considérés comme de véritables régions touristiques. Un exemple : la basse vallée de l'Ardèche. L'attrait de ce pôle repose à la fois sur les paysages naturels – la gorge de l'Ardèche – et sur le canoë-kayak. 700 000 personnes le fréquentent chaque année, d'où l'essor des deux bourgs implantés à chacune des extrémités du cañon : à l'amont, Vallon-Pont-d'Arc à l'aval, Saint-Martin.

La saison est certes courte, mais la fréquentation suffisante pour que les propriétaires de camping ou les locataires de canoës-kayaks vivent uniquement du tourisme. Les employés effectuent généralement une saison d'hiver dans les stations de sports d'hiver. Ce tourisme de masse n'est pas sans poser des problèmes : sur fréquentation des routes et du fond de la gorge durant la belle saison, liens avec les ruraux quasiment inexistants, clientèle presque absente l'hiver.

J.-P. Diry, *Les Espaces ruraux*, Sedes – 1999.

## 6. Un patrimoine historique et culturel considérable

# 3 Une nouvelle France agricole

## Mots-clés

**Agriculture intensive :** agriculture qui obtient de forts rendements à l'hectare par l'utilisation des techniques modernes de production.

**Agri-manager (ou agro-manager) :** agriculteur qui gère son exploitation comme une véritable entreprise en liaison avec les firmes agroalimentaires et en fonction du marché.

**Cultures hors sol :** cultures pratiquées sur des « sols » artificiels placés sous des serres. Les plantes sont alimentées par des engrais liquides.

**Élevage hors sol :** forme d'élevage en étable ou en poulailler, qui utilise des aliments achetés aux firmes agro-industrielles.

**Système de production :** correspond à l'association des cultures sur une exploitation agricole et aux relations entre les productions végétales et animales (production de nourritures pour le bétail).

* voir Lexique

## 1. La France, un « géant vert »

• **La France possède une agriculture importante** par la place qu'elle occupe sur le territoire et dans l'économie du pays. La **superficie agricole utilisée** (SAU) s'étend sur près de 28 millions d'hectares, soit plus de la moitié du territoire métropolitain.

• Cette agriculture, très performante, alimente des **industries agroalimentaires*** dominées par quelques **firmes multinationales***. La production de cet ensemble atteint 5 % du PIB et dégage entre 7 et 10 milliards d'euros d'excédents commerciaux. La France fournit **le quart de la production agricole de l'Union européenne**.

• La modernisation de l'agriculture, l'ouverture vers les marchés européens (Politique agricole commune) et mondiaux ont permis à la France d'être le **2e exportateur mondial** de produits agricoles après les États-Unis.

• **La production est assurée par à peine 664 000 exploitations** (7). La superficie moyenne des exploitations n'a cessé de grandir pour atteindre 42 hectares. Cette extension profite surtout aux **grandes exploitations** : 12 % des exploitations détiennent la moitié de la SAU.

## 2. Une simplification du paysage agricole

• L'évolution du territoire agricole s'est faite dans le sens d'une simplification des paysages agricoles, conséquence des progrès de la recherche agronomique : variétés hybrides adaptées à tous les milieux, techniques de **cultures** et d'**élevages hors sol**... L'**agriculture intensive n'est pas sans conséquences sur l'environnement*** : pollution des nappes souterraines (9)...

• **Désormais, les différents types de cultures se concentrent dans quelques régions :** six exploitations sur dix sont spécialisées dans la grande culture (céréales, cultures industrielles), la viticulture ou l'élevage bovin. **Cinq grands systèmes de production** dominent l'espace agricole français : les régions de grandes cultures végétales ; les régions d'élevage tournées vers le lait et la viande ; les élevages hors sol ; les régions de vignoble de qualité ; les régions de cultures maraîchères et fruitières (8).

• Les systèmes de production diversifiés, **polyculture*** **plus élevage, sont en recul**.

## 3. Régions intégrées, régions en marge

• **Les régions intégrées aux marchés européen et mondial** sont celles qui regroupent l'essentiel des exploitations qui possèdent un système de production efficace et des revenus suffisants. Ces exploitations, aux mains d'**agri-managers**, correspondent au tiers des exploitations françaises. Elles se répartissent en **trois types d'espaces** : les **régions céréalières** du Bassin parisien ; les **régions fruitières et maraîchères** de la vallée du Rhône et du littoral méditerranéen ; les **vignobles** de grande qualité : Champagne, Bordeaux, Côtes-du-Rhône, Bourgogne (10)...

• **En revanche, plus de la moitié des exploitations agricoles n'atteignent pas des niveaux de revenus suffisants.** Cette France agricole correspond à un grand nombre de régions (10) : régions aux exploitations de petites tailles, régions d'élevage de Lorraine et du Nord-Ouest (Cotentin, Basse-Normandie), celles du Sud-Ouest restées à des systèmes polyculturaux, régions montagnardes (Massif central, Alpes du Sud...).

**Dossier**

**Le Bassin parisien, grenier agricole de l'Europe et du monde**
*(pages 234-237)*

**Dossier**

**En Auvergne, quel avenir pour l'espace rural ?**
*(pages 208-211)*

## 7. Transformation de l'agriculture

### a. Nombre d'exploitations (en milliers)

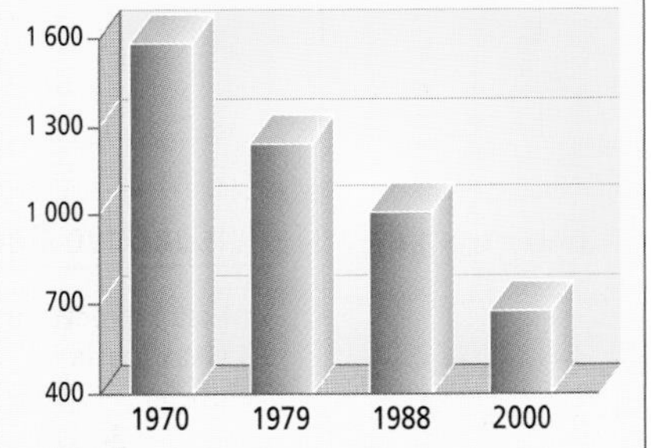

### b. Évolution de la superficie des exploitations (% du total)

en hectares

- 2000
- 1975

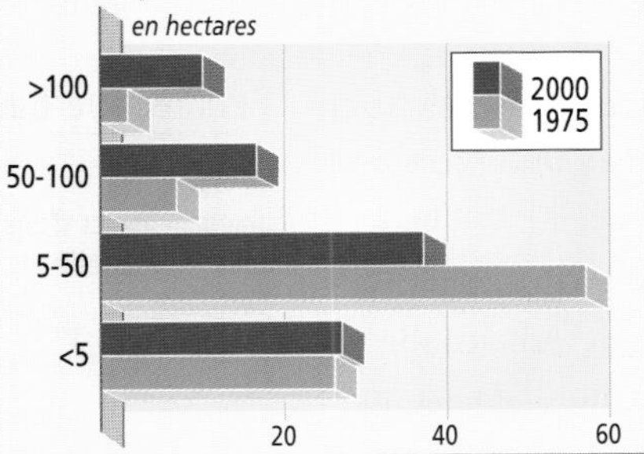

### c. Solde commercial de l'agroalimentaire (en milliards d'euros)

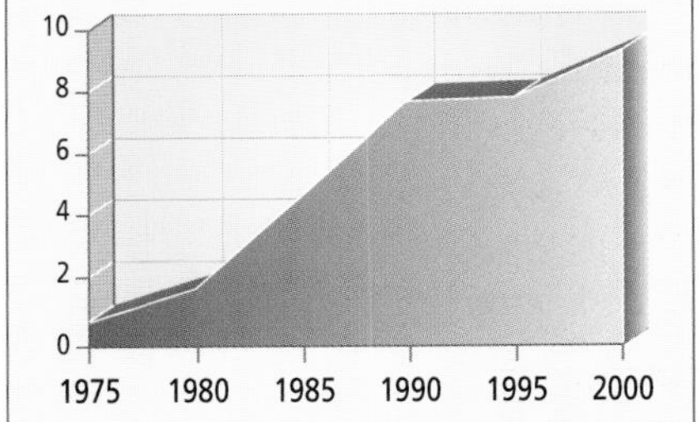

Source : Agreste –2001.

## 8. Les systèmes de production agricole

Source : Agreste – 2001.

| | |
|---|---|
| ■ Élevage bovin pour le lait | ■ Culture et élevage associés |
| ■ Élevage divers dont celui des bovins pour la viande | □ Grande culture à dominante céréalière |
| ▨ Élevage porcin (50 % du cheptel total) | ■ Viticulture, maraîchage, horticulture |

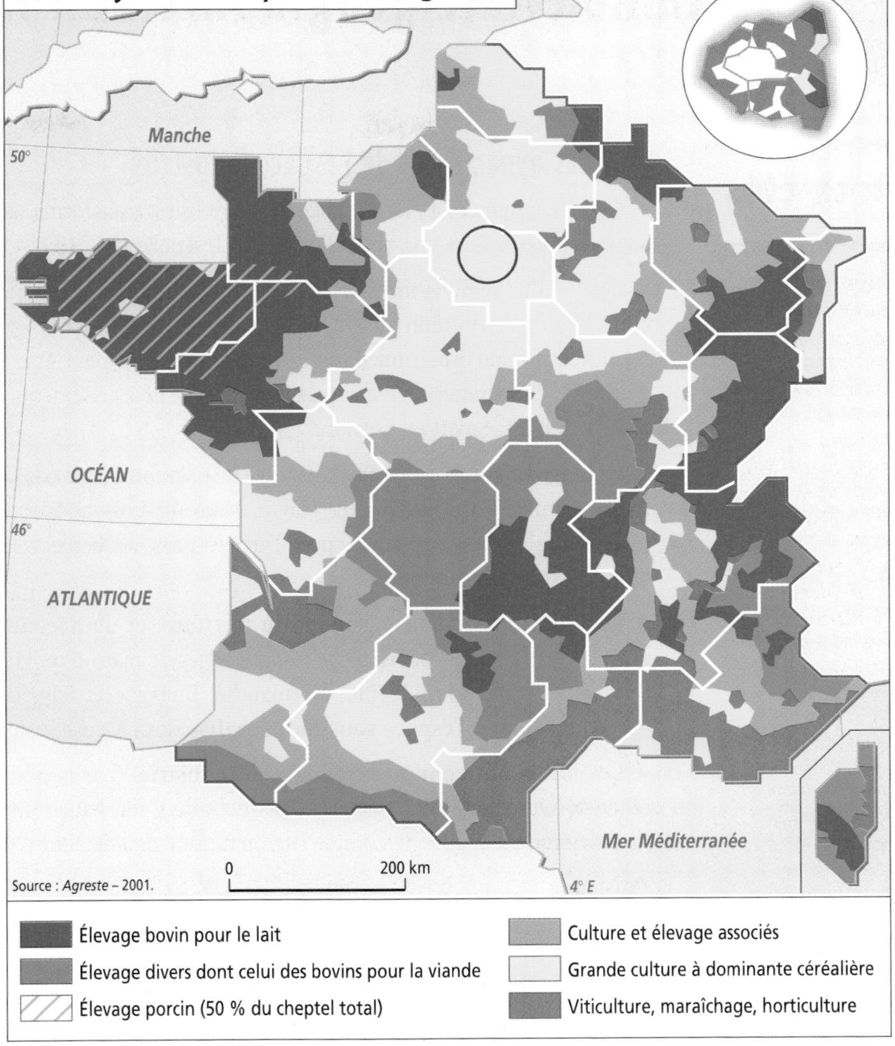

## 9. Paysages agricoles

Un premier type de paysages est issu d'un mode de production artificiel qui n'a plus besoin du milieu naturel comme unique support. Les cultures sous serre et les animaux élevés en batterie dans des bâtiments illustrent cette artificialisation de la production. Ce type de paysages est souvent situé près de centres urbains ou de voies de communication ; il ne traduit plus une combinaison entre l'activité humaine et le milieu naturel, mais s'analyse comme n'importe quelle implantation industrielle. Le déséquilibre du milieu naturel, engendré par cette concentration, pose souvent des problèmes écologiques (pollution de l'eau et de l'air) et esthétiques.

Le second type de paysages, à l'opposé, est caractéristique de régions où l'agriculture régresse (centre de la France, zones de montagne). Cette fois, l'espace cultivé se réduit, le milieu naturel reprend le dessus (friches) ou des plantations forestières (souvent des résineux) se développent. On parle alors de désertification et de « fermeture » du paysage par extension des friches et de la forêt.

D'après TDC n° 812 – Mars 2001.

## 10. Des revenus agricoles très contrastés

Source : Agreste – 2002.

**Revenu agricole par actif** (en 2000)

France métropolitaine = 100

60    100    120    150

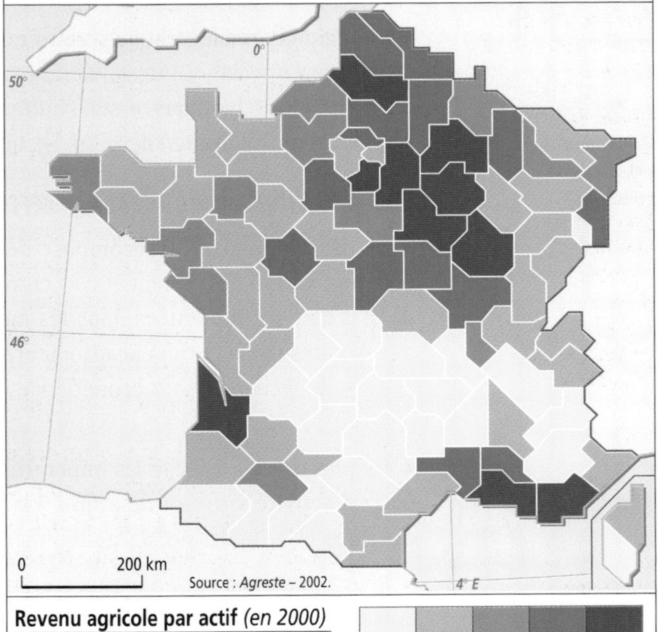

# 4 La nouvelle géographie de l'industrie

## 1. Les dynamiques de l'espace industriel

• Depuis les années 1970, l'espace industriel s'est transformé, créant de **nouveaux paysages industriels** et une nouvelle carte industrielle (11, 13).

• **Les vieilles régions industrielles** (Nord, Lorraine) correspondent aux régions qui ont connu l'industrialisation au XIXe siècle. Elles ont été touchées par une récession sévère. Aujourd'hui, leur **position dans l'espace européen** peut-être un atout de leur **reconversion***: coopération transfrontalière, accueil d'investissements étrangers (usines Toyota à Valenciennes, Smart en Lorraine...).

• **La maritimisation** s'est traduite par l'installation de grands complexes industriels littoraux comme à Dunkerque, Le Havre, Marseille-Fos-sur-Mer. Ces **zones industrialo-portuaires (ZIP)**, bien reliées avec l'arrière-pays, accueillent les pétroliers, les minéraliers et les **porte-conteneurs***.

• **Les politiques d'aménagement du territoire et de décentralisation industrielle*** ont, dès les années 1960, déployé les industries de main-d'œuvre sur **la moitié ouest du territoire** : vallée de la Seine, Normandie, Bretagne et Pays de Loire. Elles n'ont pas effacé, par contre, **l'espace sous-industrialisé** de la Meuse jusqu'aux Pyrénées.

• **Les Midis ont connu un renouveau industriel**, par la nouvelle donne énergétique (énergie hydroélectrique, nucléaire, pétrochimie), mais aussi par l'implantation d'industries de haute technologie comme l'aéronautique dans le Sud-Ouest.

## 2. Paris et Lyon, deux bastions industriels

• **La région parisienne est de loin la première région industrielle** de France (11, 13). Abritant des **fonctions périproductives**, la région affirme sa suprématie aussi par la présence de **sièges sociaux** des grandes firmes, la proximité des **centres de décision** politiques et financiers. À la richesse du gisement de main-d'œuvre s'ajoute l'insertion de la région dans les **réseaux de communication** internationaux, l'axe de la basse Seine l'ouvrant à l'espace maritime mondial.

• **La région lyonnaise est au second rang**, loin derrière Paris, grâce à une tradition manufacturière ancienne, à un solide réseau d'entreprises de taille européenne. L'ouverture du **« carrefour lyonnais »** sur l'Europe est un atout remarquable, complété par un **réseau urbain*** constitué de villes dynamiques : Grenoble, Chambéry, Annecy, Valence...

## 3. Les villes, « nouveaux » territoires de l'industrie ?

• **Le tissu industriel se recompose désormais à partir des villes et des réseaux de communication** qui attirent et concentrent les industries modernes (12). Celles-ci sont de plus en plus **implantées dans les métropoles*** parce qu'elles y trouvent une main-d'œuvre très qualifiée, un **encadrement scientifique** (Grandes Écoles, universités, laboratoires de recherche), un cadre de vie de qualité (éducation, environnement culturel, récréatif...).

• De plus, la ville satisfait les **impératifs de communications** et de déplacements. Les **parcs d'activité** se créent désormais à la périphérie des villes, à proximité des aéroports, des gares TGV ou des nœuds autoroutiers.

• Pour répondre à ces nouveaux besoins, les principales métropoles françaises se sont dotées de **technopôles**. Certaines villes tendent à se spécialiser dans les activités de haute technologie : ce sont des **technopoles** (12).

### Mots-clés

**Fonctions périproductives :** concerne les activités qui participent directement ou indirectement à la production : conception, gestion, commercialisation des produits par exemple.

**Maritimisation (ou littoralisation) :** déplacement des industries vers les littoraux.

**Technopôle (un) :** pôle d'activités proche d'une grande ville, réunissant la recherche et des industries de haute technologie : électronique, informatique, télécommunications.

**Technopole (une) :** ville dont l'activité économique repose sur des industries de haute technologie, rassemblées dans des technopôles.

**Zone industrialo-portuaire (ZIP) :** zone aménagée près d'un grand port, accueillant des activités portuaires et industrielles.

* voir Lexique

**Perspective Bac**

**Le Nord : reconvertir un vieux bassin industriel**
*(pages 244-245)*

**Perspective Bac**

**Le Havre, les aménagements d'une zone industrielle et portuaire**
*(pages 160-161)*

**Dossier**

**Lyon, ville industrielle : quels paysages ? quels risques ?**
*(pages 238-241)*

**Document**

**Le technopôle de Brest-Iroise**
*(pages 218-219)*

## 11. Les espaces industriels français dans la dynamique européenne

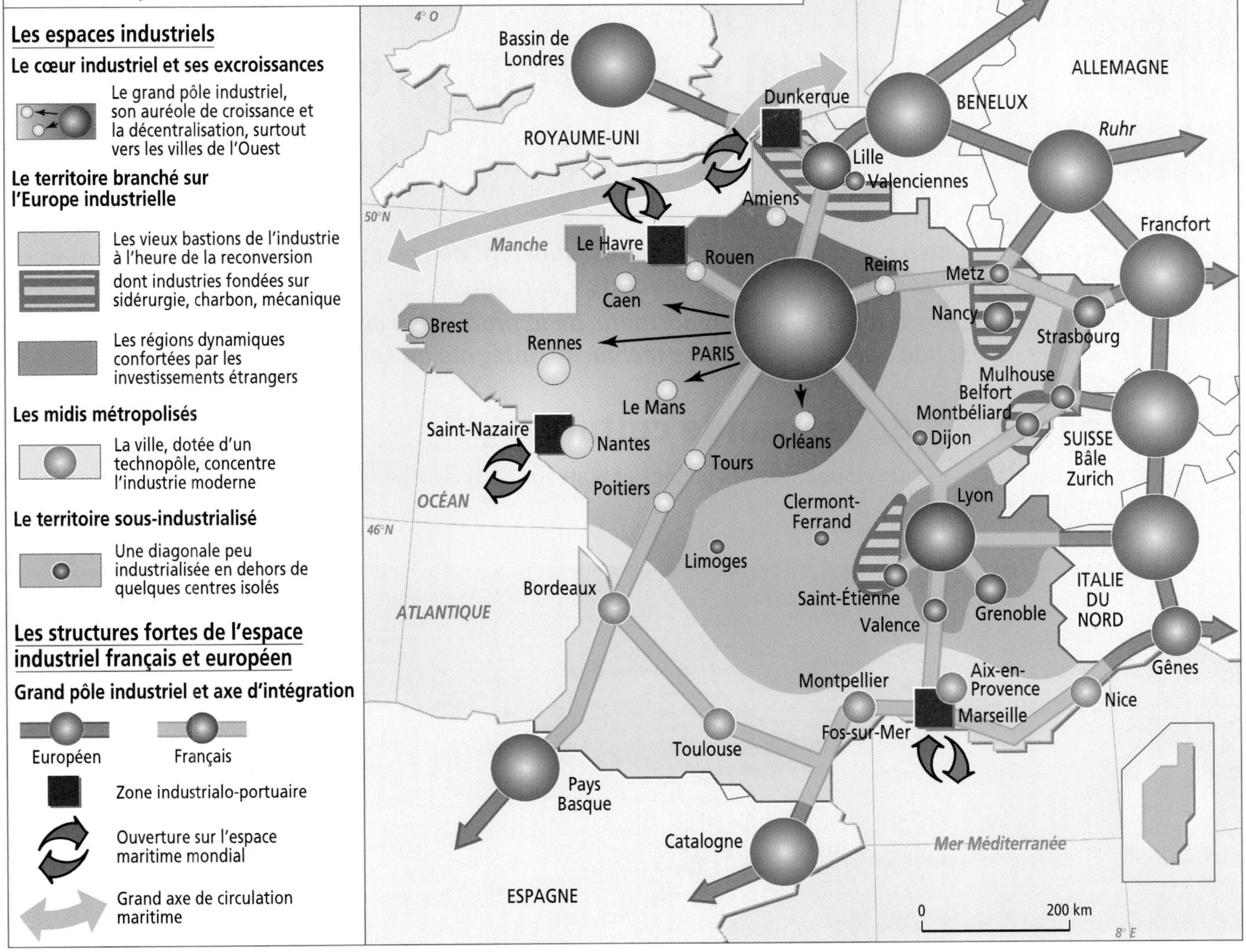

Les espaces industriels
Le cœur industriel et ses excroissances
Le grand pôle industriel, son auréole de croissance et la décentralisation, surtout vers les villes de l'Ouest
Le territoire branché sur l'Europe industrielle
Les vieux bastions de l'industrie à l'heure de la reconversion
dont industries fondées sur sidérurgie, charbon, mécanique
Les régions dynamiques confortées par les investissements étrangers
Les midis métropolisés
La ville, dotée d'un technopôle, concentre l'industrie moderne
Le territoire sous-industrialisé
Une diagonale peu industrialisée en dehors de quelques centres isolés
Les structures fortes de l'espace industriel français et européen
Grand pôle industriel et axe d'intégration
Européen
Français
Zone industrialo-portuaire
Ouverture sur l'espace maritime mondial
Grand axe de circulation maritime
4° O
4° E
50°N
46°N
8° E
Bassin de Londres
ROYAUME-UNI
Dunkerque
BENELUX
ALLEMAGNE
Ruhr
Lille
Valenciennes
Amiens
Manche
Le Havre
Rouen
Reims
Metz
Francfort
Caen
Nancy
Strasbourg
Brest
Rennes
PARIS
Mulhouse
Belfort
Montbéliard
Le Mans
Dijon
Saint-Nazaire
Nantes
Orléans
SUISSE
Bâle
Zurich
Tours
Poitiers
OCÉAN
Clermont-Ferrand
Lyon
Limoges
ITALIE DU NORD
Bordeaux
Saint-Étienne
Valence
Grenoble
ATLANTIQUE
Aix-en-Provence
Montpellier
Gênes
Marseille
Nice
Fos-sur-Mer
Toulouse
Pays Basque
Catalogne
Mer Méditerranée
ESPAGNE
0
200 km

## 12. Les métropoles, nouveaux territoires de l'industrie

le Grand Lyon
vous ouvre
de nouveaux
espaces
Le Grand Lyon
20 rue du Lac - 69003 Lyon - Tél. : 04.78.63.40.18
email : pvennin@grandlyon.org
site : http://www.grandlyon.com
Plate-forme logistique
de Mions-Corbas
Centre d'affaires
de la Part-Dieu
Pôle de services et de congrès
de la Cité Internationale
Parc technologique
de Lyon-Porte des Alpes
Parcs scientifiques
Gerland-La Doua-Techlid

## 13. Poids et évolution de l'emploi industriel

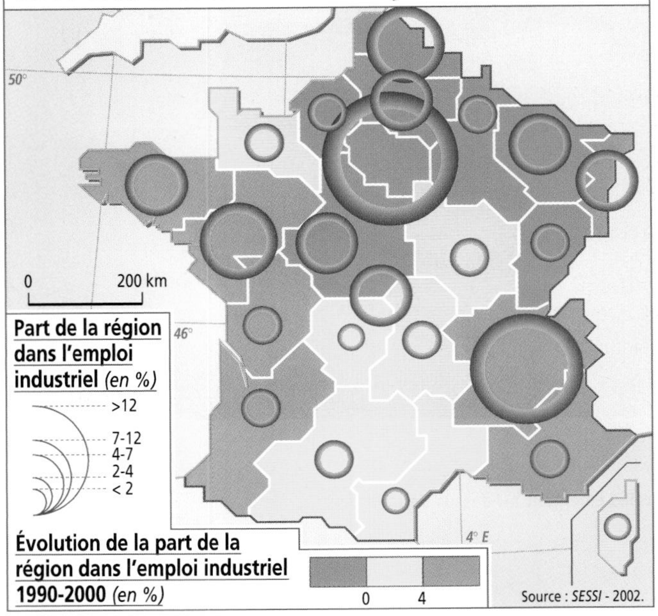

50°
46°
4° E
0
200 km
Part de la région dans l'emploi industriel (en %)
>12
7-12
4-7
2-4
< 2
Évolution de la part de la région dans l'emploi industriel 1990-2000 (en %)
0
4
Source : SESSI - 2002.

**Dossier**

# Le Bassin parisien, grenier agricole de l'Europe et du monde

*Des champs immenses, ouverts, sans clôtures, couvrent de vastes espaces dans le Bassin parisien. Les paysages reflètent l' opulence de l' agriculture.*

*Ces campagnes assurent une part importante de la production céréalière de la France et de l' Europe. C' est une agriculture à haute technicité, intégrée au complexe agro-industriel.*

## 1 ■ Les paysages de la grande culture

L'agriculture intensive, qui s'est développée sur les plaines et plateaux du Bassin parisien, a engendré des paysages et des aménagements spécifiques.

**1. Les grandes plaines de Champagne (près de Troyes)**

Des parcelles immenses courent jusqu'à l'horizon ; seuls les villages et les silos à grains émergent au-dessus de la plaine.

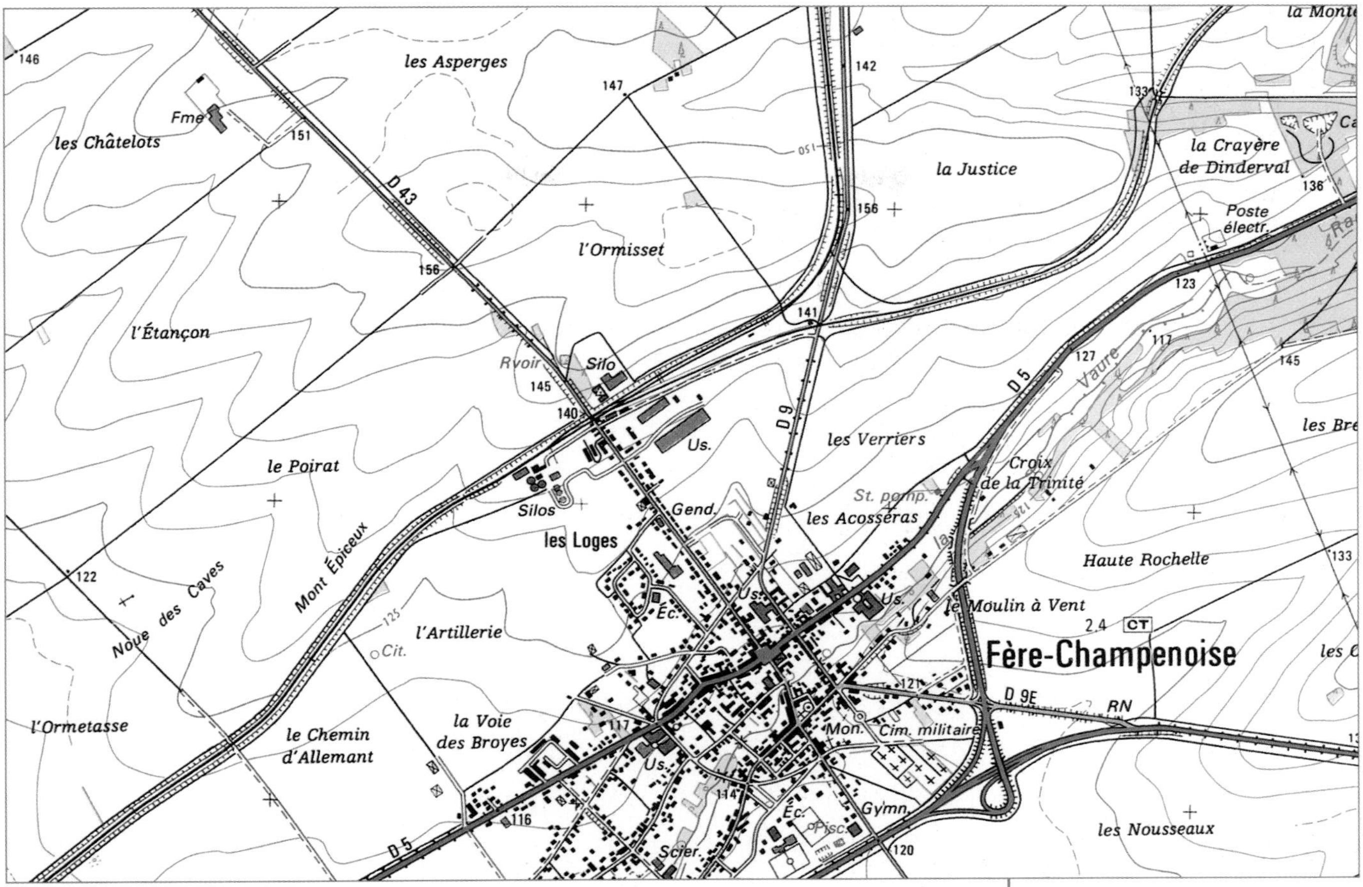


## 2. Extrait de la carte de La Fère-Champenoise (Marne) à 1/25 000 (IGN – 1996)

## 3. Les paysages du Bassin parisien

C'est un paysage fait de grandes parcelles quadrangulaires de plusieurs dizaines d'hectares qui caractérise le modèle d'organisation rurale du Bassin parisien. De la Picardie au Berry, de la campagne de Caen à la Champagne, l'œil ne distingue plus que de grandes masses colorées peu nombreuses. Cet openfield mosaïque a gagné l'ensemble des plateaux du Bassin parisien.

La structure agricole repose sur l'utilisation d'un parc de machines exigeant des superficies importantes et des parcellaires adaptés, un petit nombre de travailleurs salariés (un pour 100 à 150 hectares), des rendements élevés, une rotation simplifiée des cultures associant céréales et cultures industrielles (betterave à sucre, oléagineux, légumes de plein champ). Les revenus bruts d'exploitation, élevés, soulignent l'efficacité du système.

Il s'agit d'un système conquérant qui a largement bénéficié de la PAC d'avant 1992 et qui constitue le fer de lance de l'agriculture française du club des « plus de 10 000 quintaux » de céréales.

Il s'accompagne de faibles densités de population, mais il est remarquablement intégré à l'environnement économique et respire la prospérité.

C'est un système souple, qui sait s'adapter aux fluctuations des marchés ou à la législation, et qui fait évoluer ses cultures en fonction de la conjoncture.

J. Renard, *Agriculture et campagnes dans le monde*, Sedes – 1996.

## 4. Des « grainmen » français ?

Les modes d'habitat des agriculteurs des régions de grande culture se rapprochent de ceux rencontrés dans les autres grandes régions céréalières exportatrices de la planète, qui présentent comme elles de faibles et très faibles densités de population. De plus en plus nombreux sont les « grainmen » ou céréaliers qui habitent en ville et qui prennent leur voiture le matin pour aller travailler sur leurs exploitations et le soir pour en revenir. Ils se rapprochent, par leurs modes d'habitat, des farmers des États-Unis et du Canada qui sont en fait devenus des citadins !

J.-P. Charvet, *Des campagnes vivantes*, PUR – 2000.

## Questions

**1.** Décrivez le paysage des campagnes agricoles du Bassin parisien (1, 2, 9).

**2.** Quelles sont les activités agro-industrielles présentes dans la région de La Fère-Champenoise (2) ? Repérez les silos. Où sont-ils situés ? Pourquoi ?

**3.** Qu'est ce qui caractérise l'agriculture des régions de grande culture (3, 4) ?

# 2 ■ Une agriculture puissante

L'agriculture du Bassin parisien est l'une des plus modernes d'Europe. Elle est bien intégrée au secteur agro-industriel. Cela lui permet d'être présente sur les marchés européen et mondial.

**5. Filiales du groupe « Champagne céréales » en Europe et dans le monde**

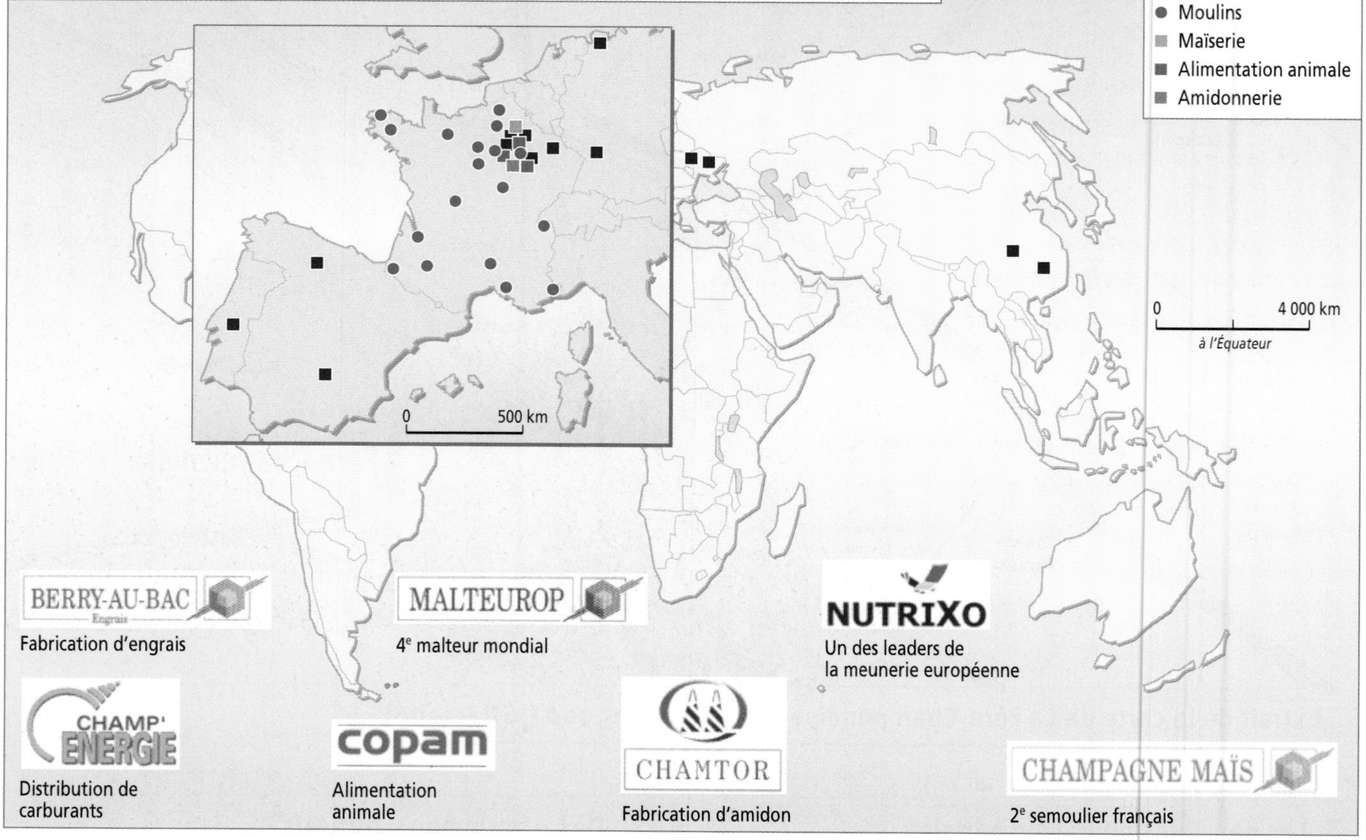


**6. Superficies cultivées en céréales**

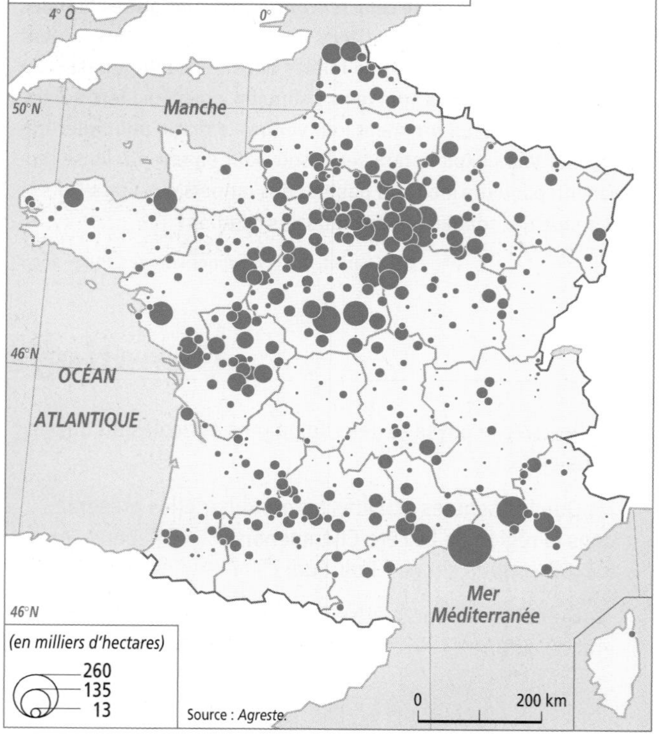


**7. La France, puissance céréalière**

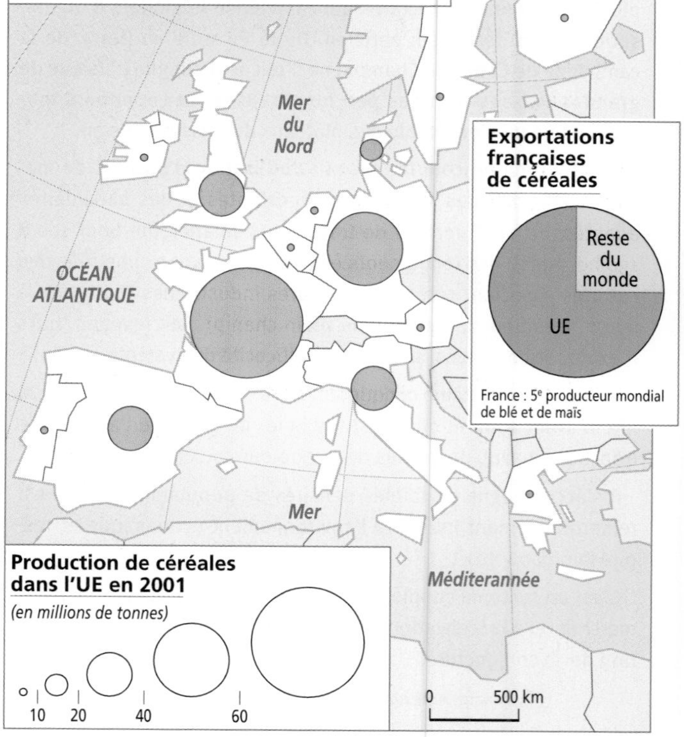

## 8. Au cœur de la moisson en Champagne

Ludovic Prévoteau est agriculteur à Bourgogne, près de Reims, dans la Marne. Il gère une exploitation de 175 hectares sur laquelle il produit des céréales sur environ 95 hectares. Aidé d'un salarié, il enchaîne en été des journées de 12 heures pour faucher le blé.

– *Huit heures*. Chaque matin, pendant la moisson, Ludovic Prévoteau s'installe à son bureau pour comptabiliser les bons de livraison de la veille. Il vérifie aussi les rendements des parcelles moissonnées.

– *Onze heures trente*. Après avoir fauché deux hectares, Ludovic stoppe sa moissonneuse et transfère son grain dans une benne qu'il mènera ensuite au silo de Fresne-lès-Reims pour la pesée.

– *Dix-sept heures*. Après la pesée, l'employé de Ludovic vient rechercher la benne pour stocker le blé à la ferme dans l'un de ses six silos. Le blé sera conservé ici jusqu'en janvier avant d'être vendu.

*Climat*, n° 32 – 2002.

## 9. L'openfield de la Brie (Île-de-France)

## 10. Des champs « gérés depuis l'espace » !

Cropstar-blé est un service de télédétection proposé par la coopérative « Champagne céréales ». Il permet aux adhérents de bénéficier de recommandations pour leurs cultures, grâce aux photographies aériennes.

Plusieurs survols des parcelles évaluent l'état de la croissance des plantes et les doses d'engrais nécessaires.

Par exemple, sur cette parcelle, les zones rouges, cultivées en blé d'hiver, nécessitent un apport important d'engrais azoté.

Les photographies fournissent aussi à la coopérative des prévisions sur les rendements et les teneurs en protéines des cultures.

Site Internet Cropstar-blé.

## 11. Les rendements céréaliers en France

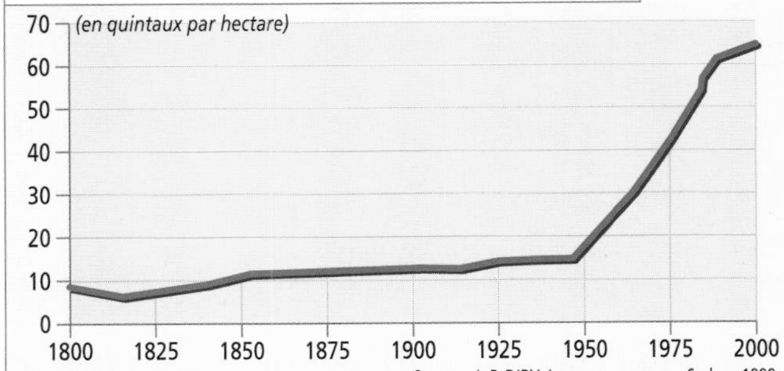


Source : J.-P. DIRY, *Les espaces ruraux*, Sedes - 1999.

## Questions

1. Où la culture des céréales est-elle la plus importante en France (6) ?

2. Décrivez l'exploitation de Ludovic Prévoteau : superficie, cultures, personnel, matériel... (8).

3. Quels sont les avantages de la surveillance des champs cultivés par télédétection (10) ?

4. Montrez que la France est une puissance agro-industrielle (5, 7).

Dossier

# Lyon, ville industrielle : quels paysages ?quels risques ?

*L'agglomération lyonnaise est un pôle industriel de première importance. Les paysages industriels bordent les franges de la ville.*

*Les activités industrielles et le stockage de certains produits sont à l' origine de risques technologiques importants.*

## 1 ■ Les paysages de l'industrie lyonnaise

L'industrie est une composante essentielle de l'activité économique lyonnaise. Le Sud de l'agglomération en abrite la plus grande partie.

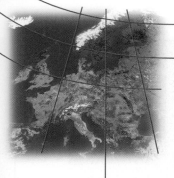

**1. Le port Édouard-Herriot, les installations industrielles de Pierre-Bénite, de Saint-Fons et de Vénissieux**

**2.** **Industries chimiques et raffinage du pétrole : des spécialités lyonnaises**

## 3. Un riche passé industriel

L'agglomération de Lyon est le deuxième pôle industriel français. Elle le doit à la greffe réussie d'activités de production sur une grande place marchande en position favorable de carrefour national et international. Les Lyonnais ont été des inventeurs modernes. Les noms de Jacquard (le textile, la mécanique), d'Ampère (l'électricité), de Guimet (la chimie, les colorants), de Berliet (l'automobile), de Mérieux (la pharmacie), de Péchiney, de Rhône-Poulenc et de beaucoup d'autres, sont attachés au parcours industriel de Lyon, du début du XXe siècle à nos jours.

À l'heure actuelle, les plus grosses unités de production se situent dans les industries de l'automobile, du raffinage du pétrole, de la chimie et de la construction électrique.

Ces implantations industrielles ont été surtout développées à l'Est et au Sud de l'agglomération, particulièrement en bordure de la vallée du Rhône, à Vénissieux et dans le « couloir de la chimie ».

A. Frémont, *Portrait de la France*, Flammarion – 2001.

## 3. L'industrie dans l'agglomération lyonnaise

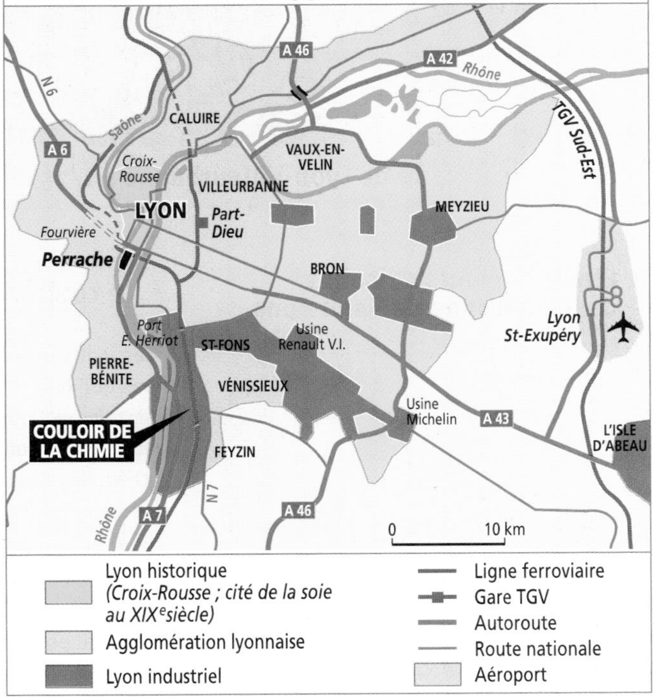


## Questions

**1.** Décrivez le paysage industriel du Sud de l'agglomération lyonnaise (1, 2, 3, 4, 5 et doc. 13 page 233).

**2.** Quel est le poids industriel de Lyon (3, et cartes 11 et 12 page 233) ?

**3.** Quels sont les atouts industriels de Lyon (3) ?

## 2 ■ Des espaces industriels à risques

Les risques sont liés à la forte imbrication de l'industrie et de l'habitat. La prévention et la gestion des risques technologiques ont fait l'objet d'une réglementation.

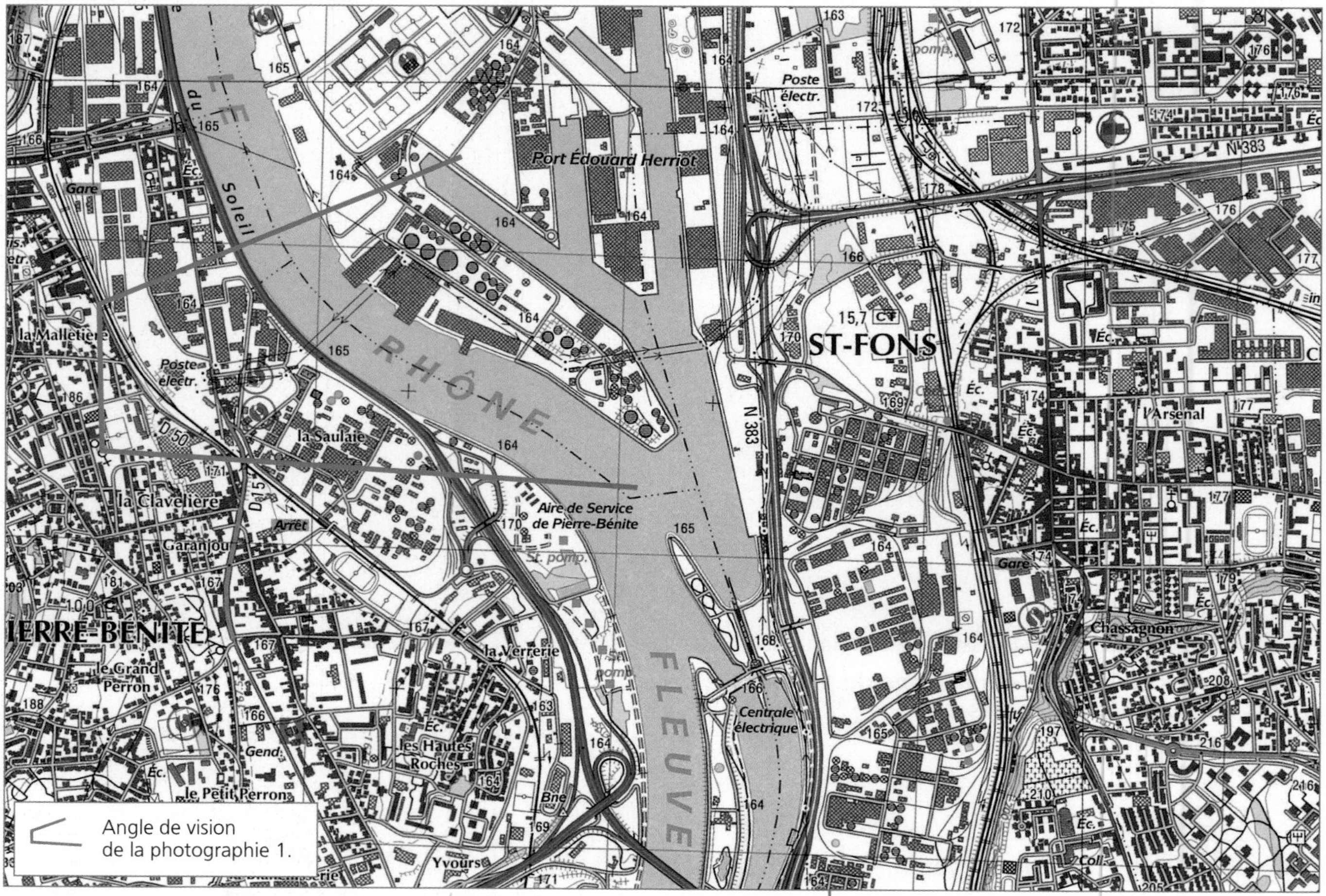


**5. Extrait de la carte de Lyon-Villeurbanne à 1/25 000 (IGN – 2001)**

### 6. Établissements à risques de la commune de Saint-Fons

| Établissements | Rayon du PPI *(en mètres)* | Risques |
|---|---|---|
| **Ciba** | 600 | Toxique, inflammable |
| **Atofina** | 1400 | Toxique, explosion |
| **ATOFINA** | 1200 | Toxique, explosion |
| **Rhodia Belle Étoile** | 350 | Explosion, toxique |
| **Rhodia Organique** | 1400 | Toxique, inflammable |
| **Rhodia Silicones** | 1400 | Explosion, toxique |
| **Rhodia Silicones** | 650 | Toxique, incendie et fumées toxiques |

Source : site Internet SPIRAL – Lyon.

### 7. Le couloir de la chimie

Les industriels voudraient l'appeler la « vallée de la chimie », mais, au pied des habitations qui jouxtent ces installations, on parle toujours de « couloir de la chimie ». Sur une quinzaine de kilomètres, de La Mulatière, au Sud de Lyon, jusqu'à Feyzin, se succèdent treize installations classées Seveso* représentant un risque industriel majeur. La nuit, ces cathédrales d'acier, ces enchevêtrements de tuyaux et poutrelles, ces gigantesques cuves se parent de mille lumières comme les plus beaux monuments de Lyon.

Dans le « couloir de la mort », comme disent les riverains les plus alarmistes, sont stockés des produits pétroliers, du gaz, des produits chimiques, ammoniac, solvants, phénol, esters chlorés, eau oxygénée, etc. Au cœur du 7e arrondissement de Lyon, à quelques centaines de mètres du pôle scientifique où se côtoient les laboratoires de recherche, les entreprises de pointe et les facultés, le port Édouard-Herriot abrite trois dépôts d'hydrocarbures et un de gaz. Nées des grandes heures de la soierie lyonnaise, puis de l'industrie textile, demandeuse de colorants et de textures nouvelles, les premières entreprises chimiques se sont installées à Saint-Fons ou Pierre-Bénite au XIXe siècle, lorsque ces banlieues n'étaient encore que des villages.

Aujourd'hui, les habitations ont poussé au plus près des sites industriels. La route nationale est devenue une autoroute à six voies.

S. Landrin, *Le Monde* – 25 septembre 2001.

## 8. Gérer le risque industriel

Pouvoirs publics et industriels sont unanimes : dans l'industrie chimique et pétrolière, le risque zéro n'existe pas. La probabilité d'une catastrophe est d'autant plus grande que les entreprises dangereuses sont concentrées sur une zone, comme c'est le cas dans le « couloir de la chimie ».

Depuis 1985, chaque directeur d'usine chimique ou d'entreprise traitant des hydrocarbures doit préparer un Plan d'opération interne (POI) qui définit l'organisation des secours en cas d'accident à l'intérieur de l'usine.

La directive européenne Seveso II* oblige également l'exploitant à élaborer et à mettre en œuvre une politique de prévention des accidents majeurs fondée sur une étude de dangers.

L'étude de dangers et le POI sont utilisés par l'administration pour concevoir le Plan particulier d'intervention (PPI*) sous l'autorité du préfet. Ce plan définit l'organisation des secours (protection civile, Samu, pompiers, gendarmerie...) en cas d'accident très grave dont les conséquences débordent le cadre d'une usine.

« Aléas et Enjeux », *TDC*, n° 8 – 1er décembre 2002.

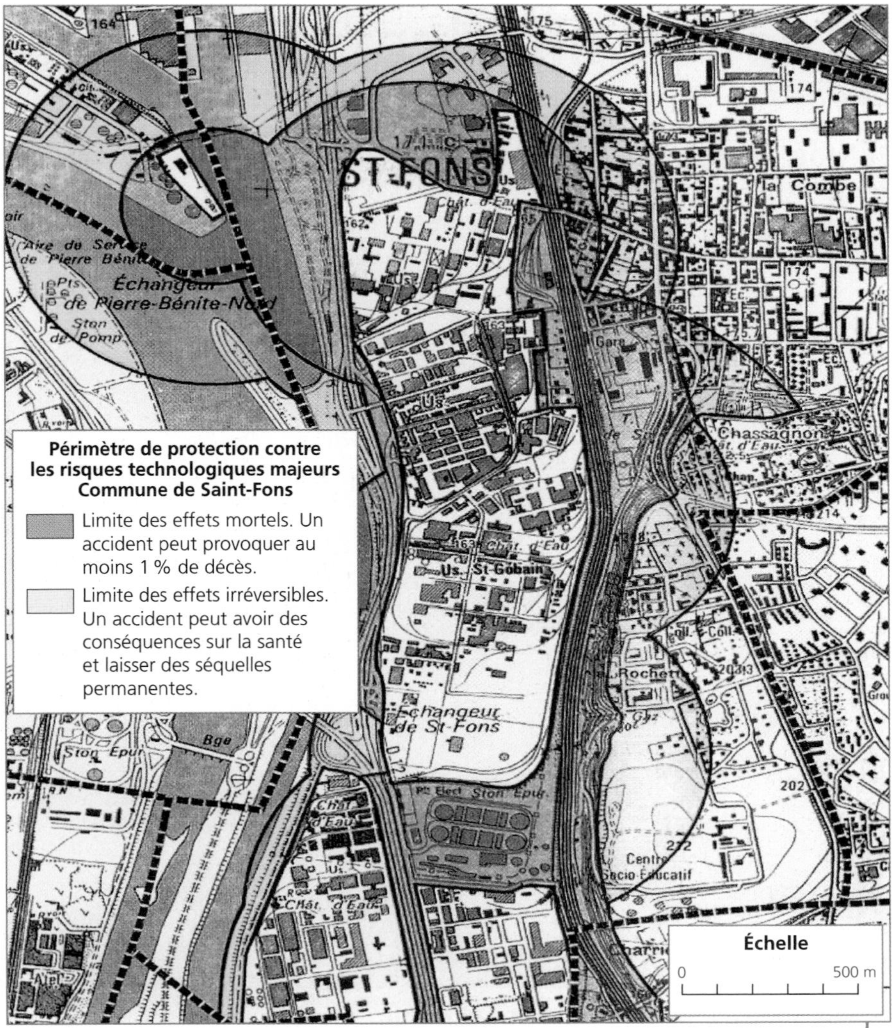


## 9. Extrait de la carte des zones à risques technologiques du Sud de l'agglomération lyonnaise

Les zones coloriées sont soumises à des restrictions concernant l'urbanisation. Ces cartes sont insérées dans le Plan local d'urbanisme (PLU*).

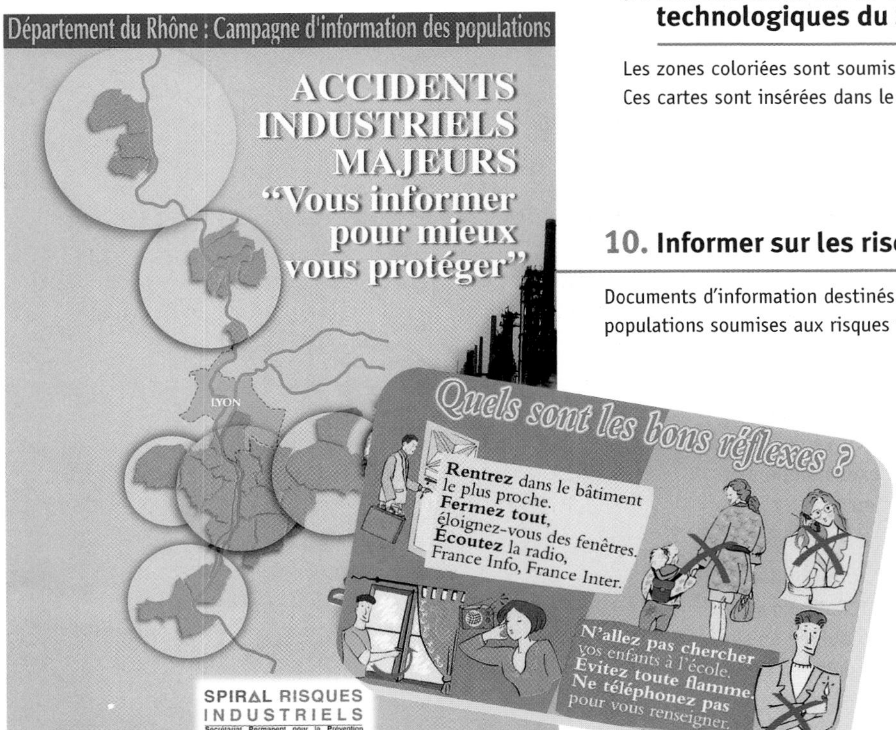


## 10. Informer sur les risques

Documents d'information destinés aux populations soumises aux risques industriels.

## Questions

**1.** Quelles industries sont présentes dans le couloir de la chimie (5, 6, 7) ?

**2.** Quels risques technologiques menacent le Sud de l'agglomération lyonnaise (5, 6, 7, 8, 9) ?

**3.** Relevez les mesures prises pour assurer la protection des personnes (8, 9, 10).

Perspective **BAC**

# Michelin, firme française ou multinationale ?

## Étude de documents — Rédiger une synthèse

**1. Clermont-Ferrand : la ville de Michelin**

Les décisions du groupe industriel et les grandes innovations partent de là.

**2. Michelin à la pointe de l'innovation**

Dans les semaines qui ont suivi l'accident du Concorde, EADS a sollicité l'ensemble des manufacturiers pour savoir si des recherches en cours étaient de nature à améliorer la résistance des pneus aux endommagements par objet étranger. Michelin a proposé sa dernière version du radial NZR (Near Zero Growth), lequel offre une meilleure résistance du pneu a l'endommagement ainsi qu'un gain de masse important.

Communiqué de presse – 7 juin 2002.

Le monorail de Las Vegas sera équipé de roues et pneus Michelin. Entièrement automatisé et d'allure futuriste, ce véhicule de neuf rames reliera en 2004 les huit grands complexes hôteliers et le Centre des congrès de la capitale mondiale du jeu

Communiqué de presse – 10 juillet 2002.

Pour Michelin, l'édition 2003 du Salon de l'automobile de Detroit est placée sous le signe du prestige. En effet, Rolls-Royce a dévoilé sa nouvelle limousine, la Phantom, qui est équipée en série de Michelin PAX System, un pneu qui permet de rouler en toute sécurité, 200 km après une crevaison.

Communiqué de presse – 8 janvier 2003.

**3. Une multinationale auvergnate**

On peut être né au coeur de la France
et réussir sous toutes les latitudes.

## 4. Les sites de production et les plantations d'hévéas de Michelin en 2001

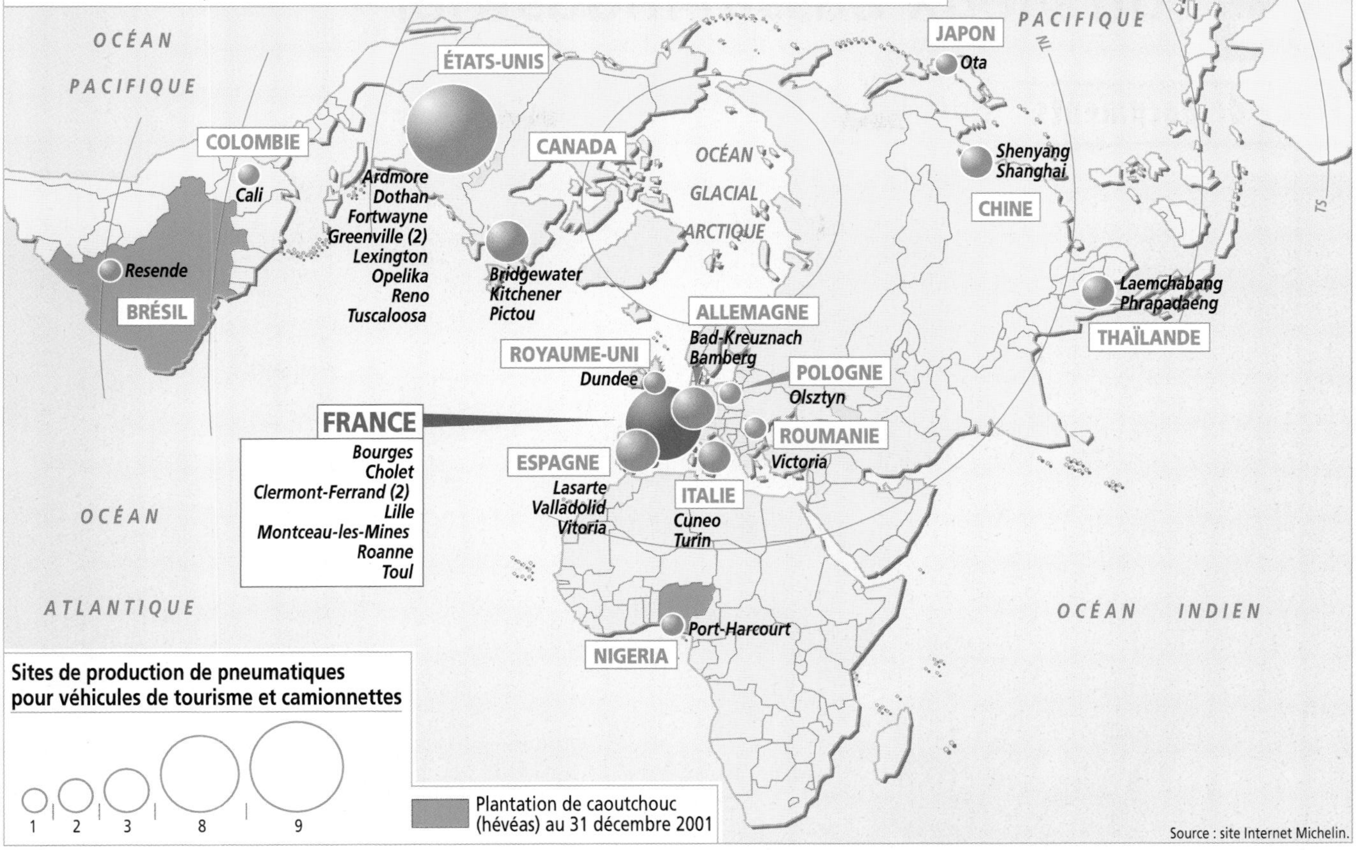


Source : site Internet Michelin.

## 5. Michelin, un leader mondial

### Marché mondial des pneumatiques - 2001

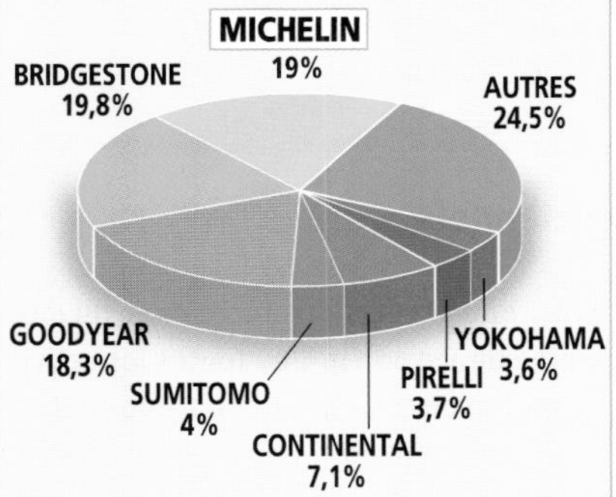


### Chiffre d'affaires de Michelin en 2001 par zone géographique

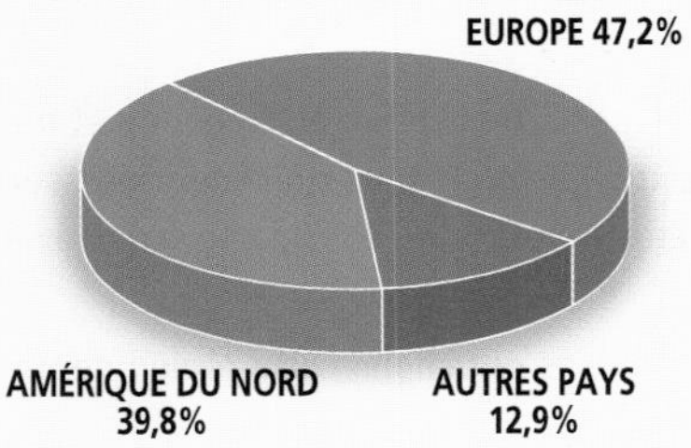


Source : *Rapport annuel Michelin* - 2001.

## Exercices

**Voir méthode page 28.**

**1. Présenter les documents**

- Relevez la source, la nature et le thème de chacun des documents. Rédigez la présentation des documents.

**2. Sélectionner, classer, confronter les informations et les regrouper par thèmes**

- Lisez attentivement le sujet. Que faut-il comprendre par :
  – Michelin, firme française ?
  – Michelin, firme multinationale ?
- Sélectionnez, dans chacun des documents, toutes les informations susceptibles de répondre aux deux questions que pose le sujet.

**3. Rédiger une synthèse**

- Dans l'encadré ci-dessous, on a organisé la synthèse en deux paragraphes et résumé les principaux éléments qu'ils doivent contenir.

| *Une grande firme française :* | *Une grande firme multinationale :* |
|---|---|
| *– ses origines, sa localisation ;* | *– Michelin présent sur tous les continents ;* |
| *– sa capacité à innover.* | *– un leader du pneumatique sur les marchés mondiaux ;* |
| | *– des produits vendus sur tous les continents.* |

- Les thèmes choisis répondent-ils au sujet ?
- Rédigez la synthèse en vous aidant des informations sélectionnées.

Perspective BAC

# Le Nord : reconvertir un vieux bassin industriel

## Étude de documents — Regrouper des informations par thèmes

### 1. L'usine Toyota d'Onnaing (Nord), près de Valenciennes

Une usine « compacte » où toutes les activités sont regroupées au sein d'un seul bâtiment de 14 hectares. Rythme de production : une Yaris toutes les 60 secondes.

### 2. Toyota à Valenciennes

Toyota a choisi de concevoir et de produire en Europe les produits destinés au marché européen.

Le choix du site de Valenciennes-Onnaing s'est imposé pour plusieurs raisons : l'appartenance à la zone euro ; la volonté de s'installer au cœur d'un marché très compétitif ; la proximité des centres de décisions européens de Toyota ; les infrastructures de transport ; l'important réseau d'équipementiers ; la forte culture industrielle du Valenciennois.

Résolument novatrice, l'usine de Valenciennes-Onnaing est la nouvelle référence mondiale du groupe Toyota en matière de production automobile. C'est une unité ultra-compacte, conçue pour la performance et le respect de l'environnement.

Document Toyota France – Février 2003.

### 3. La Yaris dope l'emploi dans le Valenciennois

Depuis le 31 janvier 2001, l'usine Toyota d'Onnaing produit la version européenne du modèle Yaris. C'est une unité de production ultra-moderne de 110 000 m$^2$, où toutes les activités d'assemblage de la Yaris sont réunies, de la presse d'emboutissage de 4 600 tonnes jusqu'aux ateliers de carrosserie et de montage. « À partir de juillet, la voiture sera fabriquée en une seule journée », explique le vice-président de Toyota.

« Si le marché le permet, l'usine portera sa capacité annuelle à 180 000 véhicules début 2003 », a annoncé le PDG de Toyota. Environ 2 500 personnes travailleront alors sur le site. La quasi-totalité des embauches vient du Nord-Pas-de-Calais, dont un tiers du Valenciennois, région sinistrée industriellement depuis l'effondrement de la sidérurgie et de la métallurgie lourde.

Outre les aides dont il a bénéficié de la part de la France, de l'Union européenne et des collectivités locales, le constructeur a profité d'une mobilisation sans précédent des services de l'État avec la nomination d'un « sous-préfet Toyota » et d'un partenariat avec l'ANPE.

À la suite de Toyota, une dizaine d'entreprises japonaises ont choisi cette région depuis 1998.

*Le Télégramme de Brest* – 7 juin 2001.

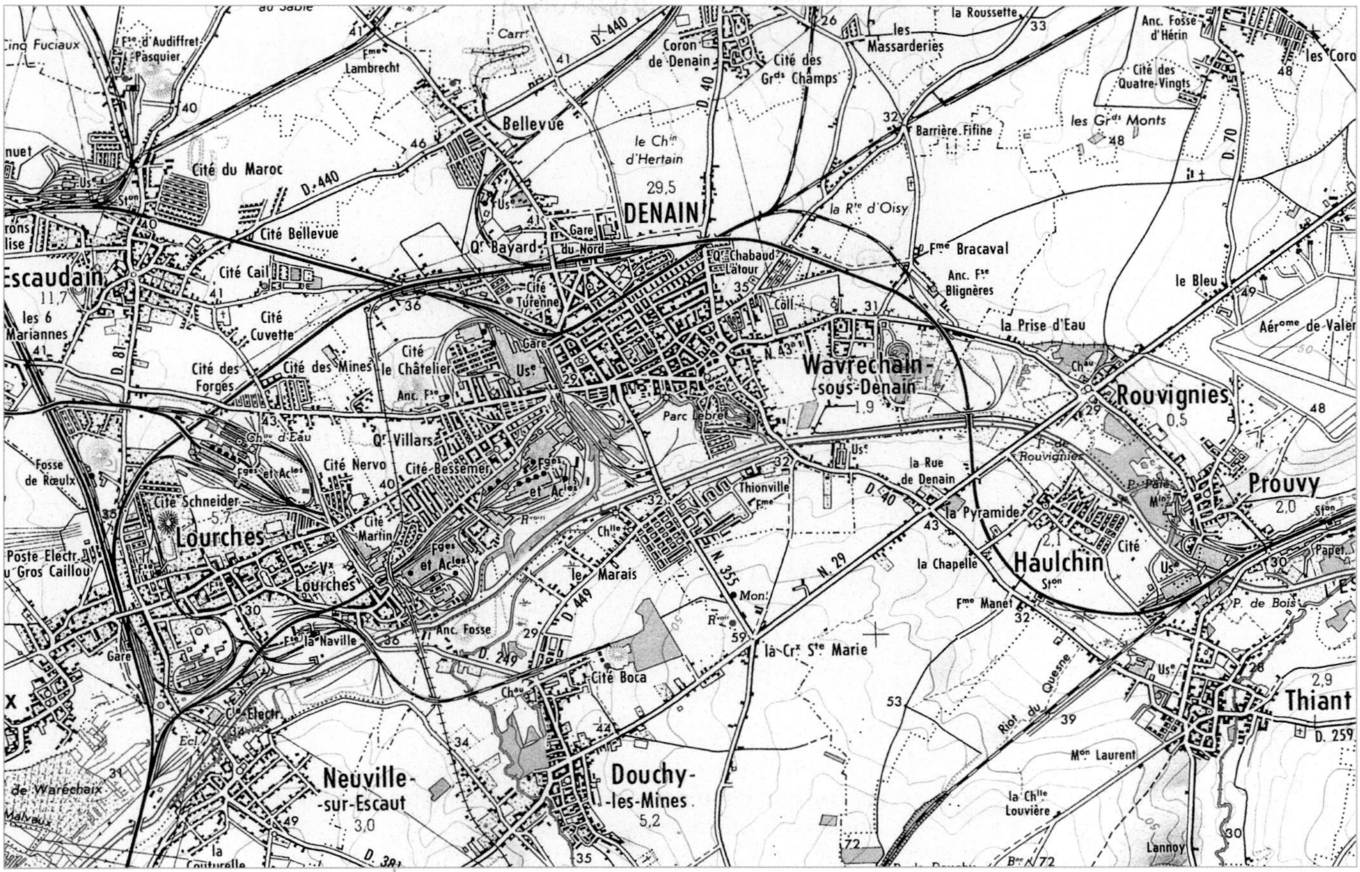


**4. Extrait de la carte de Valenciennes à 1/50 000 (IGN – 1959)**

**5. L'usine d'Onnaing, référence mondiale du groupe Toyota**

## Exercices

**Voir méthode pages 28.**

| | |
|---|---|
| **1. Présenter les documents** | Présenter les documents en les classant par nature. |
| **2. Sélectionner, classer, confronter les informations et les regrouper par thèmes** | La liste ci-dessous correspond aux principales informations sélectionnées dans les documents :<br>– *Le Valenciennois est un vieux bassin industriel.*<br>– *Un nouveau paysage industriel.*<br>– *L'industrie de la région reposait sur la sidérurgie, la métallurgie et le charbon.*<br>– *Un pays noir en crise.*<br>– *Une usine ultra-moderne dans une zone à dominante rurale.*<br>– *La région dispose de nombreux atouts.*<br>– *Une position favorable, au cœur de l'Europe, de bons réseaux de transport, une main-d'œuvre de qualité…*<br>– *Valenciennes-Onnaing a bénéficié d'aides multiples de l'État français, de l'Union européenne…*<br>– *Plusieurs milliers d'emplois.*<br>À quels documents correspond chacune de ces informations ?<br>Classez ces informations et regroupez-les en trois thèmes. Vérifiez que ces thèmes forment une réponse à la question posée. |
| **3. Rédiger une synthèse** | Organisez la synthèse à partir des thèmes choisis. |

Perspective **BAC**

# L'espace économique français dans la dynamique européenne

**Composition** Rédiger une composition et réaliser un croquis

## Travail sur le sujet — Application

### Analyse du sujet →

| L'espace économique français | dans la dynamique européenne |
| --- | --- |
| *L'intégration de la France dans l'espace européen* | *La distribution des hommes, des activités sur le territoire* |

### Problématique du sujet →

**L'analyse du sujet induit les questions suivantes :**

- Quels sont les caractères de l'organisation de l'espace économique français ?
- L'intégration de la France dans l'espace européen modifie-t-elle cette organisation ?

### Mobilisation des connaissances →

**En fonction de la problématique, rassemblez des informations à partir des questions suivantes :**

- Quel rôle les villes jouent-elles dans l'organisation de l'espace économique français ? (Leçon p. 114)
- Quel est le poids de Paris ? (Étude de cas p. 108-111)
- Quels sont les grands axes de circulation ? (Leçon p. 148)
- Quelles sont les ouvertures maritimes majeures ? (Cartes Enjeux p. 161)
- Y a-t-il des espaces mieux intégrés dans l'espace européen grâce aux réseaux de transport ? (Leçon p. 148)
- Où se situent les régions industrielles en reconversion ? Les espaces attractifs pour l'industrie ? (Leçon p. 232)
- Quel est le rôle des coopérations transfrontalières ? (Leçon p. 310)
- Quelles régions bénéficient de l'aide en provenance de l'UE ? (Carte Enjeux p. 299)

### Organisation du plan →

**Classez ces informations afin de répondre au sujet. Quelles informations montrent :**

- les particularités de l'organisation de l'espace français : le déséquilibre Paris/province ; les espaces attractifs ; les espaces en reconversion ; les « vides du territoire » ?
- les évolutions de l'organisation de l'espace en rapport avec l'intégration de la France dans l'Union européenne : transformation des espaces frontaliers et des réseaux de transport, rôle nouveau des métropoles…

## Rédaction de la composition — Application

**Introduction** → Rédigez l'introduction en utilisant **l'analyse et la problématique du sujet**.

**Développement** → **Rédigez les deux parties** de la composition en utilisant les informations recueillies :

- *Partie 1* → L'organisation de l'espace français, de forts contrastes spatiaux.
- *Partie 2* → Des transformations liées à l'ouverture de l'espace économique sur l'Europe.

**Conclusion** → **Rédigez la conclusion :**

- Les dynamiques européennes désormais prépondérantes ?

**Titre :** ..................................................................................

**LÉGENDE 1**

............ Axe de communication en direction de l'Europe *(en construction ou en projet)*

............ Tunnel *(en construction ou en projet)*

⬤ Nœud de communication

▢ Espace central autour de la capitale

⬄ Investissements étrangers

▨ Coopération transfrontalière

▢ Espace bien relié à l'Europe

Grandes agglomérations :

◯ ◯ ◯ importantes ⊖ ⊕

............ Aéroport

▢ Espace en déprise économique et démographique

▢ Espace dynamique mais périphérique par rapport à l'Europe

............ Ouverture maritime

............ Axe majeur

............ Autre axe important

Mer du Nord · ROYAUME-UNI · BENELUX · ALLEMAGNE · Manche · 50° N · 0° · OCÉAN · 46° N · ATLANTIQUE · 4° O · SUISSE · ITALIE · Mer Méditerranée · ESPAGNE · 0 200 km · 4° E · 8° E

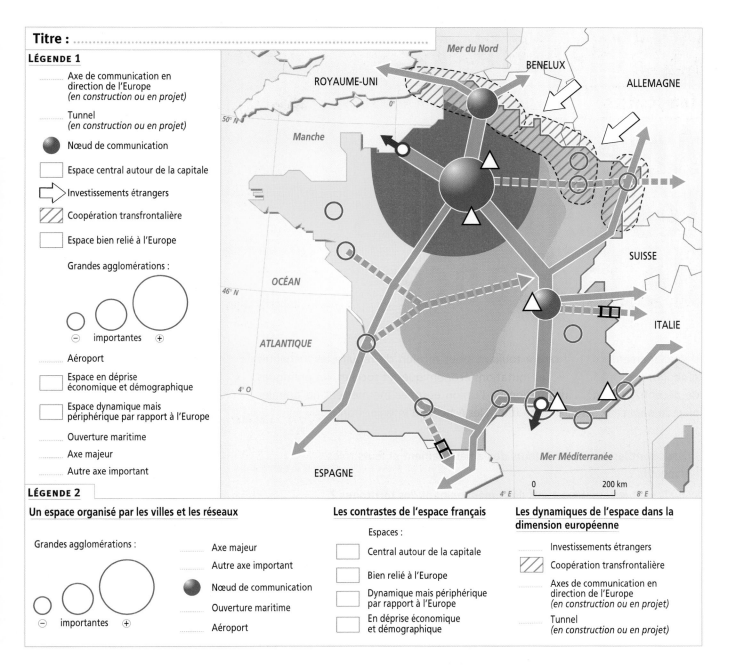

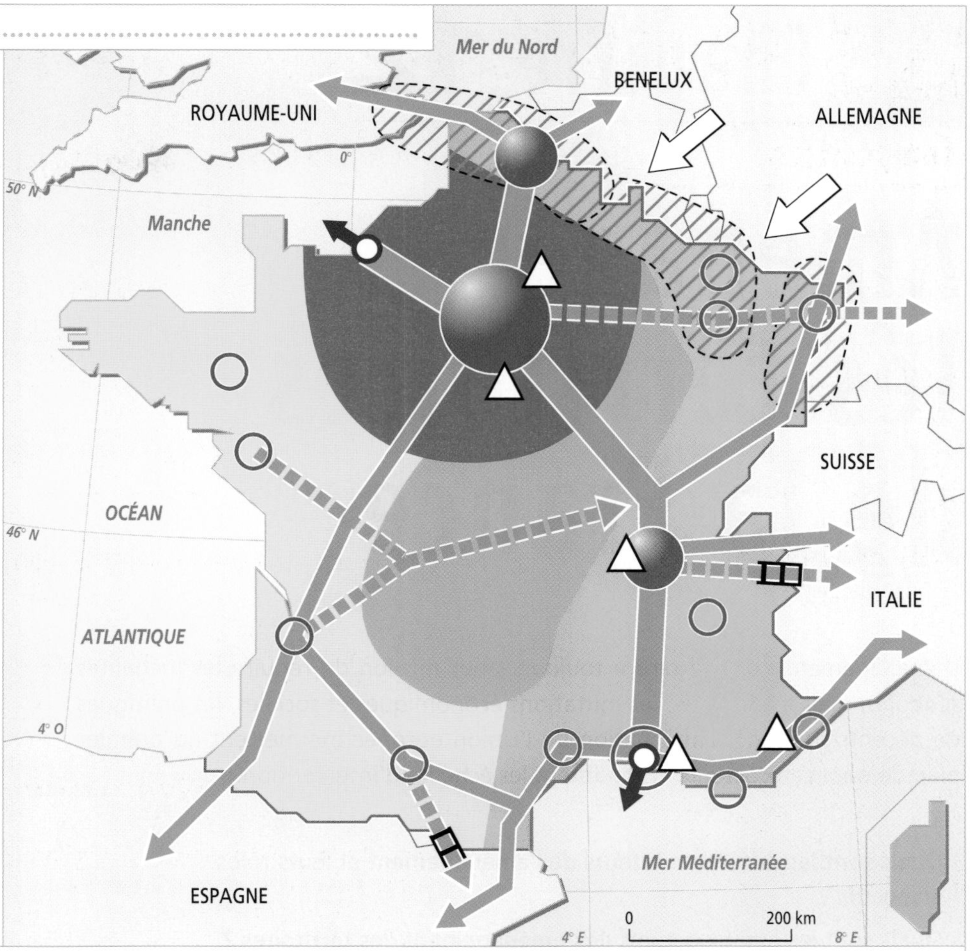

**LÉGENDE 2**

**Un espace organisé par les villes et les réseaux**

Grandes agglomérations :

◯ ◯ ◯ importantes ⊖ ⊕

............ Axe majeur
............ Autre axe important
⬤ Nœud de communication
............ Ouverture maritime
............ Aéroport

**Les contrastes de l'espace français**

Espaces :

▢ Central autour de la capitale

▢ Bien relié à l'Europe

▢ Dynamique mais périphérique par rapport à l'Europe

▢ En déprise économique et démographique

**Les dynamiques de l'espace dans la dimension européenne**

............ Investissements étrangers

▨ Coopération transfrontalière

............ Axes de communication en direction de l'Europe *(en construction ou en projet)*

............ Tunnel *(en construction ou en projet)*

## Réalisation du croquis

## Application

**Choix des informations** →

■ **D'après** le croquis et la légende 1, quelles informations sélectionnées pour réaliser le croquis montrent : les contrastes de l'espace français et les transformations récentes ?

**Organisation de la légende** →

■ Comparez les légendes 1 et 2. Laquelle ne correspond pas aux critères d'une bonne légende ? Pourquoi ? (Perspective Bac p. 68-69.)
■ Les rubriques de la légende 2 répondent-elles à la problématique du sujet ?

**Choix des figurés** →

■ Reproduisez le croquis et sa légende.
■ Reportez tous les figurés dans les rubriques qui conviennent **(utilisez l'annexe 15)**.

**Réalisation du croquis** →

■ Indiquez les noms des villes et des principales régions : *Île-de-France, Massif central, Alpes, Pyrénées, Alsace, Bretagne*, puis donnez un titre au croquis.

# Chapitre 12

# Aménager les territoires de la France

L'aménagement du territoire a toujours pour mission de réduire les inégalités spatiales, mais il a évolué : les mutations économiques et sociales, les politiques de décentralisation*, l'affirmation de l'Union européenne mettent au premier plan de nouveaux acteurs et modifient les échelles d'intervention.

**Quels sont les différents acteurs de l'aménagement et leurs rôles respectifs ?**

**Quels sont les enjeux actuels de l'aménagement des territoires ?**

**Le chantier du viaduc de Millau (Aveyron) : un aménagement majeur pour le Massif central, le territoire français et l'espace européen (le chantier en 2002 et photomontage du viaduc).**

Dessiné par l'architecte britannique Norman Foster, le viaduc de Millau est un ouvrage d'une dimension exceptionnelle ; long de 2 460 mètres, il culminera à 343 mètres au-dessus du niveau du Tarn, ce qui en fera le pont le plus haut du monde. Le tablier (18 mètres de large sur 4,20 mètres d'épaisseur) sera posé sur les piles à 270 mètres de hauteur et suspendu par des haubans à sept pylônes de 90 mètres.
Le viaduc de Millau représente le maillon manquant de l'autoroute A75, la Méridienne, outil important d'aménagement du territoire pour le Massif central, et axe majeur reliant le Nord et le Sud de l'Europe : c'est la voie la plus courte, la plus fluide, la moins coûteuse entre Paris, la Méditerranée et l'Espagne.

Cartes Enjeux

# France : les disparités du territoire

## 1. Une France contrastée

### Le chômage en 2000

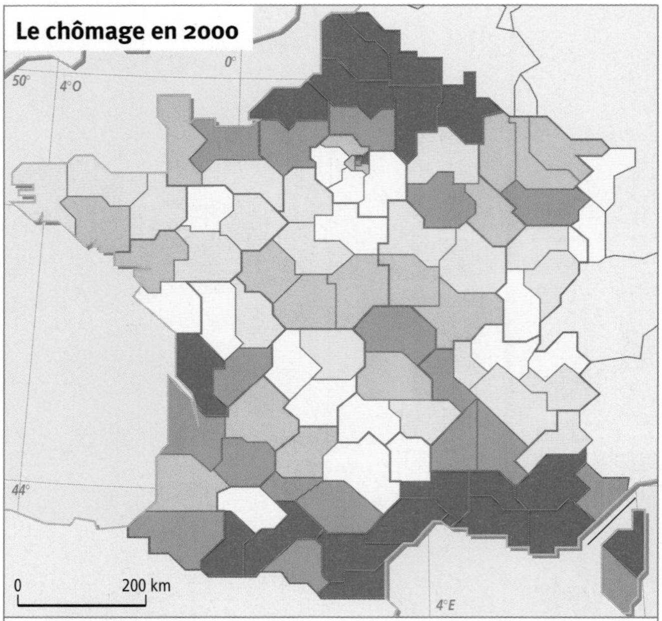


**Taux de chômage au 30 juin 2002**

6,8 | 7,9 | 8,8 | 10 *(en % de la population active)*

Source : *INSEE.*

### La densité d'équipement routier en 2000

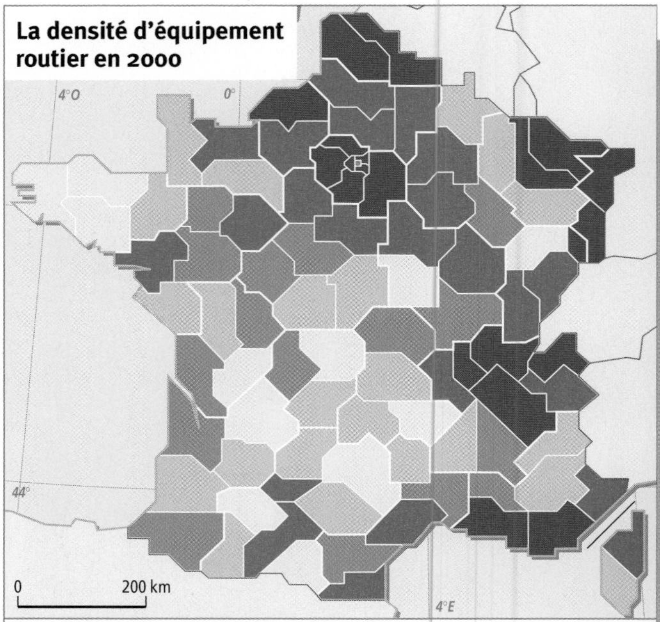


**Routes nationales et autoroutes**

44 | 70 | 85 | 118 *(en mètres par km²)*

*Moyenne nationale : 84*

Source : *SETRA.*

### Les médecins en 2000

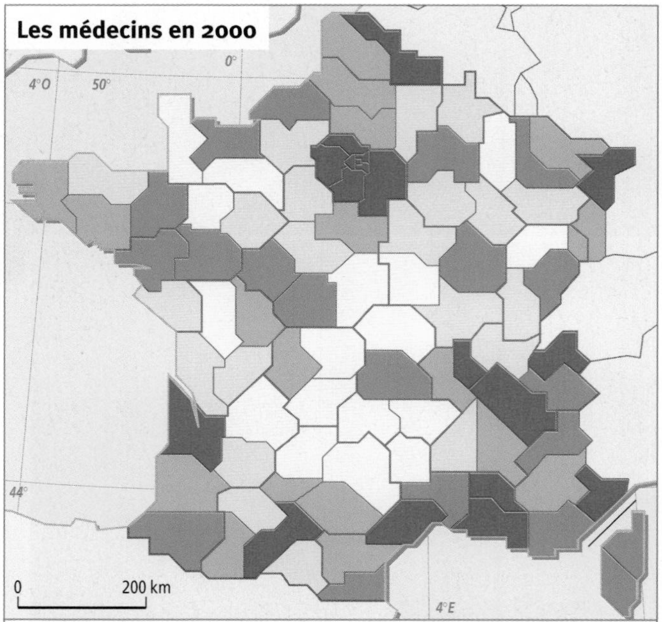


**Nombre de médecins pour 10 000 personnes de plus de 60 ans**

60 | 70 | 83 | 102

*Moyenne nationale : 95*

Source : *INSEE.*

### Les plus de 60 ans en 2000

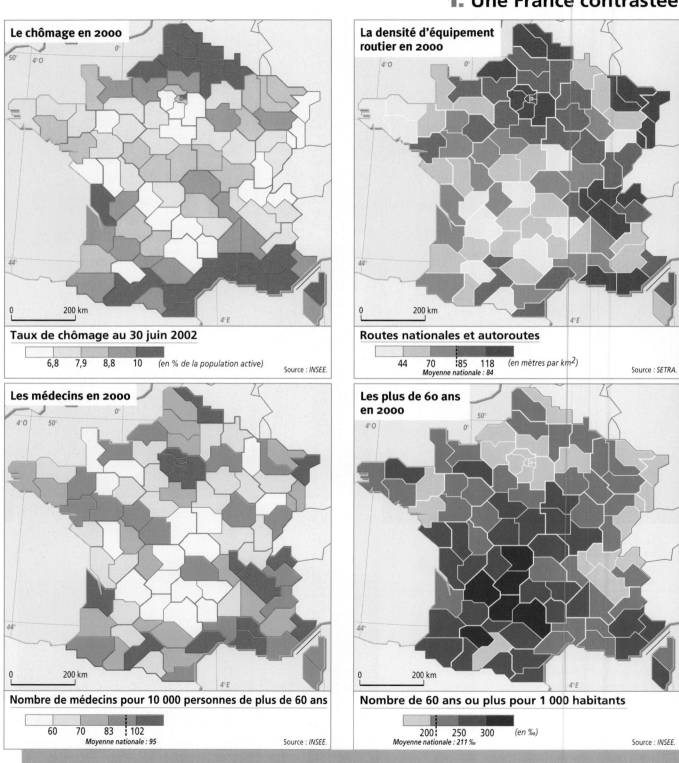

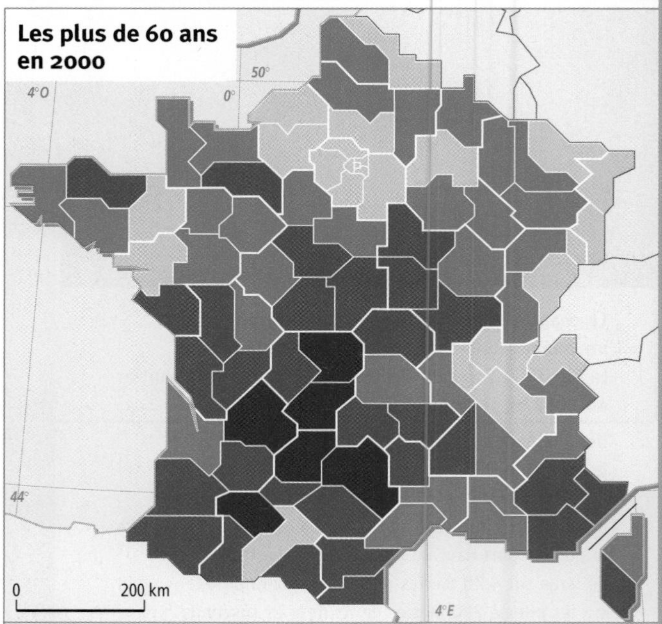


**Nombre de 60 ans ou plus pour 1 000 habitants**

200 | 250 | 300 *(en ‰)*

*Moyenne nationale : 211 ‰*

Source : *INSEE.*

## 2. Comment la population devrait-elle évoluer d'ici 2020 ?

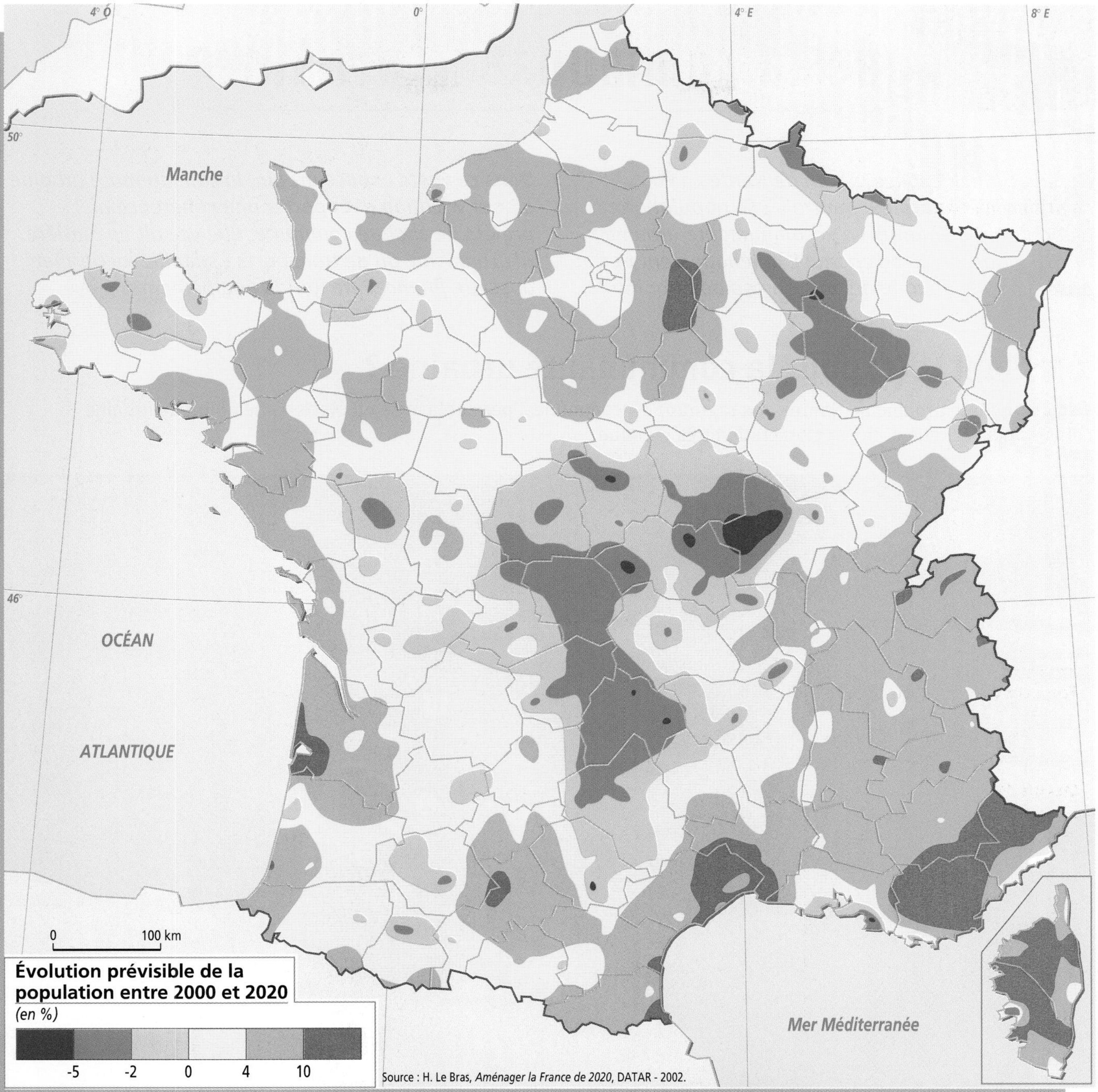


Source : H. Le Bras, *Aménager la France de 2020*, DATAR - 2002.

**Questions**

- Pour chacune des cartes, relevez les oppositions majeures entre les régions françaises **(carte 1)**.
- Dans les vingt ans à venir, quelles régions devraient être attractives ? répulsives **(carte 2)** ?
- Quelles régions semblent, en général, en position favorable ? en situation défavorisée **(cartes 1 et 2)** ?

# Étude de cas

# Nantes : une métropole à l'heure de la communauté urbaine

*Depuis 1960, l'espace urbain de Nantes a vu sa superficie multipliée par trois ; sa population a augmenté de moitié. La « communauté urbaine », née en 2001, a pris en charge l'aménagement de cet ensemble dynamique de plus de 550 000 habitants.*

*Dans ce vaste espace urbain, la communauté urbaine a pour vocation d'apporter une cohérence aux projets de chaque commune, que ce soit en matière d'urbanisme ou de transports ; sa taille lui permet aussi de financer de lourds équipements.*

## 1 ■ Quel rôle pour la communauté urbaine ?

La communauté urbaine de Nantes, qui regroupe 24 communes, permet la mise en place d'une politique urbaine cohérente à l'échelle d'une agglomération très étendue.

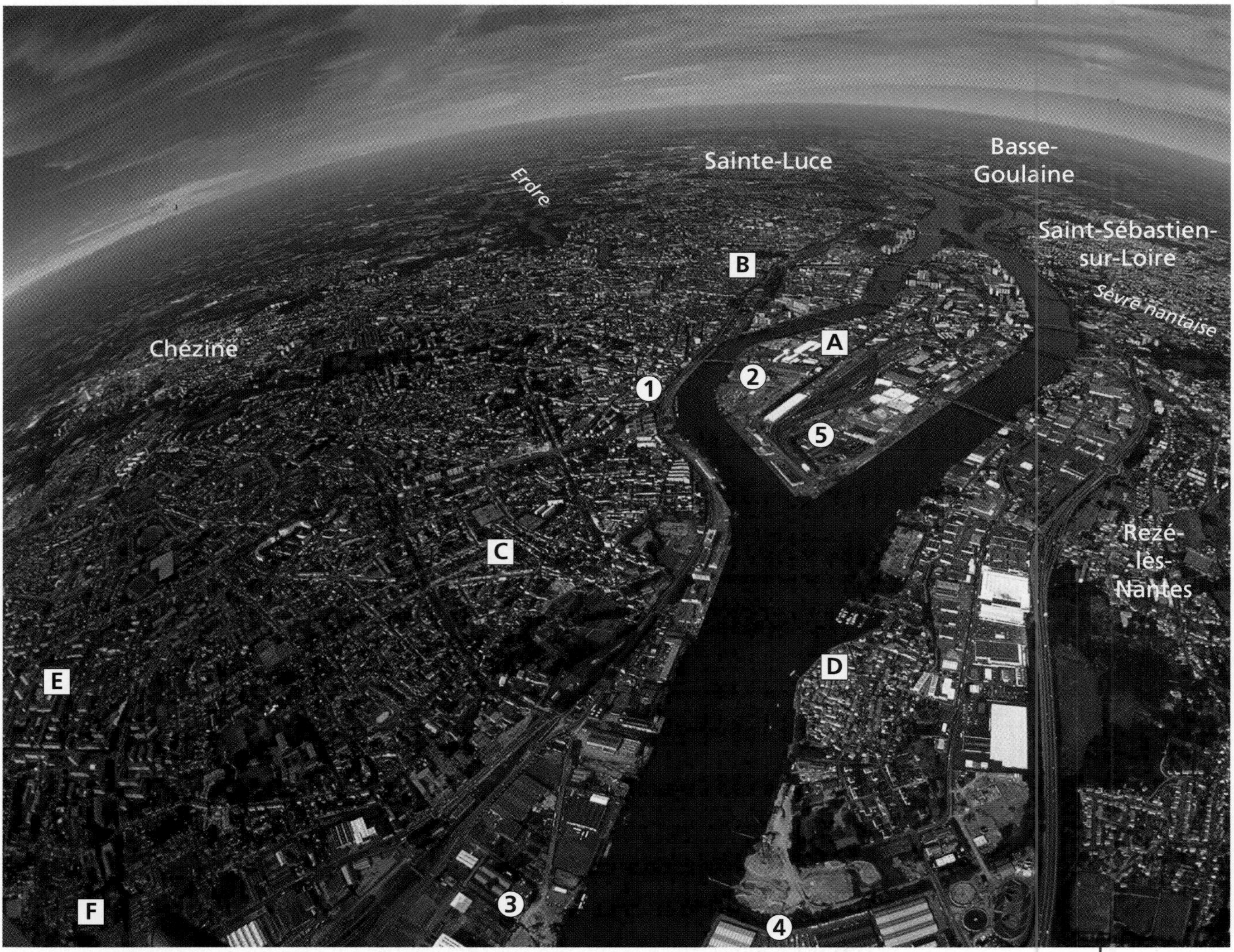


**1. Nantes : une croissance de l'agglomération qui justifie la création de la communauté urbaine**

**A.** Île de Nantes. **B.** Centre-ville. **C.** Chantenay. **D.** Trentemoult, ancien village de pêcheurs. **E.** Bellevue (ZUS). **F.** Périphérique ouest.
**1.** Ancien port de Nantes. **2.** Anciens chantiers navals. **3.** Terminal céréalier. **4.** Terminal pour produits forestiers. **5.** Terminal de marchandises diverses (sucre), futur lieu d'accueil des paquebots de croisière en 2004.

## 2. D'importants moyens financiers

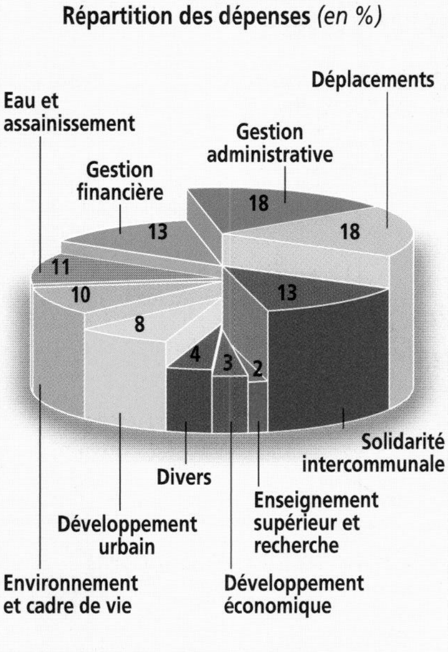


Le budget général de la communauté urbaine s'élève à plus de 900 millions d'euros. Il est plus important que celui de la région (717 millions d'euros) et plus de deux fois plus élevé que celui de la ville de Nantes.

## 3. Une action concertée entre les 24 communes de la communauté urbaine

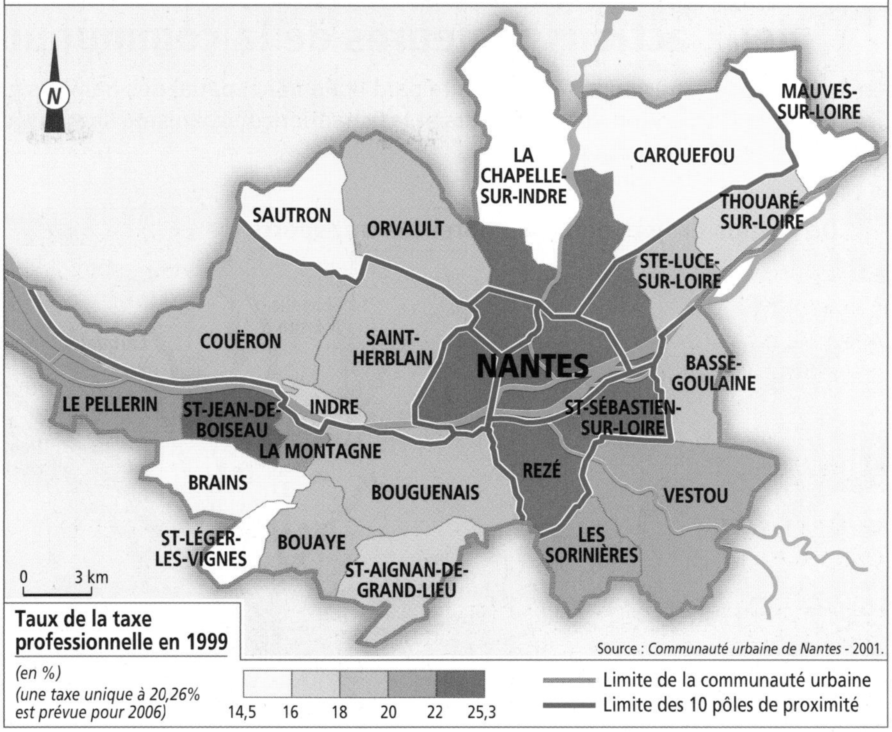


Source : *Communauté urbaine de Nantes* - 2001.

## 4. Interview du président de la communauté urbaine, Jean-Marc Ayrault

• ***La mise en place de la communauté urbaine change-t-elle les rapports entre Nantes et les communes de l'agglomération ?***

La création de la communauté urbaine de Nantes a été dictée par une triple volonté :
– de mise en commun : qu'il s'agisse de l'espace public, de l'habitat, de l'environnement, de la propreté, ces divers domaines d'intervention dépassent naturellement les frontières communales ;
– de développement : la communauté urbaine donne à chacune des communes et à l'ensemble du territoire qu'elles forment des moyens sans commune mesure avec ce qui existait auparavant ;
– de la solidarité : pour qu'une structure intercommunale fonctionne, il faut que ses responsables partagent, sur l'essentiel, une même vision et que figurent parmi les enjeux fondamentaux le choix d'un développement équilibré.

Au total, il s'agit d'une transformation d'échelle : les communes doivent apprendre à travailler ensemble, à unifier leurs pratiques et la ville-centre ne doit pas avoir de comportements hégémoniques.

• ***N'y a-t-il pas risque d'une structure administrative supplémentaire, plus éloignée, de surcroît, des citoyens ?***

Si, bien sûr ! Nous en avions parfaitement conscience lorsque nous avons créé la communauté urbaine.

Pour palier ce handicap, nous avons retenu une forme d'organisation reposant sur un découpage du territoire de l'agglomération en dix secteurs, couverts chacun par un pôle de proximité. Ce sont ces pôles qui, au quotidien, entretiennent des contacts avec les habitants et mettent en œuvre les décisions de la communauté.

• ***En matière d'aménagement, quels avantages procure le passage des décisions à l'échelle de la communauté ?***

Outre la cohérence, la rationalisation des moyens en hommes et en ressources permet de mener à bien des réalisations qu'aucune des communes ne pourrait engager seule (comme, par exemple, un Zénith). Quant au développement économique, la mise en œuvre d'une taxe professionnelle unique empêche la concurrence fiscale entre les communes d'un même bassin de vie. Or, si la concurrence n'a pas que des inconvénients, elle était dans ce domaine très néfaste, certaines communes pouvant proposer des terrains à des prix bradés, parce qu'ayant beaucoup moins de charges que la commune centre.

Février 2003.

# Questions

**1.** Qu'est-ce qui a justifié la création de la communauté urbaine **(1, 2, 3)** ?

**2.** Relevez des mesures permettant d'améliorer la cohérence des aménagements **(3, 4)** ? Qu'est-ce qui traduit le souci de maintenir un lien direct avec la population **(3, 4)** ?

**3.** En quoi la communauté urbaine est-elle une structure adaptée à la gestion d'une agglomération comme Nantes **(2, 3, 4)** ?

# 2 ■ Transports et urbanisme : deux actions majeures de la communauté urbaine

La forte croissance urbaine s'est traduite par l'étalement spatial des habitats gagnant sur les campagnes environnantes. De ce fait, l'organisation des transports et les chantiers d'urbanisme sont des dossiers majeurs d'aménagement à l'échelle de l'agglomération nantaise.

## 5. De grands projets pour améliorer les transports

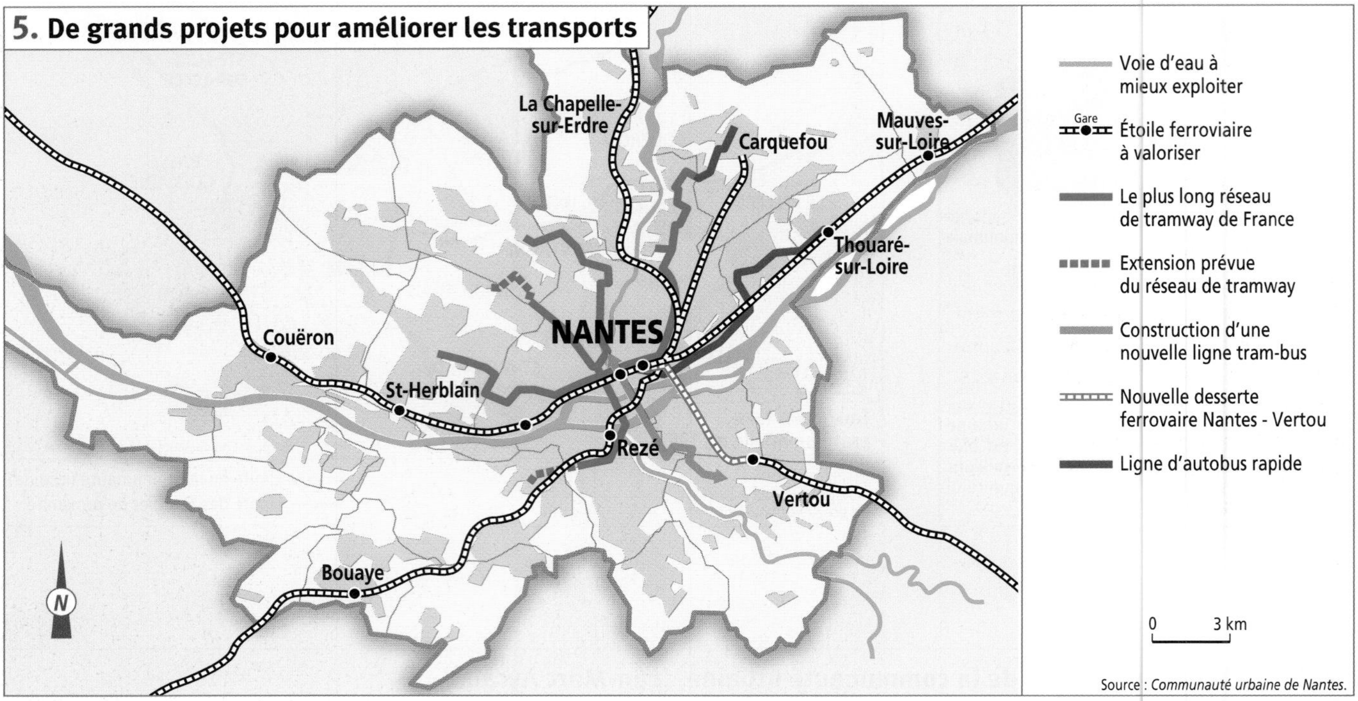


Source : *Communauté urbaine de Nantes.*

## 6. Les transports à Nantes : les points de vue de trois acteurs

**Réduire la place de l'automobile**

Le Plan de déplacements urbains 2000-2010 s'est fixé comme objectif de tendre vers un rééquilibrage entre l'automobile et les autres modes de déplacements. Avec 36 km de lignes, le réseau de tramway nantais est le plus étendu de France ; les deux extensions programmées s'accompagneront d'un pôle d'échanges bus-tram. Actuellement 1600 places de stationnement de voitures sont accessibles sur présentation d'un titre de transports autour des lignes de tramway. Pour le Sud-Est de l'agglomération, outre la liaison ferroviaire Nantes-Vertou (19 allers et retours quotidiens prévus), une nouvelle ligne de transport tram-bus est prévue. La communauté urbaine a prévu de travailler avec les principales administrations et les grandes entreprises privées pour définir des plans de mobilité pouvant déboucher sur un titre d'abonnement annuel pour les personnels.

Rapport de la communauté urbaine – 2001.

**Pour des transports en commun efficaces et bon marché**

Pendant des années, l'urbanisation s'est faite sans que les transports en commun connaissent un développement parallèle. Il n'y a pas que le centre-ville qui soit embouteillé aux heures de pointe ; c'est vrai aussi des 4 voies et des périphériques.

Aujourd'hui encore, les efforts sont bien timides. Il aura fallu 15 ans pour réaliser trois lignes de tram à Nantes. Et, de toute façon, outre la multiplication des lignes, il faudrait augmenter la fréquence des passages et l'amplitude des horaires. Même chose en ce qui concerne les lignes de trains régionaux.

Et puis, pour que cela soit efficace, il faut que les transports collectifs soient bon marché, voire gratuits. Pourquoi ce qui est possible pour aller voir un match à la Beaujoire ne serait-il pas possible pour se rendre à son travail ?

H. Defrance, conseillère municipale Lutte ouvrière.

**Deux atouts négligés**

La communauté urbaine doit mettre à l'étude un véritable réseau combinant transport fluvial et tourisme, prenant en compte au maximum les 150 km de cours d'eau qui irriguent la ville.

Par ailleurs, 85 km de voies ferrées, formant un réseau en étoile susceptible d'irriguer l'aire urbaine, devraient être utilisés pour faire du transport public péri-urbain de voyageurs (sorte de RER à la nantaise). La valorisation de cette étoile ferroviaire aiderait à encourager et à structurer les implantations d'habitat auprès des infrastructures de transports collectifs. Le conseil de développement a souhaité insister sur cet outil nouveau, jugé efficace pour réduire la dispersion du bâti.

Réseau fluvial et étoile ferroviaire constituent des atouts majeurs pour l'agglomération. Ils méritent un vrai pari sur l'avenir.

Avis du conseil de développement – Novembre 2002.

## 7. Un nouvel outil d'aménagement : le SCOT

Le schéma de cohérence territoriale (SCOT), institué par la loi SRU* de 2000, fixe les orientations générales de l'aménagement de l'espace, en particulier l'équilibre à maintenir entre zones à urbaniser d'une part et zones naturelles et agricoles ou forestières d'autre part ; il fixe également les objectifs en matière d'équilibre de l'habitat, de mixité sociale, de transports en commun ou encore d'équipements commerciaux.

Le SCOT de la métropole nantaise regroupe 57 communes et plus de 700 000 habitants : la communauté urbaine de Nantes, la communauté d'agglomération de Saint-Nazaire, deux communautés de communes indépendantes. Un syndicat mixte est chargé d'élaborer le projet de développement métropolitain et aura à traiter, dans les prochaines années, des grands dossiers d'aménagement comme l'aéroport de Notre-Dame des Landes, les transports, les franchissements de la Loire, l'habitat ou la préservation des espaces naturels.

Sources diverses.

# Malakoff de demain se dessine

**Un habitat diversifié avec six à sept cents logements démolis, mille trois cents logements neufs, un millier d'appartements réhabilités, des équipements reconstruits et relocalisés, des voies nouvelles pour désenclaver le quartier et l'ouvrir sur la ville, un environnement naturel valorisé... D'ici dix ans, le paysage urbain de Malakoff Pré-Gauchet sera métamorphosé. La première phase de ce grand projet de ville (GPV) devrait être achevée d'ici 2006.**

## 8. Malakoff : la métamorphose d'un quartier

Extrait de la revue *Nantes Passion*, n° 130 – Décembre 2002.

## 9. Cinq grands axes de développement de l'agglomération

| Objectifs | Moyens |
|---|---|
| Reconstruire la ville sur elle-même | Reconquête urbaine et requalification des friches industrielles (ex. : Chantenay). |
| Maîtriser les urbanisations nouvelles | Opportunités d'urbanisation à l'intérieur du boulevard périphérique ; mettre un terme à l'expansion en tache d'huile (ex. : Loire-Sèvre, Beaulieu : partie amont de l'Île-de-Nantes). |
| Associer mixité sociale et mixité urbaine | Maintenir l'activité économique dans tous les quartiers et offrir une plus grande diversité de logements, y compris individuels (ex. : Beaulieu). |
| Désenclaver les quartiers d'habitat social | Création de nouveaux accès ; grand projet de ville (ex. : Malakoff). |
| Maîtriser la politique des déplacements | Extension du réseau de transports publics. |

D'après *Nantes Passion*, n° 129 – Novembre 2002.

## Synthèse et prolongements de l'ÉTUDE DE CAS

- Quels sont les principaux problèmes d'aménagement à l'échelle d'une agglomération ?
- En quoi les structures d'intercommunalité permettent-elles une action plus cohérente en termes d'aménagement ?
- Quelles sont les difficultés et les limites de l'action à l'échelle des communautés urbaines et d'agglomérations ?

## Questions

**1.** En matière de transport, quelles sont les avancées et les limites des politiques conduites dans l'agglomération **(5, 6)** ?

**2.** Quels sont les grands projets de développement de la métropole nantaise **(7, 9)** ?

**3.** Quels éléments de renouveau apporte l'aménagement du quartier Malakoff **(8, 9)** ?

# 1 L'État aux commandes de l'aménagement

## 1. Dans un premier temps : corriger les grands déséquilibres

• **Le « Plan national d'aménagement du territoire » est né en 1950 du constat de déséquilibres profonds du territoire français** : « Paris et le désert français » ou l'opposition entre une France « agricole » de l'Ouest et une France « industrielle » de l'Est. **L'État crée la Datar en 1963** pour obtenir une répartition plus équilibrée des hommes et des activités, dans un souci de **justice spatiale**.

• La **décentralisation industrielle** vise à rééquilibrer les activités productives par transferts d'industries (automobile, électroménager…) surtout dans les villes du Bassin parisien et de l'Ouest (3) ; les industriels reçoivent des primes et des exonérations fiscales, et trouvent à proximité une main-d'œuvre rurale abondante et moins chère.

• **De grands aménagements régionaux à finalité agricole, industrielle ou touristique** touchent des régions moins développées : basses vallées du Rhône et de la Durance (2), littoraux languedociens et aquitains. L'État développe aussi les **infrastructures de transports rapides** et de grandes **zones industrialo-portuaires** (3).

• **Le réaménagement du réseau urbain français** participe aussi au rééquilibrage du territoire. Pour faire contrepoids à Paris, huit grandes villes, promues « **métropoles d'équilibre** » en 1964, sont dotées d'équipements tertiaires et industriels ; cinq villes nouvelles doivent décongestionner la capitale (3).

## 2. Dans un second temps : secourir les territoires en crise

• **Le choc de la crise économique des années 1970 a modifié les ambitions de l'État** : montée accrue des concurrences avec l'ouverture des frontières, moindres moyens financiers et politique plus libérale mettent un frein aux grands projets d'aménagement.

• **Une politique d'aides financières s'attache aux espaces fragilisés** (3) : régions d'industries anciennes (sidérurgie, charbonnages, textile, chantiers navals) qui connaissent une chute grave des emplois, **contrats de villes moyennes et de pays*** pour soutenir les campagnes saignées par l'exode rural, mise en place d'une **politique de la ville*** agissant sur la qualité de l'habitat et sur l'emploi face au malaise croissant des quartiers défavorisés. À la fin des années 1980, les **aides de la politique régionale européenne** s'ajoutent aux primes nationales pour l'ensemble de ces territoires en difficulté.

## 3. L'État aujourd'hui : orchestrer les actions d'aménagement

• **L'État s'occupe toujours de corriger les inégalités** de dotations en services, en équipements ou d'accessibilité : schémas nationaux d'autoroutes, de lignes à grande vitesse, plans universitaires et, depuis 1992, **déconcentration*** de services de l'État.

• **Mais l'État a cessé d'être l'acteur unique de l'aménagement** (1) : depuis 1982, la loi-cadre Defferre de **décentralisation*** a transféré **des compétences aux collectivités territoriales** : communes, départements et surtout régions. La **CNADT**, les **CDIAT** définissent les cadres généraux, les **schémas de services collectifs*** et la généralisation de la politique contractuelle assurent la cohérence des actions aux différentes échelles ; il s'agit désormais de permettre à chaque territoire de se développer en fonction de sa population, de ses atouts en soutenant les **projets de développement locaux**.

## Mots-clés

**CDIAT (Comité interministériel d'aménagement et de développement du territoire) :** réunion, présidée par le Premier ministre, où se fixe les grandes orientations de la politique du gouvernement en matière d'aménagement du territoire.

**CNADT (Conseil national d'aménagement et de développement du territoire) :** assemblée d'hommes politiques et de responsables économiques qui formule des avis sur la mise en œuvre de la politique d'aménagement du territoire.

**Datar (Délégation à l'aménagement du territoire et à l'action régionale) :** créée en 1963, la Datar a un rôle de réflexion, d'impulsion et d'animation des politiques de l'État en matière d'aménagement du territoire.

* voir Lexique

**Cartes Enjeux**

**France : les disparités du territoire**
*(pages 250-251)*

**Leçon**

**L'Europe : quelle politique régionale ?**
*(pages 308-309)*

**Dossier**

**Millau : quels effets le viaduc aura-t-il ?**
*(pages 268-269)*

**Étude de cas**

**Nantes : une métropole à l'heure de la communauté urbaine**
*(pages 252-255)*

## 1. Un nouvel aménagement

Il apparaît plus que jamais nécessaire, afin de valoriser l'espace européen dans la grande compétition mondiale, d'éviter sa déshumanisation ou sa banalisation, d'assurer la pérennité et la qualité des liens entre les hommes de France et d'Europe avec les territoires de leur propre vie.

L'aménagement, tel qu'il a été conçu dans les années 1950 et 1960, héritait d'une France encore fortement rurale, quasi fermée sur elle-même, à demi et mal urbanisée, déséquilibrée entre Paris et la province, entre le Nord et le Sud...

La France du XX<sup>e</sup> siècle est ouverte sur l'Europe et le monde, très urbanisée, toujours assez déséquilibrée, mais selon de nouvelles composantes, et très avide de démocratie et de développement local. Dans ce nouvel espace d'intervention nécessaire, l'aménagement du territoire devient plutôt l'aménagement des territoires.

P. Deyon, A. Frémont, *La France et son aménagement (1945-2015)*, LGDJ – 2000.

## 2. L'aménagement de la vallée de la Durance

Après la basse vallée du Rhône, la Durance a été l'objet d'importants aménagements à finalité agricole et de production hydroélectrique.

## 3. L'État aménageur : des grands projets à la gestion de la crise

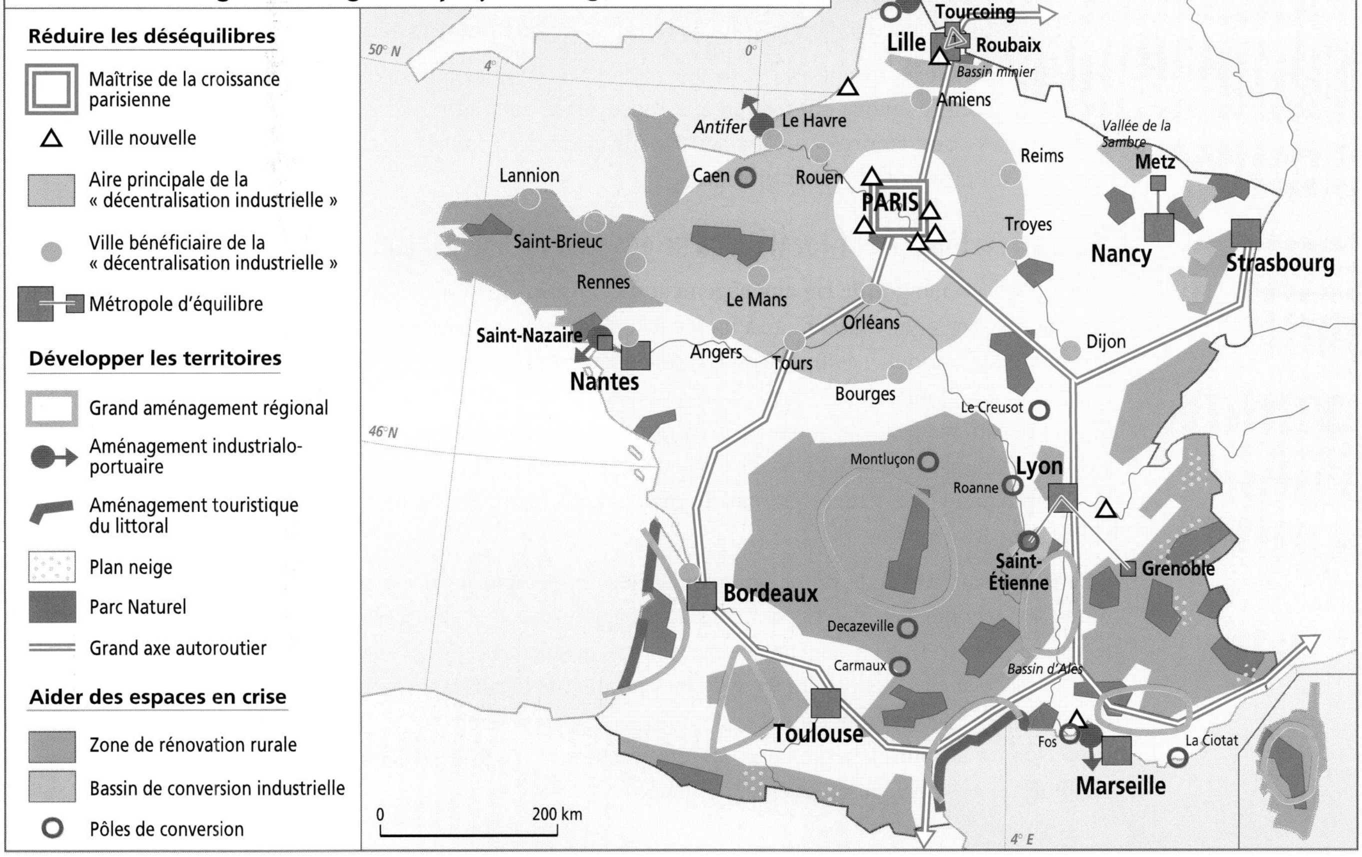

# 2 De nouveaux acteurs, de nouveaux territoires

## 1. La Région est devenue un acteur clé de l'aménagement

• **Les contrats de plan État-Région sont devenus, depuis 1984, la colonne vertébrale de l'aménagement** (4). Le contrat en cours (2000-2006), où l'État et la Région sont engagés à parité, couvre les grands enjeux d'aménagement : infrastructures, éducation, santé, logement, développement économique. Il est doté désormais d'un volet territorial qui intègre les contrats de pays et d'agglomération, les réseaux de villes et les parcs naturels régionaux.

• **La Région joue un rôle leader qui cependant doit être relativisé** (5) : elle n'a pas de tutelle sur les autres collectivités locales et l'État garde de nombreuses prérogatives : **schémas collectifs de services*, directives territoriales d'aménagement*** dans des zones sensibles (estuaires de la Seine, de la Loire...), gestion des crédits européens.

## 2. L'intercommunalité connaît un élan considérable

• **L'intercommunalité est une réponse à un émiettement communal unique en Europe** (36 600 communes en France), source de différences considérables de richesses d'une commune à l'autre. Cela induit des problèmes pour financer les équipements municipaux d'autant que l'intercommunalité est restée longtemps limitée à des domaines techniques dans le cadre de **SIVOM***.

• **L'essor de l'intercommunalité est récent** : **lois ATR** de 1992, loi Chevènement de 1999. Début 2002, 47 millions de Français et plus de 26 800 communes appartiennent à une intercommunalité sous trois formes : **communautés de communes**, 14 **communautés urbaines**, 120 **communautés d'agglomérations** (7). Ce succès est lié aussi à une dotation globale de fonctionnement (par l'État) de plus de 38 euros par habitant.

• **La construction est inachevée** : seule une minorité de communautés s'est dotée d'une taxe professionnelle unique qui met fin à la concurrence pour attirer les entreprises ; le **transfert des compétences** est variable et le périmètre des communautés ne coïncide pas avec celui plus large des aires urbaines.

## 3. Le développement local au cœur des choix d'aménagements

• **Le « pays » témoigne de cet aménagement recentré sur le local.** Institué par les lois Pasqua (1995) et Voynet (1999), c'est un « territoire de projet », fondé sur une cohésion géographique, historique, culturelle où le développement est « voulu » par les acteurs du terrain. Fin 2002, **plus de 250 pays** se structurent autour d'une « charte du territoire ». Mais les départements y voient une construction concurrente et leur articulation avec les agglomérations est parfois difficile : ils doivent associer milieux ruraux et urbains. Au total, **l'empilement des structures rend le maillage du territoire de moins en moins lisible pour les citoyens**.

• **La mobilisation d'acteurs locaux pour le développement local est encouragée à toutes les échelles** : c'est le cas des contrats d'agglomération et des **réseaux de villes** (6) qui coopèrent dans les domaines universitaires, hospitaliers et des transports collectifs. Dans le secteur industriel, les **94 systèmes productifs localisés*** regroupent, autour d'un métier, des petites et moyennes entreprises en réseau sur le modèle des **districts italiens***. Les parcs **naturels régionaux*** et, plus récemment, les **pôles d'économie du patrimoine*** visent à revitaliser les espaces ruraux.

### Mots-clés

**ATR (Administration territoriale de la république) :** loi de 1992 qui crée les communautés de communes.

**Communauté d'agglomération :** groupement de communes urbaines défini par loi du 12 juillet 1999 ; elle concerne les aires urbaines de plus de 50 000 habitants autour d'une ville-centre de plus de 15 000 habitants.

**Communauté urbaine :** groupement de communes urbaines défini par une loi de 1966 ; concerne les aires urbaines de plus de 500 000 habitants depuis la loi de 1999.

**Transfert de compétences :** les communautés territoriales ont quatre compétences obligatoires : développement économique, aménagement de l'espace, logement, politique de la ville, et des compétences optionnelles à choisir parmi la voirie, l'assainissement, l'eau, les équipements sportifs...

* voir Lexique

**Leçons**
*(pages 286-291)*

**Étude de cas**
**La région, un territoire en devenir : le cas de la région Centre**
*(pages 278-285)*

**Étude de cas**
**Nantes, une métropole à l'heure de la communauté urbaine**
*(pages 252-255)*

**Perspective Bac**
**Val de Lorraine : pays et développement local**
*(pages 270-271)*

**Dossier**
**De nouveaux territoires pour la France de demain**
*(pages 262-263)*

## 4. Une contribution compensatrice de l'État aux régions

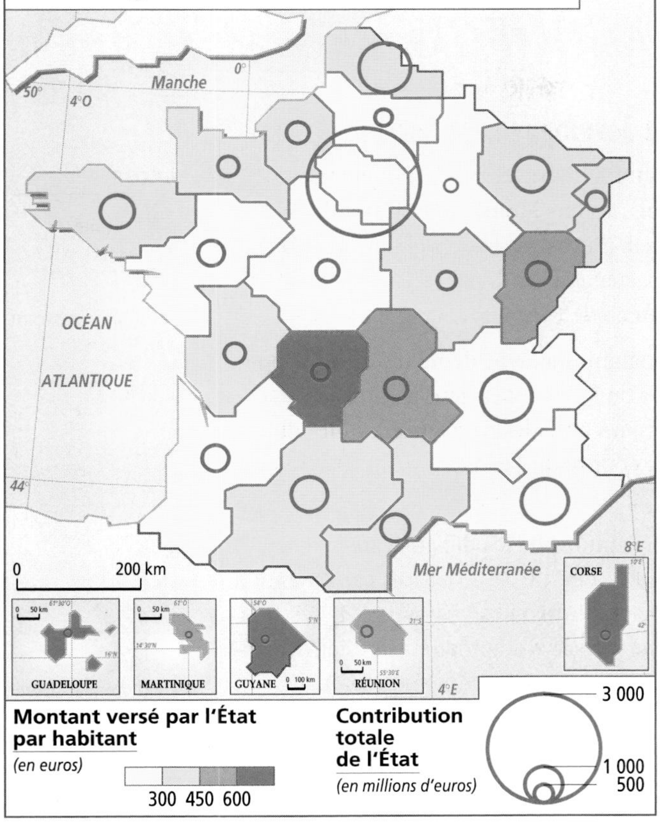

## 5. À côté de l'État, le rôle croissant de la Région dans le pilotage des projets d'aménagement des territoires

Dessin de Serguei, *Le Monde* – 20 avril 1998.

## 6. Un réseau de villes en action

Le Triangle
Bar-le-Duc
Saint-Dizier
Vitry-le-François

À cheval sur les départements de la Meuse, de la Haute-Marne et de la Marne, donc sur les deux régions Lorraine et Champagne-Ardenne, le territoire du « Triangle » constitue un bassin de vie interrégional de 200 000 habitants, reconnu depuis 1993 ; il a été le premier réseau de villes français à avoir élaboré sa charte d'objectifs « 2000-2006 » dans le cadre des contrats de plan État-Régions.

Des projets d'envergure, que l'on ne peut conduire seul, ont pu être engagés, sans être bloqués par les limites administratives, en formant un réseau d'acteurs pourvu d'une vision globale du territoire. Ainsi, les « vallées du fer » constituent désormais un système productif local rassemblant 200 entreprises et 10 000 emplois autour des pôles d'excellence de la filière métallurgique.

Comité de promotion et de développement du Triangle – Janvier 2003.

## 7. La France de l'intercommunalité (2002)

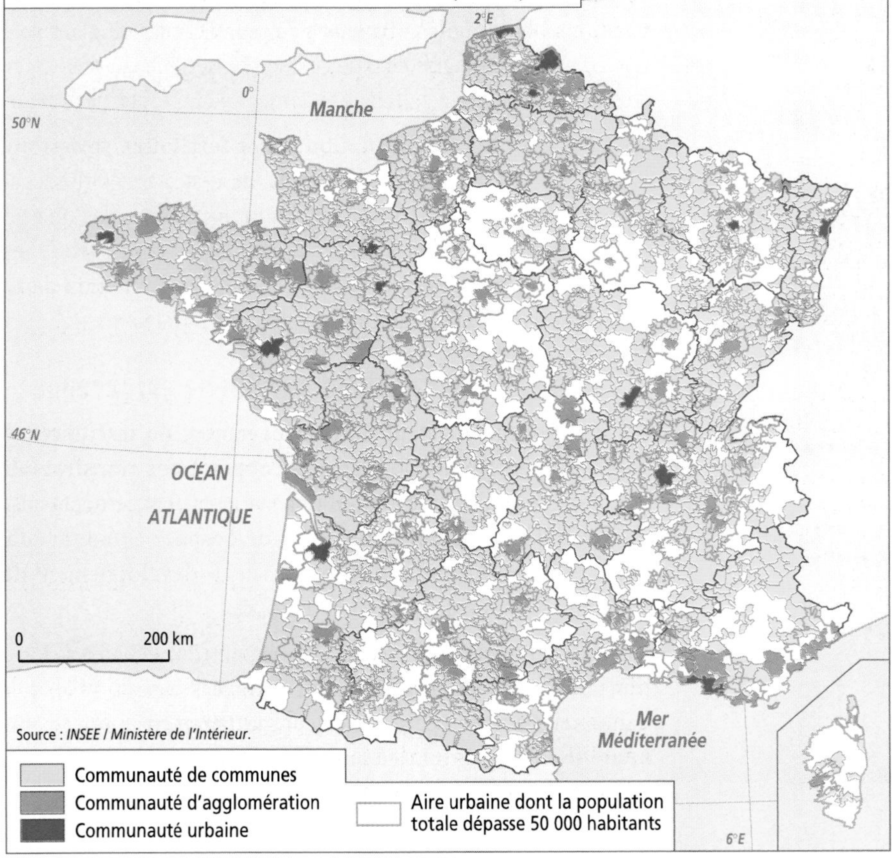

# 3 Aménager aujourd'hui : pourquoi ? comment ?

## Mots-clés

**Intermodalité :** système qui combine plusieurs moyens de transport.

**Parcs nationaux :** institués à partir de 1960, ils protègent des espaces naturels (sites, faune, flore) contre toute activité humaine susceptible de les dégrader ; ils comportent une zone protégée aux réglementations très rigoureuses, entourée d'une zone périphérique.

**Parcs naturels régionaux :** institués à partir de 1975, ils protègent les milieux naturels en favorisant le maintien de la vie rurale et l'ouverture au public ; ils sont gérés par des collectivités locales et la réglementation y est plus souple que dans les parcs nationaux.

**Zone franche :** zone urbaine où les entreprises qui s'installent bénéficient d'avantages fiscaux et juridiques.

* voir Lexique

## 1. S'inscrire dans une perspective de développement durable*

• **L'exigence environnementale** s'est d'abord traduite par la création de **parcs nationaux** et de **parcs naturels régionaux** (8) ; puis, les **lois Montagne** et **Littoral** de 1985 et 1986 protégèrent des espaces menacés par une urbanisation mal contrôlée ou une pression touristique trop forte. Aujourd'hui, les quarante parcs naturels régionaux participent au développement local en créant des emplois.

• **Concilier développement économique et environnement demeure difficile pour les espaces littoraux et les estuaires** soumis à de fortes concurrences entre activités et aux directives européennes de protection des zones humides. Le **Conservatoire du littoral** *, créé en 1975, a acquis 65 000 hectares pour les préserver de l'urbanisation, et il réhabilite les territoires dégradés (**11**).

• **L'attachement des citoyens à leurs territoires multiplie les débats d'aménagement** dans un cadre décentralisé. La préoccupation du cadre de vie se traduit par l'attention portée aux paysages, à la prévention et à la gestion des **risques*** naturels et industriels. Le choix de lourdes infrastructures de transport (tracé d'autoroute, extension d'aéroports) est remis en cause (9), l'agriculture productiviste rejetée au nom de la qualité des produits et de la pollution des nappes phréatiques.

## 2. Garantir la « solidarité des territoires »

• **Les dynamiques industrielles et tertiaires favorisent certains espaces** urbains ou régionaux qui se doivent d'être compétitifs dans un contexte de concurrence européenne et mondiale. L'État, garant d'une certaine équité entre les territoires, doit **aider les espaces les plus fragiles** : bassins d'emploi victimes de plans sociaux industriels ou de la crise d'une filière agricole ; de même, l'ensemble du territoire national doit bénéficier d'une bonne desserte en téléphonie mobile et en Internet à haut débit.

• **Le risque de « fragmentation » des territoires se retrouve à d'autres échelles** : dans la plupart des régions françaises, de vastes zones rurales forment des marges plus ou moins délaissées (**10**). À l'échelle intra-urbaine, des quartiers défavorisés font toujours l'objet de mesures spécifiques comme les **zones franches**. La **loi « Solidarité et renouvellement urbain »*** (**SRU**), de 2000, a l'ambition de mettre en place un projet global couvrant les domaines de l'habitat, des transports, de l'urbanisme.

## 3. Penser l'aménagement à l'échelle européenne

• **L'Europe est un acteur de l'aménagement du territoire,** d'abord par le volume de ses aides financières régionales. Des **coopérations transfrontalières** sont très actives et des programmes de coopération transnationale concernent l'ensemble du territoire français. Le **Schéma de développement de l'espace communautaire (SDEC)***, validé en 1999, met l'accent sur la cohésion sociale, le **développement durable*** et une compétitivité plus équilibrée du territoire européen.

• Rendues intenses par le développement des échanges, **les liaisons entre l'espace français et l'espace européen sont entravées** par la trop forte centralisation des réseaux français sur la région parisienne, leur saturation en certains points, la faiblesse de l'**intermodalité**. Des axes nouveaux à grande vitesse sont créés, mais ils génèrent de nouvelles inégalités entre les régions desservies et les autres.


**Leçon**
Un territoire à ménager
*(pages 176-177)*

**Dossier**
Toulouse : gérer l'activité industrielle dans la ville
*(pages 264-267)*

**Cartes Enjeux**
France : les disparités du territoire
*(pages 250-251)*

**Dossier**
En Auvergne, quel avenir pour l'espace rural ?
*(pages 208-211)*

**Leçon**
L'Europe : quelle politique régionale ?
*(pages 308-309)*

**Étude de cas**
TriRhena : une région transfrontalière au cœur de l'Europe
*(pages 300-303)*

## 8. Les parcs naturels en France

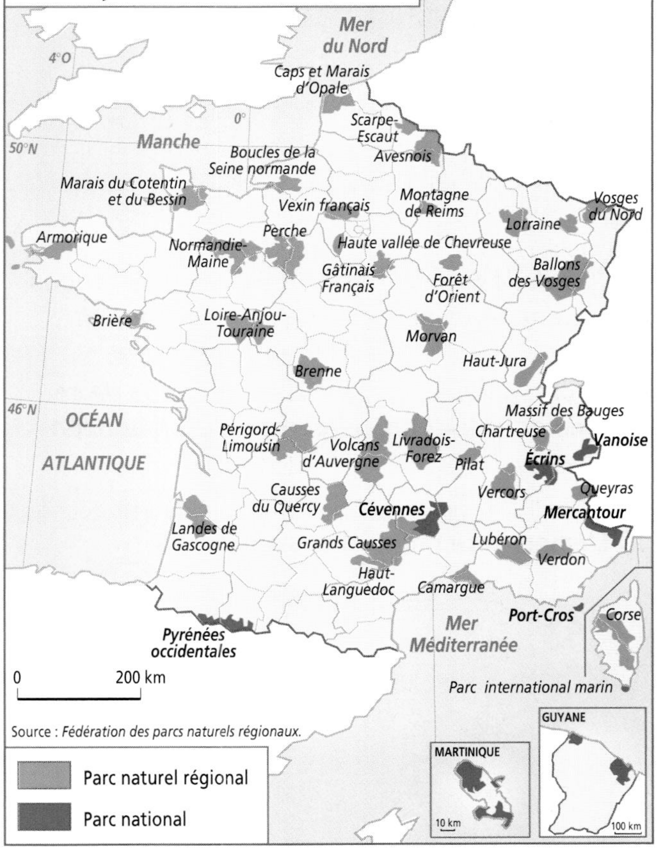

## 9. Les citoyens dans les débats sur les aménagements

Manifestation contre l'option routière lors de l'inauguration du tunnel du Somport (Pyrénées), le 17 janvier 2003.

## 10. Le problème des marges

Pas une région française, à l'exception de l'Île-de-France, n'échappe totalement au phénomène de la marge ou des marges intérieures, le plus souvent en contraste avec des zones urbaines qui se développent bien.

Ainsi, la Basse-Normandie se développe très convenablement le long d'un axe Lisieux-Caen-Cherbourg, dans le prolongement du triangle urbain Caen-Rouen-Le Havre qui lui-même continue vers l'Ouest la mégapole parisienne. Mais, au Sud-Ouest de la région, le Bocage normand (l'Orne et le Sud de la Manche) apparaît de plus en plus délaissé, dépeuplé, isolé. De même, la région Rhône-Alpes apparaît comme un modèle de développement régional dans ses vallées et les villes qui les animent, mais non dans ses bordures montagneuses du Massif central (Loire et Ardèche) ou des Alpes du Sud (Drôme), encore plus désertifiées que le Bocage normand.

P. Deyon, A. Frémont, *La France et son aménagement (1945-2015)*, LGDJ – 2000.

## 11. La protection des littoraux

La dune du Royon sur le littoral de la Somme (Picardie).

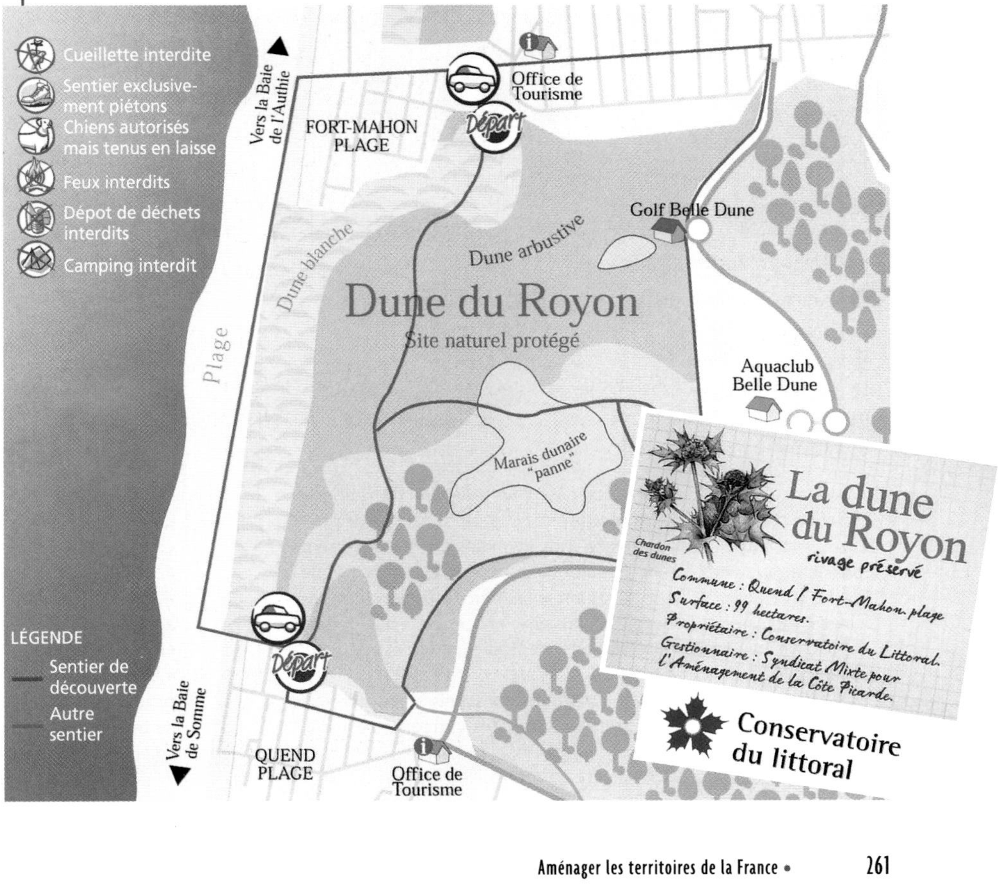

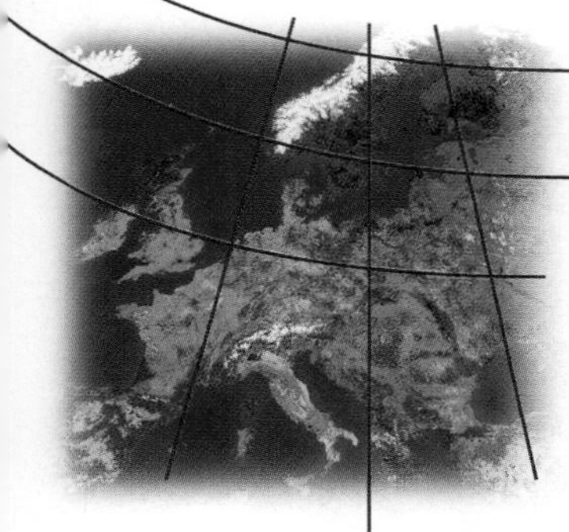

## Dossier

# De nouveaux territoires pour la France de demain

*Au-delà des divisions administratives traditionnelles de la France, des formes d'organisations territoriales nouvelles se développent, qui transforment peu à peu les modes de gestion du territoire national.*

*De son côté, la Datar*, en charge d'une mission de prospective, dessine des scénarios de ce que pourrait être l'organisation de l'espace français, dans le contexte européen, à l'horizon 2020.*

### 1. L'émergence de « systèmes productifs locaux »

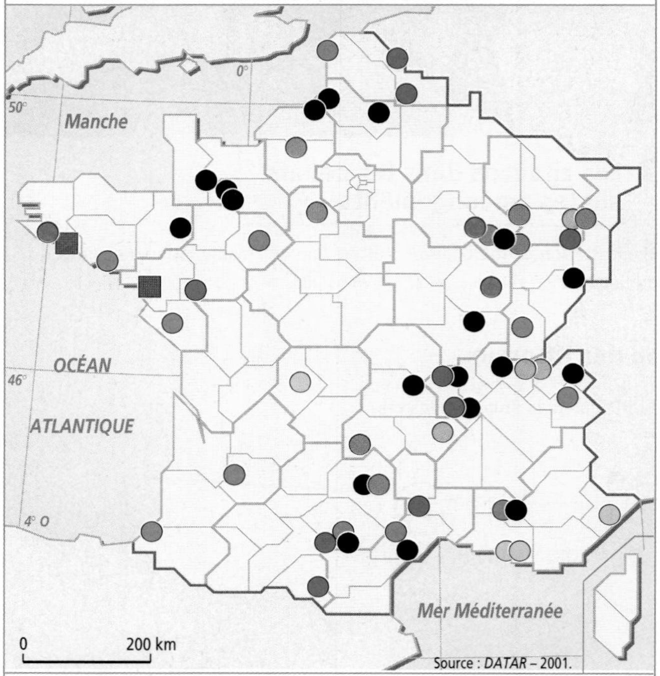


**Systèmes productifs locaux**

- Mécanique, métaux, verre
- Constructions navales
- Textile, habillement
- Bois, ameublement
- Agriculture, pêche, industries agroalimentaires
- Emballages
- Plasturgie
- Santé, pharmacie
- Électronique, nouvelles technologies de l'information

Un système productif local est composé d'un ensemble d'entreprises spécialisées dans la même production dans le cadre d'un territoire limité : l'activité doit être exercée dans au moins dix établissements, représenter au moins 5 % de l'emploi de la zone et au moins 5 % de la branche en France. Il s'agit de renforcer les liens entre les entreprises locales en les associant autour de projets : mettre en commun des services, s'échanger des informations, s'entraider, créer une structure commerciale, un label commun...
Les SPL furent d'abord appelés « districts industriels » suivant l'exemple italien où cette forme d'organisation de petites entreprises est très développée.

### 2. L'émergence rapide des « pays »

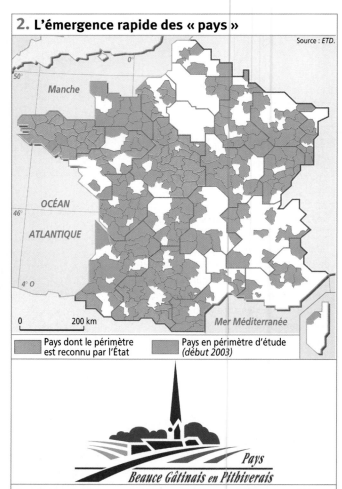

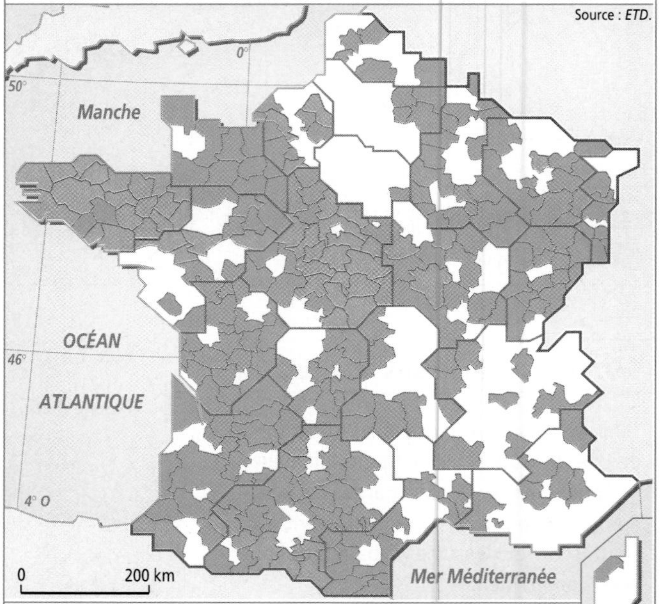


- Pays dont le périmètre est reconnu par l'État
- Pays en périmètre d'étude *(début 2003)*

Pays
*Beauce Gâtinais en Pithiverais*

Inscrit dans la loi Pasqua de 1995, modifiée par la loi Voynet en 1999, un « pays » n'est ni un nouvel échelon administratif, ni une nouvelle collectivité locale ; c'est un cadre pour la réalisation d'un projet de développement local à l'échelle du bassin d'emploi. Un pays se forme en deux temps : reconnaissance du périmètre d'étude, puis élaboration et adoption d'une charte qui doit déboucher sur un « contrat de pays » entre l'État et les acteurs locaux. Les ensembles de communes et de groupements qui se constituent en pays doivent présenter des solidarités en matière d'emploi, de services, d'aménagement de l'espace, de ressources naturelles et patrimoniales, et rechercher des complémentarités entre espaces ruraux et urbains.

## 3. Une organisation possible de la France en 2020 : le « polycentrisme maillé »

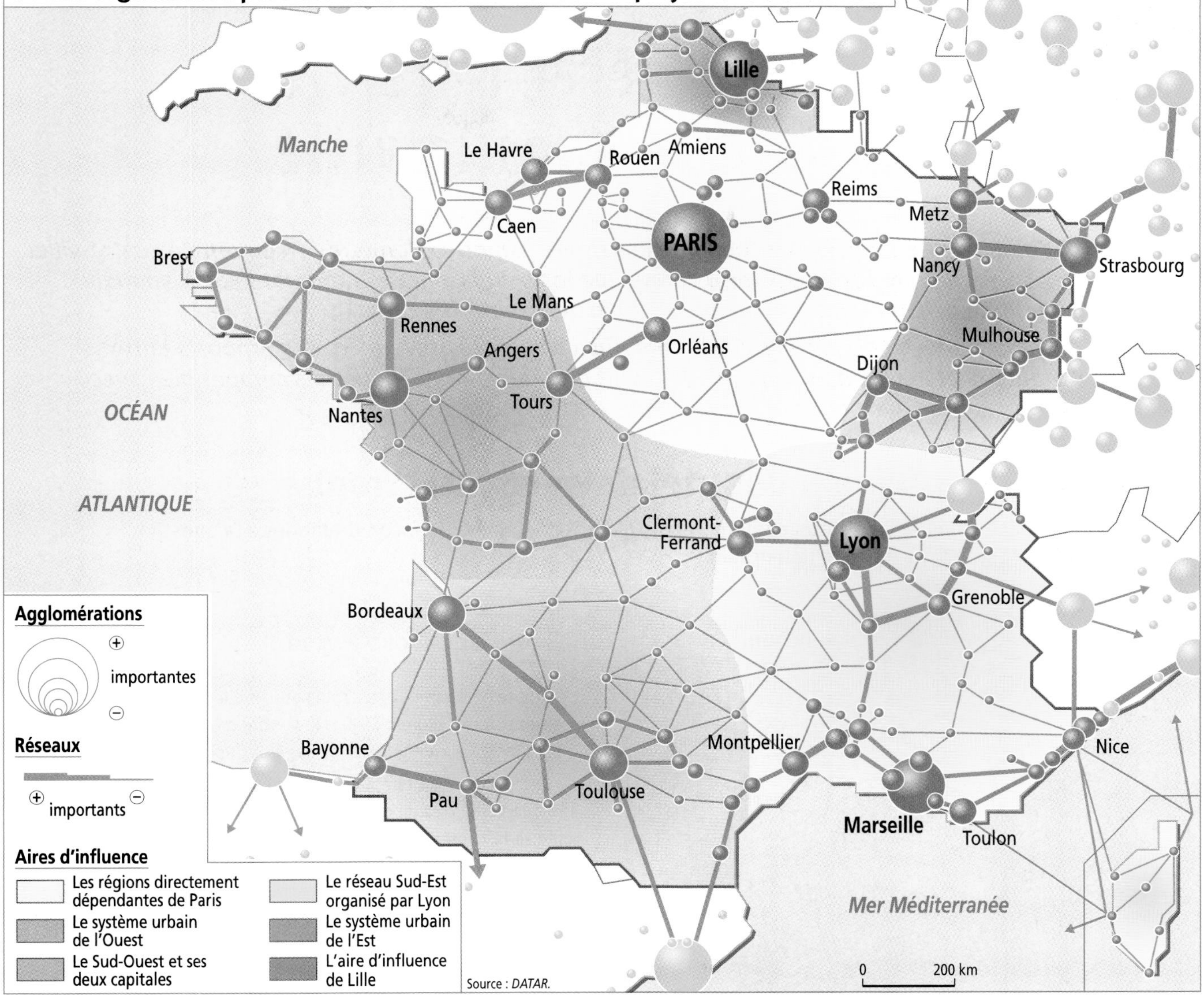


Source : *DATAR*.

## 4. La Datar* pour le « polycentrisme maillé »

La Datar a une mission de prospective, c'est-à-dire de réflexion sur l'avenir pour aider les choix d'aménagement du territoire : ainsi, pour l'horizon 2020, a-t-elle défini plusieurs scénari et retenu celui du « polycentrisme maillé » parce que « il est certainement le mieux à même de concilier les trois impératifs du développement durable : solidarité et cohésion sociale, performance économique et préservation de l'environnement ».

Ce scénario s'appuie sur les « territoires de projet » (communautés d'agglomérations et de communes, pays), sur les initiatives de développement local telles que les systèmes productifs locaux. Il s'articule autour de six grands ensembles interrégionaux (bassins de peuplement) qui permettent l'émergence de pôles urbains dynamiques complétant le pôle parisien, et compétitifs au niveau européen et mondial. Cette nouvelle approche polycentrique du territoire concorde avec celle définie, pour l'espace européen, dans le Schéma de développement de l'espace communautaire*.

J.-L. Guigou, *Aménager la France de 2020*, Datar – 2002.

# Questions

**1.** Définissez ce qu'est un système productif localisé ; ce qu'est un pays (1, 2).

**2.** En quoi ces deux dispositifs favorisent-ils le développement local ?

**3.** Le territoire français est-il également touché par ces dynamiques de développement local (1, 2) ?

**4.** Décrivez le scénario du « polycentrisme maillé » (3, 4). Pourquoi la France serait-elle plus « équilibrée » ?

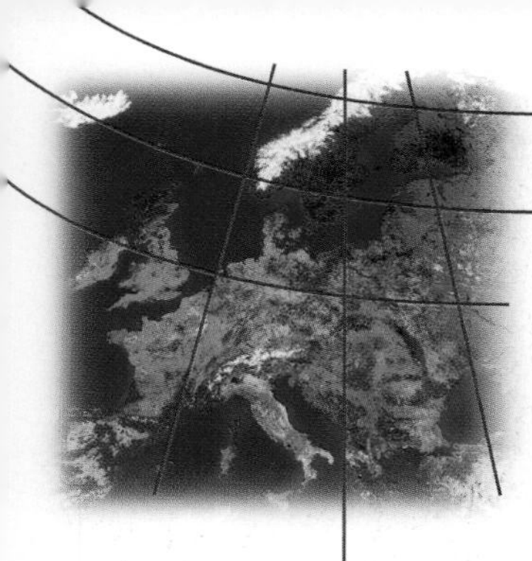

# Dossier

# Toulouse : gérer l'activité industrielle dans la ville

*À Toulouse, une plate-forme chimique est située à quatre kilomètres en amont du centre-ville. Or l'agglomération toulousaine a connu une forte croissance démographique et spatiale à l'origine de l'intégration en milieu urbain de ce site à risques.*

*La catastrophe de 2001 a montré les insuffisances de la prévention. Les rapports entre l'industrie et la ville sont à repenser. Il faut promouvoir des industries compatibles avec l'urbanisation, sans oublier que le risque zéro n'existe pas.*

## 1 ■ Quand un risque industriel devient catastrophe

L'explosion de l'usine chimique AZF, le 21 septembre 2001, a mis en lumière de façon dramatique la question de la gestion du risque industriel en milieu urbain.

### 1. Un pôle chimique dans le tissu urbain

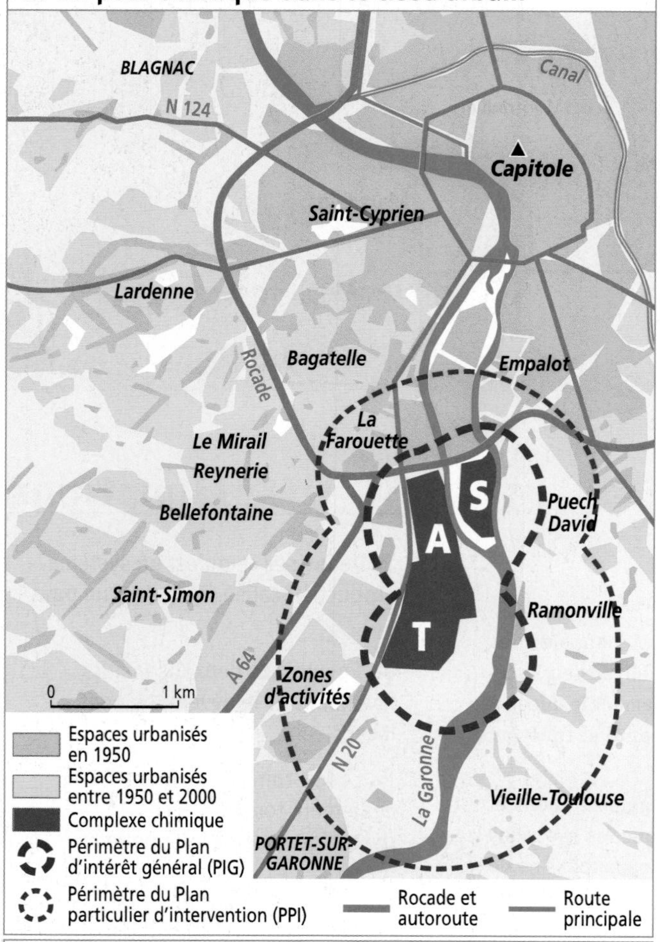


**A : AZF** *(engrais nitratés et produits de base pour peintures, colles, détergeants, 1924)*
**S : SNPE** *(Société nationale des poudres et explosifs, fin XIX*[e] *siècle)*
**T : Tolochimie** *(vernis et produits pharmaceutiques, 1961)*

### 2. Un risque sous-évalué

Trente personnes tuées, plusieurs milliers d'habitants de la ville atteints à des degrés divers, le souffle de l'explosion a provoqué, sur plusieurs kilomètres, des dégâts considérables.

Le site où se sont implantées autrefois les différentes usines chimiques était très en retrait de la ville. Dans les années 1950, a démarré la construction des grands immeubles collectifs, à l'Ouest en rive gauche. La coexistence des lotissements, des cités et des usines est alors considérée comme positive, permettant au personnel d'aller au travail à pied ou à vélo. La notion de risque industriel n'est prise en compte qu'à partir de 1989, avec l'application de la directive Seveso* et la définition du premier périmètre de sécurité où s'applique le Plan d'intérêt général (PIG)* ; une zone sensible plus large, soumise au Plan particulier d'intervention (PPI)*, est ensuite délimitée. Ce dispositif n'empêche pourtant pas la construction de la rocade toulousaine au ras des usines. Le maintien d'établissements à forte fréquentation juste en face du site n'a guère posé de problèmes aux autorités.

*Mappemonde*, n° 65 – Mars 2002.

### 3. Les limites du PPI*

La prise en compte, dans le plan particulier d'intervention (PPI), de l'éventualité de l'émission d'un nuage toxique, mais pas de celle d'une explosion, les dysfonctionnements du système d'alerte, la défaillance des transmissions par saturation très rapide des réseaux de télécommunication, les difficultés d'accès pour les secours au site sinistré et l'absence d'information à l'adresse de la population doivent nous inciter à revoir totalement et rapidement les PPI chimiques.

Intervention du sénateur J.-M. Baylet au Sénat – 8 novembre 2001.

## 4. Faire cohabiter usines et villes

**• *Peut-on empêcher les villes de se développer autour des usines ?***

Si on ne peut pas empêcher ce phénomène, on peut l'organiser. Que fait-on des unités industrielles qui existent ? On les délocalise ? Pour une commune, avoir des milliers d'emplois qui disparaissent, ce n'est pas évident. Je pense qu'il faut s'engager dans une démarche qui force sur la sécurisation maximale des sites existants. Déménager massivement toute la chimie, non, ce n'est pas faisable.

**• *Peut-on au moins geler les terrains proches des sites ?***

Complètement. Les plans locaux d'urbanisme (PLU)* donnent aux élus les moyens de le faire. Fermer des usines présentes est tout de même plus simple que de détruire tous les bâtiments à un kilomètre à la ronde. En fait, il faut se demander, dans chaque cas, ce qui est le plus efficace : créer un périmètre non bâti, ou jouer surtout sur une forte sécurisation...

On peut espérer que la loi SRU* ( Solidarité et renouvellement urbains) et la loi sur l'intercommunalité vont changer la donne. Ces textes poussent les communes à se regrouper et à mettre la taxe professionnelle en commun : les villes n'ont plus alors un intérêt aussi direct à ce que les entreprises soient localisées sur leur territoire.

Interview de F. Ascher, urbaniste, *Libération* – 25 septembre 2001.

## 5. La carcasse de l'usine AZF après l'explosion du 21 septembre 2001

Couverture d'une publication spéciale de *Milan Presse*.

## Questions

**1.** Situez le pôle chimique dans la ville de Toulouse et expliquez son imbrication dans le tissu urbain (1, 2).

**2.** Quel est le bilan de la catastrophe (2, 5) ?

**3.** Quelles ont été les insuffisances en matière de prévention des risques (1, 2, 3) ?

**4.** Quelles sont les solutions possibles face à la présence d'industries à risques en milieu urbain (4, 6) ? Laquelle a été choisie à Toulouse ? Pourquoi ?

## 6. Un an après : une ville sans chimie ?

La population ne veut plus entendre parler de risque à proximité des habitations et le gouvernement s'est rendu à ses raisons en supprimant l'essentiel des activités chimiques. La plate-forme chimique ne compte plus aujourd'hui que 200 salariés sur les 1 100 employés précédemment. Il ne reste plus sur le site que les activités du secteur carburant de la SNPE et deux petites entreprises chimiques : Raisio et Isochem.

*Le Monde*
21 septembre 2002.

## 2 ■ Quelle industrie dans la ville ?

Face à l'ampleur du traumatisme social et économique, la ville doit réorienter l'activité industrielle et l'insérer différemment dans le tissu urbain.

### 7. La nouvelle carte des industries

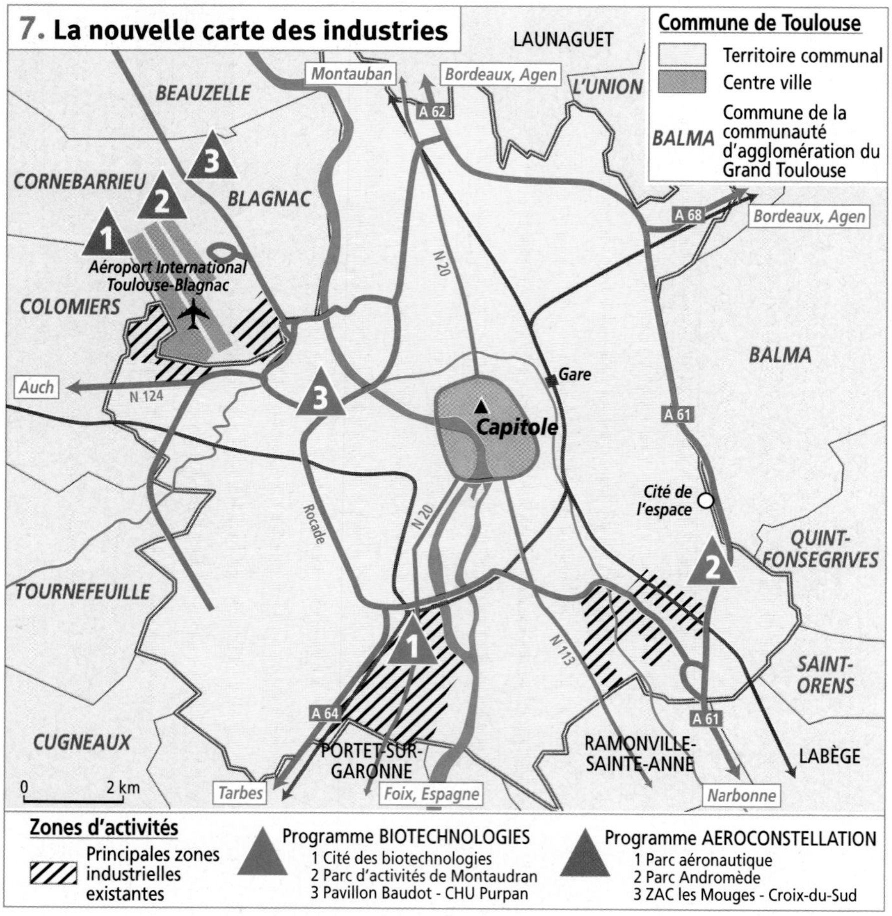


### 8. L'action de l'État

Le Gouvernement souhaite développer, à Toulouse, un pôle de premier plan dans le domaine des biotechnologies avec :

– l'implantation du centre national de ressources génomiques végétales de l'Inra* sur l'aire toulousaine (Auzeville), projet qui aura des répercussions économiques dans tout le grand Sud-Ouest ;

– le renforcement du pôle neurosciences avec la réunion, sur le site de Purpan, des équipes de l'Inserm*, des universités et du CNRS*, ainsi que l'établissement de liens forts avec le CHU ;

– le projet de création d'un institut des technologies avancées des sciences du vivant, qui repose sur l'existence, à Toulouse, d'un potentiel de recherche de grande ampleur dans les disciplines d'interface avec la biologie ;

– le soutien à une zone d'activités dédiée aux biotechnologies, le site de Montaudran : renforcement de l'incubateur régional de Midi-Pyrénées, soutien financier à la première tranche d'une pépinière d'entreprises.

Extrait du rapport du CDIAT* – Décembre 2002.

### 9. Promouvoir une chimie sans risque

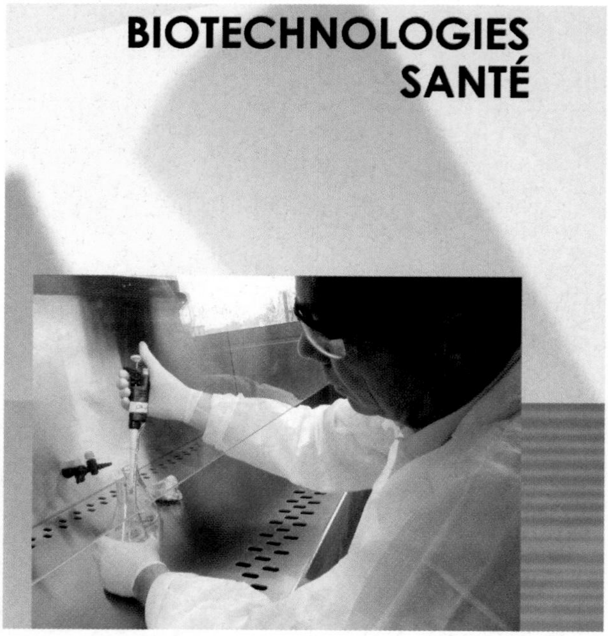

**un projet structurant :**

La Cité des Biotechnologies®

C'est le choix de la biotechnologie et de la santé qui a été fait comme réponse aux enjeux de la reconversion de la chimie et de la réindustrialisation d'un tissu économique ayant particulièrement souffert.

Les sciences du vivant disposent à Toulouse d'un environnement porteur : un pôle de recherche et de formation dense et diversifié, de grands pôles industriels comme Sanofi-Synthelabo, Pierre-Fabre, un pôle de soins majeurs, des vitrines comme la génopole, le MEDES (institut européen de la peau), CERPER (Institut européen de la télémédecine), des passerelles vers d'autres activités : électronique pour l'instrumentation, TIC pour l'imagerie et la télémédecine, aéronautique pour les matériaux.

Site Internet du Grand Toulouse – 2002.

10. La ZAC AéroConstellation : futur site d'assemblage de l'Airbus A380 (vue simulée)

## 11. Intégrer Toulouse dans l'espace mondial : AéroConstellation

La décision de construire un nouvel appareil géant, l'Airbus A380, concurrent direct de l'américain Boeing, et de l'assembler à Toulouse, a forcé les acteurs économiques (EADS-Airbus et plus de 500 entreprises sous-traitantes, soit plus de 35 000 emplois) et politiques de l'agglomération à envisager un nouveau parc d'activités sur le site d'une base de loisirs, AéroConstellation, dont la pièce maîtresse est l'usine de montage. Il est prévu de construire, autour du pôle industriel, un certain nombre d'autres zones de résidence, de commerces et de loisirs.

Ce projet, conduit par le Grand Toulouse, l'État et le conseil général de la Haute-Garonne, est l'un des plus vastes projets d'aménagement d'Europe. AéroConstellation est une zone d'aménagement qui répond aux normes internationales de protection de l'environnement : gestion efficace des matières premières et des déchets, réduction des pollutions, limitations des risques industriels, insertion paysagère.

R. Marconis,
*Documentation photographique*, n° 8025 – 2002.

## Questions

1. Pourquoi le secteur des biotechnologies semble-t-il adapté à la ville de Toulouse (8, 9) ?

2. Comment s'explique la création du parc AéroConstellation (10, 11) ?

3. Quels sont les différents acteurs de ces implantations industrielles (8, 9, 11) ?

4. Les rapports entre ville et industrie sont-ils modifiés (7, 11) ?

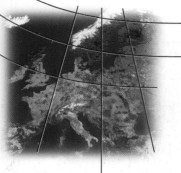

# Dossier

# Millau : quels effets le viaduc aura-t-il ?

*Le viaduc de Millau constitue le dernier tronçon de la construction de l'autoroute A75. Il permet de franchir la vallée très encaissée du Tarn sans traverser Millau.*

*Aux échelles nationale et européenne, c'est un nouvel axe majeur Nord/Sud qui s'achève, élément clé du désenclavement du Massif central. Localement, c'est toute la question des retombées économiques liées au viaduc qui se pose, notamment pour la ville de Millau.*

### 1. Le dernier maillon de l'A75

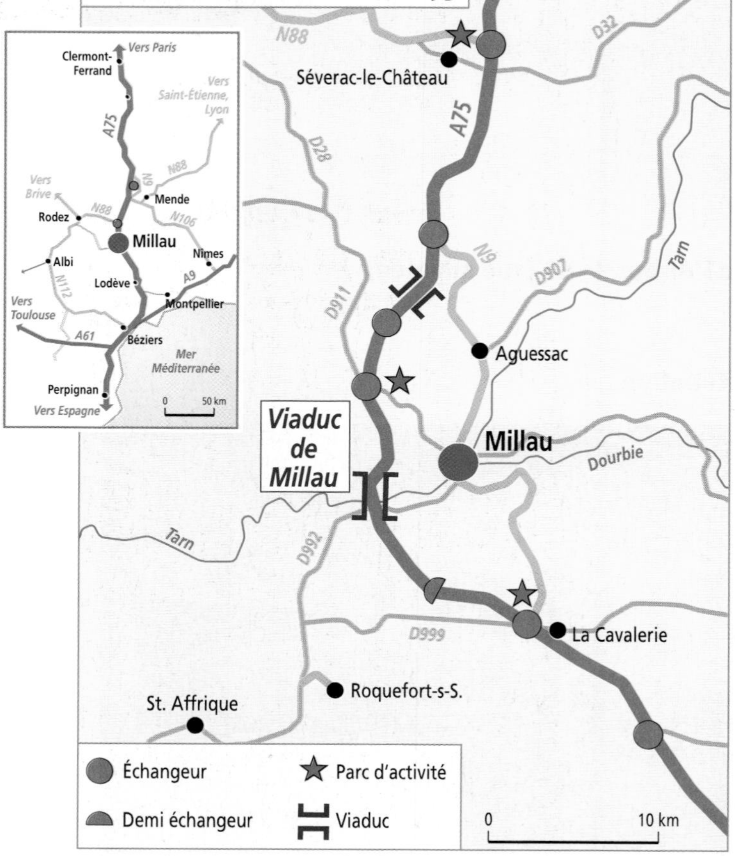


### 2. Une ouverture décisive pour l'Aveyron

Nous étions, il y a dix ans, une des régions les plus isolées du pays ; avec la mise en service du grand viaduc se terminera la percée du Massif central. Il y aura désormais une alternative à la vallée du Rhône pour les liaisons entre le Nord et le Sud de l'Europe...

Pour la première fois, depuis un siècle, le solde migratoire est positif. L'Aveyron est désormais bien situé par les Français et les étrangers, au point de rencontre des hautes terres du Massif central et de l'arrière-pays méditerranéen...

À Séverac-le-Château, au carrefour de l'A75 et de l'axe Toulouse-Lyon, comme à La Cavalerie, sur le Larzac, le conseil général a initié la création de zones départementales d'activité avec des terrains immédiatement disponibles. Elles sont parfaitement situées, à égal temps de parcours de Paris et de Barcelone.

Interview de J. Puech, président du conseil général de l'Aveyron, *Découverte et Patrimoine* – 2002.

### 3. Un axe stratégique

Au Nord, le Lévezou granitique ; au Sud, le causse calcaire du Larzac : deux plateaux massifs qui culminent à plus de 800 mètres d'altitude. Entre les deux, le grand canyon creusé par le Tarn, qui coule quelque 300 mètres plus bas.

À chaque migration estivale ou saisonnière, le bouchon de Millau (30 kilomètres entre Aguessac et La Cavalerie) annihile, pour une bonne part, les avantages que présente la traversée de la France par le Massif central en empruntant l'autoroute A75.

La mise en service du viaduc de Millau mettra fin à ces interminables bouchons. Elle est prévue pour le 10 janvier 2005 par la société Eiffage (spécialiste français de la construction métallique) qui finance le projet sur ses fonds propres, sans engagement financier de l'État. C'est donc sous le régime de la concession, et donc du péage, que fonctionnera l'ouvrage. Les tarifs devraient placer l'itinéraire Paris-Méditerranée par le Massif central moins cher que celui de la vallée du Rhône, axe par ailleurs beaucoup plus saturé.

*Le Monde* – 15 août 2002.

## Questions

**1.** Quels sont les effets de la construction du viaduc aux échelles nationale et régionale (1, 2, 3 et photographies pages 248-249) ?

**2.** Quels atouts peut représenter le viaduc pour la ville de Millau (3, 4, 5, 6, 7) ?

**3.** Quels sont les risques économiques pour la ville de Millau (6, 8) ?

### 4. Millau, ville étape

Avec le viaduc, Millau sera libérée du transit urbain estival, aujourd'hui préjudiciable à la circulation des habitants et des touristes. Mais le viaduc ne doit pas être pour autant un « tube étanche » qui n'apporterait rien à la région.

Millau pourrait devenir ville étape, parce qu'elle se situe à mi-chemin d'un trajet Paris-Espagne. Quand on sait que le temps d'utilisation d'un camion est limité à 8 heures d'affilée et que nous sommes ici à peu près à 8 heures de Paris, on est en mesure de penser que les routiers pourraient faire de Millau leur lieu de repos. L'A75 et le viaduc draineront sur l'Aveyron les voyageurs dans de meilleures conditions, tout en améliorant la vie quotidienne des Millavois.

F. Blanchet, ingénieur à la Compagnie Eiffage, *Journal du viaduc*, n° 2 – 2002.

Tous les atouts pour un envol économique...
L'économie de Millau et de sa région, avait perdu de sa superbe industrielle avec la crise de la ganterie. Aujourd'hui, les parcs d'activités et la Pépinière d'entreprises situés dans l'immeuble de la TGM (Très Grande Mégisserie) appellent au renouveau de l'économie millavoise...
Parc d'activités de
MILLAU
LEVEZOU


### 5. Le viaduc : un tremplin pour le développement économique ?

### 6. Millau suspendue au viaduc

Dans les années 1970, la ganterie employait 6 000 personnes ; elle en emploie à peine 250 aujourd'hui. Dans ce contexte, le pont de Millau fait figure d'avenir et illustre la théorie selon laquelle les grands investissements relancent la machine économique ; l'argent du chantier irrigue la ville des bords du Tarn : fournisseurs locaux, immobilier, emploi, consommation...

Comment pérenniser l'élan quand les missionnaires économiques du viaduc auront plié bagage ? Certains n'ont qu'un cauchemar en tête : voir passer les voitures au loin et, avec elles, les perspectives de croissance. Sans un volet économique pour développer le tourisme, on court à la catastrophe. Seule solution pour faire taire ces craintes : inciter l'automobiliste à s'arrêter à Millau. Envisagé par les autorités locales, un musée des grands ouvrages d'art et des Grandes Causses, placé au pied du viaduc, inciterait le vacancier à prolonger son séjour. Une aire de repos en bordure de la ville offrirait une vue imprenable sur le viaduc. Le tourisme industriel attire du monde : les caves de Roquefort accueillent déjà des milliers de visiteurs. D'autres échafaudent quelques plans industriels : le viaduc place Millau au cœur de l'axe Paris-Barcelone. Il est entouré de grands espaces beaucoup moins chers que ceux du Languedoc-Roussillon.

*L'Expansion*, n° 665 – Juillet-août 2002.

### 7. Millau prend de la hauteur !

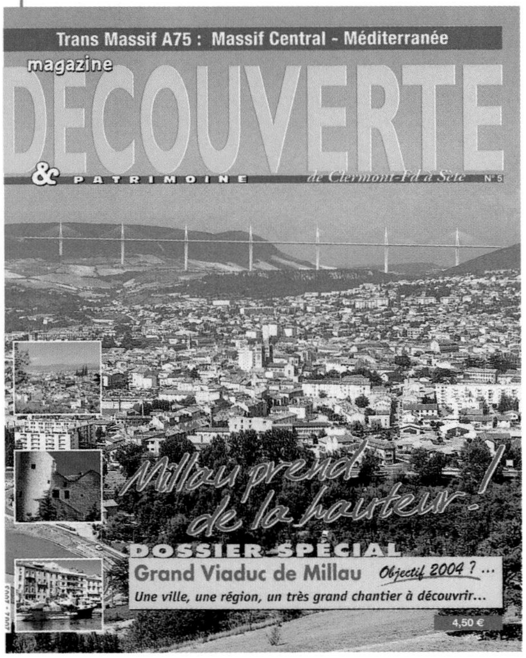

Trans Massif A75 : Massif Central - Méditerranée
magazine
DECOUVERTE
& PATRIMOINE
de Clermont-Fd à Sète
Millau prend de la hauteur !
DOSSIER SPÉCIAL
Grand Viaduc de Millau
Objectif 2004 ? ...
Une ville, une région, un très grand chantier à découvrir...
4,50 €


### 8. Un avenir incertain

Avec le viaduc et l'absence d'échangeur sur 20 kilomètres, la région de Millau n'est pas la mieux desservie : les visiteurs des gorges du Tarn ou des caves de Roquefort risquent de sortir avant la sortie Millau. Il faudrait aussi qu'ils puissent sortir de l'espace autoroutier – sans être pénalisés en termes de péage – pour admirer le viaduc d'en bas et visiter la ville. Si le centre d'interprétation est aménagé sur les bords de l'autoroute, il ne fera pas descendre les visiteurs à Millau.

Ces considérations économiques et touristiques n'incombent pas au constructeur privé. L'État doit participer à un programme d'accompagnement et nommer, en mars 2003, un « Monsieur Viaduc » pour éviter que le viaduc ne réponde qu'à la logique de sa construction : fluidifier le trafic routier. L'autoroute invite à la vitesse et ne profite pas forcément aux régions qu'elle traverse.

Sources diverses – Janvier 2003.

# Perspective BAC

# Val de Lorraine : pays et développement local

## Étude de documents — Sélectionner des informations et rédiger une synthèse

Localisation du Val de Lorraine

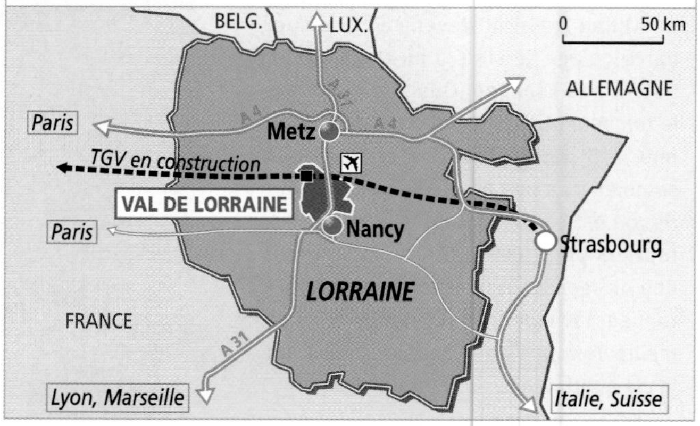


### 1. La zone d'activité de Pompey et les industries présentes

| | | |
|---|---|---|
| Ascométal | France | Acier pour automobile |
| Carnaud Metalbox Sofreb | États-Unis | Boîtes en acier pour boisson |
| Clarion | Japon | Autoradio |
| Manoir Industries | France | Forge |
| Raflatac | Finlande | Étiquettes adhésives |
| Delipapier | Italie | Papier |
| Novasep | France | Chimie fine |
| Dupont Médical | France | Matériel médical |
| Allevard | France | Équipementier automobile |

### 2. Interview de Jacques Chérèque, président du Pays Val de Lorraine

***Comment les intérêts des communes urbaines et ceux des communes rurales sont-ils conciliés dans le pays ?***

Ils sont préservés :

– par le mode de fonctionnement du Conseil de développement qui assure une représentation de l'ensemble des acteurs de son territoire au travers de trois collèges : « élus », « associatifs » et « socio-économiques » ;

– par le projet de développement durable du pays, la Charte du pays Val de Lorraine, qui prend en compte les problématiques respectives de l'urbain et du rural dans ses politiques de développement.

***Comment le pays se situe-t-il par rapport aux aires urbaines proches de Nancy et de Metz ?***

Le pays Val de Lorraine a un rôle stratégique majeur à jouer par rapport aux aires urbaines de Nancy et de Metz, et a vocation à s'inscrire dans un partenariat avec celles-ci :

– parce qu'il constitue, en terme d'aménagement du territoire, un espace d'équilibre et de cohésion entre ces deux agglomérations ;

– parce qu'il est au centre des réseaux de transport qui se croisent du Nord au Sud et d'Est en Ouest, en Lorraine (A31, liaisons ferroviaires dont le TGV en 2007, liaison fluviale avec la Moselle).

***La structure de pays est-elle généralisable sur l'ensemble du territoire ? A-t-elle un avenir ?***

Le pays est un territoire qui présente une cohésion géographique, culturelle, économique ou sociale. À ce titre, il ne peut donc être purement et simplement décrété. Il se construit là où cette cohésion existe. Espace de projet, d'efficacité et de solidarité, de renouveau de la démocratie locale et de citoyenneté, outil au service d'une meilleure efficacité de l'action publique, d'une égalité des chances de tous les territoires dans un même ensemble régional, il a tout son sens et donc tout son avenir devant lui.

Val de Lorraine
infos
Lettre du Conseil de Pays - N° 6 juin 2002
Val de Lorraine
Conseil de Pays
Aménagement durable de l'espace
La carte des sentiers de randonnée du Val de Lorraine :
500 km de promenade, de quoi occuper les RTT !

## 3. *Val de Lorraine Infos*

Publication trimestrielle du pays Val de Lorraine.

## 4. Une nouvelle dynamique locale

Le pays Val de Lorraine forme un territoire de 66 communes comptant 87 000 habitants. Les principaux acteurs, élus, économiques et associatifs, se sont organisés au sein de l'association de développement des vallées de la Meurthe et de la Moselle, pour concevoir une stratégie de développement et d'aménagement dès 1989. Le pays a été reconnu dès 1995.

Après avoir surmonté la crise de la sidérurgie au début des années 1980, le bassin de Pompey a pu accueillir de nouvelles entreprises grâce à une politique volontariste de reconversion. En dépit d'une tendance générale à la tertiarisation de l'économie, l'implantation d'importantes unités industrielles fait que la part de l'industrie dans l'emploi salarié privé reste proche de 50 %. Un pôle industriel technologique tend ainsi à se créer en relation étroite avec les universités et les laboratoires de recherche de Nancy et de Metz. Cette mutation se caractérise également par le développement du secteur de la logistique.

N. Portier, *Les Pays*, Datar – 2002.

## 5. Les domaines d'intervention du pays

### 4 champs d'intervention

permettant d'organiser le grand espace du Pays par un développement interactif.

**Aménagement durable de l'espace :**

- urbanisme,
- paysage,
- tourisme,
- agriculture,
- habitat.

**Développement pour l'emploi :**

avec une double clé d'entrée :

- accès à l'emploi et l'insertion,
- le développement économique (PMI-PME, commerce, artisanat, service...).

**Service à la population :**

- vie sociale, culturelle et sportive,
- action auprès des jeunes,
- coordination périscolaire,
- actions auprès des personnes âgées.

**Politique de la ville :**

lutter contre la marginalisation des quartiers difficiles et des populations les plus démunies par une intervention combinée sur :

- l'urbanisme,
- les logements,
- les services.

## Exercices

**Voir méthode page 28.**

**1. Présenter les documents**

- Rédigez la présentation des documents.

**2. Sélectionner, classer, confronter les informations et les regrouper par thèmes**

- Lisez attentivement le sujet : relevez les mots importants. Que doit montrer le devoir ?
- Reproduisez le tableau ci-dessous, puis complétez le en sélectionnant dans chacun des documents les informations qui illustrent les trois thèmes :

| Doc. | *Les caractères du pays Val de Lorraine* | *Les acteurs et les domaines d'action du pays* | *Les réalisations du pays Val de Lorraine* |
|---|---|---|---|
| 1 | | | |
| 2 | | | |
| 3 | | | |
| 4 | | | |
| 5 | | | |

**3. Rédiger une synthèse**

- Rédigez la synthèse à partir des thèmes et des informations rassemblées dans le tableau.

# Les régions en Fra

# Partie 4

# nce et en Europe

**Strasbourg : capitale régionale, capitale européenne.** Carrefour sur l'axe rhénan, Strasbourg, la « ville des routes », est d'abord la capitale de l'Alsace, région dotée d'une forte identité historique.
C'est aussi une ville européenne : choisie comme siège du Conseil de l'Europe en 1949, elle accueille aujourd'hui plusieurs institutions européennes, de nombreuses représentations étrangères et organisations internationales.
Strasbourg et l'Alsace sont également pionnières en matière de coopérations transfrontalières avec « La Conférence du Rhin supérieur » qui unit des régions de France, d'Allemagne et de Suisse.
**1.** Parlement européen. **2.** Ancien Parlement européen. **3.** Conseil de l'Europe. **4.** Palais des droits de l'homme.

Chapitre **13**

# France : quelle place pour les régions ?

La France est depuis longtemps riche de la diversité de régions puisant leurs racines dans une longue histoire. La régionalisation, instituée depuis 1955 dans un souci de meilleur équilibre du territoire, a divisé administrativement le territoire en 22 régions en métropole et 4 outre-mer. Ces régions sont depuis le début des années 1980 des collectivités qui disposent de compétences dont l'élargissement fait débat.

- **Quelles réalités et quel avenir pour les régions en France ?**
- **Comment la Région intervient-elle aujourd'hui directement dans la gestion et l'aménagement de son territoire ?**

**L'Hôtel de région Languedoc-Roussillon à Montpellier.** Dans le prolongement du célèbre quartier Antigone, il affiche bien, par la recherche de son architecture signée Ricardo Bofill, la volonté d'affirmation de la Région.

Cartes Enjeux

# Régions : de multiples découpages pour gérer les territoires

## 1. 26 collectivités territoriales au poids très inégal

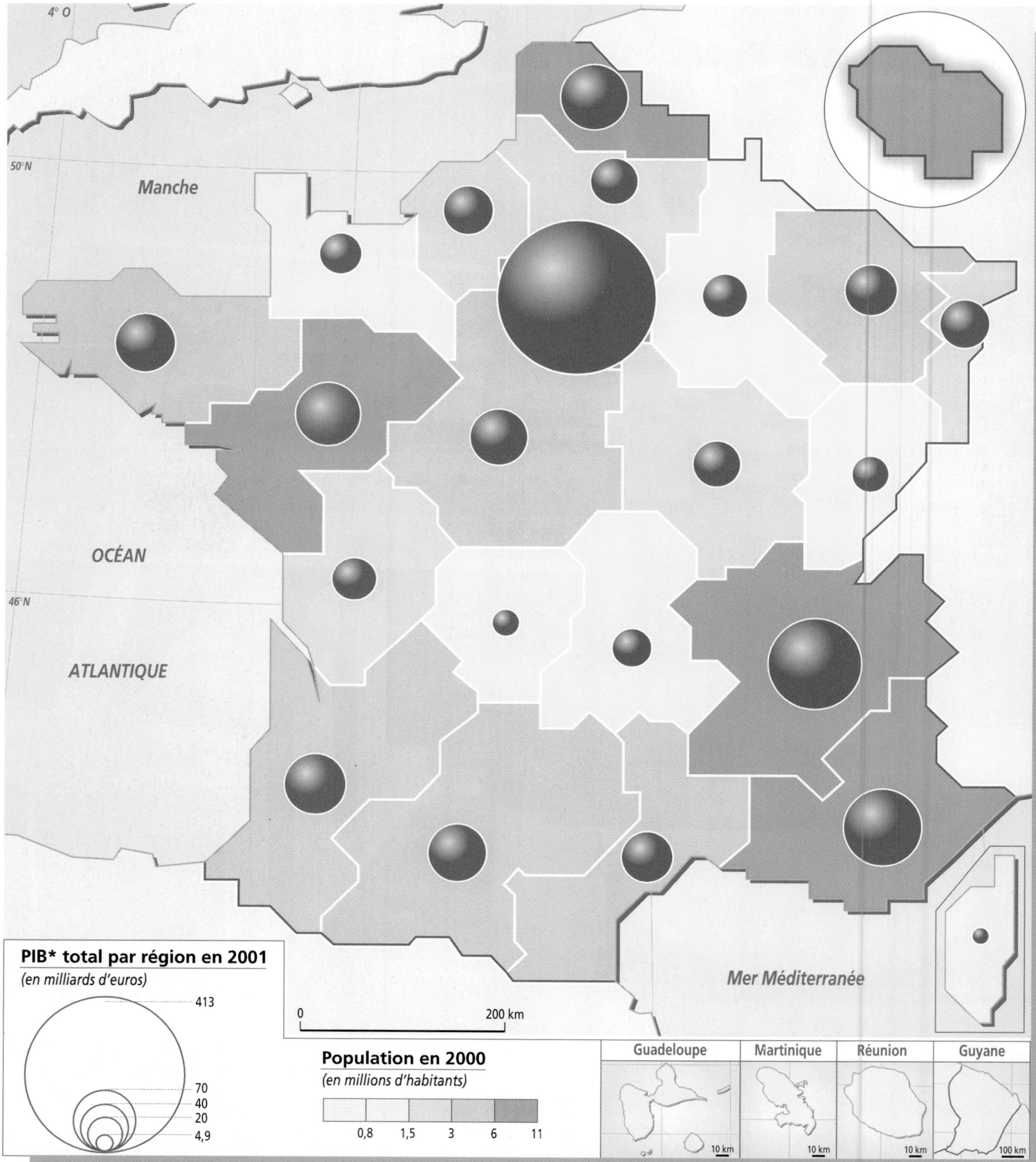

## 2. D'autres choix « régionaux »

### A. Deux autres découpages administratifs

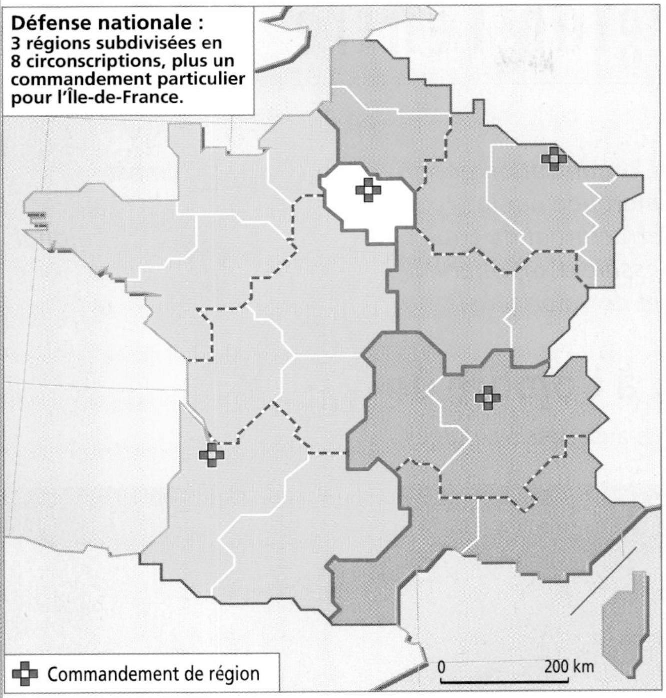


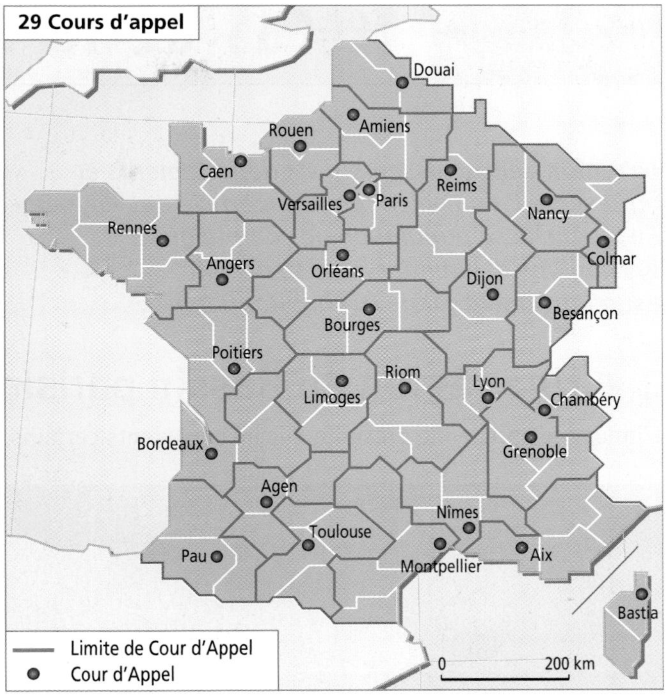


### B. Des choix d'entreprises

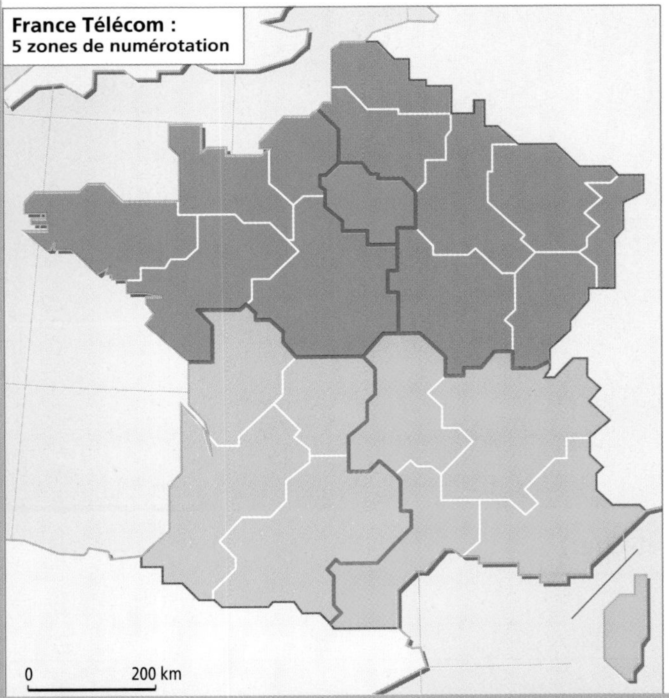


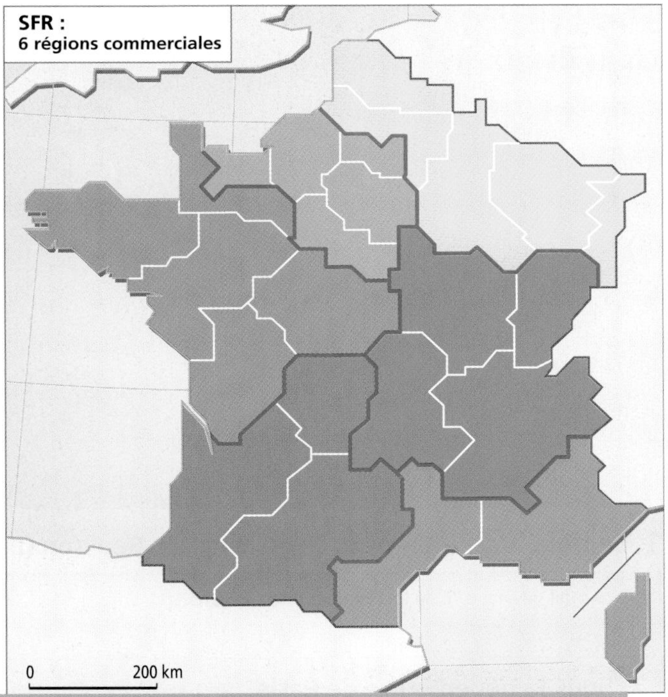


**Questions**

- Quels grands contrastes apparaissent entre les régions françaises ? Lesquels pèsent le plus ? le moins **(carte 1)** ?
- Que montre la **carte 2** quant à la pertinence de l'actuel découpage régional de la France ?

Étude de cas

# La région, un territoire en devenir : le cas de la région Centre

*La région Centre rassemble six départements et représente l' équivalent de la superficie des Pays-Bas. En revanche sa population ne compte que 2,5 millions d' habitants, car sa densité est relativement faible (63 habitants/km²).*

*L'organisation géographique de la région est marquée par la proximité de Paris et par le rôle structurant du couloir de la Loire. Le Conseil régional essaie d' affirmer l' identité de la région Centre et de valoriser son territoire.*

## 1 ■ Une région du Bassin parisien, à l'ombre de Paris

L'influence parisienne présente des inconvénients certains, mais aussi des avantages.

"Les Hauts de Bruyères"
Chaumont-sur-Tharonne (Loir-et-Cher)
Terre de légendes et des rois de France, la Sologne a su garder intact son charme mystérieux. Fièrement installé au cœur de ses majestueuses forêts de chênes, de pins et de bouleaux, le Domaine des Hauts de Bruyères profite de tous les attraits de cette nature noble et sauvage.
CenterParcs
Sologne


**1. Center Parcs Sologne près de Lamotte-Beuvron (Loir-et-Cher)**

L'espace rural devient aire de loisirs aux portes de Paris.

**2. Sous la dépendance de Paris**

Périurbanisation (jusqu'en Sologne et Berry), polarisation des plus grandes villes, Orléans et Tours, qui ont du mal à retenir leurs jeunes, mise à l'écart des espaces les moins développés (Indre, Cher) : la région Centre vit sous la dépendance de Paris.

Cependant, on aurait tort de ne voir que les aspects négatifs de la proximité parisienne : la région Centre a profité de la déconcentration industrielle. Sa position géographique a même fini par convaincre de nouveaux investisseurs. Les flux migratoires avec l'Île-de-France sont désormais à l'avantage de la région Centre ; on peut y adjoindre les migrations en fin de semaine des Parisiens vers des résidences secondaires situées toujours plus loin de leur domicile.

S. Leroy, *Mappemonde*, n° 58 – 2000.

## 3. Une région du Bassin parisien dans l'orbite de la capitale

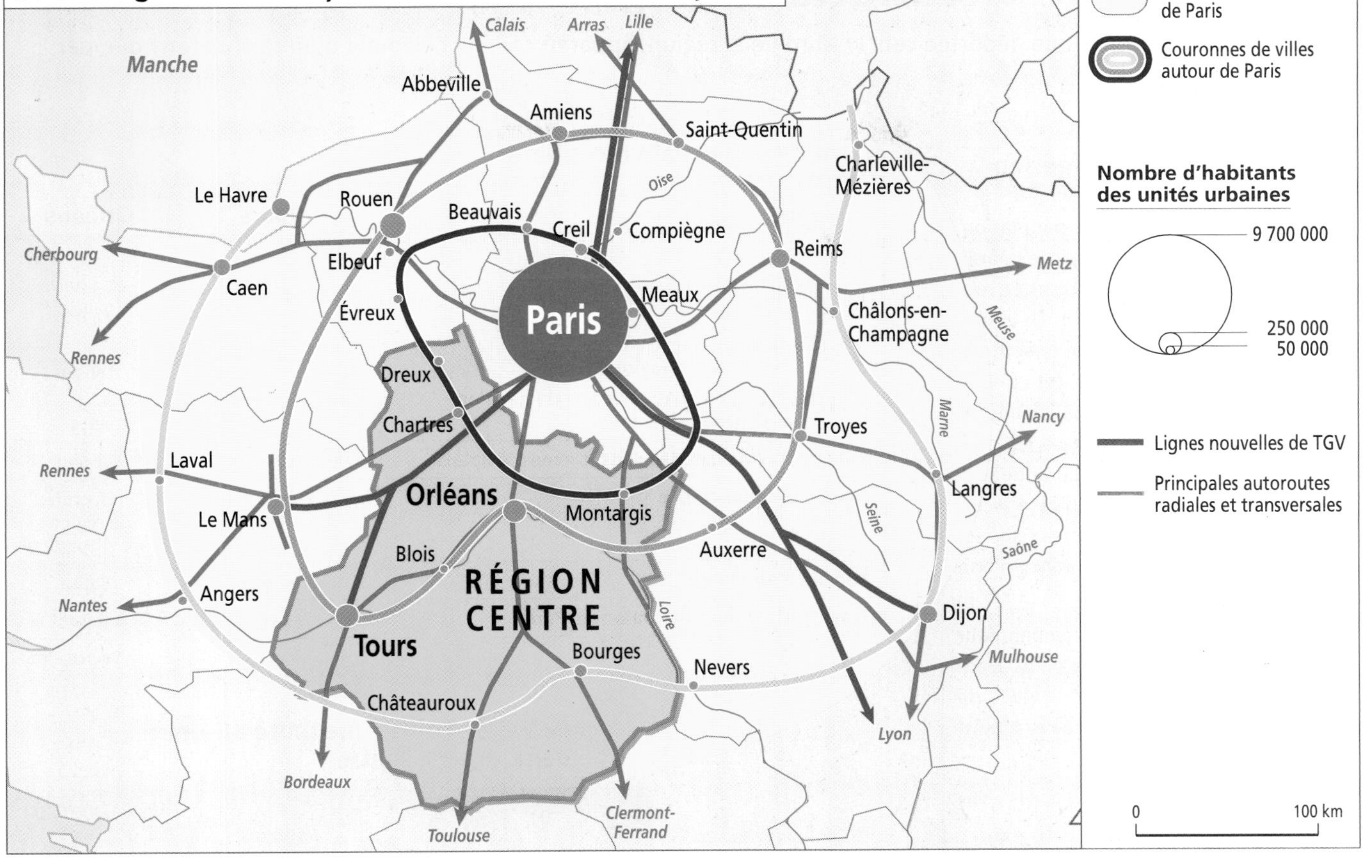


## 4. Déplacements des habitants de la région Centre

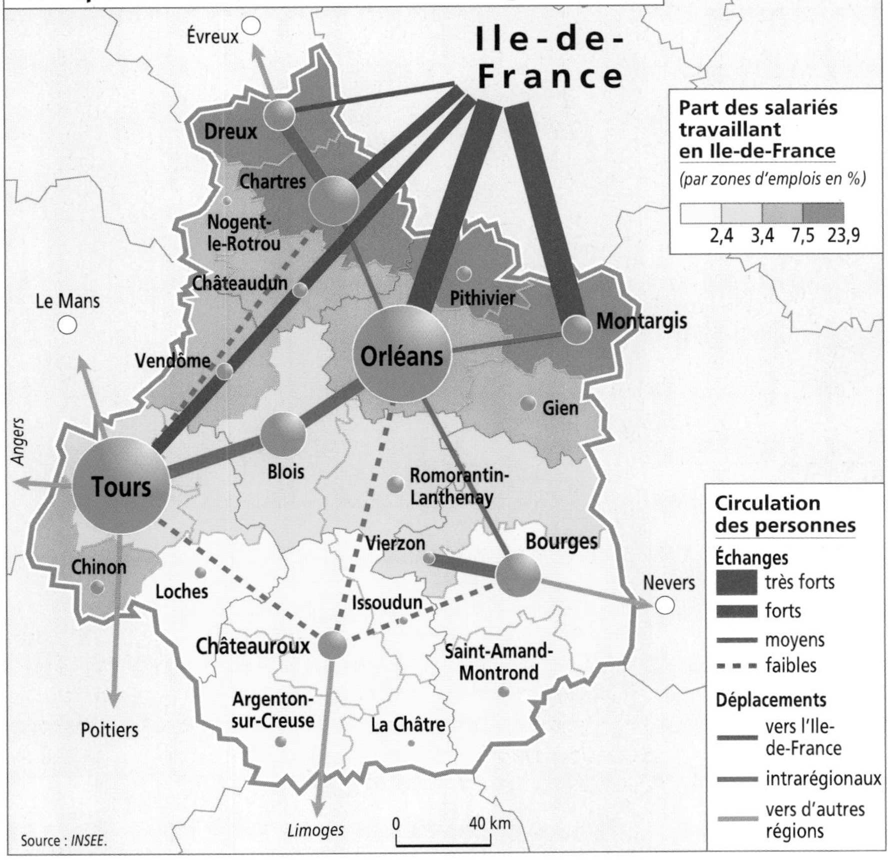


Source : *INSEE*.

## Questions

**1.** Analysez les différents flux de personnes entre l'Île-de-France et la région Centre **(2, 4)**.

**2.** Décrivez la disposition des villes de la région Centre par rapport à Paris **(3, 4)**. Comparer cette situation avec celle des autres régions du Bassin parisien.

**3.** Quels sont les principaux éléments négatifs et positifs qui résultent de la proximité parisienne **(1, 2, 4)** ?

**4.** L'attraction de Paris se fait-elle sentir de manière égale dans toute la région Centre **(2, 3, 4)** ?

# 2 ■ L'axe de la Loire structure la région Centre

La vallée de la Loire, quoique déportée vers le Nord de la région, apparaît comme l'élément d'unité d'un territoire par ailleurs hétérogène.

## 5. Le poids de l'axe ligérien

Le Val de Loire concentre population, échanges, agriculture spécialisée (maraîchage, viticulture, horticulture) et tourisme (châteaux de la Loire). Le Loiret, par sa position, semble être le seul département à avoir profité de cet effet de corridor et de la proximité parisienne. Si Tours fait partie de cet espace régional central, le tracé du TGV Atlantique, qui évite le Val de Loire, et la faiblesse récurrente des relations avec Nantes risquent de l'éloigner de son rôle naturel d'animatrice du Val de Loire.

Orléans et Tours pèsent trop peu pour organiser un espace aussi étendu. L'addition des centralités de deux villes de 300 000 habitants n'a jamais atteint celles d'une ville de 600 000.

S. Leroy, *Mappemonde*, n° 58 – 2000.

## 6. Un réseau urbain bicéphale

| **Indicateurs** *(en 1999)* | **Tours** | **Orléans** |
|---|---|---|
| **Population** *(1999)* | | |
| – agglomération | 298 000 | 263 000 |
| – aire urbaine | 368 000 | 324 000 |
| – taux de croissance annuel entre 1990 et 1999 *(en %)* | + 0,55 | + 0,89 |
| – part de la population de l'agglomération dans le département *(en %)* | 53,6 | 42,5 |
| **Nombre d'actifs salariés dans la zone d'emplois** | 141 000 | 151 000 |
| **Fonction administrative** | Préfecture de l'Indre-et-Loire | Préfecture de région Siège d'académie |
| **Nombre d'étudiants** | 23 000 | 16 000 |
| **Temps de transport par train vers Paris** | 1 heure | 1 heure |

Source : *INSEE.*

## 7. Évolution démographique de la région Centre

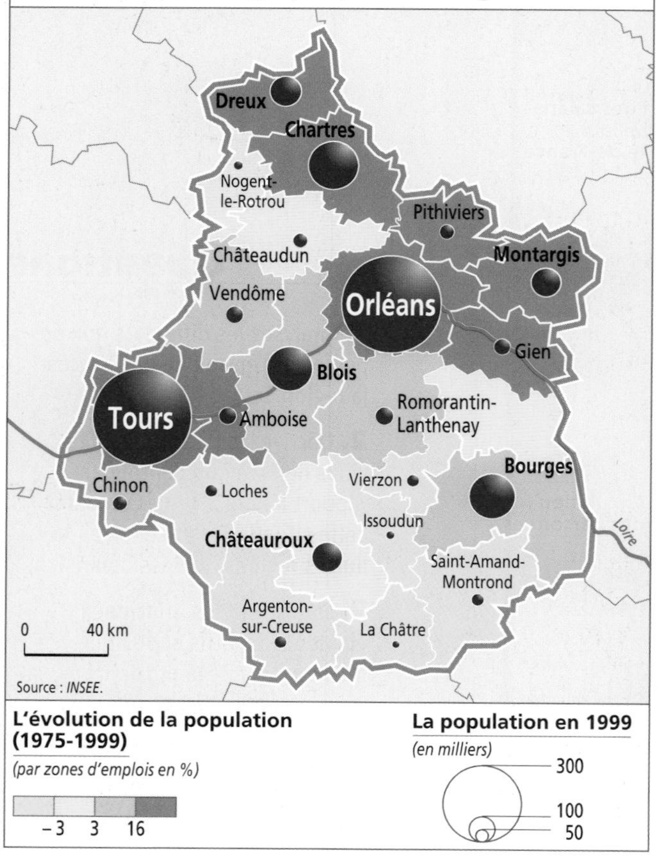


## 8. Le Val de Loire : une unité au-delà de la région Centre

**9. L'organisation de l'espace de la région Centre**

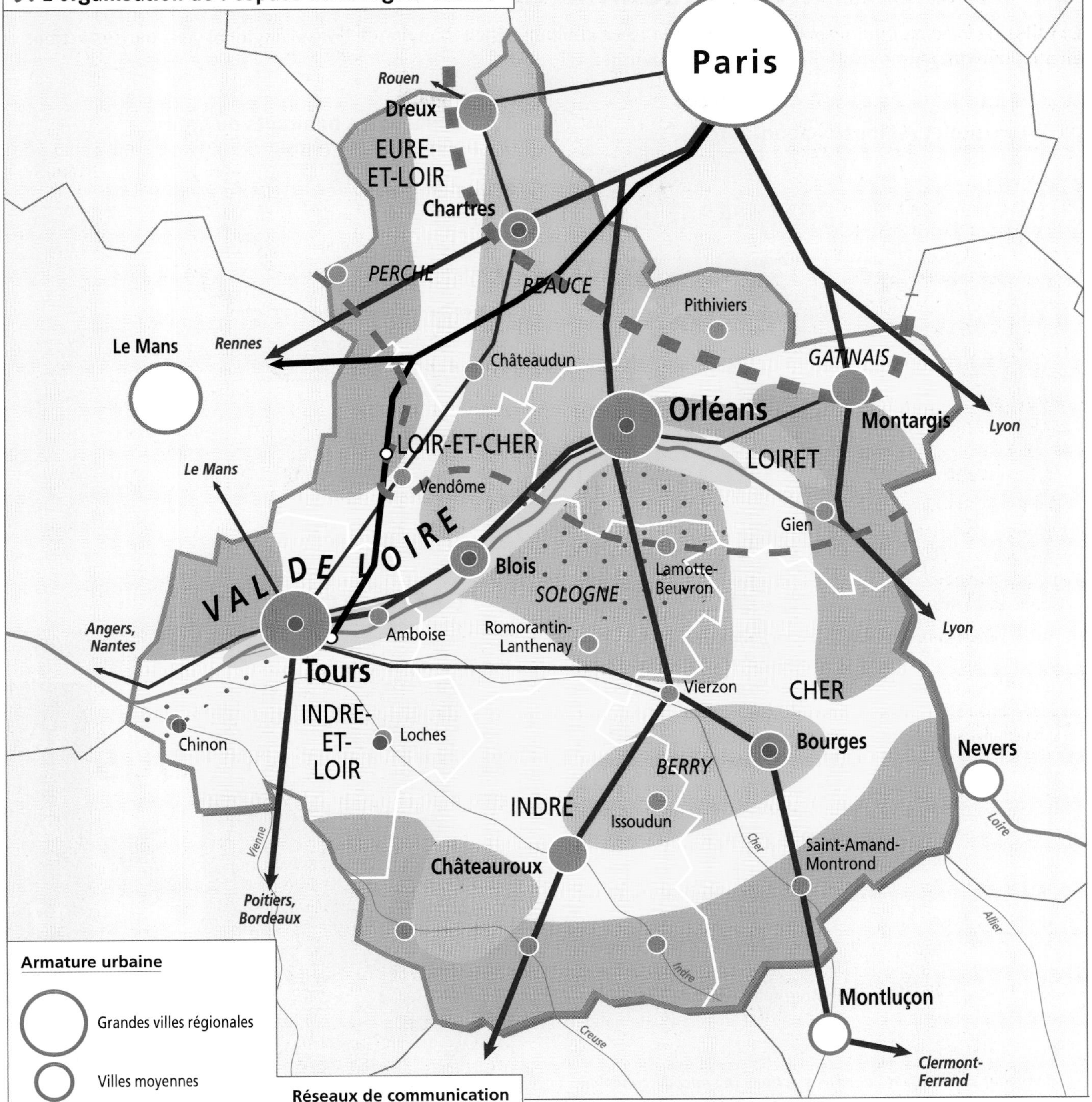


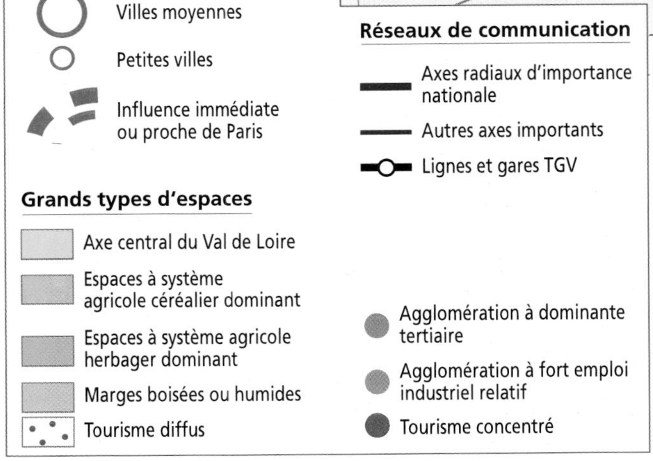


## Questions

**1.** Montrez le dynamisme et le poids important du Val de Loire dans la région Centre (**5, 6, 7, 8**).

**2.** Quels éléments limitent l'importance du Val de Loire (**2, 4, 5, 6**) ?

**3.** Pourquoi peut-on opposer le Nord et le Sud de la région (**4, 7, 9**) ?

**4.** Relevez des indices du manque d'unité de la région (**5, 8, 9**).

# 3 ■ Comment affirmer l'identité régionale ?

Faute de racines identitaires précises, la région Centre subit un déficit d'image. Le Conseil régional vise, par ses actions et sa politique de communication, à forger cette identité..

## 10. Le « projet régional » 2000-2010

***1. Selon vous, quelle est l'utilité d'un « projet régional » ?***

C'est la volonté d'anticiper et de maîtriser l'avenir qui a conduit le Conseil régional du Centre a élaborer un projet pour les 10 prochaines années. Ce projet est donc un acte politique majeur.

L'indispensable anticipation doit permettre de préfigurer de quoi sera fait notre quotidien et doit inciter à l'imagination. Ainsi, outre la poursuite des politiques menées jusqu'alors, le projet régional 2000-2010 a permis à l'institution régionale de trouver un nouveau sens et de nouvelles orientations, permettant à l'identité régionale de s'affirmer pleinement.

***2. Quelles sont les priorités de votre « projet régional » pour les 10 années à venir ?***

Celles-ci sont au nombre de 7 : l'emploi et le développement économique ; l'éducation, la formation et la recherche ; la culture ; la lutte contre les exclusions ; un territoire solidaire, attractif et équilibré ; un environnement de qualité ; l'Europe et l'international.

***3. Comment se manifeste dans vos actions le souci de cohésion et de solidarité entre les territoires de la région ?***

L'intervention de la région se fait sous plusieurs approches :

– d'une part, grâce à l'amélioration de l'accessibilité de la région qui contribue à renforcer l'équilibre du territoire (développement des liaisons ferroviaires et routières intrarégionales, essor des communications avec les régions voisines, structuration des axes entre les agglomérations, entre les bassins de vie) ;

– d'autre part, le développement solidaire de ses territoires bénéficie d'actions spécifiques au titre des contrats de ville et de la politique des Pays. Le renforcement de l'identité passe également par le développement d'une culture active, inventive fondée sur les richesses patrimoniales et artistiques.

Alain Rafesthain, Président de la région Centre.

## 11. Comment les habitants du Centre voient-ils leur région ?

***Qu'appréciez-vous le plus dans votre région ?*** *(% de citations)*

| | |
|---|---|
| 1. Sa situation géographique | 24,2 |
| 2. Son patrimoine historique | 22,6 |
| 3. Sa qualité de vie | 22,6 |

***Que manque-t-il le plus en région Centre ?***

| | |
|---|---|
| 1. Une véritable identité régionale | 27,1 |
| 2. Une image plus valorisée à l'extérieur | 25,3 |
| 3. Des transports collectifs | 23,7 |

***Estimez-vous que notre région est :***

| | |
|---|---|
| 1. Une région où il fait bon vivre ? | 39,7 |
| 2. Une région de passage ? | 29,1 |
| 3. Une région facile d'accès ? | 15,9 |

Source : Conseil régional (sondage mars-avril 1999).

## 12. Affiche du Conseil régional

La Région construit une identité régionale par les activités qu'elle offre à ses habitants.

## 13. Région Centre : quelle identité ? quelle cohérence ?

### Un déficit d'identité ?

Région Centre, Pays de la Loire... Le vocabulaire officiel balbutie, de même que les découpages. Pour beaucoup, Français et étrangers, la région Centre est synonyme de « Pays de la Loire ». Et c'est bien, en effet, la Loire, ses affluents, ses villes, ses châteaux qui marquent son identité historique et géographique. Pourtant, c'est la région voisine, axée sur la basse vallée de la Loire, qui porte le nom de « Pays de la Loire ». Au sein de celle-ci, le département du Maine-et-Loire, pourrait être aussi bien rattaché au « Centre » ; de même, en amont, ceux de l'Allier et de la Nièvre. Mais il faut bien se résoudre à accepter des coupures. Le nom de « Centre » pèse plus sur cette région qu'il ne la valorise. Elle n'est pas un vrai centre. Elle est plutôt un espace de relations essentielles que souligne la belle vallée de la Loire et, comme le disaient les anciens géographes, le « jardin de la France » au milieu de ses grandes chasses et de ses greniers.

A. Fremont, *Portrait de la France*, Flammarion – 2001.

### Une région sans cohérence ?

À peine dessinée par les administrations parisiennes en 1955-1956, la future région Centre a suscité scepticismes et sarcasmes. On a critiqué son nom, trop neutre, peu parlant pour l'imagination et la mémoire, même s'il est justifié par la présence à Bruère-Allichamps, près de Saint-Amand-Montrond, du centre géométrique de la France. On a critiqué le choix de sa capitale : Orléans n'était-elle pas trop excentrée ? Trop proche de Paris ? N'était-elle pas sensiblement moins peuplée que Tours ? Tours se serait bien vue, il est vrai, capitale d'une région Centre-Ouest qui eût inclus l'Anjou. On a critiqué surtout sa configuration territoriale. Cette grosse portion de Bassin parisien, étirée de la grande banlieue de Paris jusqu' aux lisières du Massif central avait-elle la moindre cohérence ? Quelle solidarité entre Dreux et Châteauroux ? Les plus mesurés dénonçaient un découpage artificiel. Les plus incisifs insinuaient que cette région Centre n'était que le reliquat du découpage, supposé plus logique, des autres régions...

J. Verrière, *Qu' est-ce qu' une région ? Le cas de la région Centre*, CRDP Orléans – 1998.

### Une région historique ?

Contrairement à l'idée reçue, la région Centre n'est pas un assemblage artificiel de « pays » ou de départements. Elle possède une identité historique forte. L'examen d'une carte des provinces françaises en 1789 montre clairement, à quelques kilomètres carrés près, que Touraine, Berry et Orléanais correspondent aux actuelles limites de la région Centre. En outre, la précoce entrée de ces trois provinces dans le royaume de France, dont elles se disputèrent à plusieurs reprises le cœur, leur donnent plus qu'un air de famille, gage d'une cohérence qu'on sous-estime. Les châteaux de la Loire et l'étonnante abondance des célébrités littéraires témoignent d'un héritage commun. Mais la province de l'Orléanais est fort mal perçue par ses propres habitants, peut-être parce que la plus grande et la plus proche de Paris. En revanche, Touraine et Berry correspondent à un sentiment d'appartenance plus fort.

J. Mirloup, *Indicateurs de l' économie du Centre*, INSEE, n° 21 – Mars 1998.

Respirez...
implantez,
en région Centre
on s'occupe de vous.
Parce que réussir son implantation demande de l'organisation, le réseau des agences de développement économique de la région Centre et CENTRECO se chargent de vous trouver les solutions adéquates : bâtiments et terrains disponibles, financement, recrutement, formalités diverses, recherche de partenaires (sous-traitants industriels, centre d'appels, logistique...).
Implantez votre entreprise en région Centre
• Une situation logistique idéale
– à moins d'une heure de Paris
– une liaison rapide aux aéroports internationaux et aux pôles économiques nationaux et européens
• Des appuis pour innover
– transfert de technologie
– appui en R&D (200 laboratoires, 5000 chercheurs)
– des compétences scientifiques uniques en propulsion, microélectronique de puissance, plasma-laser, capteurs
– 2 pôles universitaires et 7 écoles d'ingénieurs
• Un environnement économique porteur
– des filières leaders : logistique, automobile, pharmacie, cosmétique, plasturgie, centres d'appels...
– un réseau dense de sous-traitants et de grandes industries (Pfizer, Philips, Montupet, MBDA, Delphi, Parfums Christian Dior...)
CENTRÉCO
REGION CENTRE
Agence de développement et de promotion économique de la région Centre
37, avenue de Paris – 45000 Orléans
Tél. : 02 38 79 95 40 – Fax : 02 38 79 95 45
E-mail : centreco@centreco-asso.com – Web : www.centreco.regioncentre.fr
Implantez votre entreprise en région Centre,
c'est la sérénité assurée.
Aux portes Sud de Paris, la région Centre

## 14. Campagnes de communication de la Région

## Questions

**1.** Pourquoi l'identité et la cohérence de la région Centre peuvent-elles apparaître insuffisantes **(11, 13)** ?

**2.** Analysez les priorités de l'action régionale **(10, 12, 14)**.

**3.** Quels éléments peuvent contribuer à donner une identité à la région Centre **(10, 13, 14)** ?

# 4 ■ La Région en action

La région Centre s'est dotée d'un projet sur dix ans (2000-2010), véritable cadre de référence de l'action régionale. Le Conseil régional s'affirme ainsi comme un acteur central de l'aménagement et du développement culturel des territoires régionaux.

### 15. Les engagements financiers du Contrat de plan État-Région 2000-2006 *(en millions d' euros)*

| | État | Région |
|---|---|---|
| **Développement économique** | 98,5 | 99 |
| **Formation, enseignement supérieur, recherche** | 101 | 74,8 |
| *dont extension et restructuration d' établissements universitaires* | *38,4* | 24,5 |
| **Transports et communications** | 205,8 | 177,7 |
| *dont infrastructures routières d' importance régionale* | *137,2* | *98,5* |
| **Territoires solidaires** | 104,4 | 108,3 |
| *dont « territoires de développement » (pays, agglomérations...)* | *8,5* | *8,5* |
| **Environnement et qualité de la vie** | 38,3 | 40,4 |
| *dont culture* | *9,1* | *9,1* |
| **Projets interrégionaux** | 44 | 33 |
| *dont Plan « Loire Grandeur nature »* | *34,3* | *33* |
| **Total** | **593** | **533,4** |

Source : Conseil régional.

### 17. Les priorités routières régionales

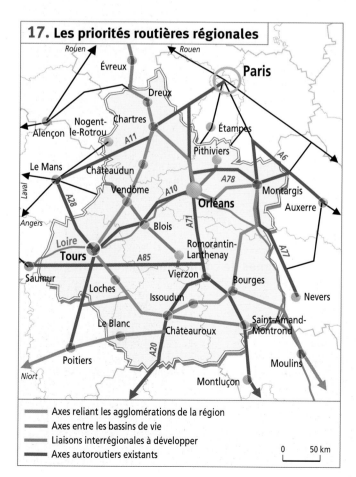

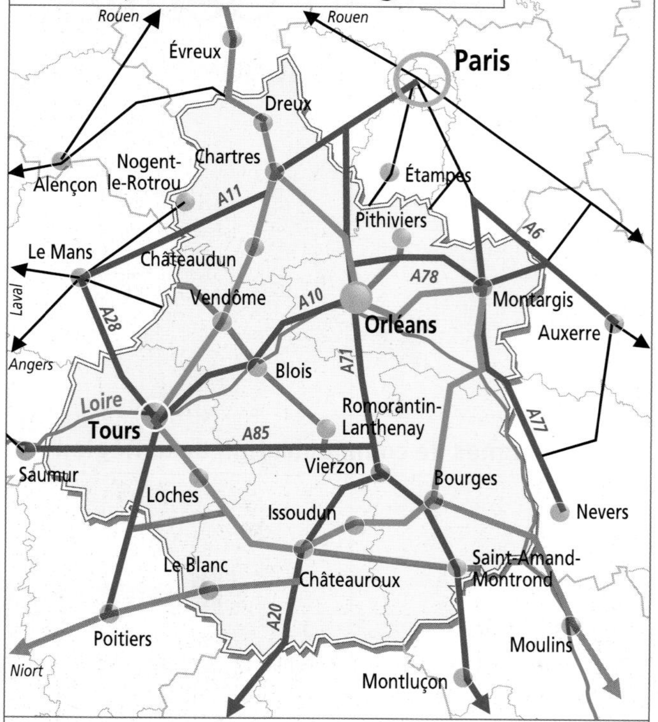


Axes reliant les agglomérations de la région
Axes entre les bassins de vie
Liaisons interrégionales à développer
Axes autoroutiers existants

### 16. La Région soutien les « pays »

*Pays*
*Beauce Gâtinais en Pithiverais*

La Région Centre est une région pilote en matière de développement local : elle est devenue la 1re région de France pour la mise en place des « pays » : au total 31 pays organisés, recouvrant la totalité du territoire. La région leur consacre plus de 1 milliard de francs. Animés par un agent de développement, les pays ont établi une charte et un programme d'action dans un contrat conclu pour quatre ans avec la Région.

Le pays de Beauce/Gâtinais-en-Pithiverais, le premier pays de la région Centre créé en 1996, a lancé un contrat de 400 millions de francs sur six ans avec l'Agence de l'eau Seine-Normandie, dans le domaine de l'assainissement et de la nappe de Beauce. Les maires sont descendus dans la rue pour défendre l'hôpital de Pithiviers menacé de fermeture, et militent désormais pour la réouverture de la ligne voyageurs Orléans-Pithiviers.

Ch. Berkovicius, *Le Monde diplomatique* – Décembre 2001.

### 18. Améliorer la situation des franges franciliennes

Les territoires du Nord et du Nord-Est de la région Centre doivent faire face à des difficultés spécifiques liées à leur proximité de l'Île-de-France. Il s'agit des territoires situés dans les quatre bassins d'emploi de Dreux, Chartres, Pithiviers et Montargis.

Il est nécessaire de soutenir les projets qui favoriseront un ancrage des populations et des activités dans ces territoires : ainsi, en termes de services, trois éléments sont mis en avant :
– la jeunesse de la population et l'éloignement fréquent des lieux de travail provoquent un besoin important en services liés à l'enfance et la petite enfance ;
– les franges franciliennes sont largement déficitaires pour ce qui concerne l'offre de soins (médecins, infirmiers et autres professions de santé) ;
– la proximité de la région Île-de-France encourage, dans les franges franciliennes, une « évasion culturelle » importante, au risque de voir ce secteur s'appauvrir fortement dans ce domaine.

Extrait de l'article 26-1 du contrat de plan État-Région 2000-2006.

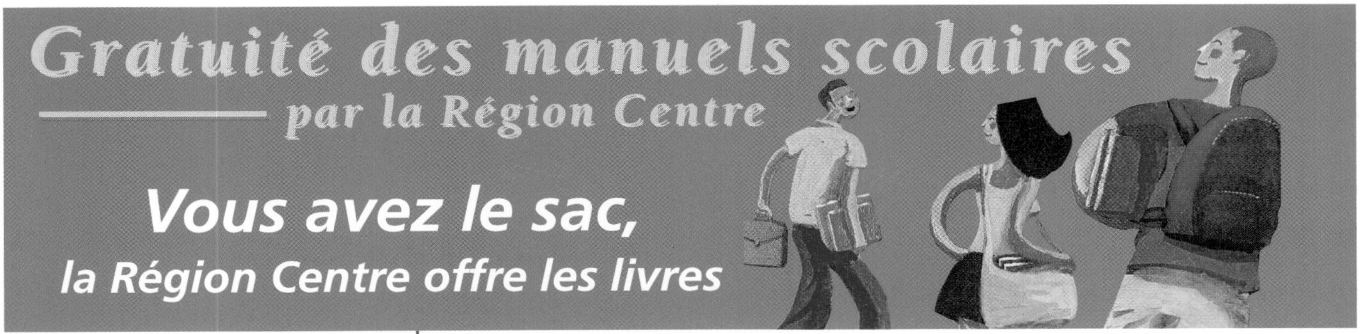
Gratuité des manuels scolaires
par la Région Centre
Vous avez le sac,
la Région Centre offre les livres

## 19. Des livres scolaires gratuits

Engagée en 1998, la politique de gratuité des manuels scolaires concerne plus de 90 000 élèves.

## 20. Environnement : un parc naturel régional en Sologne ?

La Sologne est réputée pour l'originalité de son milieu naturel, voué à la chasse. Mais c'est aussi une vaste propriété privée. Les grands propriétaires de domaines ont constamment combattu les projets de parc perçus comme une calamité, l'amorce d'une limitation du sacro-saint droit de chasse.

À force de refuser toute politique d'aménagement, la Sologne est aujourd'hui de plus en plus fragilisée. Environ 900 hectares de cultures sont, chaque année, abandonnés à la friche. La disparition de l'agriculture provoque une fermeture des milieux ouverts, modifiant ainsi profondément le paysage solognot, fait de bois, de landes à bruyère, d'étangs et d'espaces cultivés.

Le « périmètre d'étude » du parc régional, voté par le Conseil régional, comprend 53 communes (Chambord compris). Dans les mois à venir, un projet de charte va être élaboré, qui sera discuté ensuite dans chacune des communes concernées. Celles-ci auront le dernier mot pour créer ou refuser le projet.

*Le Monde* – 30 janvier 2002.

"Éclosions
symphoniques"
en région Centre
Orchestre symphonique
Région Centre - Tours
Direction : Jean-Yves Ossonce
Piano : Jean-François Heisser
6 concerts gratuits
Informations/réservations
02 38 22 69 09
> Bourges
Le Printemps de Bourges
14 avril 2002
à 16 h
> Issoudun
Centre Culturel A.Camus
8 avril 2002 à 20 h 30
> Blois
Halle aux Grains
9 avril 2002 à 20 h 30
> Tours
Grand Théâtre
10 avril 2002 à 20 h
> Dreux
Parc des Expositions
11 avril 2002 à 20 h 45
> Orléans
Carré Saint-Vincent
12 avril 2002 à 20 h 30
Ludwig van Beethoven
"L'Empereur",
Concerto pour piano et orchestre n°5
Ludwig van Beethoven
Léonore III, ouverture
Bedrich Smetana
La Moldau, extrait de "Ma Vlast"
France Bleu
Tours
Région Centre

## 21. Un orchestre pour la région

En décembre 2001, l'orchestre symphonique de Tours a été choisi par le Conseil régional du Centre pour assurer une mission de diffusion, d'animation et de formation aux pratiques orchestrales auprès des habitants de la région, en particulier des jeunes. Le but est aussi de mieux identifier la région Centre elle-même, en assurant un rayonnement national, puis international, de son orchestre.

## Questions

**1.** Quelles actions le Conseil régional engage-t-il pour aménager et développer les territoires de la région **(15, 17, 18, 20)** ?

**2.** Quel est l'objectif du soutien aux contrats de pays **(16)** ?

**3.** Quelle volonté marquent les documents **19** et **21** ?

## Synthèse et prolongements de l'ÉTUDE DE CAS

À partir de l'exemple de la région Centre :

- Quels problèmes rencontrent les régions en France pour affirmer leur identité et leur rôle ?
- Quel rôle joue Paris dans l'organisation de l'espace français ?
- Quels sont les grands champs d'intervention des Régions ?

# 1 Quelle place pour la région ?

## 1. À mi-chemin entre le local et le national

• **La région constitue un niveau intermédiaire de gestion des territoires entre le niveau communal**, très éclaté entre quelque 36 600 unités, **et le niveau étatique**, marqué par une forte tradition centralisatrice. Cette fonction de gestion a été, pendant longtemps, exclusivement exercée par les départements, créés sous la Révolution en 1790. La pertinence d'un maillage plus large résulte d'une mobilité accrue des hommes, favorisée par les progrès techniques et la volonté de rééquilibrer l'espace national après 1945.

• **Le découpage régional naît** en 1955 **de la volonté d'aménagement du territoire**. Chaque région rassemble alors de 2 à 8 départements (sauf ceux d'outre-mer assimilés aussi à des régions) pour aider au développement économique, sans qu'il y ait pour autant remise en cause de l'échelon départemental. Cette création répond en même temps à une revendication de prise en compte des spécificités des régions face au poids de Paris. **Aujourd'hui, la France compte 26 régions** (22 en métropole et 4 outre-mer) d'un poids démographique et économique très inégal.

## 2. La région est la plus jeune des collectivités territoriales...

• **Depuis 1982, les régions sont des collectivités territoriales** au même titre que les départements et les communes. Elles sont administrées par un **conseil régional**, élu au suffrage universel depuis 1986 tous les six ans, qui dispose d'un pouvoir exécutif par l'intermédiaire de son président. Le préfet de région, représentant de l'État, veille à la légalité des décisions du conseil régional, mais sa principale tâche reste de faire appliquer dans sa région toutes les décisions prises par le gouvernement.

• **L'émergence d'un pouvoir régional répond à deux objectifs** complémentaires : la **décentralisation**, débutée en 1982, qui transfère aux collectivités territoriales des compétences auparavant exercées par l'État et la **déconcentration** qui vise à ce que les décisions des services de l'État soient prises au plus près des citoyens.

• **Cependant les budgets des régions**, bien qu'en accroissement depuis vingt ans, **demeurent modestes et limitent les possibilités d'action des conseils régionaux** (1). Les ressources financières sont de deux ordres : des dotations versées par l'État, les produits de la fiscalité locale (part régionale des taxes foncières et de la taxe professionnelle, cartes grises des automobiles) ; elles représentent seulement 2 % des recettes publiques, soit beaucoup moins que celles des communes ou des départements.

## 3. ...qui a besoin d'affirmer son identité

• **La région correspond par sa taille moyenne à un espace vécu**, celui que l'on peut aisément parcourir en quelques heures de voiture, de même que le département, lorsqu'il fut créé, pouvait être parcouru à cheval en quelques heures.

• **Mais le sentiment d'appartenance des habitants à leur région reste encore très inégal.** Plusieurs régions, essentiellement périphériques, sont dotées d'une forte identité liée à l'histoire, à la culture, voire à la langue : Bretagne (3), Alsace, Corse, DOM. Inversement, d'autres régions sont à la recherche d'une identité encore incertaine (Centre, Pays de la Loire...) notamment parce que leurs limites sont discutées.

• **La Région s'impose cependant** progressivement par son **existence politique**, ses **actions de proximité** et une habile **politique de communication** à destination de la population (2).

### Mots-clés

**Collectivités territoriales :** circonscriptions (commune, département, région) dotées d'un exécutif élu et d'une administration qui gèrent le territoire, sous le contrôle de l'État. Le maire, le président du conseil général, le président du conseil régional dirigent ces collectivités.

**Décentralisation :** processus selon lequel l'État transfère des compétences (construction et entretien des lycées, aides aux entreprises...) aux collectivités territoriales (commune, département, région). Ce processus traduit une volonté de rapprocher les décisions politiques des citoyens et fut mis en œuvre initialement par les lois de décentralisation de 1982.

**Déconcentration :** l'État garde les compétences, mais en confie la gestion aux représentants locaux des administrations centrales (préfets, recteurs...).

**Cartes Enjeux**
**Régions : de multiples découpages pour gérer les territoires**
*(pages 276-277)*

**Étude de cas**
**Le région, un territoire en devenir : le cas de la région Centre**
*(pages 278-285)*

## 1. La modestie des budgets régionaux

### Dépenses des collectivités locales

À l'échelle nationale en 1999 *(en %)*

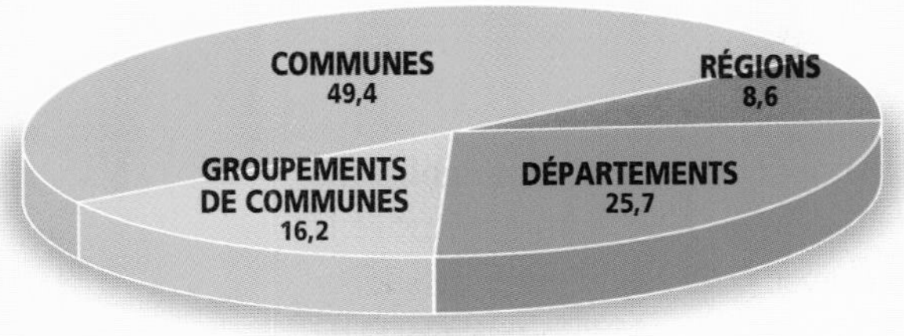


À l'échelle d'une région : la Bourgogne, en 2002 *(en millions d'euros)*

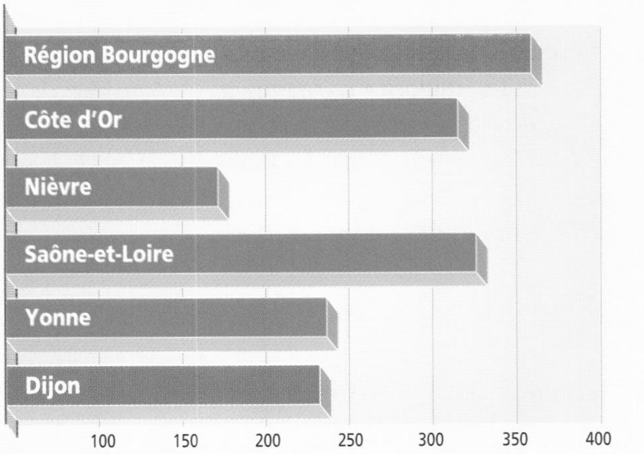


Source : *ministère de l'Intérieur.*

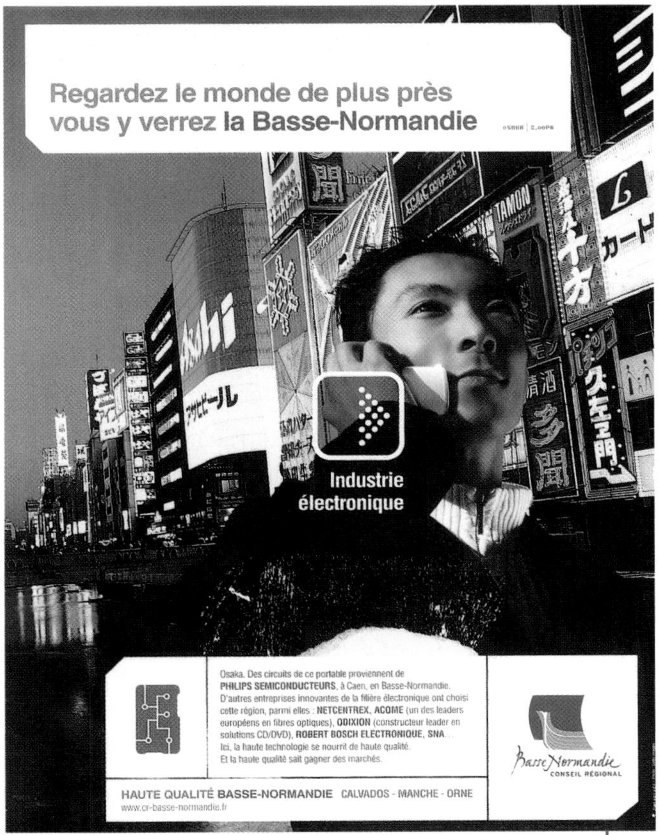

Regardez le monde de plus près
vous y verrez la Basse-Normandie
Industrie électronique
Osaka. Des circuits de ce portable proviennent de PHILIPS SEMICONDUCTEURS, à Caen, en Basse-Normandie. D'autres entreprises innovantes de la filière électronique ont choisi cette région, parmi elles : NETCENTREX, ACOME (un des leaders européens en fibres optiques), ODIXION (constructeur leader en solutions CD/DVD), ROBERT BOSCH ELECTRONIQUE, SNA...
Ici, la haute technologie se nourrit de haute qualité.
Et la haute qualité sait gagner des marchés.
HAUTE QUALITÉ BASSE-NORMANDIE CALVADOS - MANCHE - ORNE
www.cr-basse-normandie.fr
Basse Normandie
CONSEIL RÉGIONAL


## 2. Les régions cherchent à affirmer leur image

## 3. Quelles limites pour la Bretagne ?

Le 30 juin 2001, 5 000 personnes ont manifesté à Nantes pour le rattachement de la Loire-Atlantique à la Bretagne.

60 ans, ça suffit !
BRETAGNE UNIE VICHY, C'EST FINI !!
NANTES
Tous à Nantes le samedi 30 juin
Fête citoyenne toute la journée
Défilé à 15h
LOIRE ATLANTIQUE EN BRETAGNE
Une vraie région pour une vraie décentralisation


**Affiche du Comité pour l'unité administrative de la Bretagne.** Le 30 juin 1941, un décret du régime de Vichy créait 19 préfets de région : la Bretagne est alors réduite à 4 départements sur les 5 découpés par la Révolution française. Cette amputation a été confirmée depuis, lors de la création des régions en 1955.

# 2 La Région en action

Mots-clés

## 1. La Région, acteur de l'aménagement du territoire

• **Dès leur naissance, les régions ont été liées à la mise en œuvre d'une politique d'aménagement du territoire.** Les lois de décentralisation de 1982 leur ont octroyé la responsabilité de l'élaboration d'un « projet régional d'aménagement du territoire » identifiant un ensemble d'objectifs prioritaires. Ces compétences ont été renforcées par la loi de 1999 sur « l'aménagement et le développement durable du territoire ».

• **Aujourd'hui, l'action de la région veut concilier développement économique et environnement** pour répondre aux besoins de ses habitants (4). Elle s'occupe donc d'infrastructures (5) : schémas régionaux de transports, universités, équipements sportifs et culturels. Elle vise à créer des conditions favorables au développement économique : aides aux entreprises, développement de la formation professionnelle, soutien à la recherche et à la diffusion des nouvelles technologies. Elle veille à un développement soucieux de préserver l'environnement, par exemple en créant des parcs naturels régionaux*.

## 2. Un acteur parmi d'autres

• Le **« contrat de plan État-Région »** est le maillon central de l'action régionale : il met en phase les orientations de l'État en matière d'aménagement du territoire avec les priorités de la région ; il définit des engagements financiers communs, partagés en deux parts approximativement égales. Désormais, le contrat de plan décline un volet territorial qui concerne les structures intercommunales : la région a un rôle pilote pour convaincre les communes, trop nombreuses, de se rassembler dans des **« pays »** en milieu rural ou des **« agglomérations »** en milieu urbain, destinés à former des projets fédérateurs.

• **Les domaines d'action de la région ne sont pas exclusifs** ; ils sont pour la plupart partagés avec d'autres acteurs institutionnels comme l'État, les départements, les communes et l'Union européenne (5). La Région participe à des financements croisés complexes, qui nuisent parfois à la visibilité de ses actions. C'est le cas des « contrats de villes » qui associent des collectivités locales et l'État pour mettre en œuvre des projets de réaménagement urbain.

## 3. Les lycées, vitrine de l'action régionale

• **Les compétences des régions françaises restent donc limitées.** Plus que la taille, c'est leur faible capacité budgétaire qui les différencie des *Länder* allemands ou des *Autonomies* espagnoles. La formation des hommes est en effet le principal domaine d'intervention spécifique des régions, et représente environ la moitié des dépenses d'investissement.

• **L'investissement éducatif est l'axe privilégié de l'action régionale** (4) : construction et gestion matérielle des lycées, apprentissage, formation continue des adultes, éventuellement aide au développement de l'enseignement supérieur (IUT, universités) qui relève en principe encore de l'État. Mais la responsabilité des collèges leur échappe puisqu'elle a été confiée aux conseils généraux. Les régions ont non seulement engagé des efforts importants pour rénover un parc immobilier dégradé hérité de l'État mais elles construisent aussi de nombreux lycées. Plusieurs régions ont mis en place une politique d'aide financière à la scolarité : chèque livres, bon d'achat pour matériel professionnel, aide à la formation culturelle (6, 7)...

* voir Lexique

**Dossier**

**Régions et transports ferroviaires : le Languedoc-Roussillon**
*(pages 292-293)*

**Étude de cas**

**La région, un territoire en devenir : le cas de la région Centre**
*(pages 278-285)*

**Leçon**

**Les régions en Europe : une réalité multiple**
*(pages 304-305)*

## 4. Les domaines d'intervention des régions en 2002

*(En % du budget de la région)*

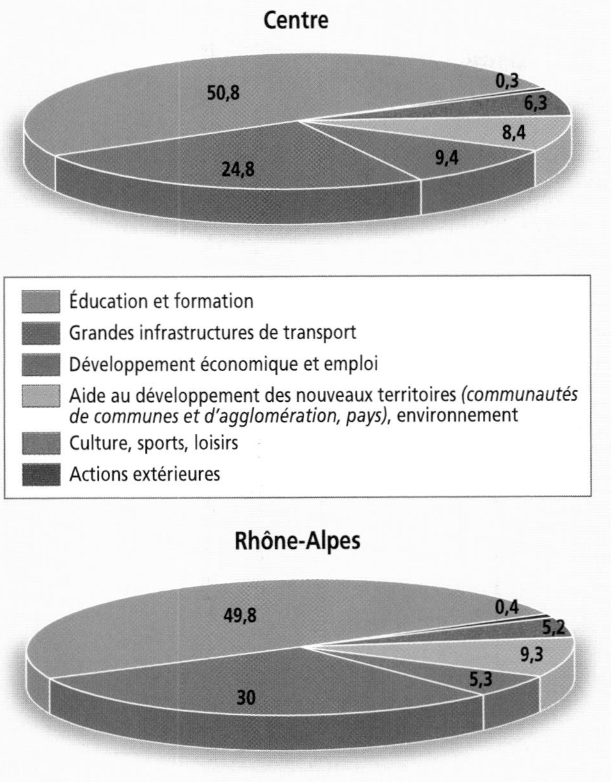

## 5. La Région parmi les financeurs des infrastructures routières

## 6. Plusieurs Régions financent l'achat des livres scolaires

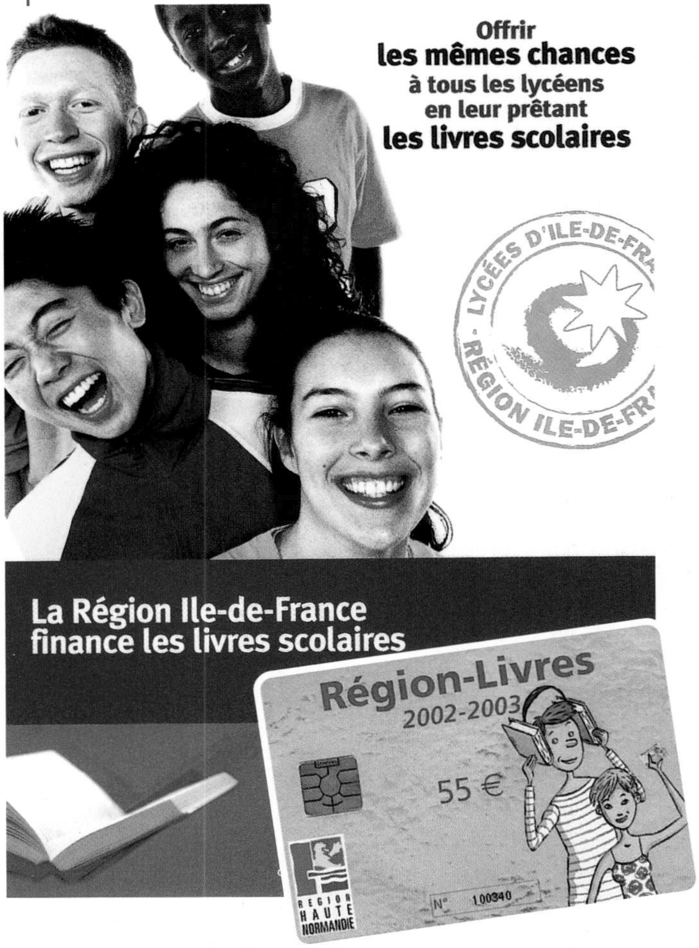


## 7. Certaines Régions proposent des chèques culture aux jeunes

# 3 Quelles régions pour demain ?

## Mots-clés

**MIIAT (Missions interministérielles et interrégionales d'aménagement du territoire) :** organismes placés sous l'autorité d'un préfet coordinateur pour dégager des dossiers de coopérations entre les régions.

**Péréquation :** égalisation de la répartition des ressources ; l'excédent de ressources des régions les plus riches est redistribué au profit des régions aux plus faibles recettes fiscales.

* voir Lexique

## 1. Des régions moins nombreuses ?

• **La taille et le poids économique des régions françaises sont souvent jugés trop faibles,** comparées aux autres régions européennes : sur 211 régions européennes, seules trois régions – Rhône-Alpes, Alsace et Île-de-France – figurent dans la première moitié du classement du PIB/habitant. Plus de la moitié des régions françaises compte moins de 2 millions d'habitants.

• **Les revendications pour modifier les limites et effectuer des regroupements des régions sont récurrentes** : rattachement de la Loire-Atlantique à la Bretagne **(3)**, réunification des deux Normandie... mais, depuis 1955, la seule nouveauté a été, à l'inverse, la création d'une région Corse détachée de la région Provence-Alpes-Côte d'Azur.

• **Une réduction du nombre de régions est donc proposée** par certains **pour les adapter à l'échelle européenne (8)**. Elle est jugée illusoire par d'autres qui considèrent que l'addition de plusieurs entités de faible poids ne donne pas une région importante. D'autre part, nombre d'organismes ou d'entreprises, des domaines publics ou privés, fonctionnent selon des découpages territoriaux différents de celui des actuelles régions.

## 2. Des collaborations renforcées entre régions ?

• Pour apporter une réponse d'ensemble cohérente à plusieurs problèmes d'aménagement et d'équipement, **la DATAR* préconise des coopérations interrégionales** : après avoir découpé le territoire en huit zones d'études, ce sont six regroupements appelés « missions interministérielles et interrégionales d'aménagement du territoire » (**MIIAT**) qui, depuis 1998, ont été mis en place pour susciter des initiatives communes **(9)**. Certaines régions pratiquaient déjà cette coopération fondée sur des projets ponctuels comme le « Grand Sud-Est ».

• Le cadre européen est également une puissante incitation aux rapprochements interrégionaux : les programmes européens financent les initiatives d'Eurorégions* qui unissent des territoires frontaliers ; de même, des rapprochements se font entre régions européennes de même situation comme l'arc Atlantique qui unit trente régions du Portugal à l'Écosse.

## 3. Des compétences nouvelles ?

• **La modification de la Constitution inaugure une nouvelle étape de la décentralisation** : la France a désormais « une organisation décentralisée » et la région y est nommée comme collectivité territoriale sans que l'empilement des échelons administratifs ne soit remis en cause **(10)**.

• **Les régions acquièrent de nouvelles compétences** dans des domaines où les responsabilités et les financements étaient jusque-là partagés : formation professionnelle, construction d'université, gestion des fonds européens... Cela suppose des transferts financiers de la part de l'État pour que les régions aient les moyens d'assumer ces nouvelles responsabilités.

• **La question de l'équité des territoires est aussi posée :** la capacité des Régions à prendre en charge de nouvelles compétences peut être liée à leur richesse : contrairement au système allemand, aucun système de **péréquation** interrégional n'est prévu au niveau des recettes fiscales. Or, cette nouvelle étape repose sur le principe de l'expérimentation. Au nom de la prise en compte des spécificités régionales, une région peut tester un transfert de compétences sans qu'il soit effectif sur l'ensemble du territoire.

**Cartes Enjeux**

**Europe : corriger les inégalités régionales**
*(pages 298-299)*

**Cartes Enjeux**

**Régions : de multiples découpages pour gérer les territoires**
*(pages 276-277)*

**Leçon**

**L'Europe tisse des liens entre ses régions**
*(pages 310-311)*

## 8. Les régions françaises n'ont pas la taille européenne !

— *Considérez-vous les régions françaises suffisamment puissantes pour se défendre dans la grande Europe ?*

— À l'exception de quelques-unes, ma réponse est malheureusement négative. Dans la grande Europe, la taille des régions est donnée à la fois par la dimension des *Länder* allemands et des *Autonomies* espagnoles. Les uns et les autres ont des tailles, et surtout des moyens d'action, très supérieurs aux régions françaises.

— *Comment déterminer la taille critique d'une région ?*

— Il y a d'abord un seuil minimum de population de l'ordre de 2,5 à 3 millions d'habitants pour avoir le bassin de vie nécessaire pour exercer les grandes fonctions modernes. Beaucoup de régions en France restent inférieures à ce chiffre. D'autre part, il faut avoir un budget d'environ 800 millions d'euros pour vraiment faire une politique régionale. Sur les 22 régions françaises, seules quelques-unes sont de taille européenne : l'Ile-de-France, Rhône-Alpes, la Provence et au point de vue de sa population, la région du Nord.

— *Êtes-vous, dès lors, favorable aux regroupements de certains territoires ?*

— Je crois que c'est souhaitable. Naturellement, puisque l'on est dans une culture régionale, il ne faut pas avoir l'idée de solutions uniformes ou de contraintes imposées par le pouvoir central. C'est un mouvement qui doit partir d'observations réalistes. Il comprend deux aspects. D'une part, donner aux régions les compétences qui doivent leur revenir. Ensuite, vérifier si leur taille leur permet de les exercer.

— *Agrandir la taille des régions, n'est-ce pas risquer de rendre plus difficile la nouvelle étape d'une décentralisation qui se veut plus près des habitants ?*

— Non, parce que l'on doit régionaliser un pouvoir qui est aujourd'hui totalement concentré : un pouvoir parisien. Si on l'envoie au niveau régional, on le décentralise soit par 22 régions, selon leur nombre actuel, soit par 14 ou 15 si l'on prend des régions nouvelles.

Interview de Valéry Giscard d'Estaing au journal *Le Figaro* – 23 mai 2002.

## 9. Un nouveau découpage pour aménager le territoire : les MIIAT

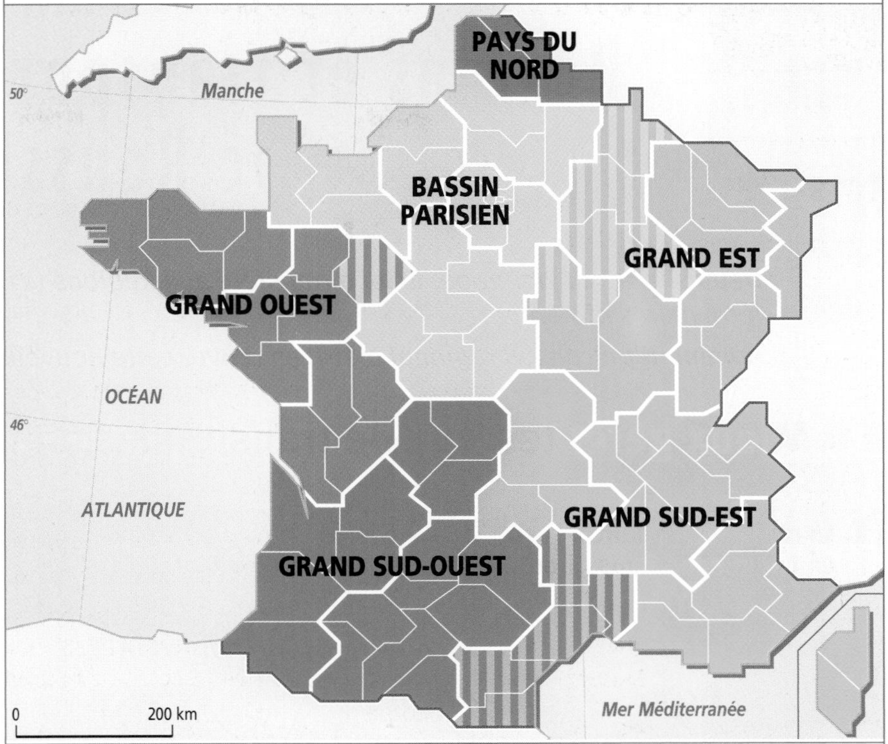


Les six territoires regroupent de façon souple plusieurs régions et départements qui peuvent mener ensemble un projet dans un domaine d'action particulier : enseignement supérieur, infrastructures de transport, valorisation d'un secteur industriel... Ainsi, dans le Grand-Ouest, onze universités réunissant 11% des étudiants français se sont regroupées en réseau pour développer leur capacité de recherche trop éparpillée et isolée jusque là.

## 10. Quel rôle pour les collectivités ?

À l'heure d'une nouvelle étape de décentralisation, il reste à clarifier les rôles respectifs de l'État et de chacune des collectivités. Dessin de Pancho, *Le Monde* – 15 novembre 2002.

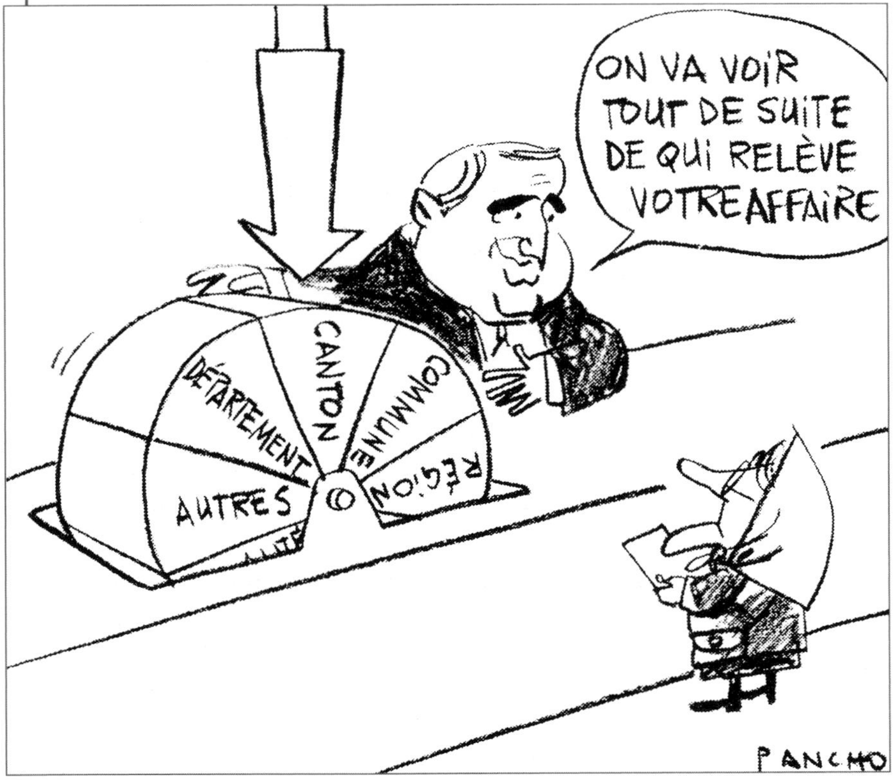

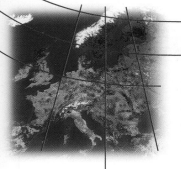

# Dossier

# Régions et transports ferroviaires : le Languedoc-Roussillon

*Depuis le 1er janvier 2002, la loi a transféré aux Régions la responsabilité des transports ferroviaires régionaux.*

*Comment un conseil régional met-il en œuvre cette nouvelle compétence ?*

## 1 ■ Mieux gérer les flux de transit* national et international

### 1. Le réseau ferroviaire en Languedoc-Roussillon

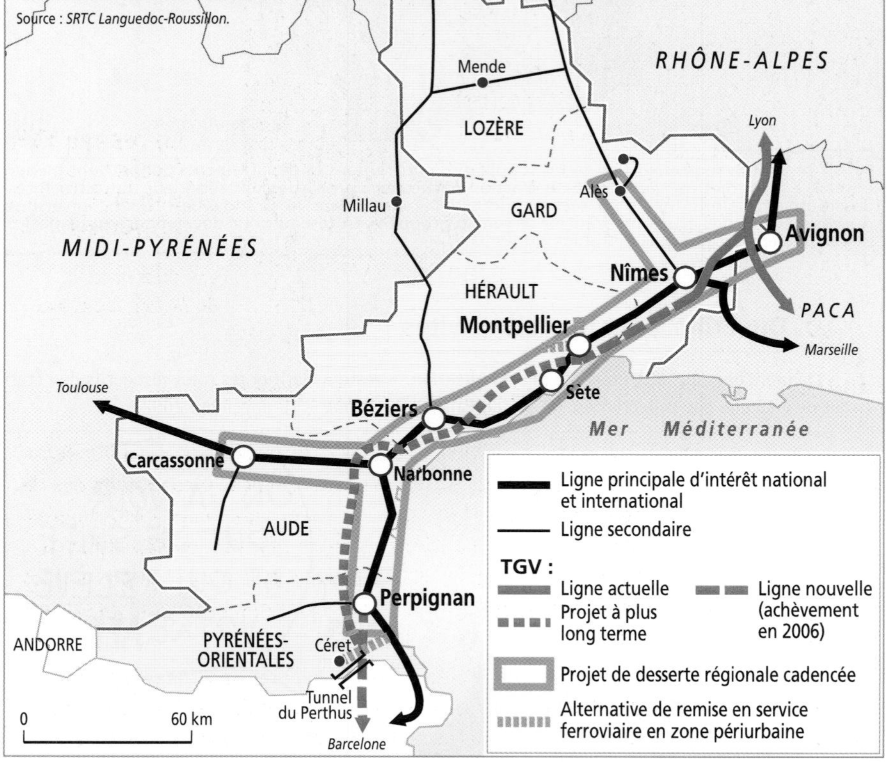


### 2. Le plan État-Région

L'État et le Conseil régional affirment l'importance de l'enjeu ferroviaire en termes d'aménagement du territoire régional, de relations économiques (tant avec les régions voisines qu'avec l'Europe), dans le domaine aussi des transports interurbains pour assurer l'accessibilité des transports publics à l'ensemble de la population.

L'État et le Conseil régional affirment que la modernisation des équipements d'interface (gares et plates-formes multimodales) constitue une priorité pour favoriser la croissance des transports ferroviaires.

Extrait du contrat de plan État-Région 2000-2006.

### 3. Développer le transport combiné et le ferroutage

Les transports doivent être améliorés dans une logique d'aménagement du territoire. En effet, les besoins de transports internationaux ont explosé et les trafics autoroutiers devraient bientôt dépasser les limites supportables.

L'objectif du fonds régional d'aide aux transports combinés est d'aider les entreprises de transport routier à acquérir du matériel spécifique à la technique du transport combiné. Peut en bénéficier toute entreprise de transport ayant son siège en Languedoc-Roussillon et ne regroupant pas plus de 500 salariés. L'aide de la Région sera limitée à 20 % du coût du matériel et s'appliquera à un maximum de 10 matériels par entreprise et par an.

Site internet du Conseil régional – Février 2003.

### 4. Moderniser la ligne Béziers-Clermont-Ferrand

Dès 1996, la Région a pris l'initiative de lancer une étude de faisabilité qui a estimé à 2,5 millions de tonnes/an le trafic de fret qui pourrait être détourné de l'axe rhodanien par cet itinéraire alternatif. En septembre 1998, la Région décidait d'apporter une somme équivalente à celle de l'État (soit 25 %), RFF (Réseau ferré de France), apportant 50 % des investissements nécessaires.

La Région tient à ce que ce projet, axe vital pour la région Languedoc-Roussillon et pour le développement des zones rurales traversées, puisse être réalisé dans les plus brefs délais.

Conseil régional – Octobre 2002.

# 2 ■ Faciliter les déplacements quotidiens des habitants

Le développement du Transport Express Régional :
une politique ambitieuse de la Région Languedoc-Roussillon
148,66 millions d'euros (près d'1 milliard de francs) consacrés en 16 ans au développement du transport ferroviaire des voyageurs et des marchandises
UNE VOLONTÉ DE MODERNISATION ET DE RÉNOVATION
Des gares sur le littoral et dans les hauts cantons
De l'ensemble des lignes
Du matériel roulant régional.
UN PARC MATÉRIEL PERFORMANT
Des matériels neufs en service
5 automoteurs X72500
7 automoteurs "légers" X73500
Des matériels neufs commandés
14 automoteurs Grande Capacité (A.G.C.)
2 automoteurs panoramiques pour la ligne Cerdagne
Des matériels rénovés
12 voitures Corail pour la desserte du littoral.
Des matériels dont la rénovation est programmée
40 voitures Corail.
Pyrénées Orientales
Aude
Hérault
Lozère
Gard
ter
REGION LANGUEDOC ROUSSILLON

**5. Le réseau TER (train express régional)**

Une priorité de l'action régionale.

## 7. Les déplacements quotidiens domicile-travail

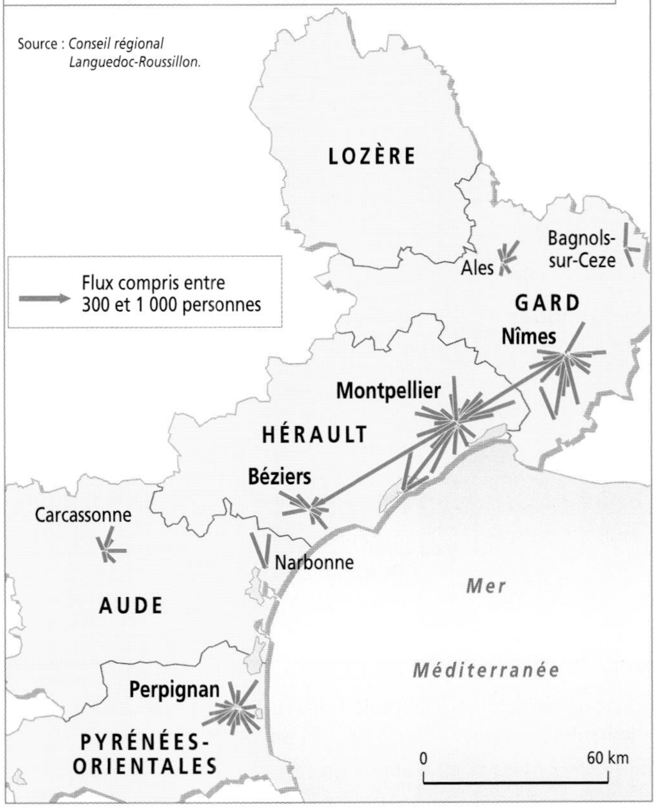
Source : *Conseil régional Languedoc-Roussillon.*
Flux compris entre 300 et 1 000 personnes
LOZÈRE
Bagnols-sur-Ceze
Ales
GARD
Nîmes
Montpellier
HÉRAULT
Béziers
Carcassonne
Narbonne
AUDE
Mer Méditerranée
Perpignan
PYRÉNÉES-ORIENTALES
0
60 km

## 6. Relancer les TER : une nécessité

La baisse de la fréquentation des transports en commun, ferroviaires et routiers, ont des causes multiples : inadaptation des réseaux et de la desserte à l'actuelle occupation de l'espace urbanisé ; insuffisante qualité du service ; tarification peu attractive... La désaffection pour le TER est d'autant plus sensible que les zones desservies sont peu peuplées et que le matériel roulant est vieillissant.

On mesure le danger que représente, dans l'espace rural, la désaffection de certaines infrastructures ferroviaires et le coût ultérieur que la collectivité devra supporter pour les « réactiver ».

Site Internet du Conseil régional – Février 2003.

## Questions

**1.** Citer les trois échelles auxquelles se situe le transport ferroviaire en Languedoc-Roussillon (1, 2, 3, 4, 6).

**2.** Pourquoi la Région veut-elle développer l'usage du train (2, 3, 4, 6) ?

**3.** Quelles sont ses initiatives et ses actions dans ce domaine (2, 3, 4, 5, 6, 7) ? Avec quel partenaire la Région doit-elle négocier ?

# Perspective BAC — Provence-Alpes-Côte d'Azur : quelle organisation régionale ?

## Croquis — Réaliser un croquis régional

| Les questions que l'on doit se poser | Méthode | Application |
|---|---|---|
| **1.** Que doit montrer le croquis régional ? | ► **Identifier les principaux caractères de la région étudiée** | **Pour la région que vous devez étudier :**<br>■ Relevez et classez<br>– les éléments qui structurent l'espace régional ;<br>– les dynamiques qui affectent la région. |
| | ► **Relever les relations de la région avec les espaces à plus petite échelle** | ■ Sur des cartes thématiques à l'échelle de la France et de l'Europe :<br>– identifiez les traits spécifiques de la région ;<br>– rechercher les liens de la région avec l'espace national et l'Europe : réseaux de communication, coopération transfrontalière… |
| **2.** Quelles informations doit-on cartographier ? | ► **Lister les informations qu'il faut cartographier** | ■ Sélectionner les informations principales qui figureront sur le croquis.<br>■ Pour chacun des exemples ci-dessous, vérifiez s'ils sont représentés sur le croquis 1 : |
| | ► **Les structures fondamentales**<br>→ *La distribution des hommes* | • espace densément peuplé ;<br>• espace peu peuplé ou « vide »… ; |
| | → *Les pôles urbains* | • grandes agglomérations et leur aire d'influence ;<br>• grandes aires urbaines ;<br>• hiérarchie des pôles urbains ; |
| | → *Les réseaux de communication* | • axe de communication majeur, secondaire ;<br>• grand nœud de communication : aéroport, port, gare TGV… ; |
| | → *Les espaces économiques* | • bassin industriel, zone industrielle et portuaire, région agricole, littoral ou montagne touristiques… ;<br>• technopôle… ; |
| | ► **Les disparités et dynamiques régionales** | • pôle ou espace attractif, espace en crise, en reconversion… ;<br>• centre d'impulsion économique... ;<br>• mobilité résidentielle, touristique… ; |
| | ► **La région à l'échelle européenne** | • réseau de communication ouvert sur l'Europe, réseau mal relié à l'Europe… ;<br>• coopération transfrontalière…<br><br>*Attention, un croquis surchargé d'informations n'est pas lisible !* |
| **3.** Comment organiser la légende du croquis | ► **Classer les informations en 2, 3 ou 4 grandes rubriques** | ■ Combien de rubriques possède le croquis 1 ? Donnez leur un titre.<br>■ Donnez un titre au croquis. |

**Croquis :** .....................................................................................

Légende :

**1.** ...........................................
- ⊕/⊖ Axe autoroutier
- 🚄 TGV et gare TGV
- ✈ Aéroport
- ◀ Port

**2.** ...........................................
- Métropole régionale
- ⊖/⊕ Agglomérations
- Aire d'influence de Marseille, Nice et Avignon

**3.** ...........................................
- Grande aire urbaine
- Industrie / △ Technopôle
- Espace rural :
  - Agriculture intensive
  - Agriculture et tourisme
  - Espace peu peuplé
- ● Pôle ou station touristique
- Littoral balnéaire

**4.** ...........................................
- Mobilité interne de la population française
- Fermeture (montagne)
- Ouverture (Méditerranée)
- Influence des pôles urbains extra-régionaux
- Grand axe européen

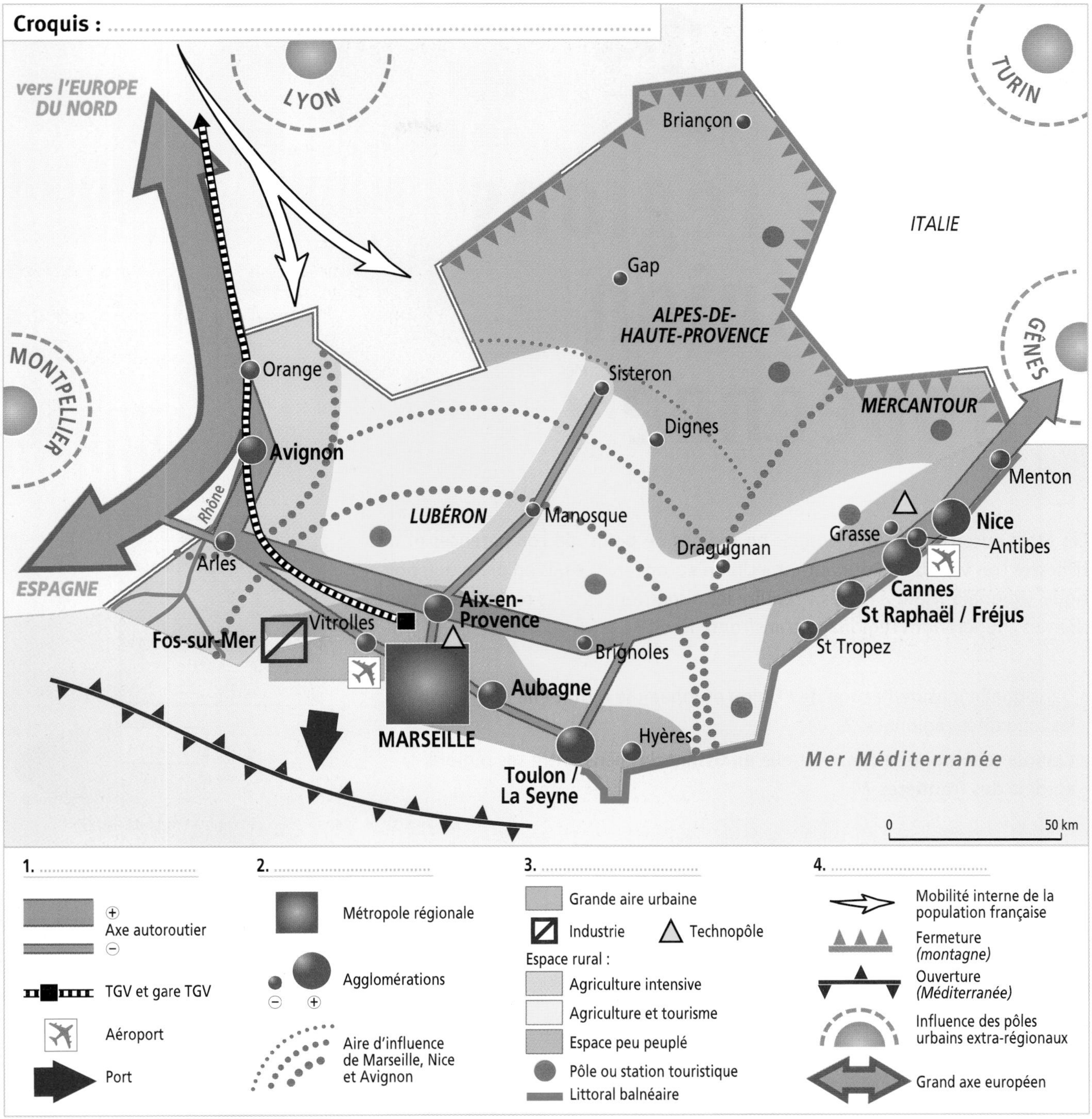

## Réalisation du croquis

### Choix des figurés et réalisation du croquis →

## Application

■ Vérifiez si le **croquis 1** répond à toutes les qualités d'un bon croquis de géographie (voir Perspective Bac p. 69).

■ Reproduisez et complétez le tableau suivant. Le croquis et sa légende montrent-ils que :

| La région PACA : | Oui | Non |
|---|---|---|
| – concentre-t-elle les hommes et les activités sur le littoral ? | | |
| – est-elle urbanisée ? | | |
| – est-elle une région attractive ? | | |
| – est-elle plutôt « fermée » en direction de l'Italie ? | | |
| – se situe-t-elle sur un grand axe européen Nord/Sud ? | | |
| – est-elle tournée vers la Méditerranée ? | | |

# Chapitre 14

# Quelles régions dans l'Union européenne ?

Les États européens sont découpés en régions de poids, de compétences et de richesses très variables. Pour autant, l'Union européenne a mis en place une politique régionale visant à la fois à réduire les disparités entre les régions et à favoriser les coopérations régionales transfrontalières.

- **Dans quelle mesure l'action de l'Union européenne réduit-elle les inégalités régionales ?**
- **Comment l'Europe se construit-elle en tissant des liens entre ses régions au-delà des frontières ?**



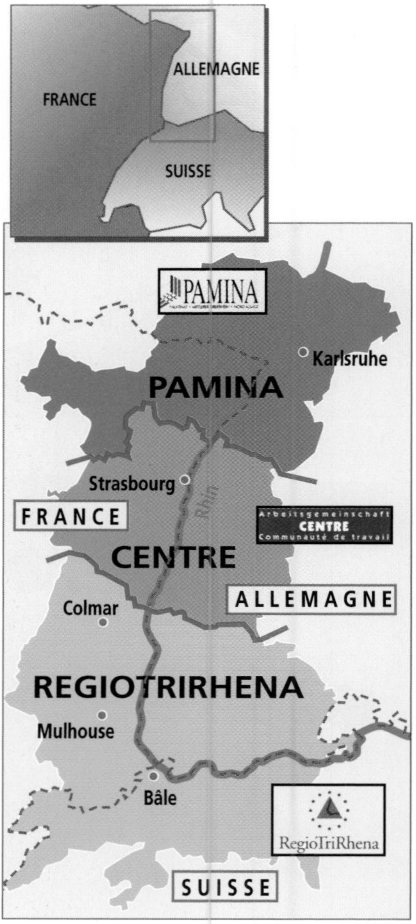


**Le Rhin supérieur : un « laboratoire » de coopération régionale transfrontalière.**
La région Alsace, au cœur de l'Europe, est aux avant-postes de la coopération transfrontalière : l'espace du Rhin supérieur regroupe du Nord au Sud trois structures, Pamina, Centre et RegioTriRhena qui, par leurs projets, construisent l'Europe au quotidien même au-delà de l'Union européenne, puisque une région suisse y participe.
Document du conseil régional d'Alsace.

RENCONTRES DU RHIN SUPERIEUR

# Vos projets sont l'avenir du Rhin Supérieur

Vous avez une idée de projet ?
Sa réalisation peut contribuer
au rapprochement des habitants
du Rhin Supérieur ?

**La Région Alsace peut vous aider**

**Vivre ensemble dans l'espace du Rhin Supérieur**

Région Alsace

Cartes Enjeux

# Europe : corriger les inégalités régionales

## 1. De profondes inégalités de richesse entre les régions

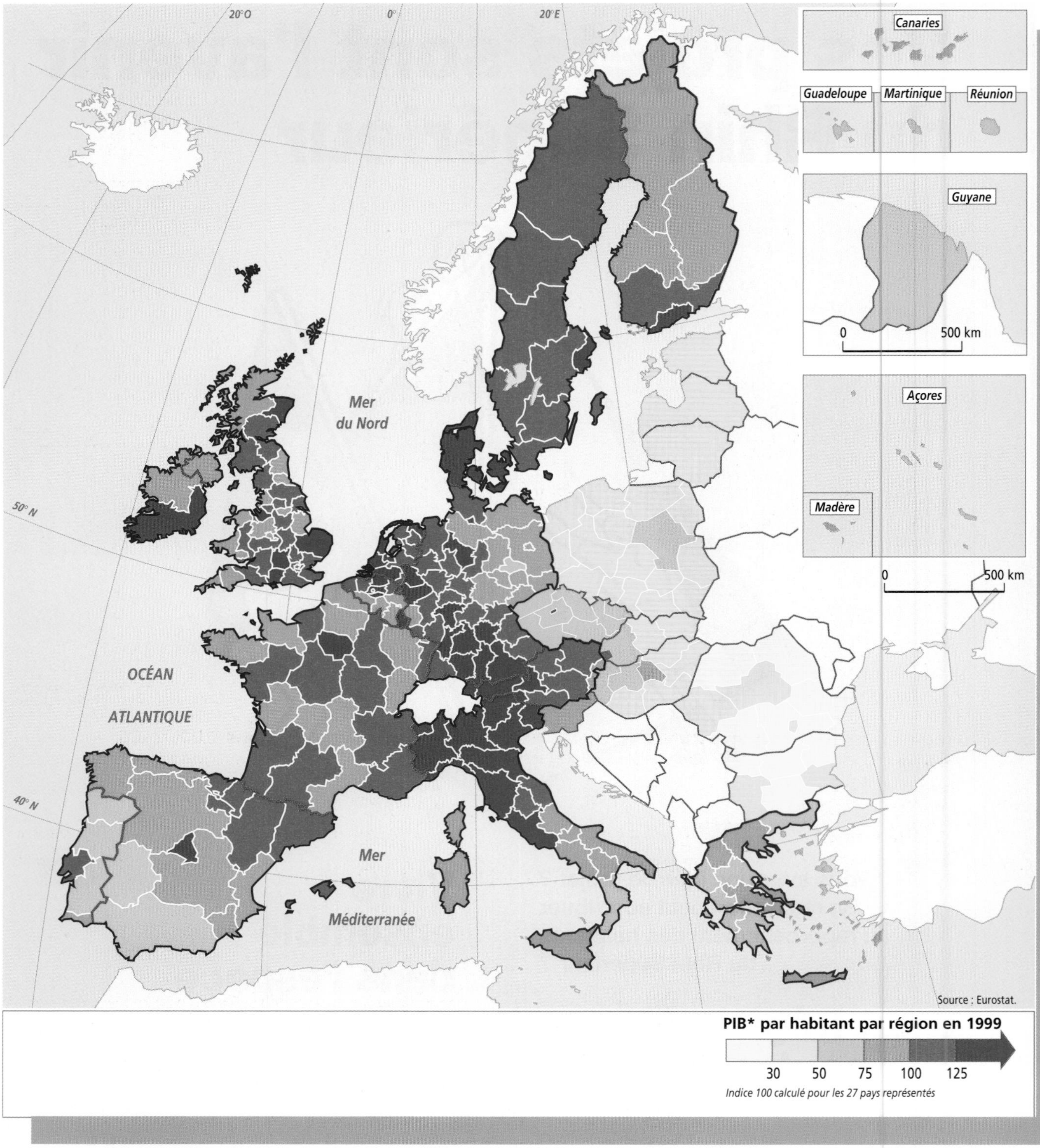

## 2. L'action de l'Union européenne en faveur des régions en difficultés

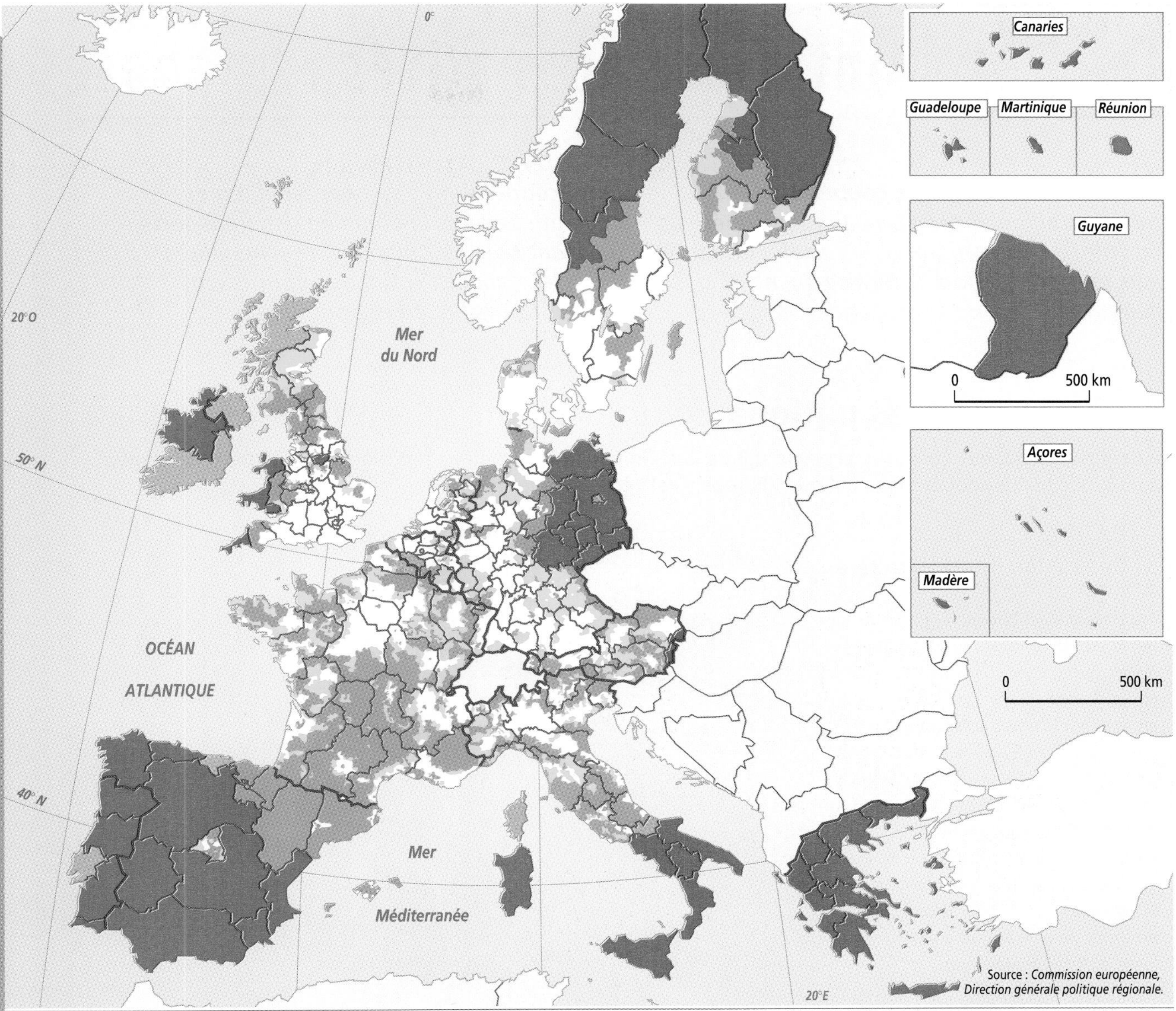


**Répartition des fonds structurels* de l'Union européenne : aides aux régions (2000-2006)**

**Objectif 1**
**Zones en retard de développement (PIB < 75% de la moyenne de l'UE)**
- Zones aidées
- Zones à soutien transitoire

**Objectif 2**
**Zones en reconversion touchées par des difficultés structurelles**
- Zones aidées
- Zones à soutien transitoire

### Questions

- Mesurez l'ampleur des disparités de richesse entre les régions dans l'Union européenne **(carte 1)**.
- Quelle conséquence aura l'élargissement de l'Union européenne sur ces disparités **(carte 1)** ?
- Comparez la localisation des zones aidées et la répartition des richesses **(carte 2)**.

# Étude de cas

# TriRhena : une région transfrontalière au cœur de l'Europe

*Pionnières en matière de coopération transfrontalière, les régions du Rhin supérieur ont valorisé leur situation de carrefour de trois pays européens, dont la Suisse qui n'est pas membre de l'Union européenne.*

*Cette coopération s'est particulièrement concrétisée dans le domaine des transports, unissant Bâle et Mulhouse. Les inégalités entre les espaces nationaux nourrissent d'importants flux transfrontaliers.*

## 1 ■ Trois espaces nationaux, une région ?

La RegioTriRhena, qui constitue la partie sud de la région du Rhin supérieur, regroupe 2,2 millions d'habitants. La multiplicité des coopérations fait que l'Europe y est vécue au quotidien.

### 1. Une région transfrontalière

Cet espace est largement imbriqué sur le plan de l'économie, de la politique et de la culture. C'est sur le marché de l'emploi que cette imbrication est la plus apparente par le biais des travailleurs frontaliers. 45 000 Alsaciens et Badois vont travailler chaque jour dans la région de Bâle ; 6 900 Haut-Rhinois travaillent en Bade-Sud. Le phénomène s'est fortement accru par l'installation, en Alsace, de plusieurs milliers d'Allemands et de Suisses. Les achats transfrontaliers de produits de consommation sont également un facteur important.

Mais la région ne forme pas encore un espace économique totalement unifié. Les sous-régions allemande et française font toutes deux partie de l'Union européenne, mais elles n'ont pas le même niveau de salaires. Le fossé est encore plus net avec la Suisse du Nord-Ouest qui n'est pas membre de l'Union.

Conseil de la RegioTriRhena – Mai 1998.

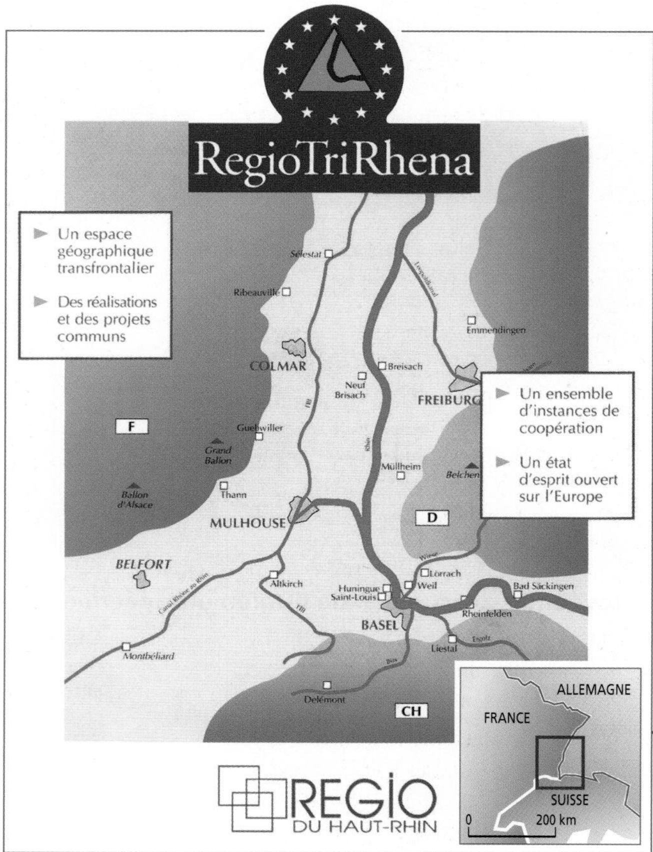


**2. La Regio TriRhena**

Un espace trinational de coopération. Document : Conseil de la RegioTriRhena.

### 3. Des rapports anciens par-delà les frontières

« Dès avant 1945, existaient maintes relations transfrontalières et rhénanes : certaines ont leurs racines dans les courants de la Réforme et de l'Humanisme ; d'autres dans un passé plus récent (l'annexion au Reich de 1871 à 1918) ; d'autres dans des aspects de proximité : Village-Neuf était la banlieue maraîchère de Bâle [...]. Le développement de l'industrie textile mulhousienne a été partiellement réalisé avec l'aide de la commandite industrielle bâloise, et de ses banques ; et Bâle a assis son carrefour sur les travaux effectués sur le Rhin et le Grand Canal d'Alsace, avant la constitution de « l'Euro-Airport » Bâle-Mulhouse ; son industrie chimique a bénéficié d'un « captage » de la chimie de synthèse du Sud-Alsace.

H. Nonn, *Historiens et Géographes,* n° 368 – 1999.

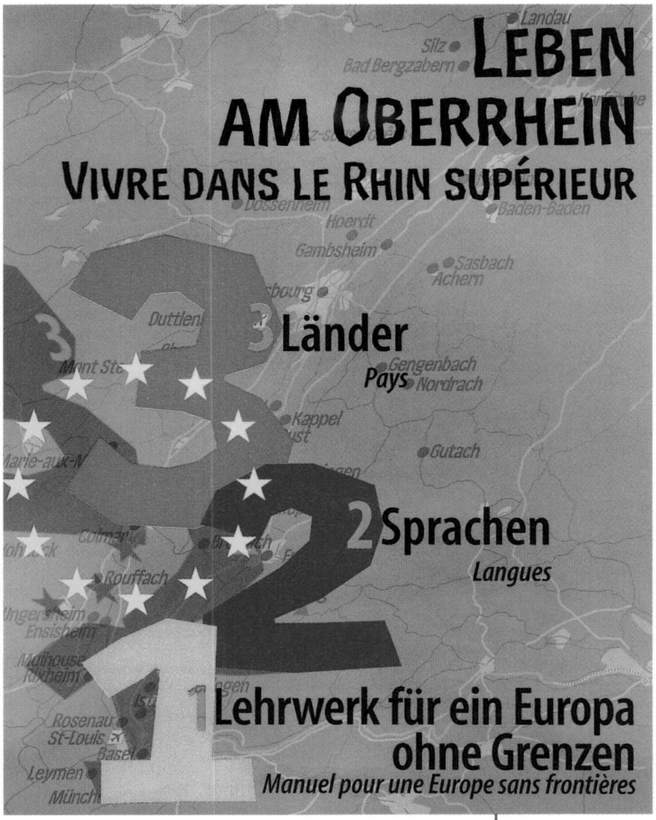


**4. Un ouvrage scolaire transfrontalier**

Ce manuel, rédigé par 60 enseignants français, allemands et suisses, disponible depuis la rentrée 1999, a été attribué à 300 000 élèves de 8 à 15 ans et à 40 000 enseignants.

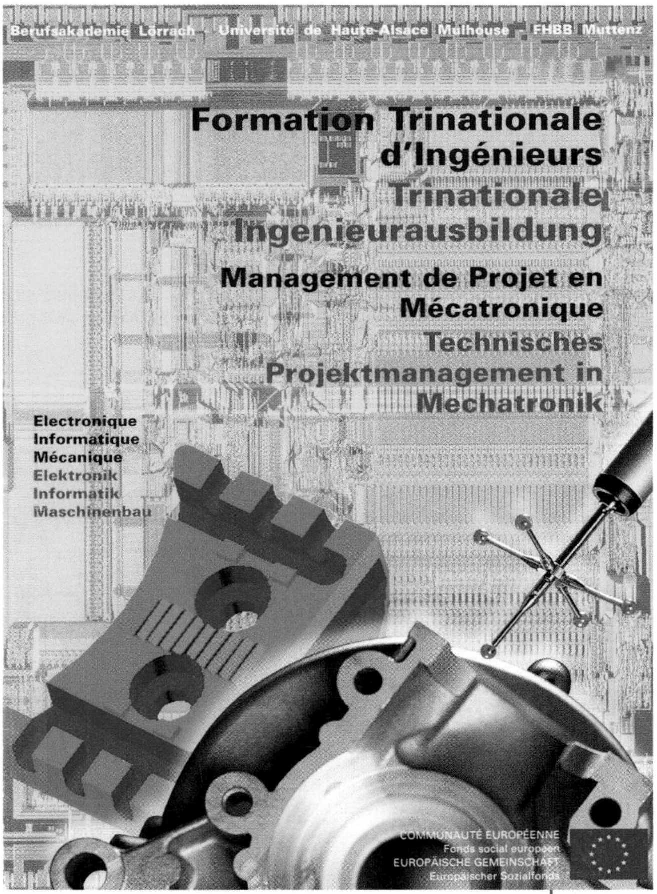


**5. Une formation trinationale d'ingénieurs**

Cette formation en alternance fonctionne sur trois sites : l'université de Haute-Alsace de Mulhouse, la *Berufsakademie* à Lörrach (Allemagne) et la *Fachhochschule Beider Basel* à Muttenz (Suisse). Le cursus se compose de six semestres de cours théoriques et de stages en industrie. Les étudiants changent de site à chaque semestre et passent deux semestres dans chacun des trois pays.

**6. Des coopérations multiformes**

Sont désormais engagés 53 % des 32 millions d'euros disponibles au total pour le programme de coopération Interreg. Aujourd'hui comme hier, Interreg est un succès dans le Rhin supérieur. Ainsi, la voie est ouverte, en principe, pour la poursuite du réseau trinational « BioValley ». Des efforts communs seront faits dans le domaine de la formation professionnelle à travers des nouveaux cursus d'études transfrontaliers dans le bâtiment et travaux publics et le génie des systèmes ; un réseau de recherches dans le secteur des neuro-sciences a été mis sur pied.

La promotion économique bénéficie d'une nouvelle impulsion à travers la mise en place d'une étroite coopération dans le domaine du transfert de technologie pour les PME. Afin de résoudre les problèmes de circulation, le soutien à l'étude plurimodale des transports, actuellement en cours, est augmenté. Un projet en faveur des emplois dans le domaine de l'agriculture et de la protection de la nature permet la création de nouveaux emplois.

La coopération dans l'agglomération trinationale de Bâle est renforcée par la réalisation de projets-clés. Le coup d'envoi d'un système d'information et d'évaluation de la qualité de l'air dans l'espace du Rhin supérieur a également été donné. Les recherches communes dans le secteur de l'agriculture respectueuse de l'environnement seront poursuivies.

Comité de suivi Interreg Rhin supérieur Centre Sud – Juillet 2002.

## Questions

1. Identifier les trois régions qui composent la RegioTriRhena (1, 2).
2. Quels liens les unissent aujourd'hui (1, 2, 3, 4) ? Sont-ils récents ?
3. Quels sont les domaines où la coopération transfrontalière est la plus fructueuse (4, 5, 6) ?
4. Relevez les différences qui persistent cependant de part et d'autre des frontières (1).

# 2 ■ Mulhouse-Bâle, une agglomération transfrontalière

Les transports matérialisent les liens qui unissent les deux villes. À l'échelle internationale, un aéroport binational existe depuis 1970 ; à l'échelle interurbaine, une liaison ferroviaire de 70 km les relie depuis 1997. Le poids des deux cités demeure cependant très inégal.

### 8. EuroAirport : l'aéroport binational de Bâle-Mulhouse

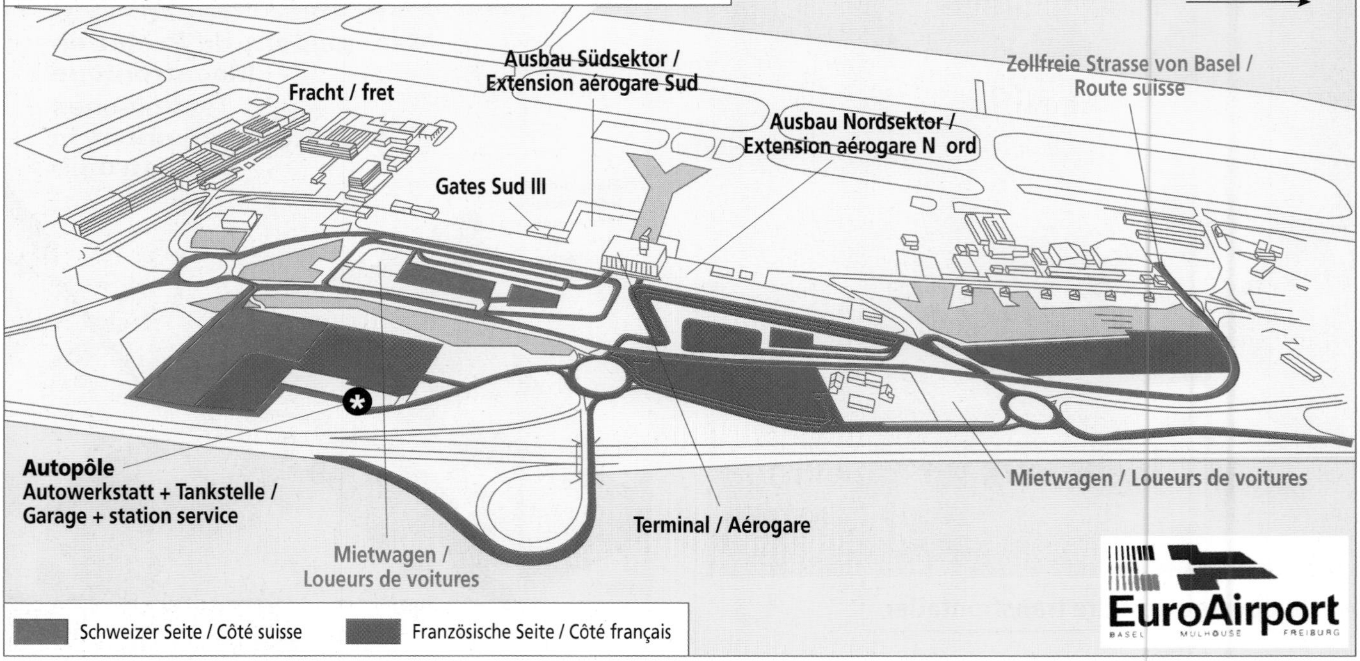


### 9. L'EuroAirport : un aéroport binational à vocation trinationale

L'aéroport de Bâle-Mulhouse est un établissement public de droit international ayant son siège en France. Régi par la Convention franco-suisse de 1949, c'est le seul aéroport parfaitement binational au monde. Les populations d'Alsace, de Bâle et du Pays de Bade considèrent l'aéroport, qui porte le nom commercial et affectif « EuroAirport Basel-Mulhouse-Freiburg », comme leur aéroport domestique commun. Environ 38 % des passagers locaux viennent de France, autant de Suisse et 24 % d'Allemagne.

L'EuroAirport est un moteur de développement économique vital pour la Région du Rhin supérieur et les quatre millions de Français, Allemands et Suisses habitant à moins d'une heure de voiture de l'aéroport. C'est un outil au service des entreprises, qui profitent de la richesse des liaisons aériennes à leur porte. L'aéroport est aussi un excellent argument de vente pour les professionnels du tourisme de la région trinationale. En 2001, l'aéroport a accueilli 3,5 millions de passagers, soit le (6e rang en France et 3e rang en Suisse ; son trafic de fret (114 000 tonnes) le place au 2e rang français et suisse.

D'après le site Internet de l'EuroAirport.

### 10. Le Regio S-Bahn, première ligne RER transfrontalière d'Europe

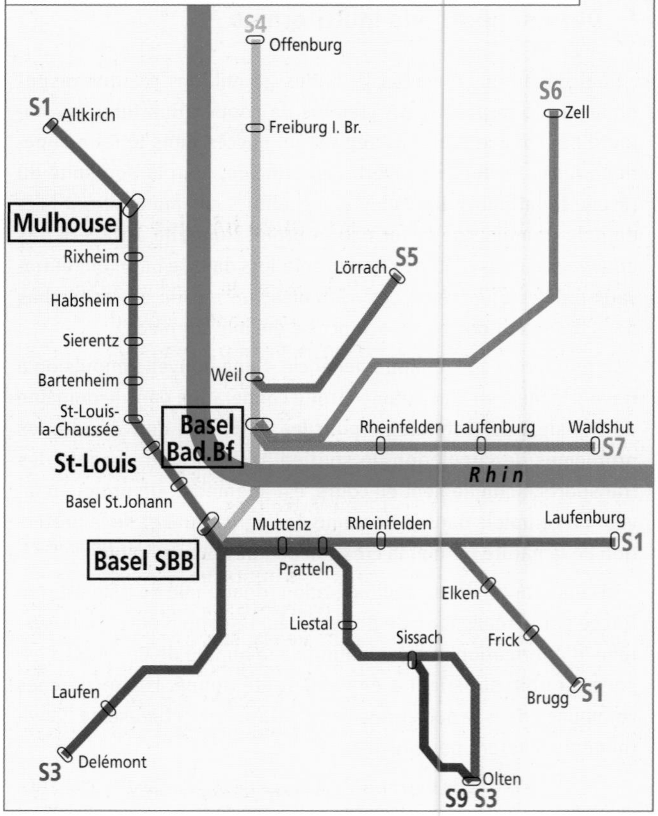

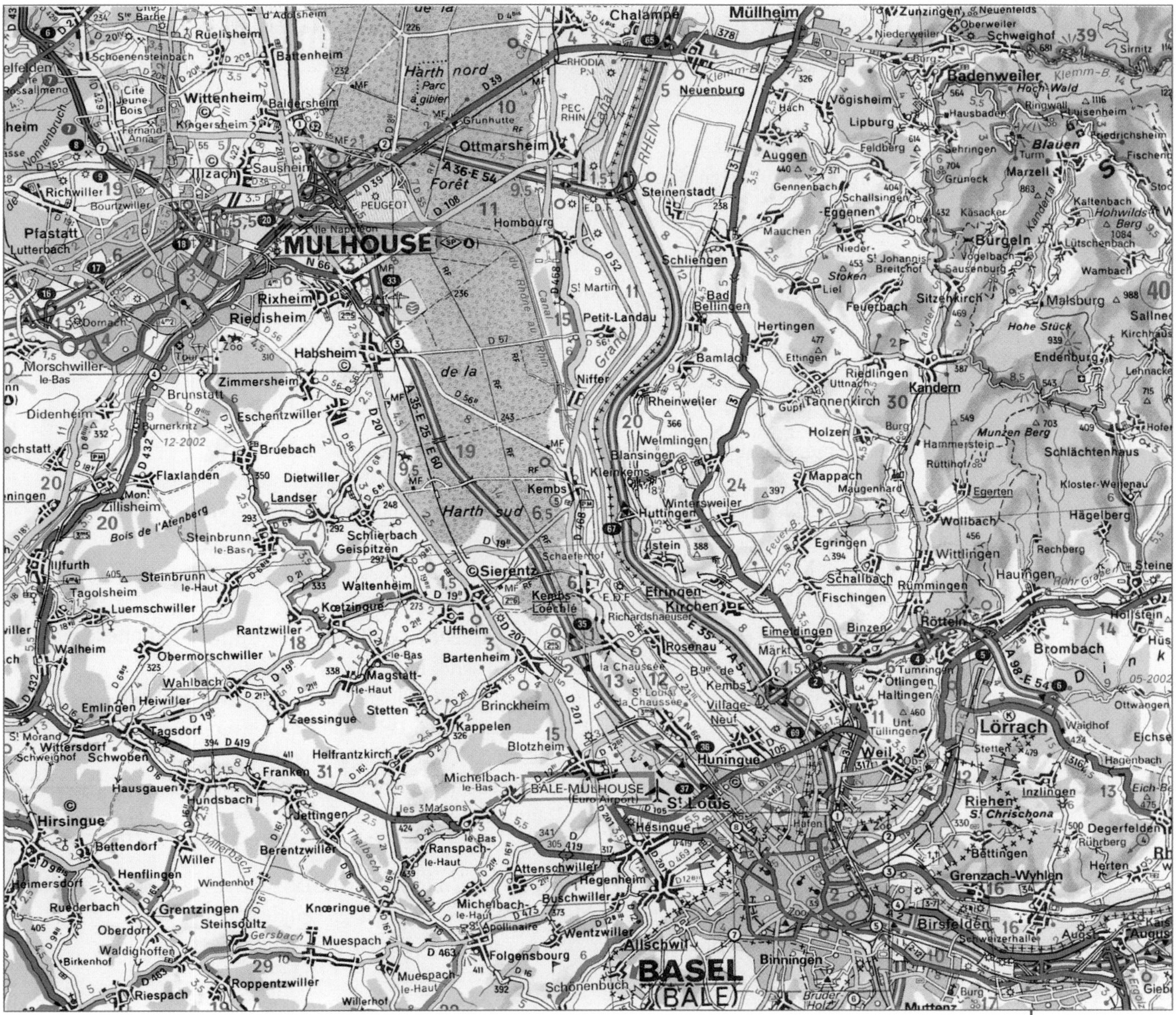


## 11. Une agglomération à la frontière de trois pays

Un faisceau de voies de communication unifie cet espace transnational et en fait un lieu bien desservi, au cœur de l'Europe.

## 12. L'extension de la puissance bâloise en Alsace

L'après-guerre a enregistré l'extension de l'agglomération bâloise en Alsace du Sud. Outre l'aéroport, sont opérées des acquisitions de terrains industriels (Roche, Sandoz, Ciba-Geigy) comme des terrains ou immeubles résidentiels. Face à des problèmes de main-d'œuvre, Bâle a fait appel à des travailleurs frontaliers en majorité bilingues. Les différentiels de coût (main-d'œuvre, immobilier) ou de contraintes législatives ou réglementaires (moins contraignantes en France) ont été exploitées...

Ces éléments affectent de plusieurs manières les situations alsaciennes. Les progrès des mouvements frontaliers « assèchent » en main-d'œuvre disponible pour des investisseurs locaux ou nationaux les cantons alsaciens sous influence, sauf à proposer des salaires équivalents ; pour les communes frontalières, les charges d'urbanisme, de voirie, de services de proximité augmentent ; l'espace pénétré apparaît « mité », environnementalement dégradé ou pollué, chargé de trafics.

H. Nonn, *Historiens et Géographes*, n° 368 – 1999.

## Questions

1. Montrez que la RegioTriRhena est un carrefour de communications **(8, 9, 10, 11)**.
2. Quelle est l'importance de l'EuroAirport et son originalité en matière de coopération transfrontalière **(8, 9, 11)** ?
3. À quels besoins répond la mise en place de la desserte ferroviaire Regio S-Bahn **(10, 11, 12)** ?
4. Quel est le moteur des flux transfrontaliers **(12)** ? Quelles en sont les conséquences positives, négatives pour l'espace alsacien ?

# 1 La région en Europe : une réalité multiple

## Mots-clés

**Comité des régions :** organe consultatif instauré par le traité de Maastricht et mis en place en 1994. Il représente les pouvoirs locaux et régionaux à Bruxelles, et émet des avis.

* voir Lexique

## 1. Une grande diversité de régions

• **Le terme « région » recouvre des réalités fort différentes d'un pays à l'autre** : les découpages nationaux sont le fruit de l'histoire de chaque pays.

• **L'écart de taille entre les régions est extrême** : si la taille moyenne d'une région européenne est de 15 000 $km^2$, la plus étendue, Övre Norrland en Suède, couvre 155 000 $km^2$, la plus petite, Ceuta et Melilla en Espagne, 30 $km^2$. Les régions françaises sont dans la moyenne, mais la région Midi-Pyrénées est néanmoins cinq fois plus étendue que la Corse et quarante fois plus que la Martinique.

• **Le poids démographique des régions varie tout autant** autour d'une moyenne de 1,8 million d'habitants : la France tient, avec l'Île-de-France et ses 11 millions d'habitants, la région la plus peuplée d'Europe, alors que les îles Åland, en Finlande, n'en comptent que 26 000 et la Corse 260 000.

## 2. Des collectivités dont l'autonomie est très inégale

• **L'histoire des États européens a engendré des structures politiques fort différentes**. Trois pays ont une structure fédérale : l'Allemagne, l'Autriche et la Belgique. D'autres États se sont dotés de régions à autonomie politique et administrative forte lorsqu'ils ont instauré la démocratie : l'Italie en 1948 et l'Espagne en 1978. Ailleurs, la structure centralisée demeure dominante : la région n'est alors qu'une réalité administrative et statistique. Mais la France commence à faire une place aux régions depuis 1982 et le Royaume-Uni a adopté, en 1998, un statut d'autonomie pour l'Écosse et le pays de Galles.

• **Les capacités d'action des régions dépendent de leurs moyens financiers** : le budget de la région Rhône-Alpes est neuf fois inférieur à celui de la Catalogne ou du Bade-Wurtemberg et dix fois inférieur à celui de la Lombardie. Le transfert de compétences aux régions n'est réel que s'il s'accompagne de financements appropriés : l'autonomie fiscale est donc un enjeu majeur (3).

## 3. De plus en plus de pouvoirs pour les régions

• **L'affirmation de la région peut s'appuyer sur une identité régionale** qui peut être très forte dans des régions historiques (Catalogne, Bavière...). Le régionalisme culturel peut y déboucher sur des **revendications politiques d'autonomie, voire d'indépendance** (3, 4). Cette identité est bien moindre dans des constructions artificielles comme la région Centre en France.

• **Partout en Europe, cependant, la région s'affirme comme un espace vécu** avec la généralisation de processus de décentralisation* et de régionalisation par étapes. Les nouveaux pays candidats à l'adhésion sont d'ailleurs astreints à la création d'un échelon régional.

• **La région apparaît comme une échelle moyenne, entre le national et le local,** susceptible de s'adapter à la nouvelle économie mondiale et plus proche des citoyens. Depuis 1994, un **Comité des régions** a été mis en place au sein de l'Union européenne, mais ce n'est qu'un organe consultatif. L'Europe des régions est donc encore virtuelle (1), mais **nombre de régions sont déjà présentes à Bruxelles pour défendre leurs intérêts** (2).

**Annexe 3**
**Les régions de l'Union européenne** *(page 323)*

**Leçon**
**Quelle place pour la région ?** *(pages 286-287)*

**Étude de cas**
**La région, un territoire en devenir : le cas de la région Centre** *(pages 278-285)*

**1. Une coopération entre les régions d'Europe**

*Europe locale* est une publication trimestrielle de l'Association française du conseil des communes et régions d'Europe, association née en 1951 qui regroupe plus de 2 000 collectivités territoriales ; bon nombre de ses dirigeants sont membres du Comité des régions.

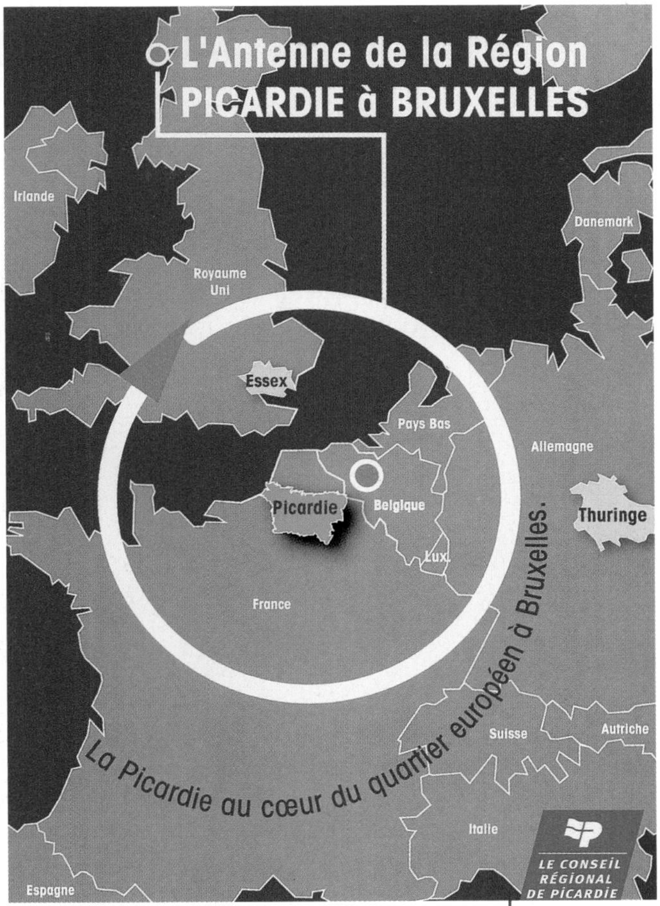


**2. La Picardie est présente à Bruxelles**

Auprès de l'Union européenne, l'antenne picarde défend les intérêts de la région, monte et soutient les projets de tous les acteurs picards. Par ailleurs, une coopération interrégionale tripartite s'est mise en place grâce aux accords avec l'Essex (1990) et le land de Thuringe (1994) organisant des échanges entre les lycéens, des projets culturels, des stages en université…

**3. Pays basque espagnol : une autonomie presque totale**

La voix rapide de régionalisation en Espagne a pris en compte l'existence d'un particularisme plus affirmé […]. D'entrée de jeu, un maximum de compétences a été transféré aux régions.

Le Pays basque et la Navarre ont surtout une autonomie fiscale et économique très développée. L'impôt étant le nerf vital de l'autonomie, il va de soi que les Basques avec leur « Concert économique », accord qui leur permet de lever l'intégralité de l'impôt sur leur territoire, font des envieux, notamment en Catalogne ; les autres régions autonomes perçoivent en général 30 % de l'impôt prélevé sur leur territoire et militent pour arriver à 50 %.

Le Pays basque lève donc l'impôt et l'État central lui facture un certain nombre de prestations, dans des domaines où le transfert de compétences n'est pas effectif.

D'après *Le Monde* – 15 mai 2002.

**4. Un temps fort de l'identité catalane**

Le 11 septembre est le jour de la fête nationale catalane commémorant la chute de Barcelone face à l'armée espagnole de Philippe V en 1714.

# 2 Les régions de l'Europe : de fortes disparités

## 1. D'importants écarts de richesse

• **La répartition des richesses régionales demeure fort inégale au sein de l'Union européenne** (5). Le tiers des régions les plus riches contribue à la production de deux tiers des richesses européennes, et l'Île-de-France, région au PIB* le plus élevé, devance même à elle seule dix des quinze États membres ! La répartition du chômage est tout aussi inégale.

• **Un contraste majeur de richesse oppose** le centre de l'Union, qui s'étend du Sud de l'Angleterre au Nord de l'Italie, et les périphéries du Sud, du Nord-Ouest, les Länder de l'Est de l'Allemagne, sans compter les « régions ultrapériphériques » comme les DOM.

• **À l'échelle des États, les disparités internes sont aussi fortes** : la place prééminente de la région-capitale caractérise la France, mais aussi le Royaume-Uni, la Finlande ou la Grèce. De forts clivages territoriaux ancrés dans l'histoire opposent encore l'Ouest et l'Est de l'Allemagne, le Nord et le Sud de l'Italie et de l'Espagne, la Flandre et la Wallonie belges.

## 2. Vers une réduction des inégalités régionales ?

• **La construction européenne a montré sa volonté de réduire les écarts de développement en mettant en place des politiques régionales.** La tâche a été facilitée dans les périodes de croissance économique, jusqu'en 1973 pour les six États membres créateurs, depuis la fin des années 1980 pour les États membres plus récents ; de 1988 à 2000, la valeur du PIB de l'Irlande est passée de 64 à 119 % de la valeur moyenne du PIB de l'Union européenne.

• **Tout ralentissement économique**, ou une longue crise comme entre 1974 et 1986, **touche plus durement les régions les plus fragiles** (6) : régions pauvres sous-industrialisées comme vieilles régions industrielles en reconversion. Les élargissements successifs, sauf le dernier en 1995, ont également contribué à augmenter les écarts, les nouveaux pays de l'Union européenne étant plus pauvres que la moyenne européenne.

• **La mondialisation de l'économie tend à creuser les écarts** : les **régions centrales** les plus riches bénéficient de la spécialisation de l'Europe dans les activités de haute technologie et du tertiaire supérieur (5). À l'inverse, les **régions périphériques** n'ont pas les atouts suffisants pour attirer ces activités et sont trop chères en termes de coûts de production par rapport à d'autres régions d'Europe et du monde.

## 3. Plus de cohésion, plus de solidarité entre les régions ?

• **La cohésion du territoire européen est toujours menacée** : les dix régions les plus dynamiques de l'Union ont un PIB près de trois fois supérieur à celui des dix régions les moins développées (soit un écart plus grand qu'entre les États des États-Unis) (8).

• **La solidarité européenne est à l'épreuve** : les régions riches, à l'exemple de la Bavière en Allemagne, la Flandre en Belgique, la Lombardie en Italie peuvent être tentées de distendre les liens avec les régions moins bien dotées. Les régions pauvres envisagent avec inquiétude un élargissement à des pays plus pauvres qui capteront prioritairement les crédits européens.

• Les **risques de fracture territoriale** suscitent les réflexions des aménageurs aussi bien à l'échelle de l'Europe avec le **SDEC** (7) qu'à l'échelle nationale, comme en France avec les travaux de la **Datar***.

### Mots-clés

**Cohésion :** solidarité entre les États membres et les régions qui ont pour objectif de réduire les écarts entre les régions.

**SDEC (Schéma de développement de l'espace communautaire) :** adopté en 1999 par les ministres de l'Aménagement du territoire, il constitue un cadre d'orientation pour l'aménagement du territoire à l'échelle européenne.

* voir Lexique


**Cartes Enjeux**

**Europe : corriger les inégalités régionales**
*(pages 298-299)*

**Dossier**

**Intégrer ses îles : un défi pour l'Union européenne**
*(pages 312-315)*

**Dossier**

**De nouveaux territoires pour la France de demain**
*(pages 262-263)*

## 5. Palmarès du dynamisme[1] régional européen

| Rang | Région | Pays |
|---|---|---|
| 1 | Haute-Bavière | Allemagne |
| 2 | Stuttgart | Allemagne |
| 3 | Berkshire, Buckinghamshire | Grande-Bretagne |
| 4 | Karlsruhe | Allemagne |
| 5 | Darmstadt | Allemagne |
| 6 | Stockholm | Suède |
| 7 | Aland | Finlande |
| 8 | Brunswick | Allemagne |
| 9 | Tübingen | Allemagne |
| 10 | Mittelfranken | Allemagne |
| 11 | Centro | Portugal |
| 12 | Fribourg | Allemagne |
| 13 | Trentin-Haut Adige | Italie |
| 14 | Haute-Autriche | Autriche |
| 15 | Brabant Flamand | Belgique |

Source : *L'Expansion* – Avril 2001.

1. Critères utilisés : taux de chômage, main-d'œuvre employée dans la haute technologie, brevets et PIB par habitant, gain de main-d'œuvre 2000-2010.

## 6. Les écarts se creusent entre les régions

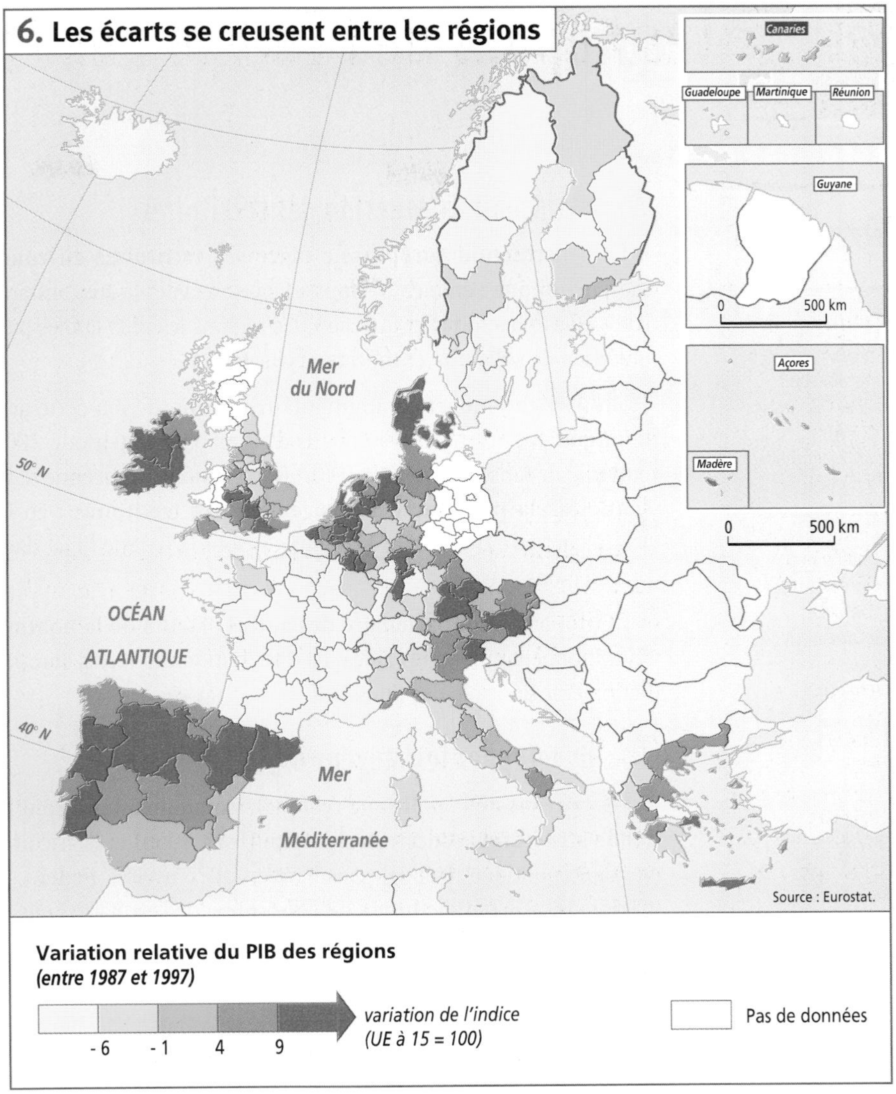


## 7. Les objectifs du SDEC

Les ministres chargés de l'aménagement du territoire se sont mis d'accord, dès 1994, sur trois objectifs ou principes directeurs pour une politique de développement spatial et urbain de l'UE :

– le développement d'un système urbain équilibré et polycentrique et une nouvelle relation ville-campagne ;

– l'assurance d'une parité d'accès aux infrastructures et au savoir ;

– le développement durable, la gestion intelligente et la préservation de la nature et du patrimoine culturel.

Les objectifs du SDEC devraient être poursuivis conjointement par les institutions européennes, ainsi que par les échelons politiques et administratifs nationaux, régionaux locaux.

SDEC, Commission européenne – 1999.

## 8. Régions les plus riches et régions les plus pauvres de l'UE

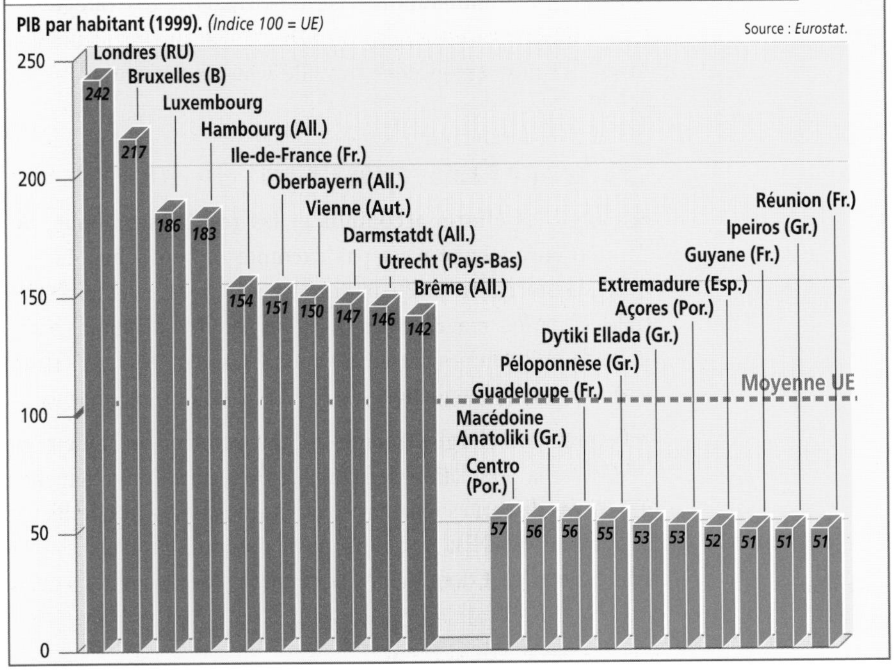

# 3 L'Europe : quelle politique régionale ?

## Mots-clés

**Fonds de cohésion :** instauré en 1993 pour aider les pays dont le PNB par habitant est inférieur à 90 % de la moyenne communautaire, il intervient pour financer des projets en matière d'environnement ou d'infrastructure de transport.

**Interreg :** programme d'initiative communautaire destiné, à partir de 1990, à développer la coopération transfrontalière, interrégionale et transnationale.

* voir Lexique

## 1. Maintenir la cohésion des territoires

• **La construction européenne place ses territoires en concurrence en créant un marché unique** ; en même temps, elle vise à éviter la concentration des activités dans les régions les plus fortes et le déclin des régions les plus faibles par la mise en place d'une politique de solidarité corrigeant les inégalités.

• **Un tiers du budget communautaire est consacré à cette action de cohésion* économique et sociale** (213 milliards d'euros pour la période 2000-2006), soit le second poste de dépenses derrière la **PAC*** (9). L'Union européenne devient ainsi **un acteur essentiel de la politique d'aménagement des territoires** : en France, sa part s'élève à 15 milliards d'euros contre 17 milliards pour la part de l'État dans les **contrats de plan*** État-Régions.

• **L'Europe se veut partenaire des autres acteurs de la politique régionale** : ses aides s'additionnent aux autres aides. La distribution des fonds européens s'opère sous la validation et le contrôle des États (11).

## 2. Développer les moyens d'intervention

• **Les moyens de la politique régionale communautaire sont financiers.** Les premiers **fonds structurels** concernent l'emploi (Fse* 1958) et l'agriculture (Feoga* 1962). Une véritable politique régionale s'élabore en 1975 avec le **Feder***, qui définit des objectifs prioritaires. De plus, le **fonds de cohésion** aide les quatre États les plus pauvres à entrer dans l'Union économique et monétaire.

• **Les fonds structurels sont attribués à des territoires sélectionnés** : seules **les zones les plus fragiles** peuvent en bénéficier. Le montant des financements ne cesse de progresser et de se concentrer sur les régions en retard pour plus d'efficacité (12). S'y ajoutent **quatre programmes** d'initiative communautaire **ciblés sur des thèmes précis** et une logique de projets : **Interreg**, **Urban***, **Leader*** (10) et **Equal***.

• **L'action communautaire vise désormais une stratégie cohérente de développement durable** : c'est le sens du **SDEC***. Par une meilleure communication avec les citoyens, l'Union européenne travaille à mieux faire connaître les différents volets de son action.

## 3. Rendre l'aide régionale plus efficace

• **Malgré les efforts accomplis et les résultats obtenus, la politique régionale de l'Union européenne n'est pas exempte de reproches.** Le système des aides est complexe, la procédure lourde profite aux régions les mieux informées, les projets sont multiples et parfois mal exécutés (11). Les sommes disponibles ne sont pas toutes utilisées, faute de programmes présentés ; ainsi l'excédent des fonds structurels peut servir à aider les victimes des inondations de l'été 2002 en Europe centrale.

• **Le prochain élargissement rend une réforme de l'aide régionale nécessaire** : la superficie et la population de l'Union européenne vont augmenter d'1/5^e et la richesse de 4,5 % ; les disparités régionales vont s'accentuer considérablement et le centre de gravité se déplacer vers l'Est, ce qui risque de poser des problèmes aux régions périphériques du Sud et de l'Ouest dont quinze ne seraient plus « éligibles » aux aides structurelles.

**Cartes Enjeux**
**Europe : corriger les inégalités régionales**
*(pages 298-299)*

**Dossier**
**L'Andalousie : la manne européenne**
*(pages 94-95)*

**Leçon**
**Élargissement : une nouvelle union à bâtir**
*(pages 60-61)*

## 9. Ressources attribuées aux fonds européens

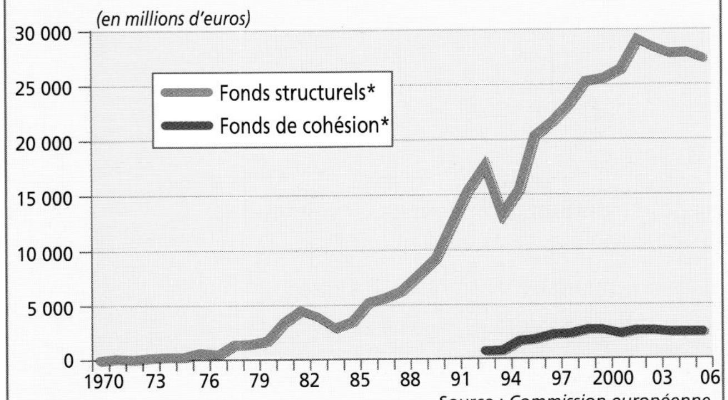

Source : *Commission européenne.*

## 10. Le programme *Leader+* dans les Pays de la Loire

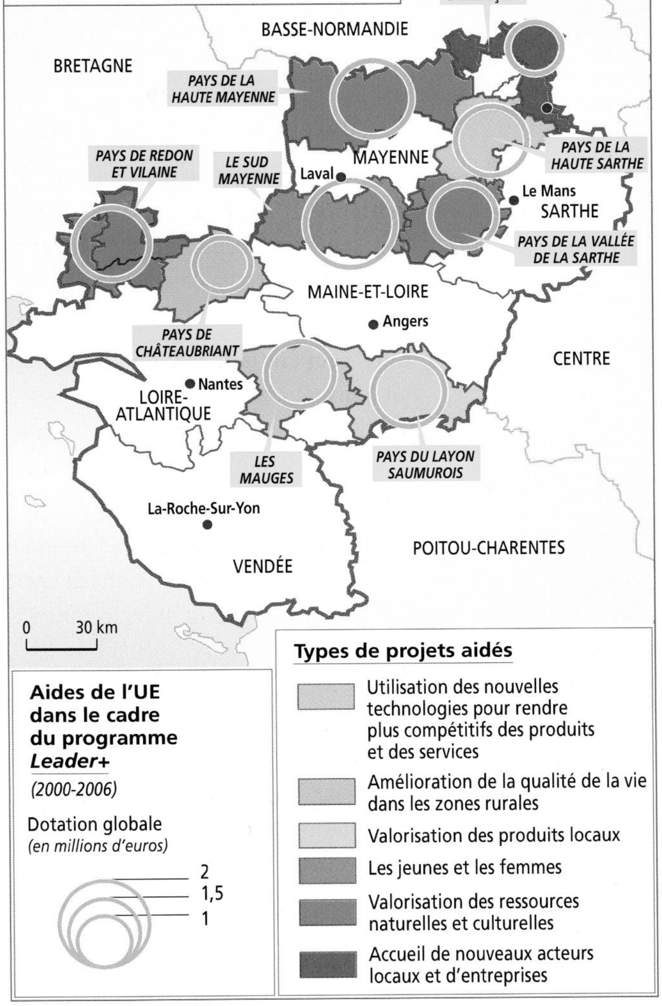


## 11. Gérer les fonds communautaires

*Interview de Jean Cezard, chargé de mission auprès du préfet de région Picardie, responsable de la gestion des fonds européens (janvier 2003).*

- ***Quels sont les différents rôles du SGAR concernant les fonds européens affectés aux régions ?***

Au sein du SGAR, la mission « Europe » élabore le programme, le fait connaître, gère l'enveloppe financière, contrôle l'usage des fonds et évalue les résultats. Elle est responsable de la logistique pour la réalisation du programme avec les collectivités territoriales.

- ***Quelle est l'enveloppe financière de la Picardie pour la période 2000-2006 ?***

Elle bénéficie de 404 millions d'euros dont 264 millions pour l'objectif 2 afin d'aider la reconversion de régions industrielles en difficultés et les zones rurales en déclin.

- ***Ces fonds vont-ils être réellement programmés et affectés en totalité ?***

Pour 1997-1999, le taux de réalisation a atteint 90 %. Nous avons mis en place un système de préprogrammation avec les collectivités territoriales pour utiliser au mieux les fonds. Mais il peut y avoir des pertes : projets surévalués au départ ou sous-réalisés.

- ***Le système n'est-il pas trop complexe et trop lourd à gérer ?***

C'est assez bureaucratique. La procédure est pratiquement la même pour un projet qui s'élève à 1 000 euros ou à 50 millions.

- ***Le système définit des zones « éligibles » et des zones qui ne le sont pas : ne pourrait-on pas plutôt privilégier les projets de qualité ?***

L'idée s'imposera sans doute avec l'élargissement et la diminution des fonds. Il serait plus simple de travailler sur des problématiques régionales bien identifiées en évitant les problèmes de délimitation des zonages.

- ***Pourquoi ne pas envisager une gestion directe des fonds entre les régions et l'Union européenne ?***

Au nom de la subsidiarité, l'Union définit les programmes et l'État membre les gère, donc le préfet. En Picardie, la qualité du partenariat État/Région permet un bon fonctionnement. Le débat sur la décentralisation permettra de mieux définir les compétences de l'État par rapport aux régions. Une expérience de transfert est en cours en Alsace.

## 12. Population concernée par les aides régionales européennes

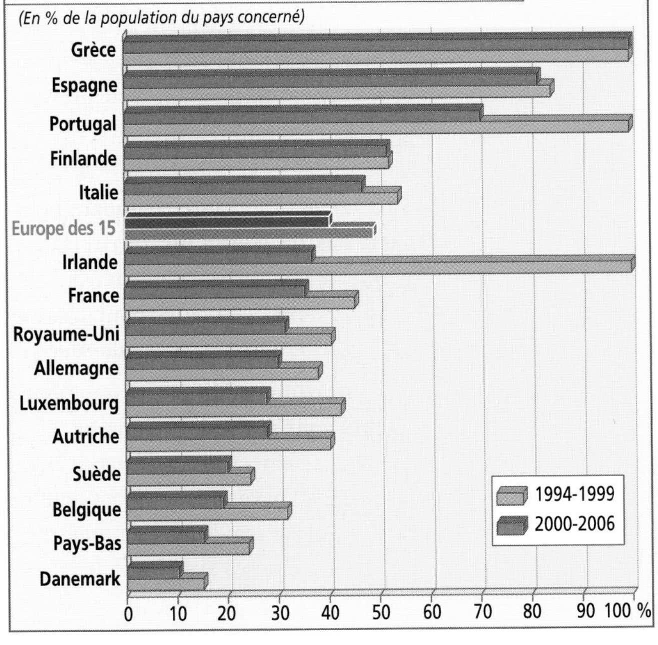

# 4 L'Europe tisse des liens entre ses régions

## Mots-clés

**Eurorégion :** organe de coopération transfrontalière unissant des régions de différents pays qui bénéficient d'aides de l'Union européenne pour les projets communs.

**Phare :** programme lancé en 1989 qui soutient le processus de réforme économique et sociale en cours dans treize pays d'Europe centrale et orientale. C'est aussi le principal instrument financier destiné à préparer l'adhésion des dix pays d'Europe centrale et orientale candidats. Son budget s'élève à plus de 10 milliards d'euros pour 2000-2006.

* voir Lexique

## 1. Développer les régions transfrontalières

• **Les régions frontalières sont à la pointe de la construction européenne** : comptant pour 15 % de la surface de l'Union européenne et pour 10 % de sa population, elles peuvent bénéficier, depuis 1990, d'un programme communautaire spécifique **Interreg***, chargé d'accélérer la coopération économique, culturelle, sociale, et en matière d'environnement de part et d'autre de la frontière.

• **Les coopérations les plus fertiles débouchent sur la création d'« eurorégions »** qui œuvrent à aplanir les obstacles liés à la frontière et à exploiter les complémentarités. Mais les dynamiques locales qui en résultent sont très inégales : ainsi, pour la France qui possède des frontières avec sept États voisins, les frontières nord-nord-est sont plus actives que les frontières sud.

• **Les frontières externes de l'Union font également l'objet d'un programme nommé Phare** : il s'agit de lutter contre la marginalisation de ces espaces périphériques et de tisser des liens avec les futurs membres de l'Union **(13)**.

## 2. Multiplier les coopérations transnationales

• **La Commission européenne s'emploie aussi à favoriser les regroupements régionaux à plus petite échelle** : elle divise l'espace européen en entités aux atouts ou lacunes similaires afin de leur permettre d'élaborer une approche commune de développement autour de solidarités géographiques **(Interreg III B)**. L'Europe est ainsi divisée, depuis 2000, en **dix aires de coopération** et la France participe à cinq d'entre elles : trois espaces continentaux et 2 arcs maritimes **(16)**. Une région peut être inscrite dans plusieurs zones, mais ne peut bénéficier que d'un financement. Une meilleure intégration des économies et des territoires est ainsi promue.

• **De leur côté, les régions se sont regroupées d'elles-mêmes pour défendre leurs intérêts.** Ainsi la Conférence des régions périphériques maritimes expérimente, depuis 1973, la coopération interrégionale transnationale à grande échelle. D'autres régions à l'intérieur de l'Espagne et de la France tentent de constituer une « diagonale continentale » (1997) dont le point commun est d'être des régions en difficulté. Les découpages de la commission n'ont pas forcément pris en compte ces regroupements qui peinent à dépasser le stade de groupes de pression **(15)**.

## 3. Penser les territoires à l'échelle européenne

• **La coopération interrégionale peut même se développer entre des régions qui n'ont pas de continuité territoriale** : c'est le **volet C du programme Interreg** qui favorise le rapprochement de régions sur la base de convergences d'intérêts. Ainsi, depuis 1988, « Quatre moteurs pour l'Europe » rassemble les régions Bade-Wurtemberg, Catalogne, Lombardie et Rhône-Alpes **(14)**.

• **Les territoires européens fonctionnent donc de plus en plus en réseaux dont les acteurs sont multiples** : l'Europe, les États, les régions associées de différentes façons, les villes, les firmes. Là où, il y a encore trente ans, l'organisation d'un espace se pensait à l'échelle nationale, il faut aujourd'hui prendre en compte l'échelle régionale et l'échelle européenne au sein d'une économie mondiale ouverte. Pour autant, les frontières ne sont pas encore effacées avec les différences culturelles, juridiques et institutionnelles entre pays.

**Étude de cas**

**TriRhena : une région transfrontalière au cœur de l'Europe**
*(pages 300-303)*

## 13. Programme Phare pour une coopération germano-polonaise

La frontière entre la Saxe (Allemagne) et la Basse-Silésie (Pologne) [...] est l'une des plus récentes d'Europe, née des conséquences de la Seconde Guerre mondiale. Elle n'a jamais été ouverte du temps de la RDA.

La priorité numéro 1 du programme Phare est le développement économique et la coopération entre entreprises de part et d'autre de la frontière. Il s'agit de créer un espace transfrontalier pour l'économie et les investissements. La constitution de réseaux d'entreprises par delà les frontières et l'implantation de technologies d'avenir sont encouragées. Le programme Phare vise aussi à fonder une région pour le tourisme en agrandissant les potentiels existants.

La participation des fonds structurels de l'Union européenne s'élève à 43 millions d'euros sur un budget global de 61 millions d'euros.

*Inforegio* – 2002.

## 14. Un rapprochement original au-delà des frontières

Une coopération interrégionale culturelle qui rassemble, depuis 1997, quatre régions « poids lourds » en Europe, mais qui ne sont pas voisines. Ainsi des troupes de théâtre contemporain pour les jeunes publics se réunissent dans un festival qui change de pays tous les ans.

## 15. L'Arc atlantique craint d'être oublié

Les 30 régions de l'Arc atlantique craignent, au moment où l'Union européenne va s'élargir, de se retrouver dans une extrême périphérie, oubliées entre les nouveaux arrivants, très pauvres, et les régions plus riches du centre de l'Europe des Quinze.

Elles ont adopté un texte dénonçant le projet « de limiter l'attribution de fonds structurels aux seules régions répondant aux critères de l'objectif 1 ».

Douze régions ont constitué une association « priorité pour le TGV Sud-Europe-Atlantique », ligne qui relierait l'Espagne et le Portugal à l'Europe du Nord par la façade atlantique. Elles ont dénoncé le refus du conseil des ministres des Transports d'avaliser le projet de traversée à grande capacité au centre des Pyrénées, moyen de décongestionner les transports de marchandises.

*Le Monde* – 4 juillet 2002.

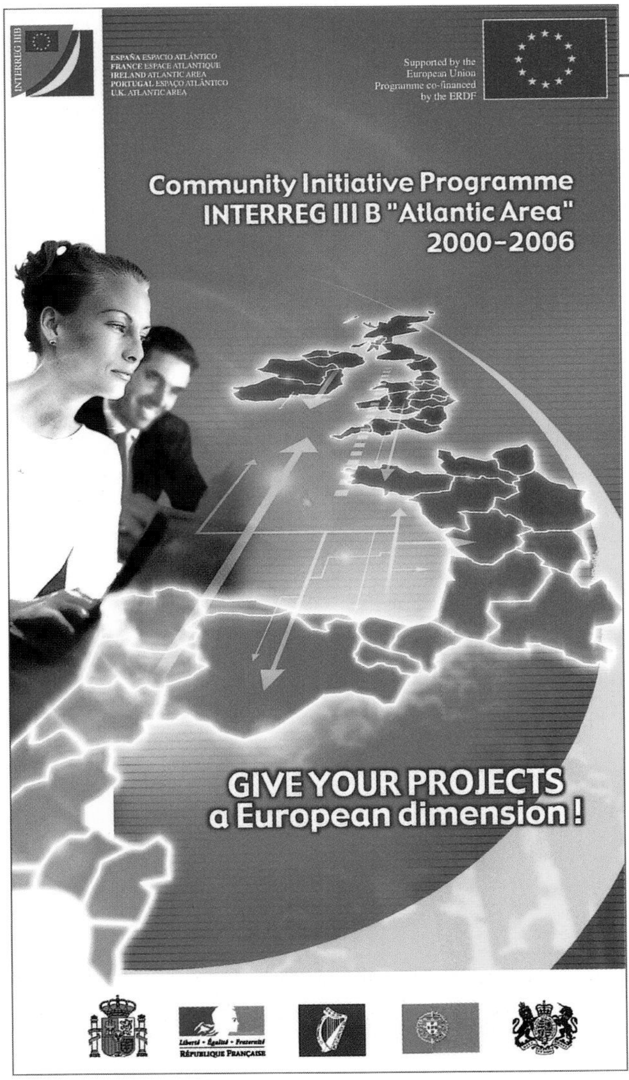


## 16. Le Programme Interreg B

« Espace atlantique » est un des dix espaces de coopération transnationale : plus de 200 millions d'euros sont disponibles pour des projets s'inscrivant dans une des quatre priorités du programme : structuration polycentrique de l'espace, système de transports durables, promotion de l'environnement, promotion de l'identité atlantique.

Dossier

# Intégrer ses îles : un défi pour l'Union européenne

*Plusieurs pays européens possèdent des îles plus ou moins éloignées du continent. Ces territoires sont européens, mais leur caractère insulaire pose des problèmes spécifiques de développement que la politique européenne doit prendre en compte.*

*La Réunion, département français d'outre-mer est un morceau d'Europe au large des côtes africaines dans l'océan Indien. L'île subit les contraintes de l'éloignement et de l'insularité, mais elle bénéficie d'aides européennes pour mener à bien ses projets de développement.*

## 1 ■ L'Union européenne face à ses régions insulaires

Les îles des pays constituant l'Union européenne comptent 14 millions d'habitants, soit 3,5 % de la population de l'Union. Au delà de leur diversité, elles constituent des espaces à part.

**1. Açores et Madère : deux archipels portugais de l'Atlantique qui tentent de valoriser leurs atouts naturels**

**2. Des spécificités insulaires**

L'espace insulaire à des caractéristiques qui lui sont propres et qui pèsent sur son développement économique. La petite taille des îles implique la rareté et la faiblesse des ressources (matières premières, infrastructures, potentialités humaines...). Les économies insulaires doivent donc mettre en place un système de gestion particulier qui repose sur une nécessaire ouverture et d'importants échanges avec l'extérieur.

Il en résulte une forte dépendance, en raison d'une quasi mono-activité d'exportations et d'un volume d'importations élevé. Cette dépendance, due à la fragilité de l'activité intérieure et au poids du commerce extérieur, est fortement aggravée lorsque l'île est éloignée de ses marchés.

Commission européenne, base de données Eurisles.

## 3. L'aide de l'UE

Au cours de la période 1994/1999, on peut évaluer le montant des sommes qui ont été allouées aux îles européennes à un minimum de 12 milliards d'euros. Ceci représente 7,8 % des fonds structurels*, alors que les îles ne représentent que 3,5 % de la population de l'Union.

Cependant, ces régions restent dans le bas du classement des régions européennes. La situation a tendance à stagner voire, pour certaines, à se détériorer sous l'effet de paramètres aussi variés que de mauvaises saisons touristiques ou une situation agricole internationale plus concurrentielle. Les menaces qui pèsent sur leurs mono-activités (agriculture, pêche, tourisme...) les mettent en situation très défavorables.

Leur spécificité insulaire devrait conduire à la mise en œuvre de politiques européennes permanentes de compensation puisqu'il s'agit d'une situation par essence non rattrapable.

Commission européenne, base de données Eurisles.

## 4. Les régions insulaires et ultrapériphériques de l'UE

## 5. Le défi des distances

| Villes | Pays | Distance réelle *(en km)* | Distance virtuelle[1] *(en km)* | Coefficient d'éloignement |
|---|---|---|---|---|
| Ajaccio | Corse | 1444 | 2678 | 1,62 |
| Cagliari | Sicile | 2092 | 3425 | 1,64 |
| Visby | Gotland | 10507 | 2700 | 1,79 |
| Palma | Baléares | 1544 | 2805 | 1,82 |
| Ermoupolis | Sporades-du-Sud | 2734 | 5661 | 2,07 |
| Las Palmas | Canaries | 3520 | 8447 | 2,40 |
| Pointe-à-Pitre | Guadeloupe | 7287 | 20995 | 2,88 |
| Fort-de- France | Martinique | 7487 | 21878 | 2,92 |
| Funchal | Madère | 3177 | 9731 | 3,06 |
| Ponta Delgada | Açores | 3649 | 12084 | 3,31 |
| Saint-Denis | La Réunion | 9606 | 43990 | 4,58 |
| Unst | Îles Shetland | 1713 | 9938 | 5,80 |

1. Calculée suivant le temps théorique que mettrait un camion pour aller de Maastricht à la ville citée.

## 6. L'aéroport de Funchal

Récemment agrandi avec des aides de l'UE, il constitue un lien indispensable entre Madère et le continent.

## Questions

**1.** Quels sont les points communs des régions insulaires (1, 2, 4) ?

**2.** En quoi la politique européenne a-t-elle des effets positifs (3, 6) ?

**3.** À quelles contraintes une politique européenne de rattrapage ne permet-elle pas de faire face (3, 4, 5) ?

## 2 ■ La Réunion : la France et l'Europe au bout du monde

Département français d'outre-mer depuis 1946, Région mono-départementale depuis 1982, la Réunion accuse encore un déficit de développement et bénéficie à ce titre de 1,5 milliard d'euros de fonds européens pour la période 2000-2006.

### 7. La Réunion parmi les régions insulaires ultrapériphériques

| | Réunion | Guadeloupe | Martinique |
|---|---|---|---|
| **Distance/à la capitale** *(en km)* | 9370 | 6756 | 6830 |
| **ZEE*** (en km²) | 312 360 | 170 900 | 4 700 |
| **Population** *(en 1999)* | 706 300 | 422 500 | 381 400 |
| **PIB*/habitant** *(en 1999)* **UE à 15 = 100** | 51 | 56 | 60 |
| **Chômage** *(en 2001) (en %)* | 33 | 29 | 26 |
| **Emploi public/population active** *(en %)* | 35 | 20 | 25 |
| | **Açores** | **Madère** | **Canaries** |
| **Distance/à la capitale** *(en km)* | 1500 | 1040 | 2000 |
| **ZEE*** *(en km²)* | 984 900 | 452 000 | 356 000 |
| **Population** *(en 1999)* | 244 900 | 263 000 | 1 590 000 |
| **PIB*/habitant** *(en 1999)* **UE à 15 = 100** | 53 | 58 | 77 |
| **Chômage** *(en 2001) (en %)* | 5 | 5 | 21 |
| **Emploi public/population active** *(en %)* | 22 | 21 | 5 |

Source : *Eurostat* et *INSEE*.

### 8. Qu'est-ce qu'une région ultrapériphérique ?

Compte tenu de la situation économique et sociale structurelle des départements français d'outre-mer, des Açores, de Madère et des îles Canaries, qui est aggravée par leur éloignement, l'insularité, leur faible superficie, le relief et le climat difficiles, leur dépendance économique vis-à-vis d'un petit nombre de produits, facteurs dont la permanence et la combinaison nuisent gravement à leur développement, le Conseil européen, sur proposition de la Commission et après consultation du Parlement européen, arrête des mesures spécifiques visant, en particulier, à fixer les conditions de l'application du présent traité à ces régions.

Article 299-2 du traité d'Amsterdam.

### 9. La Réunion : une côte européenne dans l'hémisphère sud

*Journal de la marine marchande*, n° 4306 – Juin 2002.

### 10. La Réunion, des retards qui justifient les aides de l'Union européenne

Outre sa situation ultrapériphérique, la Réunion se caractérise par une croissance démographique 6,5 fois plus élevée que la moyenne de l'Europe des Quinze et par la jeunesse de sa population (40 % de moins de 19 ans). Celle-ci constitue un atout qui s'ajoute à une forte croissance économique, à l'existence d'infrastructures modernes, à une culture de solidarité familiale et aux attraits touristiques de l'île.

Mais l'avenir de sa jeunesse représente en même temps le principal défi de la région, confrontée à des handicaps importants : un taux de chômage durablement élevé, une économie productive restée insuffisante, les surcoûts de l'insularité, les effets négatifs de la hausse démographique dans un espace exigu (2 500 km²), une cohésion sociale fragilisée par les disparités entre chômeurs et actifs, jeunes et adultes, femmes et hommes et par l'accroissement de la précarité.

Commission européenne – 2000.

## 11. Le transfert des eaux de l'Est vers l'Ouest

la Réunion connaît une inégale répartition des pluies dans l'espace : les plaines de l'Ouest reçoivent en moyenne douze fois moins de pluies par an que les zones montagneuses de l'Est, alors que c'est justement là que se concentrent les besoins de l'industrie, de l'agriculture et du tourisme. L'idée ambitieuse de faire basculer une partie des réserves d'eau de l'Est vers l'Ouest de l'île existe depuis longtemps.

Suite aux études préliminaires menées en 1984, le projet retenu prévoit de capter l'eau dans les cirques de Mafate et de Salazie, de l'acheminer jusqu'à un réservoir de 50 000 m³ par 30 km de galeries souterraines et de l'amener ensuite jusqu'aux communes de La Possession, Le Port, Saint-Paul, Trois-Bassins et Saint-Leu à l'Ouest de l'île, afin d'assurer notamment l'irrigation de 5 200 hectares de terres.

Aujourd'hui, la première phase (cirque de Mafate) du projet est opérationnelle. Le coût des travaux s'est élevé à quelque 120 millions d'euros, dont environ 50 % ont été financés par l'Union européenne (Feder).

Commission européenne, site Inforegio – 2002.

## 12. L'organisation de l'espace réunionnais

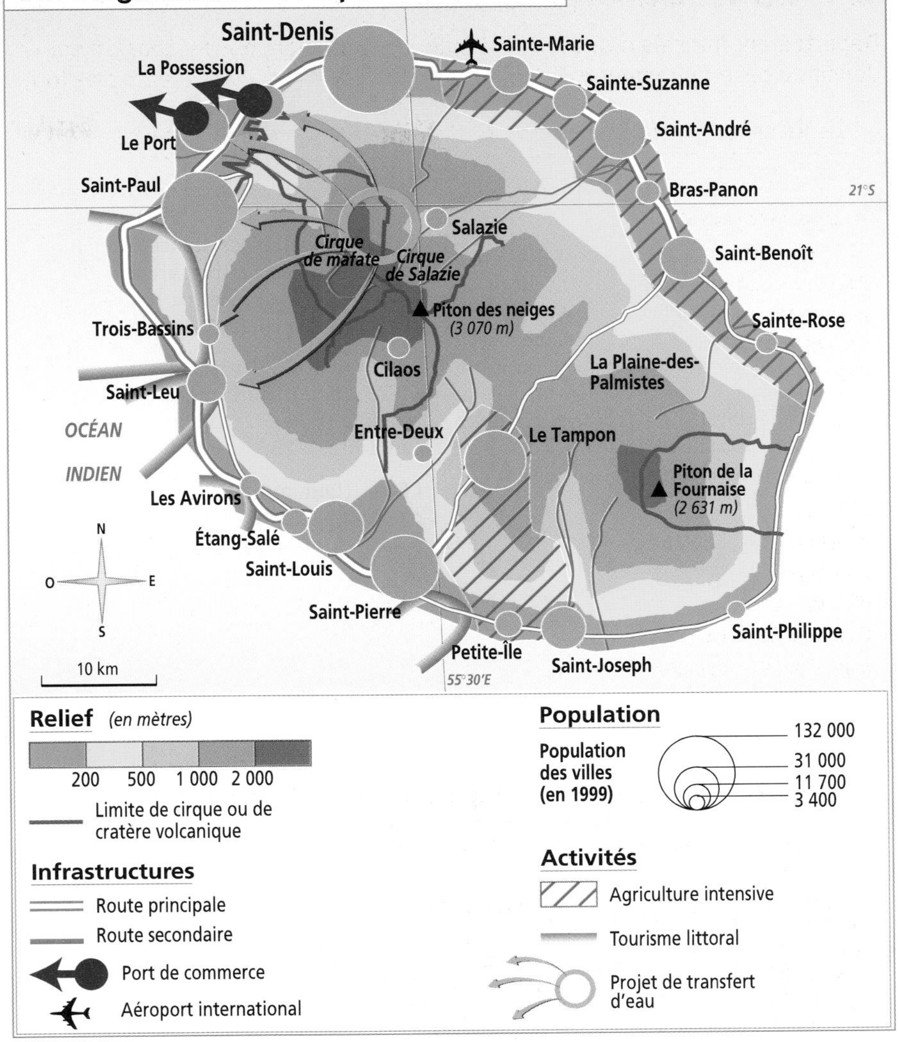

## 13. Aéroport de Saint-Pierre

L'Union européenne a participé au financement des travaux d'extension.

## Questions

**1.** Que signifie le terme « ultra-périphérique » pour l'Union européenne ? En quoi s'applique-t-il à la Réunion (4, 5, 7, 8) ?

**2.** Quels défis les Réunionnais doivent-ils relever (7, 8, 10) ?

**3.** Quels atouts la Réunion peut-elle valoriser (9, 10, 11, 12) ?

**4.** Qu'apporte l'Union européenne à la Réunion (11, 13) ?

# Lexique

LE NOMBRE EN GRAS INDIQUE LA PAGE DANS LAQUELLE LE MOT EST DÉFINI À L'INTÉRIEUR DE LA COLONNE MOTS-CLÉS.

## A

**Accords de Lomé : 58**

**AELE (Association européenne de libre échange) :** association fondée en 1960 pour regrouper les pays riches de l'Europe de l'Ouest, qui refusaient d'adhérer à la Communauté économique européenne. Elle ne réunit plus que quatre États (Suisse, Islande, Norvège, Liechtenstein), par suite du départ vers l'Union européenne de la Suède, la Finlande et l'Autriche.

**Agences de l'eau : 176**

**Agriculture intensive : 230**

**Agri-manager : 230**

**Aire d'influence : 114**

**Aire métropolitaine :** espace caractérisé par la présence d'une ou plusieurs grandes ou très grandes villes, entre lesquelles les paysages et les modes de vie urbain sont continus, avec des banlieues et des réseaux de villes plus petites.

**Aire urbaine : 114**

**Aléa :** facteur physique à l'origine du risque.

**Aménagement du territoire :** Action impulsée par l'État pour réduire les inégalités spatiales et parvenir à un développement du territoire efficace.

**Associations régionales : 42**

**ATR (Administration territoriale de la république) : 258**

## B

**Baby-boom : 202**

**Banlieue : 204**

**BCE (Banque centrale européenne) : 76**

**Bosman (arrêt) :** décision de la Cour de justice européenne (1995) qui interdit les quotas limitant le nombre de joueurs ressortissant de l'UE dans une équipe sportive.

**Bundesbank : 76**

## C

**CAEM (Conseil d'assistance économique mutuelle) :** coopération économique entre l'URSS et les économies de l'Europe centre-orientale créée en 1949. Il a été dissout en 1991.

**CDIAT (Comité interministériel d'aménagements et de développement du territoire) : 256**

**CECA (Communauté européenne du charbon et de l'acier) :** Communauté européenne du charbon et de l'acier : réunit pour la première fois en 1951 les six pays futurs fondateurs de la CEE pour assurer la libre circulation et le respect de la concurrence pour ces deux produits.

**CEI (Communauté des États indépendants) : 40**

**Centre et périphérie :** du point de vue économique et social, on définit les « centres » comme des régions où la densité de population, les activités de production, les richesses accumulées, les pouvoirs de décision atteignent de très forts niveaux de concentration. Les périphéries s'opposent à eux point par point. Dans bien des pays, le « centre » ainsi défini peut être très différent du centre au sens géométrique.

**CNADT (Conseil national d'aménagement et de développement du territoire) : 256**

**CNRS** (Centre national de la recherche scientifique) : principal organisme de recherche publique en France, regroupant 25 000 chercheurs.

**Cohésion : 306**

**Collectivité territoriale : 286**

**Comité des régions : 304**

**Commonwealth : 80**

**Communauté d'agglomération : 258**

**Communauté urbaine : 258**

**Confédération : 60**

**Conseil de l'Europe :** organisation fondée en 1949 pour promouvoir les valeurs culturelles de l'Europe, affirmer son identité, assurer la défense des droits de l'homme et le fonctionnement de la démocratie. Associant 10 pays au départ, il s'est élargi plus que toute autre organisation européenne. En 2002, le Conseil de l'Europe a 44 membres, c'est-à-dire la plus grande partie des pays inclus dans les limites classiques de l'Europe. Son siège est à Strasbourg. Il ne doit pas être confondu avec l'Union européenne, dont le parlement siège aussi à Strasbourg.

**Conseil économique et social européen :** organisme consultatif de 222 membres crée en 1994, regroupant des représentants du patronat, des syndicats et des consommateurs.

**Conservatoire du littoral :** établissement public crée en 1975 qui acquiert pour les protéger des terres littorales fragiles ou menacées.

**Contrat de pays :** traduction des actions du contrat de plan État-Région à l'échelle du pays ; auparavant, les communes et communautés de communes composant le pays doivent avoir élaboré une charte commune.

**Contrat de plan :** ensemble d'objectifs que l'État et la Région s'engagent à réaliser et à financer ensemble. Institué depuis 1982 pour une durée désormais de sept ans (2000-2006), un contrat de plan comprend un volet régional, un volet interrégional et un volet territorial (contrats de pays*, d'agglomération).

**Conurbation : 112**

**Convention européenne : 60**

**Coordonnées géographiques :** latitude et longitude d'un lieu. **Latitude :** distance mesurée en degrés du lieu par rapport à l'Equateur. **Longitude :** distance mesurée en degrés du lieu par rapport au méridien origine (méridien 0° de Greenwich).

**Corridor : 144**

**Couronne périurbaine : 204**

**Cultures hors sol : 230**

## D

**Datar (Délégation à l'aménagement du territoire et à l'action régionale) : 256**

**Décentralisation : 286**

**Décentralisation industrielle :** transfert d'entreprises industrielles d'un centre urbain surchargé vers un ou plusieurs centres.

**Déconcentration : 286**

**Densité de population : 200**

**Dépeuplement : 200**

**Dépopulation :** voir dépeuplement.

**Déprise agricole : 226**

**Dérégulation : 146**

**Désindustrialisation : 226**

**Développement durable : 20**

**District industriel (Italie) ou système productif local (SPL) :** concentration, sur un territoire, d'une multitude de PME/PMI autour d'un métier dominant.

**DOM (Département d'outre-mer) : 170**

**DTA (Directive territoriale d'aménagement) :** document qui précise les orientations de l'État quant au développement et à la protection d'un espace sensible.

## E

**Effet tunnel : 146**

**Élevage hors sol : 230**

**Enclavement : 146**

**ENI : 96**

**Environnement : 20**

**Equal :** programme d'initiative communautaire de lutte contre les discriminations et les disparités sur le marché du travail.

**Erasmus : 54**

**Espérance de vie : 202**

**État-nation :** État dont la souveraineté s'exerce sur l'ensemble des populations ayant le sentiment d'appartenir à une même nation.

**Étranger : 132**

**Euratom :** Communauté européenne de l'énergie atomique, instituée par le Traité de Rome en 1957 : organisme chargé de coordonner les programmes de recherche sur l'énergie nucléaire.

**Eureka :** initiative intergouvernementale de coopération européenne en matière de recherche scientifique et technologique ; lancée en 1985, elle associe 31 pays d'Europe et l'Union européenne.

**Eurocorps :** armée européenne entrée en service en 1995, regroupant théoriquement 60 000 soldats de cinq pays : Allemagne, Belgique, Espagne, France, Luxembourg. Son état-major est basé à Strasbourg.

**Eurorégion : 310**

**Excédent migratoire :** voir solde migratoire.

**Exode rural : 206**

**Exurbanisation : 204**

## F

**Fécondité (taux de) :** nombre annuel de naissance rapporté au nombre de femmes âgées de 15 à 49 ans.

**Fédéral (système) :** structure politique dans laquelle des collectivités territoriales se regroupent et délèguent à une autorité supérieure, l'État fédéral, une partie importante de leurs pouvoirs et compétences tout en gardant leur liberté de gestion dans d'autres domaines (exemples : aux États-Unis, les 50 États ; en Allemagne, les 16 Länder).

**Feoga (Fonds européen d'orientation et de garantie agricole) :** créé en 1962, il finance des actions de développement rural.

**Ferroutage :** technique de transport combiné rail-route dans laquelle le véhicule routier est chargé sur un wagon pour éviter le déchargement des marchandises.

**Firme multinationale (FMN) :** entreprise qui exerce ses activités dans plusieurs États, directement ou par l'intermédiaire de filiales.

**Fonction de commandement : 116**

**Fonctions périproductives : 232**

**Fonctions urbaines : 114**

**Fonds de cohésion : 308**

**Fonds européen de développement régional (FEDER) :** créé en 1975, ce principal fonds structurel favorise la réduction des disparités régionales en cofinançant des programmes de développement établis en partenariat entre l'Union européenne, les États membres et les collectivités territoriales.

**Fonds structurels : 56**

**France du vide :** ensemble de départements à très faible densité de population qui s'étend de la Meuse aux Landes, incluant les montagnes des Pyrénées et des Alpes du Sud.

**Friche industrielle : 204**

**FSE (Fonds social européen) :** créé en 1958, il aide la population active à s'adapter aux mutations du marché de l'emploi.

## G

**Gentrification :** processus par lequel un quartier pauvre ou modeste est, après rénovation ou réhabilitation, occupé par une population aisée.

## H

**Héliotropisme : 202**

**Hub : 146**

## I

**IDH (Indice de développement humain) :** indice calculé par le programme des Nations Unies pour le Développement (PNUD). Il est fondé sur une association de quatre variables : l'espérance de vie à la naissance, les taux d'alphabétisation des adultes, le taux de scolarisation des jeunes, le Produit National Brut. L'indice est conçu pour varier entre 0 et 1. Plus la valeur est forte, plus la situation du pays est favorable.

**IFOP (Instrument financier d'orientation de la pêche) :**

**Îles Britanniques : 80**

**Immigré : 132**

**Industrie agroalimentaire (IAA) : 226**

**INRA (Institut national de recherche agronomique) :** créé en 1946, l'INRA est un établissement de recherche public dans les domaines de l'agriculture, de l'alimentation et de l'environnement.

**INSERM (Institut national de la santé et de la recherche médicale) :** établissement public de recherche dans le domaine de la santé composé de plus de 250 unités.

**Intégration : 130**

**Intermodalité : 260**

**Interreg : 308**

**IRI : 96**

## L

**Leader :** programme d'initiative communautaire qui assure le Lien entre les acteurs du développement rural.

**Littoralisation :** voir maritimisation.

**Logistique : 146**

# Lexique

## M

**Macrocéphalie : 116**

**Mafia : 96**

**Majorité qualifiée : 60**

**Maritimisation (ou littoralisation) : 232**

**Mégalopole : 22**

**Mégapole : 112**

**Merry England : 82**

**Métropole : 112**

**Métropolisation : 112**

**Migrations internes : 202**

**MIIAT (Mission interministérielle et interrégionale d'aménagement du territoire) : 290**

**Mitage :** éparpillement des constructions dans la campagne.

**Mobilité : 128**

**Mondialisation :** intégration croissante des différentes parties du monde sous l'effet de l'accélération des échanges, de l'essor des nouvelles technologies de l'information et de la communication, des moyens de transport.

**Movida : 90**

## N

**Nation :** ensemble de personnes ayant une histoire, une culture, une langue, des traditions communes, un sentiment d'appartenance et un désir de vivre ensemble.

## O

**OMC (Organisation mondiale du commerce) :** organisme créé en 1995 qui veille au développement du commerce international en organisant des négociations qui favorisent le libre-échange entre les pays. Il arbitre aussi les différents commerciaux entre les pays membres.

**Orthodoxie : 16**

**OTAN (Organisation du Traité de l'Atlantique Nord) : 38**

## P

**PAC (Politique agricole commune) : 54**

**Pacte de Varsovie : 38**

**Parcs nationaux : 260**

**Parcs naturels :** institués à partir des années 1960, les parc naturels nationaux ou régionaux visent à protéger des espaces naturels contre les activités humaines susceptibles de les dégrader, pour préserver sites, faune, flore, et les ouvrir aux visiteurs.

**Parcs naturels régionaux : 260**

**Parc régional :** géré par les collectivités locales, il a été institué à partir de 1975 pour étendre la protection du milieu naturel à d'autres espaces que ceux des parcs nationaux, mais aussi pour favoriser le maintien de la vie rurale et aménager une large ouverture aux visiteurs.

**Parc technologique :** voir technopôle.

**Partenariat euroméditerranéen : 58**

**Pax romana : 96**

**Pays (contrat de) :** traduction des actions du contrat de plan État-Région à l'échelle du pays ; auparavant, les communes et communautés de communes composant le pays doivent avoir élaboré une charte commune.

**Pays noir :** bassin charbonnier sur lequel se sont développées dès le XIXe siècle les industries liées à l'exploitation de ce minerai : sidérurgie, métallurgie...

**PECO (Pays de l'Europe centrale et orientale) : 40**

**PEP (Pôles d'économie du patrimoine) :** projet de développement d'un territoire par la mise en valeur de son patrimoine naturel ou historique : vise à la revitalisation des espaces ruraux.

**Péréquation : 290**

**Périphérie :** voir centre.

**Périurbanisation : 204**

**Phare : 310**

**Philosophie des Lumières : 16**

**PIB (Produit intérieur brut) :** somme des valeurs de toutes les productions et services réalisés dans un pays, exprimée en termes monétaires. Pour faciliter les comparaisons internationales, on convertit les PIB en une monnaie de référence généralement le dollar des États-Unis. Mais les variations du taux de change introduit des différences artificielles. On évite cet inconvénient en tenant compte du pouvoir d'achat intérieur des monnaies : calcul du PIB avec parité des pouvoirs d'achats (PIB avec PPA). C'est cette valeur qui est utilisée pour le calcul de l'IDH.

**PIG (Plan d'intérêt général) :** document qui définit un périmètre de sécurité autour d'un établissement industriel classé Seveso, où l'urbanisation est sévèrement limitée.

**Plate-forme multimodale : 146**

**PLU (Plan local d'urbanisme) :** le PLU qui a remplacé le POS (Plan d'occupation des sols) est un document qui fixe les règles d'occupation des sols d'une commune.

**Politique de la ville :** ensemble des actions visant à lutter contre les problèmes sociaux dus à l'exclusion de populations appartenant à des catégories sociales défavorisées.

**Polyculture :** système de culture dans lequel on pratique plusieurs cultures sur une même exploitation.

**Porte-conteneurs :** navire spécialisé dans le transport de caisses de dimension standardisée, les conteneurs, contenant des produits manufacturés.

**PPI (Plan particulier d'intervention) :** procédure mise en œuvre par le préfet qui établit les mesures à prendre en cas de sinistre qui s'étend au delà des limites de l'entreprise où il s'est déclaré et menace les populations locales.

**Projection :** représentation du globe terrestre sur une surface plane, le planisphère.

## R

**RDA : 74**

**Reconversion industrielle : 226**

**Réhabilitation : 204**

**Rénovation : 204**

**Réseau urbain : 116**

**Révolution industrielle :** profonde transformation de la production survenue à la fin du XVIIIe siècle en Angleterre grâce aux innovations techniques : machines à vapeur, machines textiles...

**Risque :** danger potentiel qui affecte une société : il peut être naturel ou technologique.

**Risque technologique :** Risque généré par des activités industrielles chimiques et nucléaires ainsi que le transport et le stockage des matières dangereuses.

## S

**Schémas de services collectifs :** documents qui définissent les choix de l'État dans neuf domaines : enseignement supérieur et recherche, culture, information et communication, sanitaire, transport de voyageurs, de marchandises, énergie, sports, espaces naturels et ruraux.

**Schengen : 54**

**SCOT :** voir SRU.

**SDEC (Schéma de développement de l'espace communautaire) : 306**

**Semis urbain : 112**

**Services :** ensemble des activité relevant du secteur tertiaire. Les services se distinguent des commerces en ce sens qu'ils ne transfèrent pas une marchandise mais un savoir et un travail.

**Seveso I, Seveso II : 174**

**Siècle d'or : 90**

**Silicon Glen : 80**

**SIVOM (Syndicat intercommunal à vocation multiple) :** regroupement de communes qui acceptent le transfert de plusieurs compétences techniques (voirie, ordures ménagères...) sans fiscalité propre.

**Solde migratoire : 202**

**Solde naturel : 202**

**SPL (Système productif local) :** voir district industriel.

**SRU (Solidarité et renouvellement urbain) :** loi de décembre 2000, qui vise à renforcer la cohérence des politiques urbaines par des règles d'urbanisme communes aux agglomérations (SCOT) et des plans locaux d'urbanisme (PLU) qui fixent les règles d'utilisation des sols en remplacement des plans d'occupation des sols (POS).

**Station intégrée : 172**

**Supranational : 58**

**Système de production : 230**

**Système productif local (SPL) :** voir district industriel.

## T

**TOM (Territoires d'outre-mer) :** la Nouvelle Calédonie, la Polynésie française, Wallis et Futuna et les TAAF (Terres australes et antartiques françaises) ont un statut qui leur confère une plus grande autonomie que les DOM.

**Taux de fécondité :** nombre annuel de naissances rapporté au nombre de femmes âgées de 15 à 49 ans.

**Technopôle (un) : 232**

**Technopole (une) : 232**

**Tourisme vert : 228**

**Transfert de compétences : 258**

**Transit : 148**

**Transition démographique : 18**

**Transport combiné : 144**

**Treillage : 144**

**Triade : 22**

## U

**Union de l'Europe occidentale : 42**

**Urban :** programme d'initiative communautaire destiné à favoriser la revitalisation économique et sociale des villes et des banlieues en crise.

**Urbanisation (taux d') :** part de la population des villes dans la population totale (s'exprime en %).

## V

**Vieillissement de la population : 18**

**Ville mondiale : 116**

## Z

**ZEE (Zone économique exclusive) : 172**

**Zone franche : 260**

**Zone industrialo-portuaire (ZIP) : 232**

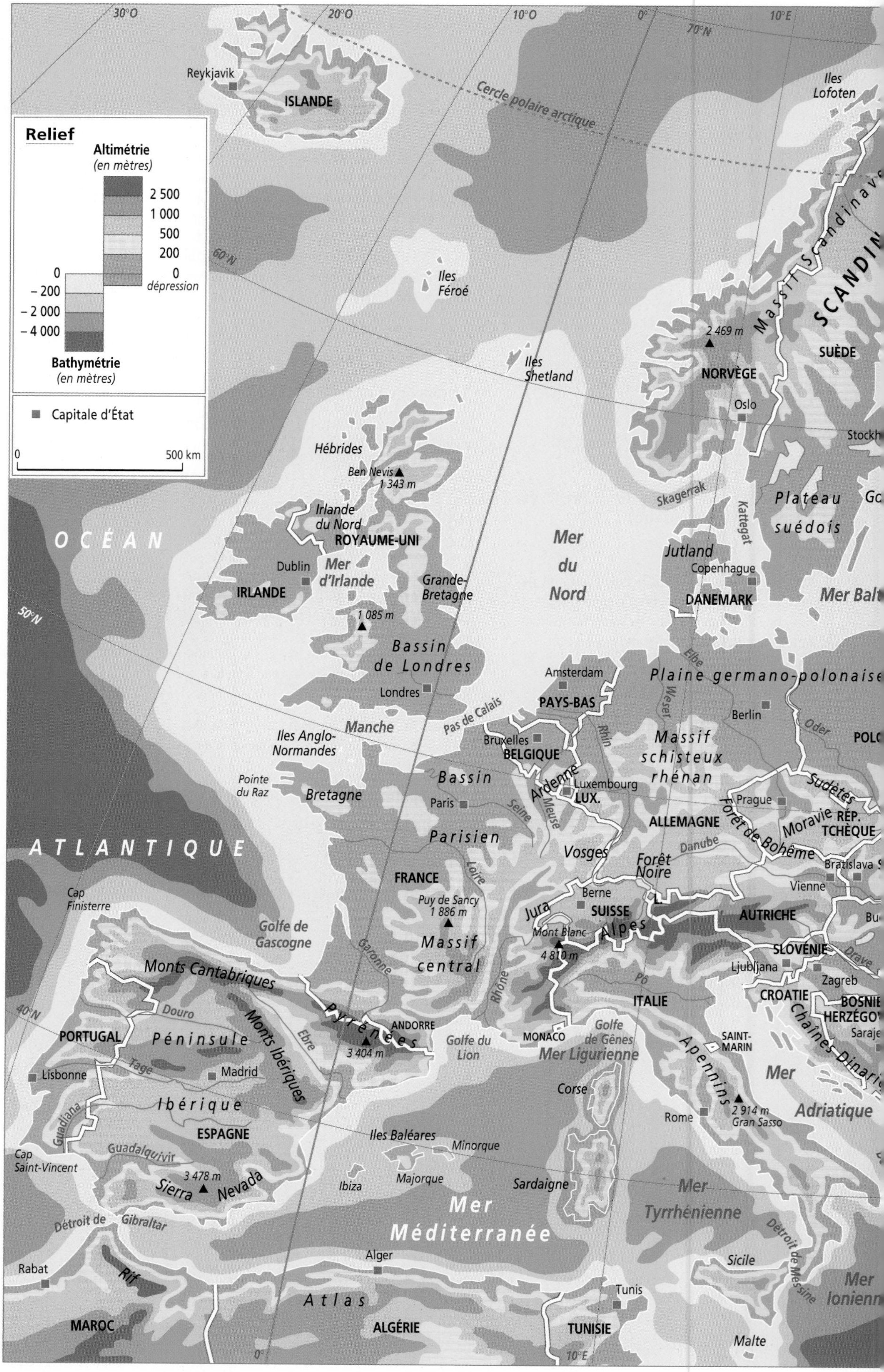
Relief
Altimétrie (en mètres)
2 500
1 000
500
200
0 dépression
0
– 200
– 2 000
– 4 000
Bathymétrie (en mètres)
Capitale d'État
0
500 km
30°O
20°O
10°O
0°
10°E
70°N
60°N
50°N
40°N
Cercle polaire arctique
Reykjavik
ISLANDE
Iles Lofoten
Iles Féroé
Iles Shetland
2 469 m
NORVÈGE
SUÈDE
Oslo
Hébrides
Ben Nevis
1 343 m
Skagerrak
Kattegat
Plateau suédois
OCÉAN
ATLANTIQUE
Irlande du Nord
ROYAUME-UNI
Dublin
Mer d'Irlande
IRLANDE
Grande-Bretagne
Mer du Nord
Jutland
Copenhague
DANEMARK
1 085 m
Bassin de Londres
Londres
Amsterdam
PAYS-BAS
Elbe
Weser
Plaine germano-polonaise
Berlin
Oder
Pas de Calais
Manche
Iles Anglo-Normandes
Bruxelles
BELGIQUE
Rhin
Massif schisteux rhénan
Pointe du Raz
Bretagne
Bassin Parisien
Paris
Seine
Ardenne
Meuse
Luxembourg
LUX.
Prague
Sudètes
ALLEMAGNE
Forêt de Bohême
Moravie
RÉP. TCHÈQUE
Danube
Vosges
Forêt Noire
Bratislava
Vienne
Loire
FRANCE
Cap Finisterre
Puy de Sancy
1 886 m
Berne
SUISSE
Jura
AUTRICHE
Golfe de Gascogne
Massif central
Garonne
Mont Blanc
4 810 m
Alpes
SLOVÉNIE
Ljubljana
Zagreb
Drave
Monts Cantabriques
Rhône
Po
ITALIE
CROATIE
Chaînes Dinariques
Douro
Pyrénées
ANDORRE
3 404 m
Ebre
Golfe du Lion
MONACO
Golfe de Gênes
Mer Ligurienne
SAINT-MARIN
PORTUGAL
Péninsule Ibérique
Monts Ibériques
Tage
Madrid
Lisbonne
Corse
Apennins
2 914 m
Gran Sasso
Rome
Mer Adriatique
ESPAGNE
Guadiana
Guadalquivir
Iles Baléares
Minorque
Cap Saint-Vincent
3 478 m
Sierra Nevada
Ibiza
Majorque
Sardaigne
Mer Tyrrhénienne
Détroit de Gibraltar
Mer Méditerranée
Détroit de Messine
Rabat
Rif
Alger
Sicile
Atlas
Tunis
MAROC
ALGÉRIE
TUNISIE
Malte

# Le relief de l'Europe

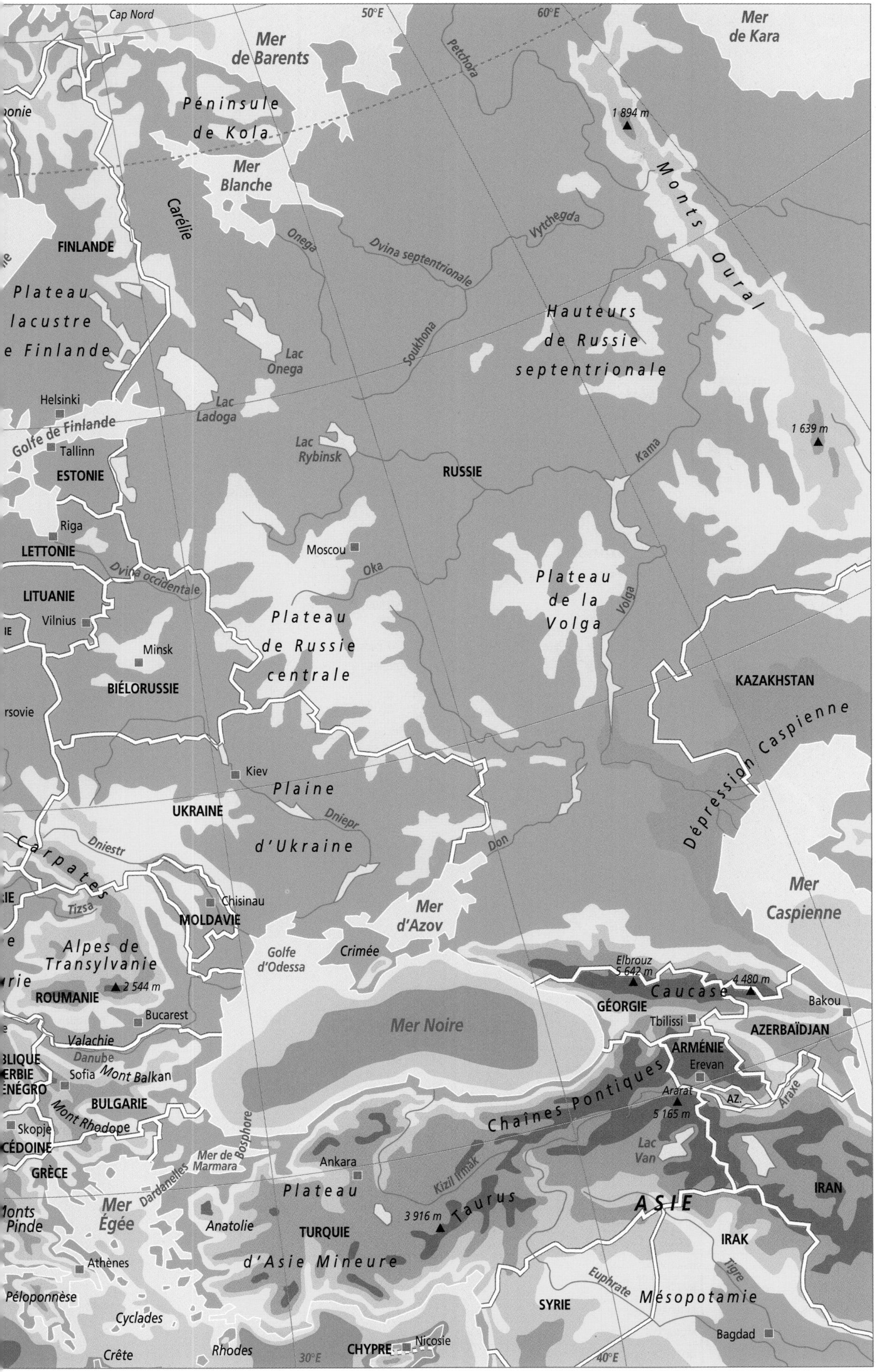

# Les États de l'Europe

| Pays | Superficie (en $km^2$) | Population | | Pays | Superficie (en $km^2$) | Population | | Pays | Superficie (en $km^2$) | Population | |
|---|---|---|---|---|---|---|---|---|---|---|---|
| | | (en $km^2$) | Densité (hab./$km^2$) | | | (en $km^2$) | Densité (hab./$km^2$) | | | (en $km^2$) | Densité (hab./$km^2$) |
| ALBANIE *(République)* | 28 750 | 3,9 | 120 | GRÈCE *(République)* | 131 990 | 10,6 | 80 | PAYS-BAS *(Royaume)* | 37 330 | 16 | 386 |
| ALLEMAGNE *(République Fédérale)* | 357 000 | 82,4 | 230 | HONGRIE *(République)* | 93 030 | 10,2 | 110 | POLOGNE *(République)* | 323 250 | 38,7 | 120 |
| ANDORRE *(Principauté)* | 468 | 0,07 | 150 | IRLANDE *(République)* | 70 280 | 3,9 | 55 | PORTUGAL *(République)* | 92 390 | 10,2 | 111 |
| AUTRICHE *(République)* | 83 860 | 8,2 | 97 | ISLANDE *(République)* | 103 000 | 0,3 | 3 | RÉPUBLIQUE TCHÈQUE | 78 860 | 10,3 | 131 |
| BELGIQUE *(Royaume)* | 30 530 | 10,3 | 334 | ITALIE *(République)* | 301 270 | 58,2 | 193 | ROUMANIE *(République)* | 238 390 | 22,5 | 94 |
| BIÉLORRUSSIE *(République)* | 207 600 | 10,3 | 49 | LETTONIE *(République)* | 64 600 | 2,3 | 36 | ROYAUME-UNI *(G.-B. et Irlande Nord))* | 244 880 | 60,1 | 245 |
| BOSNIE-HERZÉGOVINE *(République)* | 51 130 | 4 | 78 | LIECHTENSTEIN *(Principauté)* | 157 | 0,03 | 191 | RUSSIE *(Fédération)* | 17 075 400 | 145 | 8 |
| BULGARIE *(République)* | 110 910 | 8,1 | 73 | LITUANIE *(République)* | 65 200 | 3,5 | 53 | SAINT-MARIN *(République)* | 61 | 0,03 | 492 |
| CROATIE *(République)* | 56 540 | 4,4 | 77 | LUXEMBOURG *(Grand Duché)* | 2 586 | 0,4 | 155 | SLOVAQUIE *(République)* | 49 010 | 5,4 | 110 |
| DANEMARK *(Royaume)* | 43 090 | 5,3 | 124 | MACÉDOINE *(République)* | 25 720 | 2 | 78 | SLOVÉNIE *(République)* | 20 255 | 2 | 98 |
| ESPAGNE *(Royaume)* | 505 990 | 40,4 | 79 | MALTE *(République)* | 316 | 0,4 | 1 266 | SUÈDE *(Royaume)* | 449 965 | 8,9 | 20 |
| ESTONIE *(République)* | 45 100 | 1,3 | 30 | MOLDAVIE *(République)* | 33 700 | 4,3 | 125 | SUISSE *(Confédération helvétique)* | 41 290 | 7,2 | 175 |
| FINLANDE *(République)* | 338 150 | 5,2 | 15 | MONACO *(Principauté)* | 1,8 | 0,03 | 16 667 | UKRAINE *(République)* | 603 700 | 49 | 81 |
| FRANCE *(République)* | 551 500 | 60 | 107 | NORVÈGE *(Royaume)* | 323 880 | 4,5 | 14 | YOUGOSLAVIE *(République fédérale)* | 102 170 | 10,6 | 104 |

# Les régions de l'Union européenne



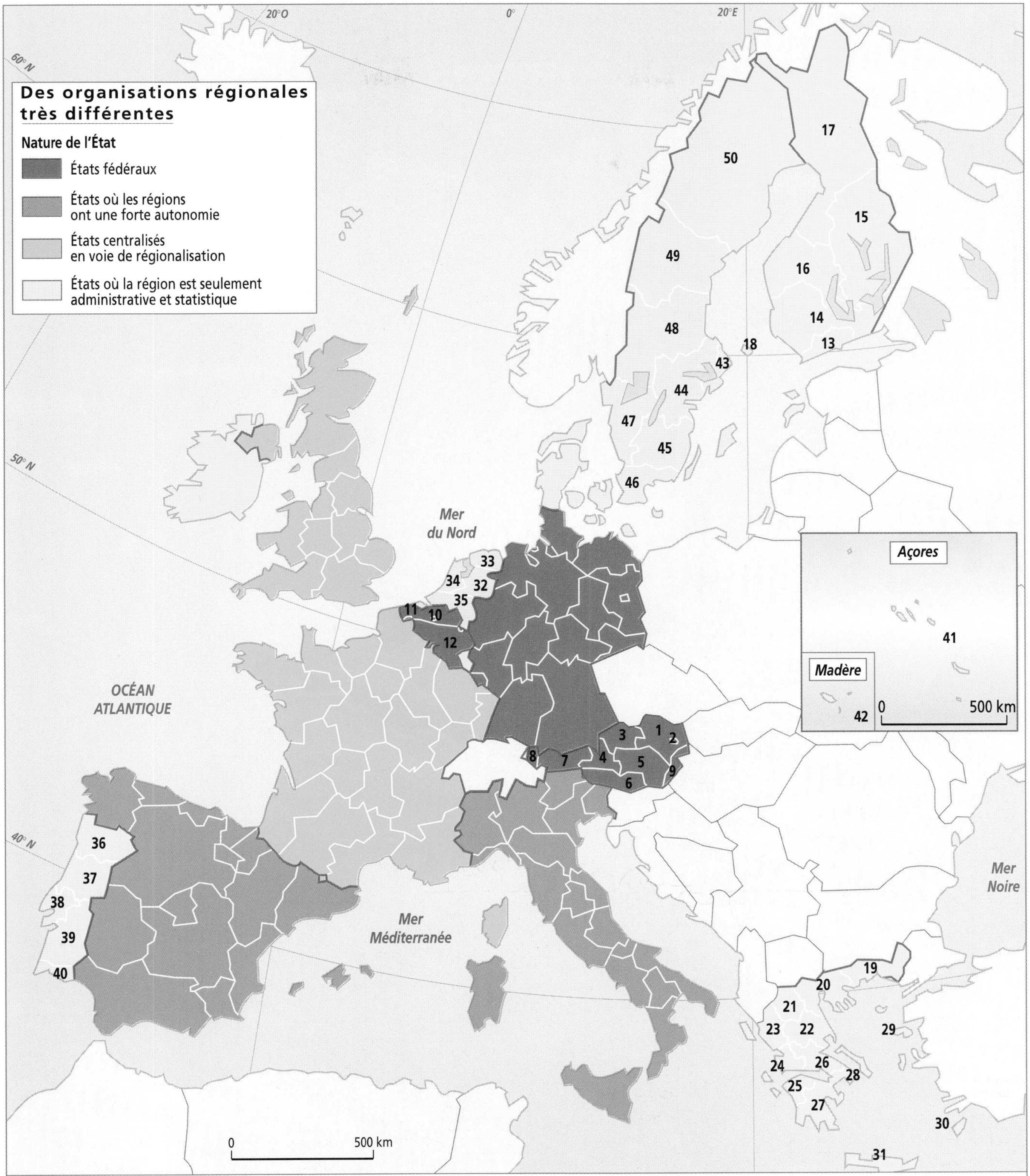


**ALLEMAGNE**
*(voir annexe 4)*

**AUTRICHE**
1 Basse Autriche
2 Vienne
3 Haute Autriche
4 Salzbourg
5 Styrie
6 Carinthie
7 Tyrol
8 Vorarlberg
9 Burgenland

**BELGIQUE**
10 Bruxelles
11 Flandres
12 Wallonie

**DANEMARK**

**ESPAGNE**
*(voir annexe 6)*

**FRANCE**
*(voir annexe 14)*

**FINLANDE**
13 Uusimaa
14 Etelae-Suomi
15 Itae-Suomi
16 Vaeli-Suomi
17 Pohjois-Suomi
18 Ahvenanmaa-Aaland

**GRÈCE**
19 Anatoliki Makedonia, Thraki
20 Kentriki Makedonia
21 Dytiki Makedonia
22 Thessalia
23 Ipeiros
24 Ionia Nisia
25 Dytiki Ellada
26 Sterea Ellada
27 Peloponnisos
28 Attiki
29 Voreio Aigaio
30 Notio Aigaio
31 Kriti

**IRLANDE**

**ITALIE**
*(voir annexe 7)*

**LUXEMBOURG**

**PAYS-BAS**
32 Est néérlandais
33 Nord néérlandais
34 Ouest néérlandais
35 Sud néérlandais

**PORTUGAL**
36 Norte
37 Centro
38 Lisboa et Vale do Tejo
39 Alentejo
40 Algarve
41 Acores
42 Madeira

**ROYAUME-UNI**
*(voir annexe 5)*

**SUÈDE**
43 Stockholm
44 Oestra Mellansverige
45 Smaaland Med Oearna
46 Sydsverige
47 Vaestsverige
48 Norra Mellansverige
49 Mellersta Norrland
50 Oevre Norrland

# L'Allemagne

## A. Le relief et les villes

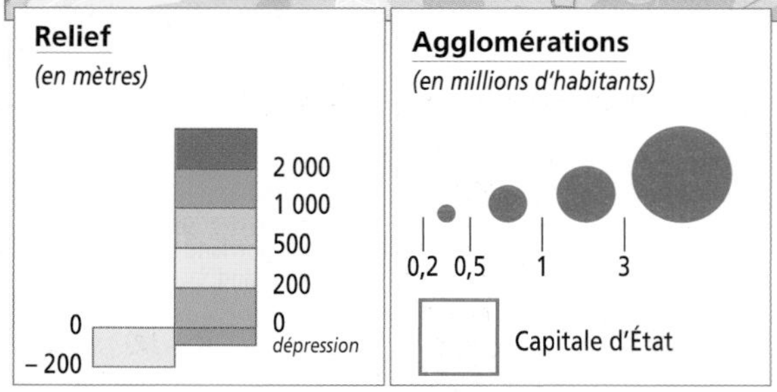


## C. L'Allemagne en chiffres

| | |
|---|---|
| Superficie *(km²)* | 357 000 |
| Population *(en millions)* | 82,4 |
| Densité *(habitants/km²)* | 230 |
| Capitale | Berlin (3,9 millions d'habitants) |
| PIB*/habitant *(en dollars)* (2002) | 25 700 |
| IDH* | 0,921 |

## B. Les Länder

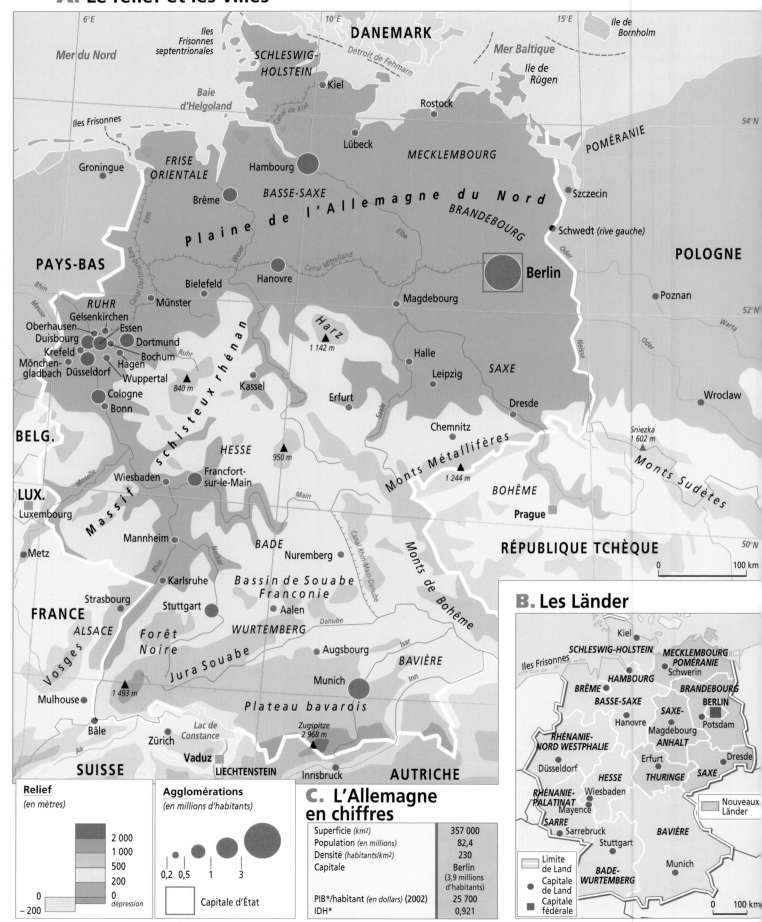

# Le Royaume-Uni



## A. Le relief et les villes

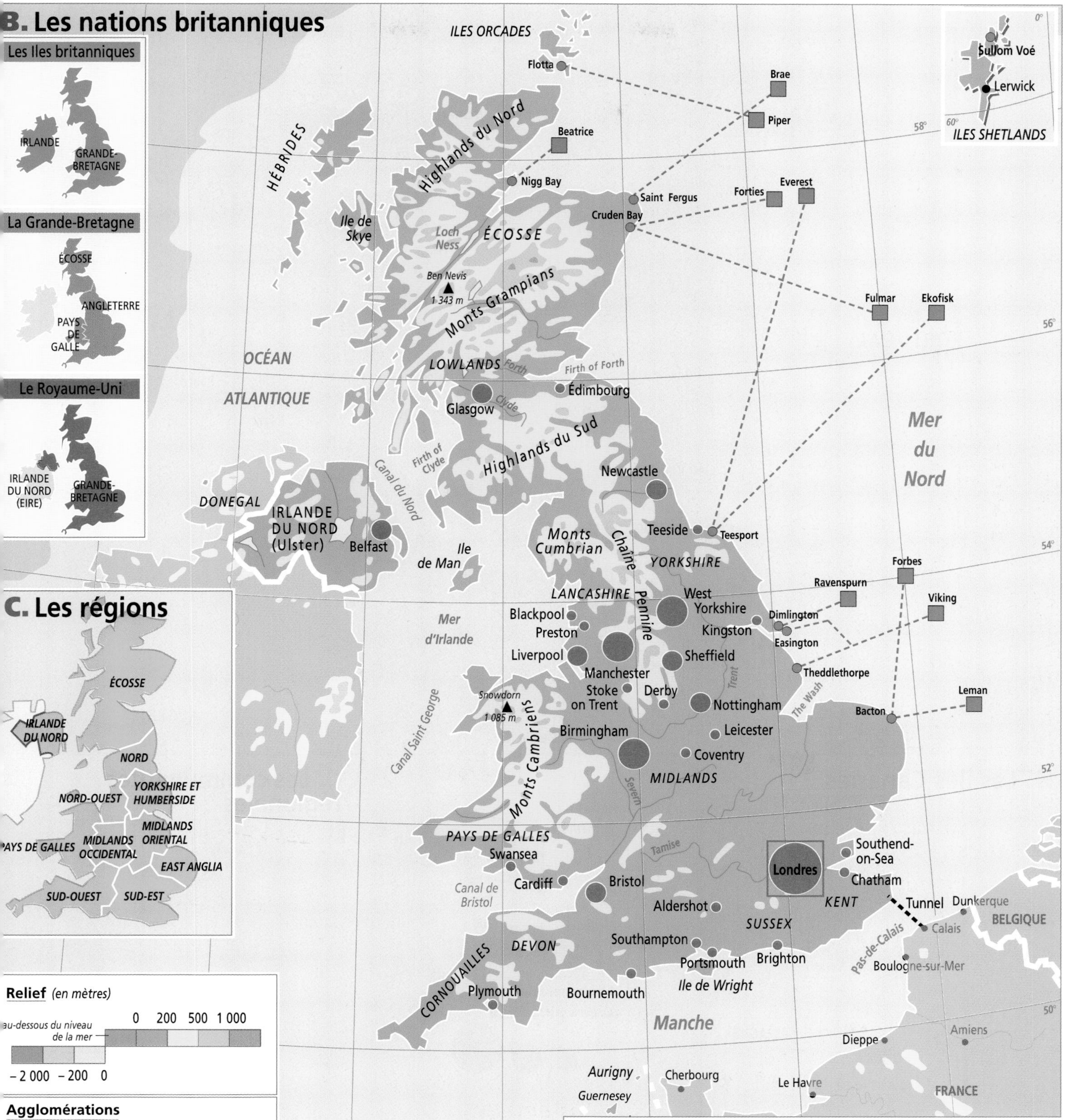


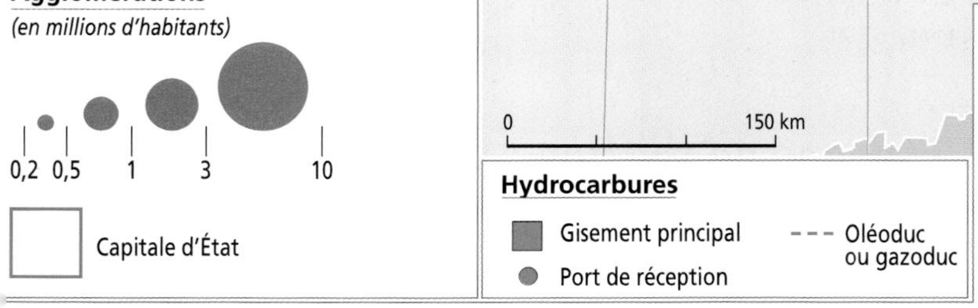


## D. Le Royaume-Uni en chiffres

| | |
|---|---|
| Superficie *(km2)* | 244 880 |
| Population *(en millions)* | 60,1 |
| Densité *(habitants/km2)* | 245 |
| Capitale | Londres (9,1 millions d'habitants) |
| PIB*/habitant *(en dollars)* (2002) | 24 440 |
| IDH* | 0,923 |

# L'Espagne

## A. Le relief

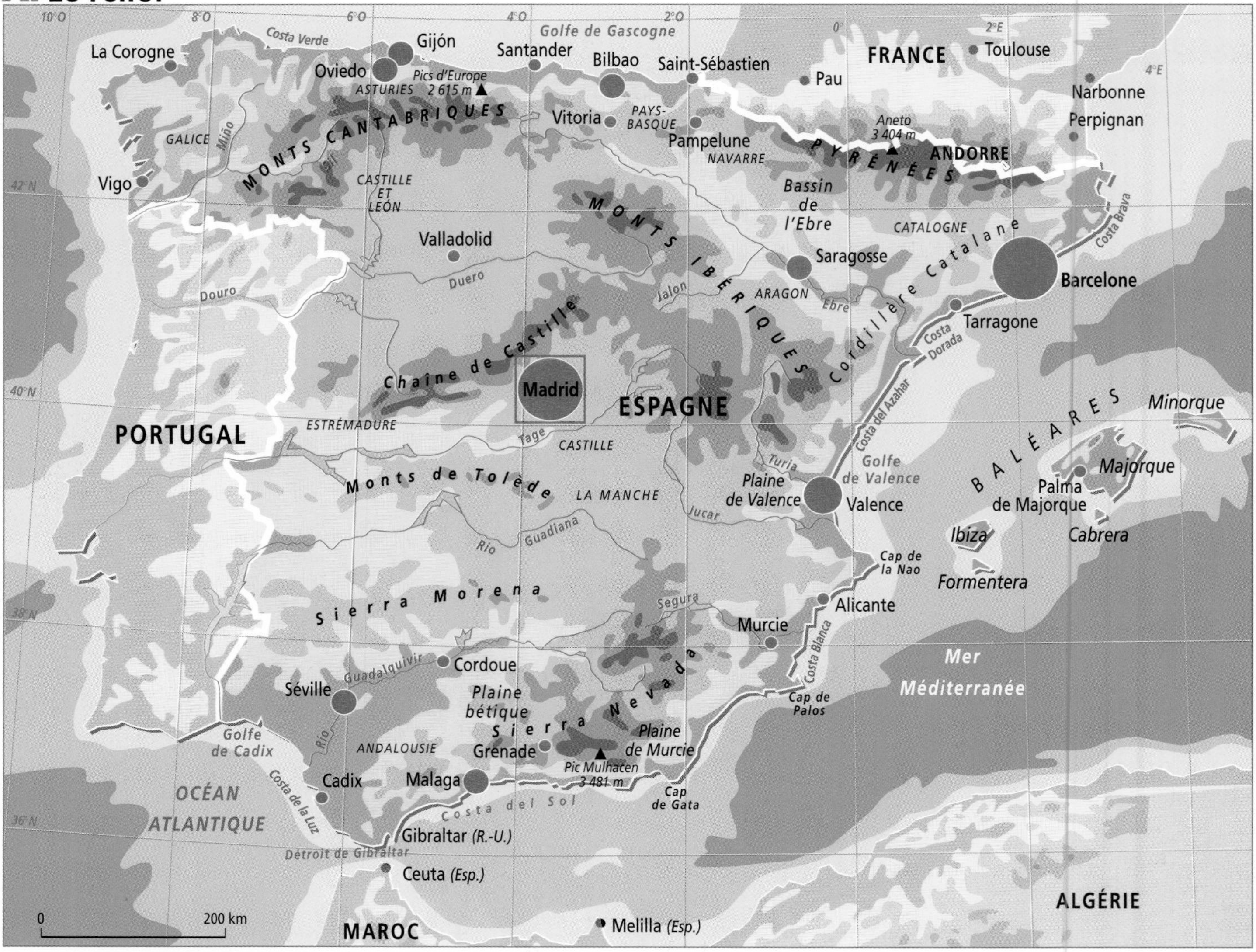


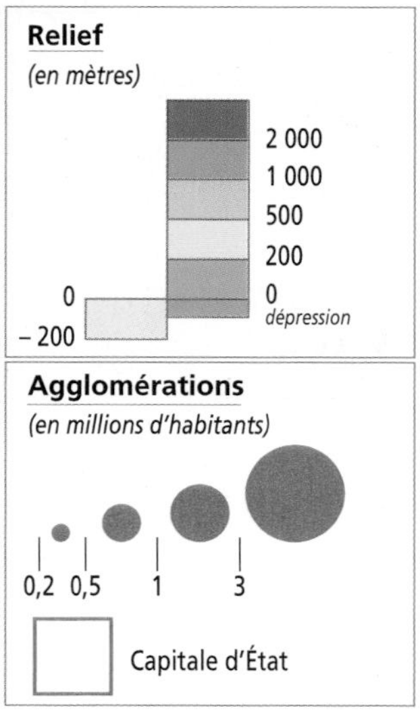


## B. Les îles Canaries

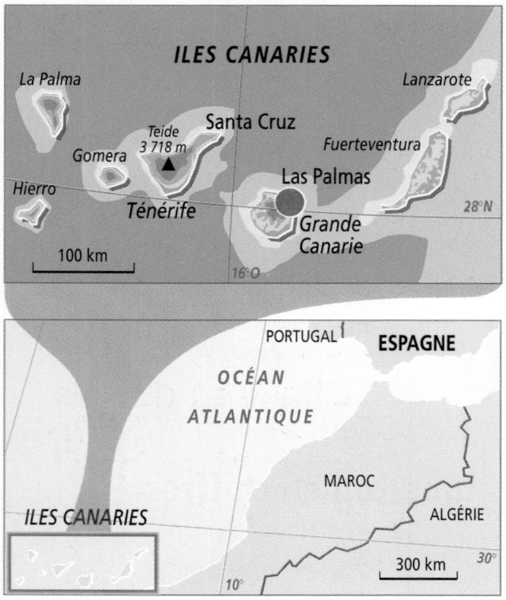


## C. Les communautés régionales

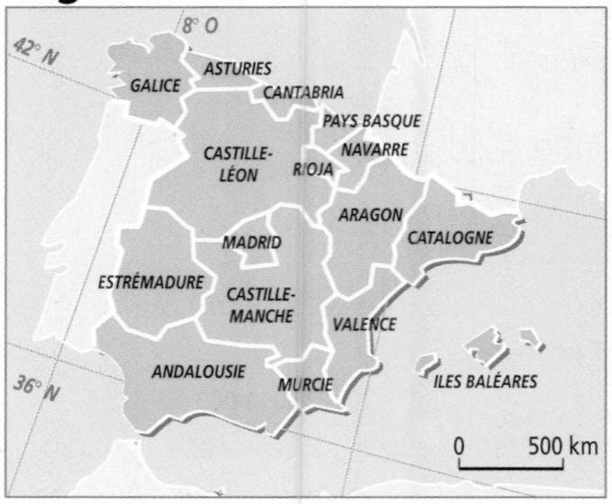


## D. L'Espagne en chiffres

| | |
|---|---|
| Superficie *(km²)* | 505 990 |
| Population *(en millions)* | 40,4 |
| Densité *(habitants/km²)* | 79 |
| Capitale | Madrid (4,5 millions d'habitants) |
| PIB*/habitant *(en dollars)* (2002) | 20 370 |
| IDH* | 0,908 |

# L'Italie



## A. Le relief et les villes

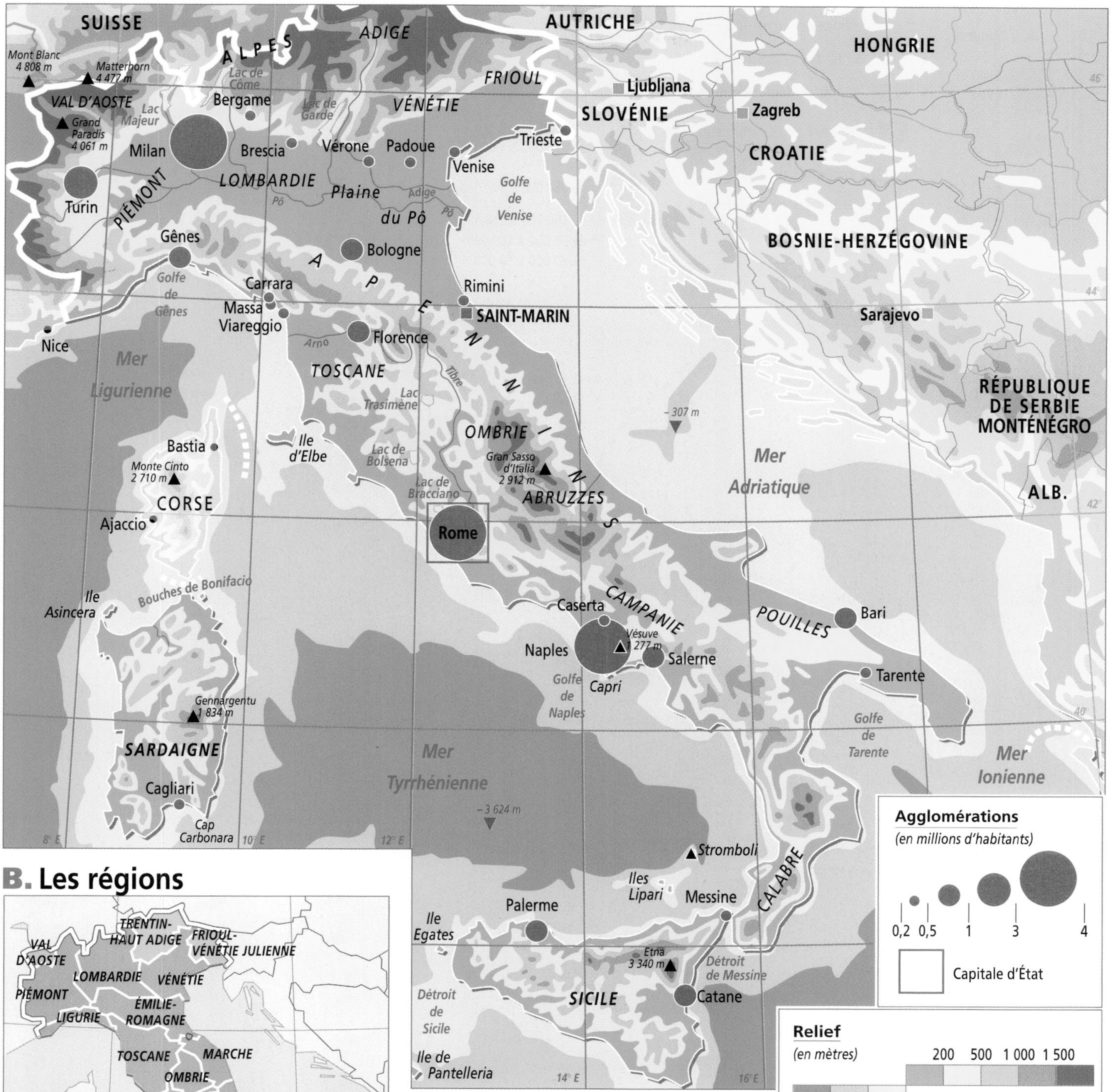


## B. Les régions

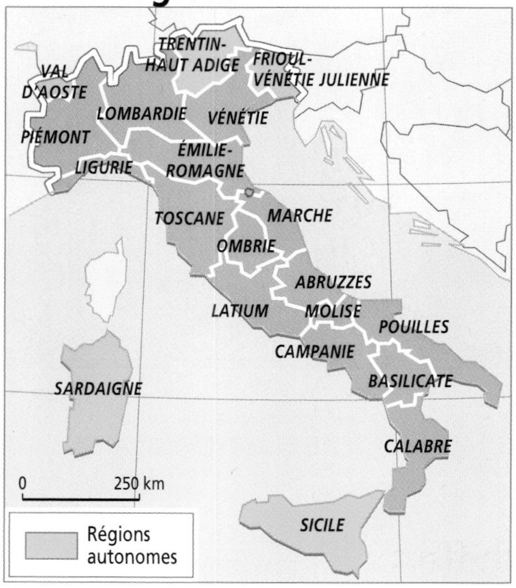


## C. L'Italie en chiffres

| | |
|---|---|
| Superficie *(km²)* | 301 270 |
| Population *(en millions)* | 58,2 |
| Densité *(habitants/km²)* | 193 |
| Capitale | Rome (3 millions d'habitants) |
| PIB*/habitant *(en dollars)* (2002) | 24 520 |
| IDH* | 0,909 |

# Annexe 8

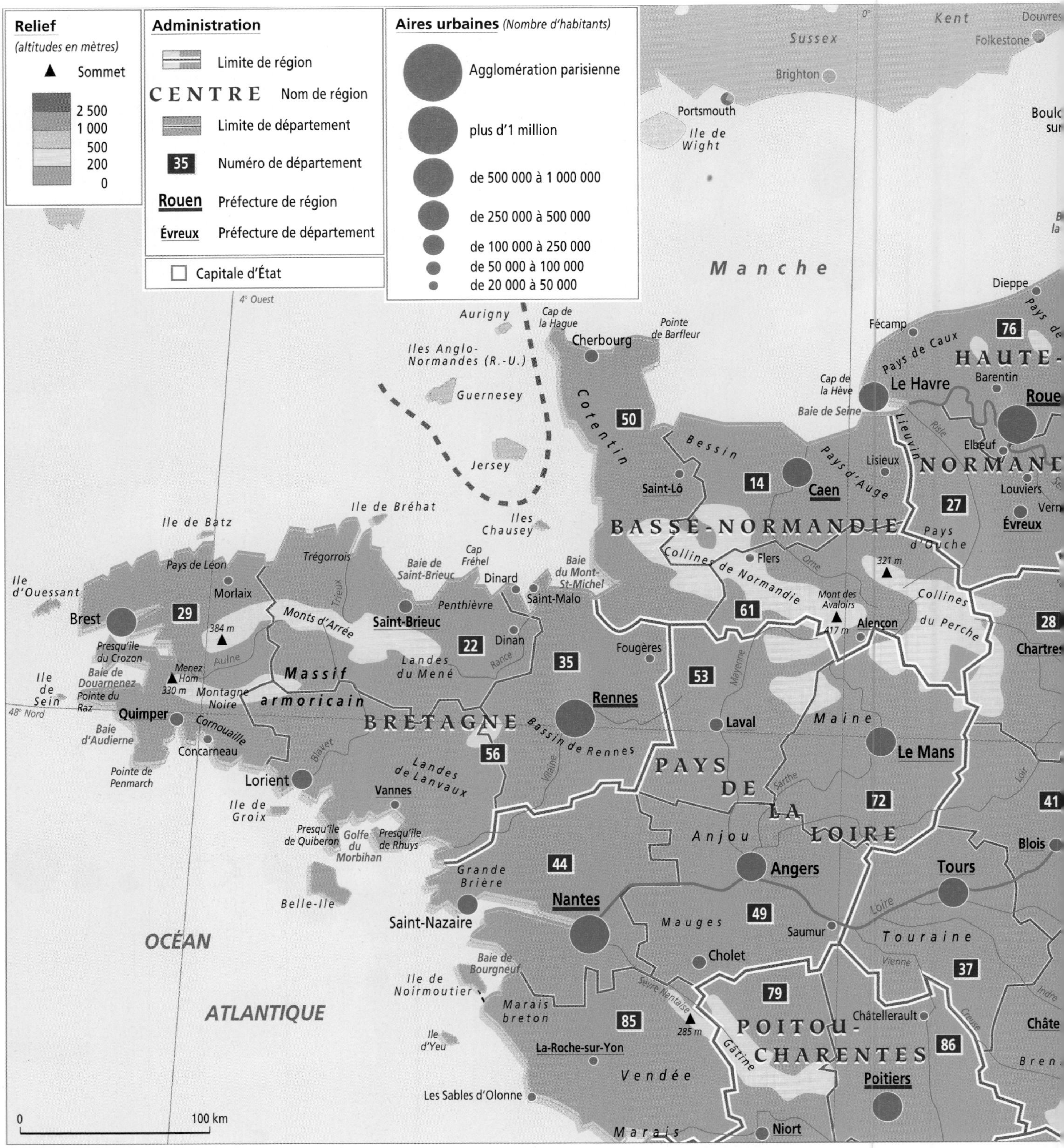

Relief
(altitudes en mètres)
Sommet
2 500
1 000
500
200
0
Administration
Limite de région
CENTRE Nom de région
Limite de département
35 Numéro de département
Rouen Préfecture de région
Évreux Préfecture de département
Capitale d'État
Aires urbaines (Nombre d'habitants)
Agglomération parisienne
plus d'1 million
de 500 000 à 1 000 000
de 250 000 à 500 000
de 100 000 à 250 000
de 50 000 à 100 000
de 20 000 à 50 000
Kent
Sussex
Douvres
Folkestone
Brighton
Portsmouth
Ile de Wight
Manche
Dieppe
Fécamp
Pays de Caux
HAUTE-
76
Barentin
Le Havre
Cap de la Hève
Baie de Seine
Lieuvin
Lisieux
Elbeuf
NORMAND
Louviers
27
Évreux
Pays d'Ouche
Aurigny
Cap de la Hague
Pointe de Barfleur
Cherbourg
Iles Anglo-Normandes (R.-U.)
Guernesey
Jersey
Cotentin
50
Bessin
Pays d'Auge
Saint-Lô
14
Caen
Iles Chausey
Ile de Bréhat
BASSE-NORMANDIE
Collines de Normandie
Flers
Orne
321 m
Mont des Avaloirs
417 m
Alençon
61
Collines du Perche
28
Chartres
Ile de Batz
Pays de Léon
Trégorrois
Baie de Saint-Brieuc
Cap Fréhel
Dinard
Baie du Mont-St-Michel
Saint-Malo
Ile d'Ouessant
Morlaix
Brest
29
Monts d'Arrée
384 m
Saint-Brieuc
Penthièvre
22
Dinan
Landes du Mené
Rance
35
Fougères
53
Mayenne
Presqu'île du Crozon
Baie de Douarnenez
Menez Hom
330 m
Montagne Noire
Aulne
Ile de Sein
Pointe du Raz
48° Nord
4° Ouest
0°
Massif armoricain
Quimper
Baie d'Audierne
Cornouaille
Concarneau
BRETAGNE
Rennes
Bassin de Rennes
Laval
Maine
Le Mans
Pointe de Penmarch
Lorient
Blavet
56
Landes de Lanvaux
Vannes
Vilaine
PAYS DE LA LOIRE
Sarthe
72
Loir
41
Ile de Groix
Presqu'île de Quiberon
Golfe du Morbihan
Presqu'île de Rhuys
Anjou
Blois
Grande Brière
44
Angers
Tours
Belle-Ile
Saint-Nazaire
Nantes
Mauges
49
Saumur
Loire
Touraine
OCÉAN
ATLANTIQUE
Cholet
Vienne
37
Baie de Bourgneuf
Ile de Noirmoutier
Marais breton
Sèvre Nantaise
79
Châtellerault
Indre
Creuse
85
285 m
POITOU-CHARENTES
Gâtine
86
Châte
Ile d'Yeu
La-Roche-sur-Yon
Vendée
Poitiers
Bren
Les Sables d'Olonne
0
100 km
Marais
Niort

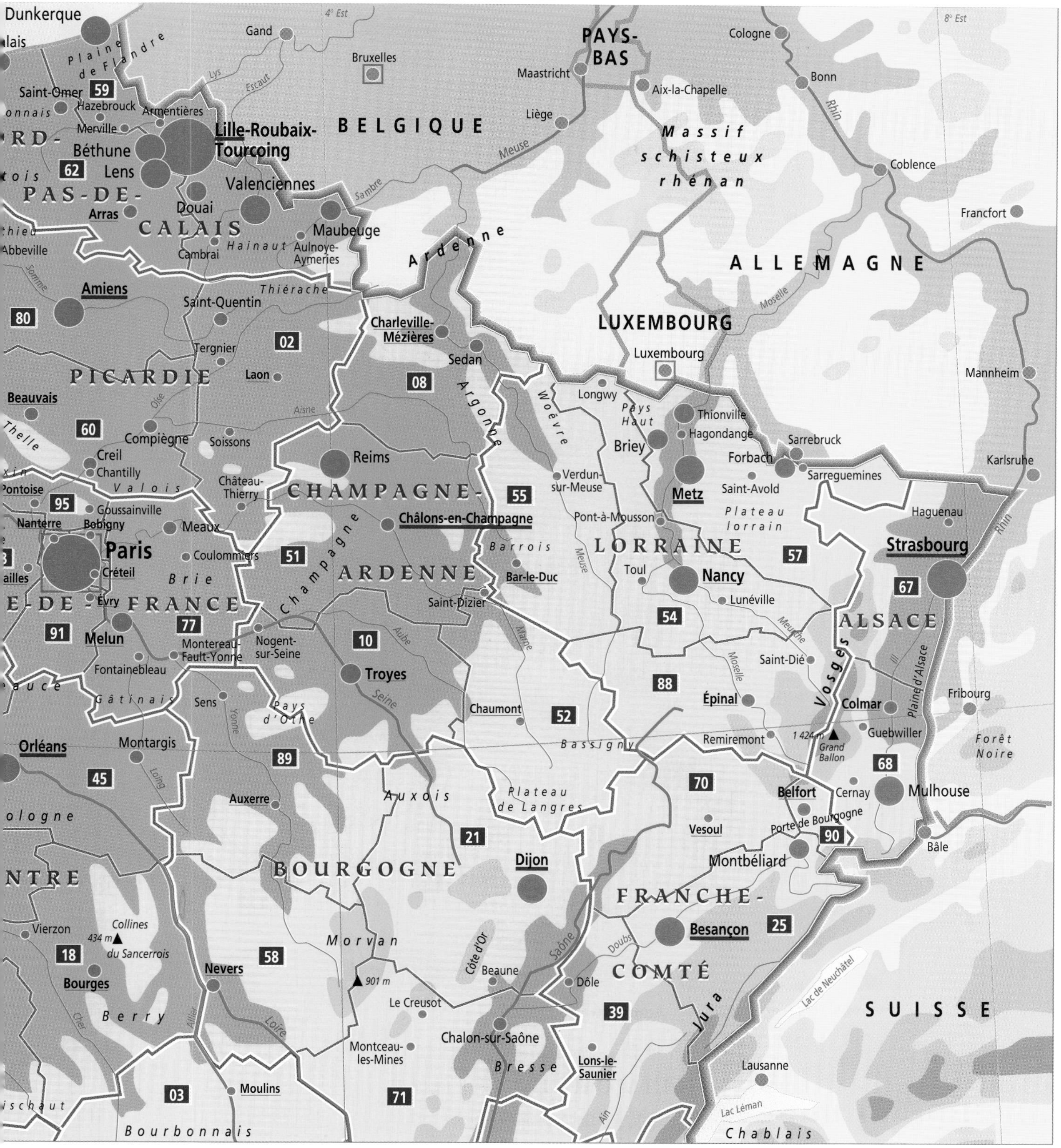

Dunkerque
Plaine de Flandre
Saint-Omer
59
Hazebrouck
Armentières
Merville
Lille-Roubaix-Tourcoing
Béthune
Lens
62
PAS-DE-CALAIS
Valenciennes
Douai
Arras
Maubeuge
Hainaut
Aulnoye-Aymeries
Cambrai
Abbeville
Somme
Amiens
80
Thiérache
Saint-Quentin
Gand
Lys
Escaut
Bruxelles
BELGIQUE
Sambre
Meuse
Liège
Maastricht
PAYS-BAS
Cologne
Bonn
Aix-la-Chapelle
Rhin
Massif schisteux rhénan
Coblence
Francfort
ALLEMAGNE
Ardenne
Moselle
LUXEMBOURG
Luxembourg
Charleville-Mézières
Sedan
02
Tergnier
Laon
PICARDIE
08
Argonne
Woëvre
Longwy
Pays Haut
Thionville
Hagondange
Briey
Mannheim
Sarrebruck
Forbach
Sarreguemines
Karlsruhe
Beauvais
Oise
Aisne
60
Thelle
Compiègne
Soissons
Creil
Chantilly
Reims
Valois
Château-Thierry
Verdun-sur-Meuse
55
Metz
Saint-Avold
Plateau lorrain
Haguenau
Pontoise
95
Goussainville
Nanterre
Bobigny
Meaux
CHAMPAGNE-ARDENNE
Châlons-en-Champagne
Pont-à-Mousson
Barrois
LORRAINE
57
Strasbourg
Paris
Coulommiers
Créteil
Brie
51
Champagne
Bar-le-Duc
Toul
Nancy
67
ÎLE-DE-FRANCE
Évry
Saint-Dizier
Lunéville
54
ALSACE
91
Melun
77
Montereau-Fault-Yonne
Nogent-sur-Seine
10
Aube
Marne
Meurthe
Saint-Dié
Fontainebleau
Troyes
Seine
88
Moselle
Vosges
Plaine d'Alsace
Fribourg
Gâtinais
Sens
Yonne
Pays d'Othe
Chaumont
52
Épinal
Colmar
Orléans
Montargis
89
Bassigny
Remiremont
1 424 m
Grand Ballon
Guebwiller
Forêt Noire
45
Loing
68
Sologne
Auxerre
Auxois
Plateau de Langres
70
Belfort
Cernay
Mulhouse
Vesoul
Porte de Bourgogne
90
Bâle
21
Dijon
CENTRE
BOURGOGNE
Montbéliard
FRANCHE-COMTÉ
Collines
434 m
du Sancerrois
Vierzon
18
Bourges
Morvan
58
Nevers
Côte d'Or
Saône
Doubs
Besançon
25
Beaune
Dôle
901 m
Le Creusot
39
Lac de Neuchâtel
Jura
SUISSE
Berry
Cher
Allier
Loire
Chalon-sur-Saône
Montceau-les-Mines
Bresse
Lons-le-Saunier
Lausanne
03
Moulins
71
Ain
Lac Léman
Bourbonnais
Chablais
4° Est
8° Est

# Annexe 9

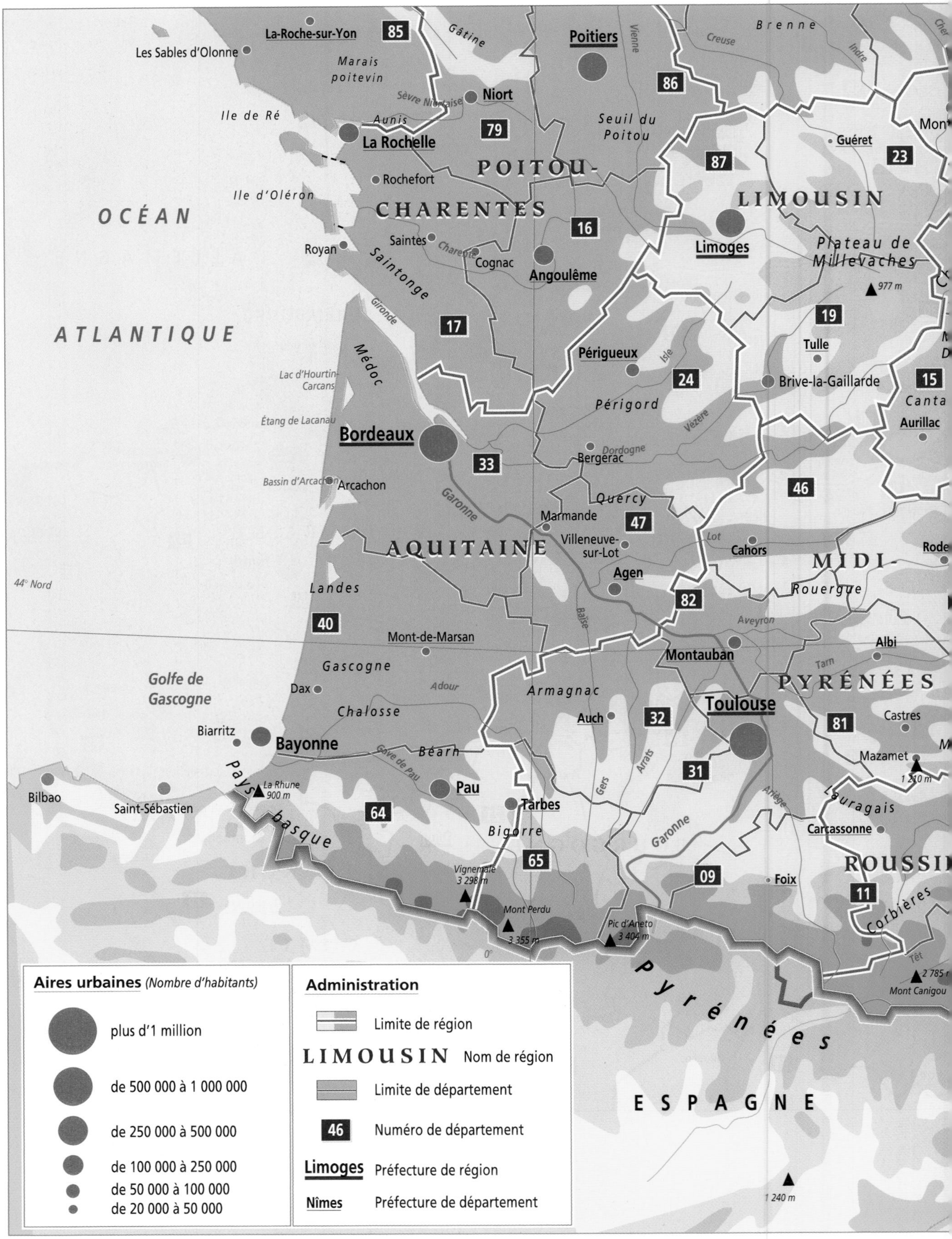

OCÉAN
ATLANTIQUE
Golfe de Gascogne
44° Nord
La-Roche-sur-Yon
85
Les Sables d'Olonne
Marais poitevin
Gâtine
Poitiers
Vienne
Brenne
Creuse
Indre
86
Sèvre Niortaise
Niort
79
Ile de Ré
Aunis
La Rochelle
Seuil du Poitou
POITOU-
CHARENTES
Rochefort
Ile d'Oléron
16
Royan
Saintes
Charente
Cognac
Angoulême
Saintonge
Gironde
17
87
LIMOUSIN
Limoges
Guéret
23
Plateau de Millevaches
977 m
19
Tulle
Brive-la-Gaillarde
15
Aurillac
Médoc
Lac d'Hourtin-Carcans
Étang de Lacanau
Bordeaux
33
Périgueux
Isle
24
Périgord
Vézère
Bergerac
Dordogne
Bassin d'Arcachon
Arcachon
Garonne
Quercy
46
Marmande
47
Villeneuve-sur-Lot
Lot
Cahors
AQUITAINE
MIDI-
Rouergue
Agen
Landes
82
Aveyron
40
Mont-de-Marsan
Baïse
Montauban
Albi
Tarn
Gascogne
Adour
Armagnac
PYRÉNÉES
Dax
Chalosse
Auch
32
Toulouse
81
Castres
Biarritz
Bayonne
Béarn
Gave de Pau
Mazamet
1 210 m
Pays basque
La Rhune 900 m
Pau
Gers
Arrats
31
Ariège
Lauragais
Bilbao
Saint-Sébastien
64
Tarbes
Bigorre
Garonne
Carcassonne
ROUSSI
65
Vignemale 3 298 m
09
Foix
11
Corbières
Mont Perdu 3 355 m
Pic d'Aneto 3 404 m
Têt
2 785 m
Mont Canigou
Pyrénées
ESPAGNE
1 240 m
Aires urbaines (Nombre d'habitants)
plus d'1 million
de 500 000 à 1 000 000
de 250 000 à 500 000
de 100 000 à 250 000
de 50 000 à 100 000
de 20 000 à 50 000
Administration
Limite de région
LIMOUSIN Nom de région
Limite de département
46 Numéro de département
Limoges Préfecture de région
Nîmes Préfecture de département

# La France du Sud

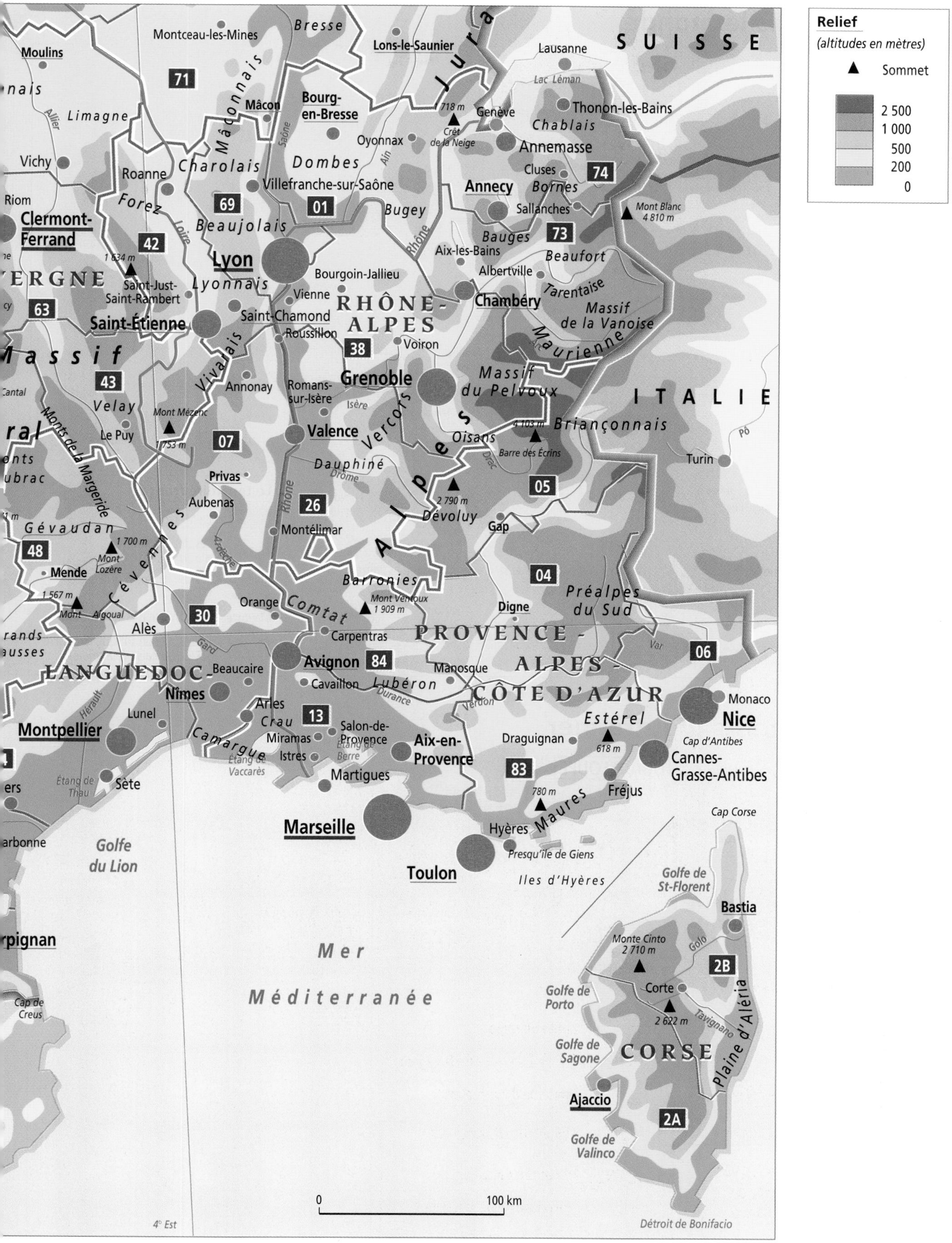

## A. La France dans le monde

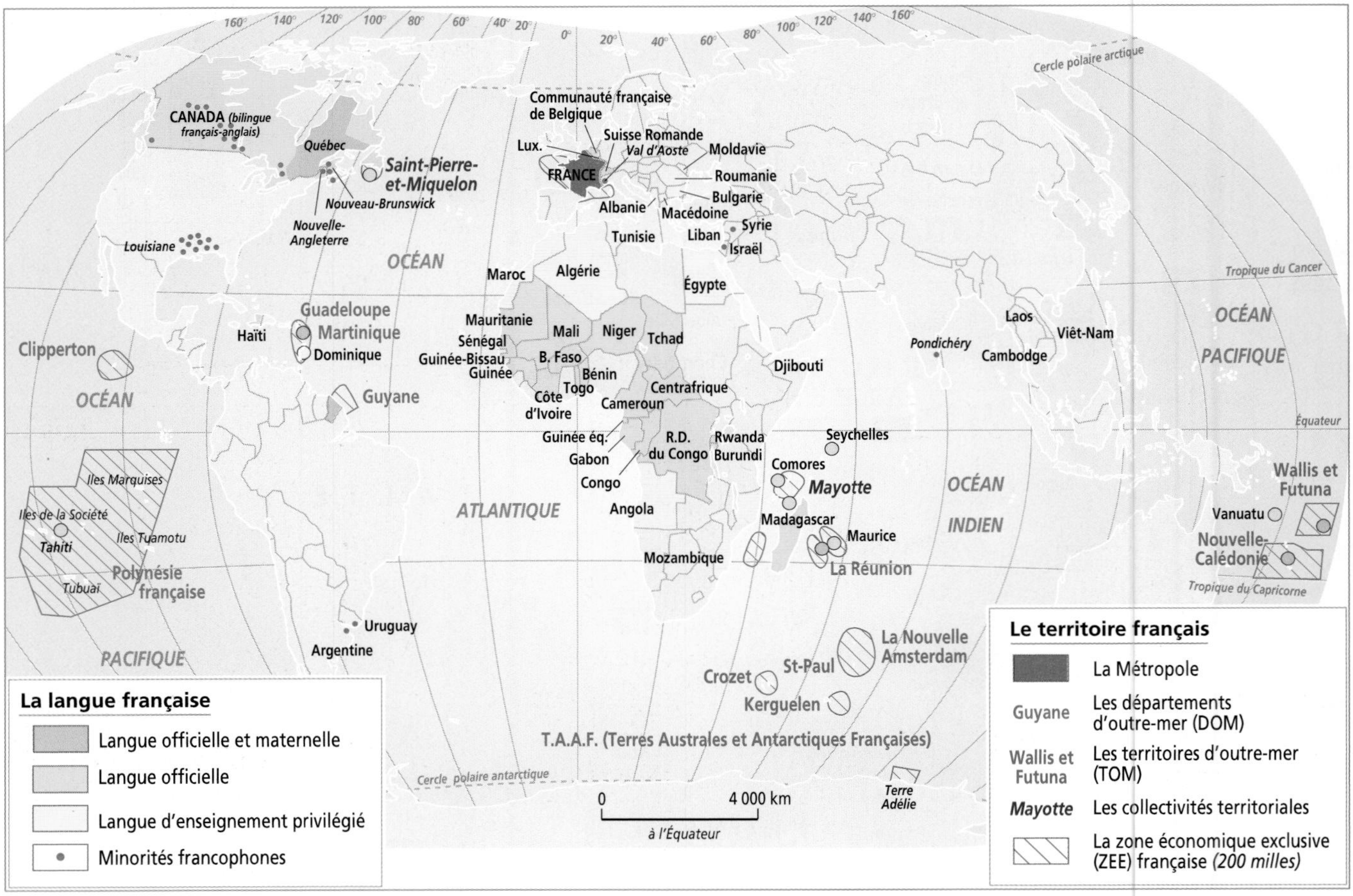


## B. Les départements d'outre-mer

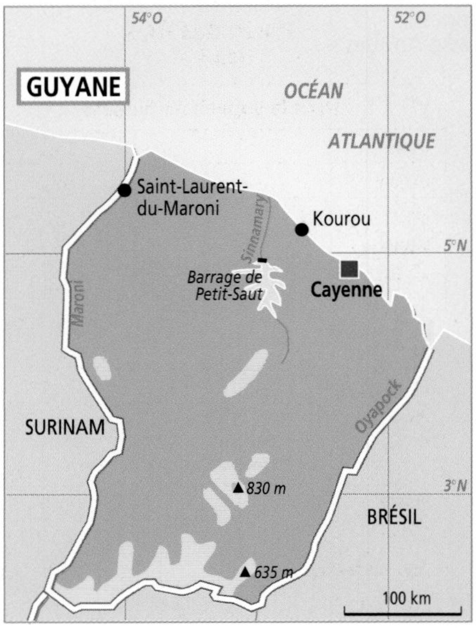


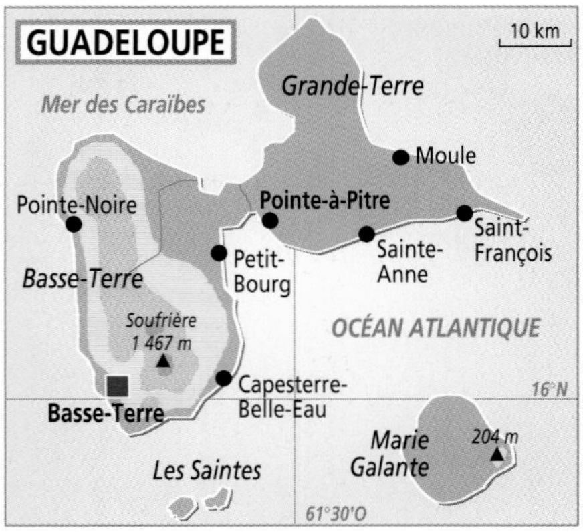


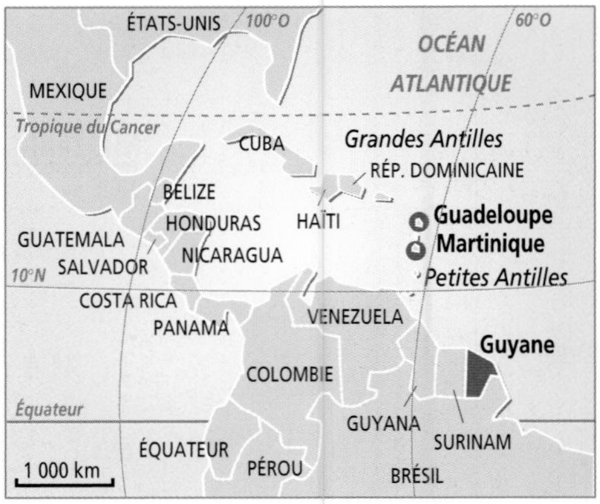


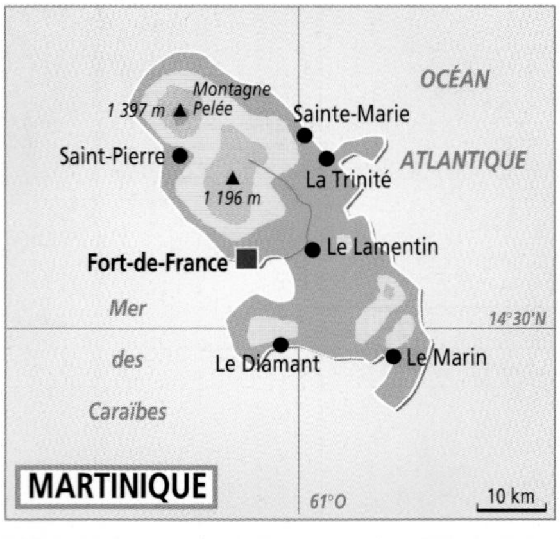

**Relief** *(en mètres)*

200 500 1 000 2 000

**Agglomérations**

■ Préfecture ● Autres villes

## C. La France dans l'océan Pacifique

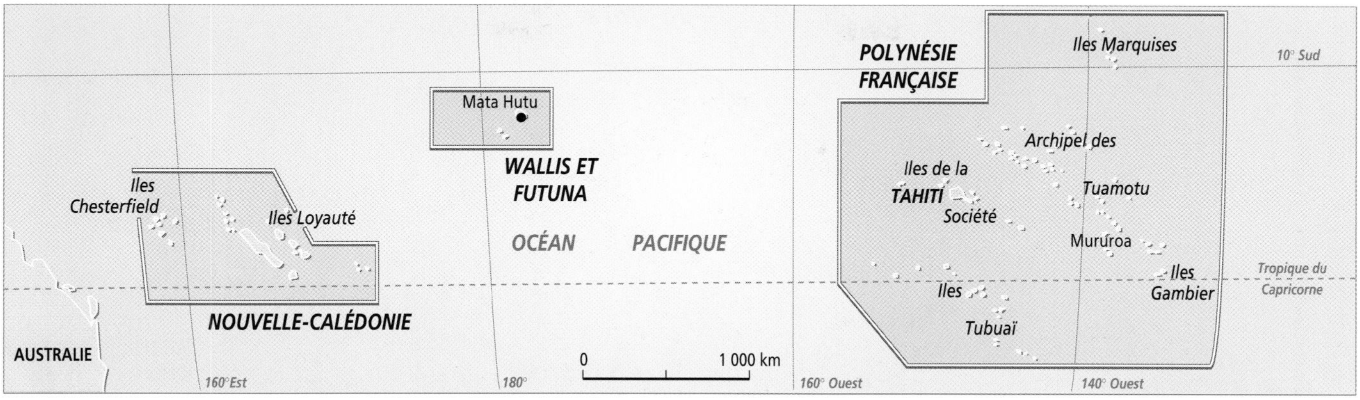


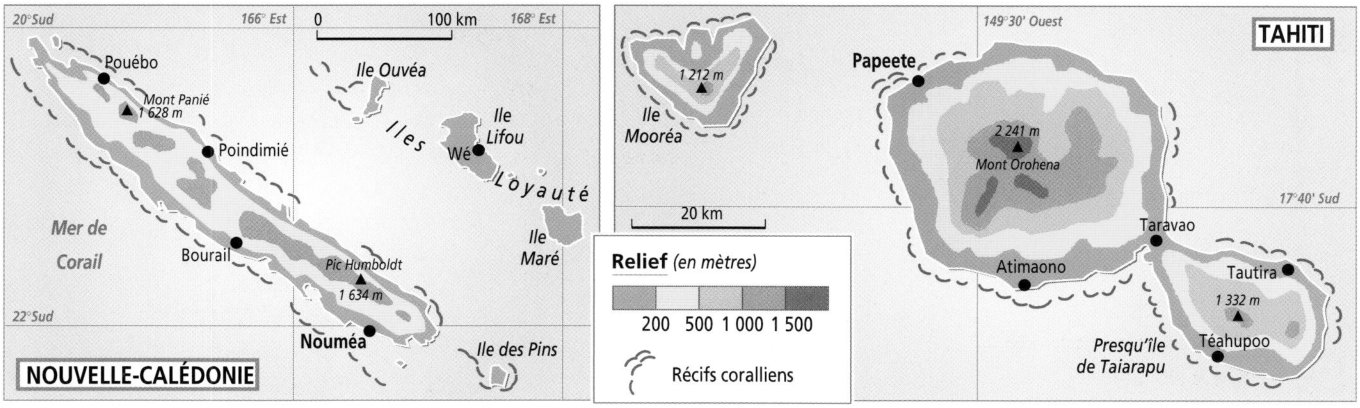


# Les îles de l'Union européenne



| Îles (1996) | Superficie (en km²) | Population (en milliers) | Densité (hab./km²) | PIB/habitant UE à 15 = 100 |
|---|---|---|---|---|
| **Sardaigne** *(Italie)* | 24 090 | 1 661 | 69 | 74 |
| **Sicile** *(Italie)* | 25 708 | 5 097 | 198 | 66 |
| **Crète** *(Grèce)* | 8 261 | 559 | 68 | 72 |
| **Îles ioniennes** *(Grèce)* | 1 969 | 199 | 101 | 61 |
| **Sporades du Nord** *(Grèce)* | 3 800 | 184 | 48 | 50 |
| **Sporades du Sud** *(Grèce)* | 5 011 | 267 | 53 | 75 |
| **Îles de Wight** *(R.-U)* | 380 | 125 | 329 | 69 |
| **Îles Hébrides** *(R.-U.)* | 2 808 | 29 | 10 | 74 |
| **Îles Orcades** *(R.-U.)* | 956 | 20 | 21 | 80 |
| **Îles Shetland** *(R.-U.)* | 1 468 | 23 | 16 | 111 |
| **Açores** *(Portugal)* | 2 333 | 242 | 104 | 50 |
| **Madère** *(Portugal)* | 794 | 253 | 319 | 54 |
| **Bornholm** *(Danemark)* | 588 | 46 | 78 | 95 |
| **Corse** *(France)* | 8 681 | 256 | 29 | 82 |
| **Guadeloupe** *(France)* | 1 705 | 425 | 249 | 40 |
| **Martinique** *(France)* | 1 128 | 389 | 345 | 54 |
| **La Réunion** *(France)* | 2 507 | 669 | 267 | 46 |
| **Baléares** *(Espagne)* | 5 014 | 768 | 153 | 98 |
| **Canaries** *(Espagne)* | 7 447 | 1 610 | 216 | 75 |
| **Gotland** *(Suède)* | 3 140 | 58 | 18 | 88 |
| **Aland** *(Finlande)* | 1 526 | 26 | 17 | 119 |
| **Total ou moyenne** | 109 314 | 12 906 | 129 | 77 |

| Parts des îles *(en %)* | |
|---|---|
| **Dans la superficie du pays** | |
| **Italie** | 16,7 |
| **Grèce** | 16,2 |
| **Royaume-Uni** | 4,6 |
| **Portugal** | 3,4 |
| **Danemark** | 2,7 |
| **France** | 2,6 |
| **Espagne** | 2,4 |
| **Suède** | 0,7 |
| **Finlande** | 0,45 |
| **Dans la population du pays** | |
| **Italie** | 11,8 |
| **Grèce** | 12 |
| **Royaume-Uni** | 0,3 |
| **Portugal** | 5 |
| **Danemark** | 1,25 |
| **France** | 2,8 |
| **Espagne** | 6,1 |
| **Suède** | 0,7 |
| **Finlande** | 0,5 |

# Le relief de la France

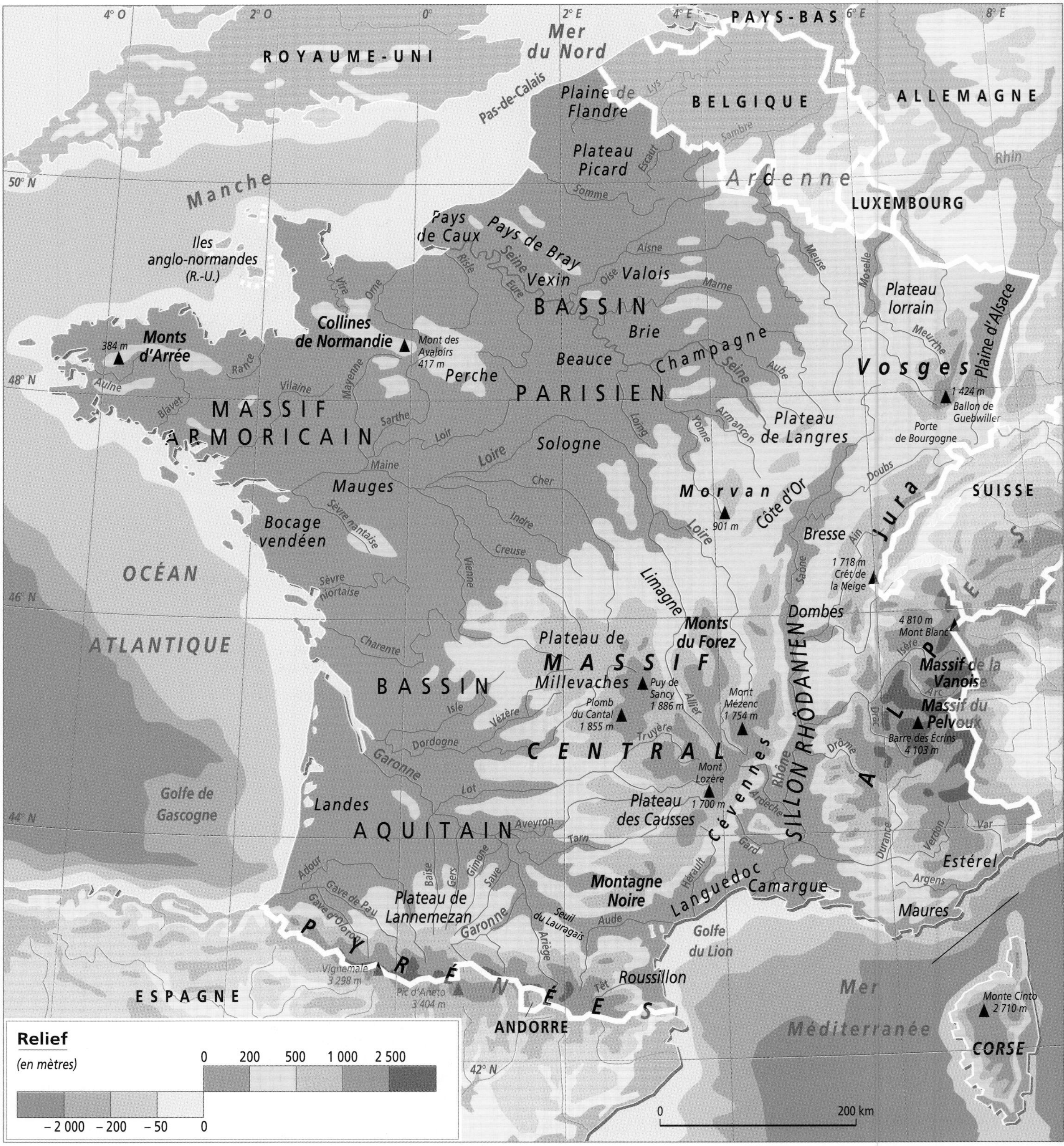

**ROYAUME-UNI**

**PAYS-BAS**

**ALLEMAGNE**

Mer du Nord

4° O  2° O  0°  2° E  4° E  6° E  8° E

Pas-de-Calais

Plaine de Flandre

**BELGIQUE**

Ardenne

50° N

Manche

Plateau Picard

Somme

**LUXEMBOURG**

Rhin

Iles anglo-normandes (R.-U.)

Pays de Caux

Pays de Bray

Vexin

Aisne

Oise  Valois

Marne

Moselle

Meuse

Plateau lorrain

384 m

**Monts d'Arrée**

**Collines de Normandie**

Mont des Avaloirs 417 m

Perche

Beauce

**B A S S I N**

Brie

Champagne

Seine

Aube

Plateau de Langres

**V o s g e s**

Plaine d'Alsace

48° N

Rance

Vilaine

Mayenne

Sarthe

Maine

**P A R I S I E N**

1 424 m Ballon de Guebwiller

Porte de Bourgogne

Aulne

Blavet

**M A S S I F**

**A R M O R I C A I N**

Loir

Loire

Sologne

Cher

Loing

Yonne

Armançon

Morvan

901 m

Côte d'Or

Doubs

**J u r a**

**SUISSE**

Mauges

Sèvre nantaise

Indre

Loire

Bresse

Ain

**OCÉAN**

Bocage vendéen

Sèvre niortaise

Vienne

Creuse

Saône

1 718 m Crêt de la Neige

46° N

**ATLANTIQUE**

Charente

Limagne

Dombes

**A L P E S**

4 810 m Mont Blanc

Plateau de Millevaches

**Monts du Forez**

Isère

**Massif de la Vanois**

Golfe de Gascogne

**B A S S I N**

Isle

Vézère

Puy de Sancy 1 886 m

Allier

Mont Mézenc 1 754 m

**M A S S I F**

Drac

**Massif du Pelvoux**

Plomb du Cantal 1 855 m

Arc

Barre des Écrins 4 103 m

44° N

Dordogne

Lot

Truyère

**C E N T R A L**

Rhône

Ardèche

Drôme

Durance

Landes

Garonne

Mont Lozère 1 700 m

**C é v e n n e s**

**S I L L O N   R H Ô D A N I E N**

Verdon

Var

**Estérel**

**AQUITAIN**

Aveyron

Plateau des Causses

Argens

Adour

Baïse

Gers

Gimone

Save

Tarn

Gard

Hérault

**Montagne Noire**

**Languedoc**

**Camargue**

**Maures**

Gave de Pau

Plateau de Lannemezan

Garonne

Seuil du Lauragais

Aude

Golfe du Lion

Mer

**P Y R É N É E S**

Ariège

Tét

**Roussillon**

Gave d'Oloron

Vignemale 3 298 m

Monte Cinto 2 710 m

**ESPAGNE**

Pic d'Aneto 3 404 m

**ANDORRE**

42° N

**Méditerranée**

**CORSE**

## Relief

(en mètres)

0  200  500  1 000  2 500

− 2 000  − 200  − 50  0

0  200 km

# Les climats de la France et de l'Europe

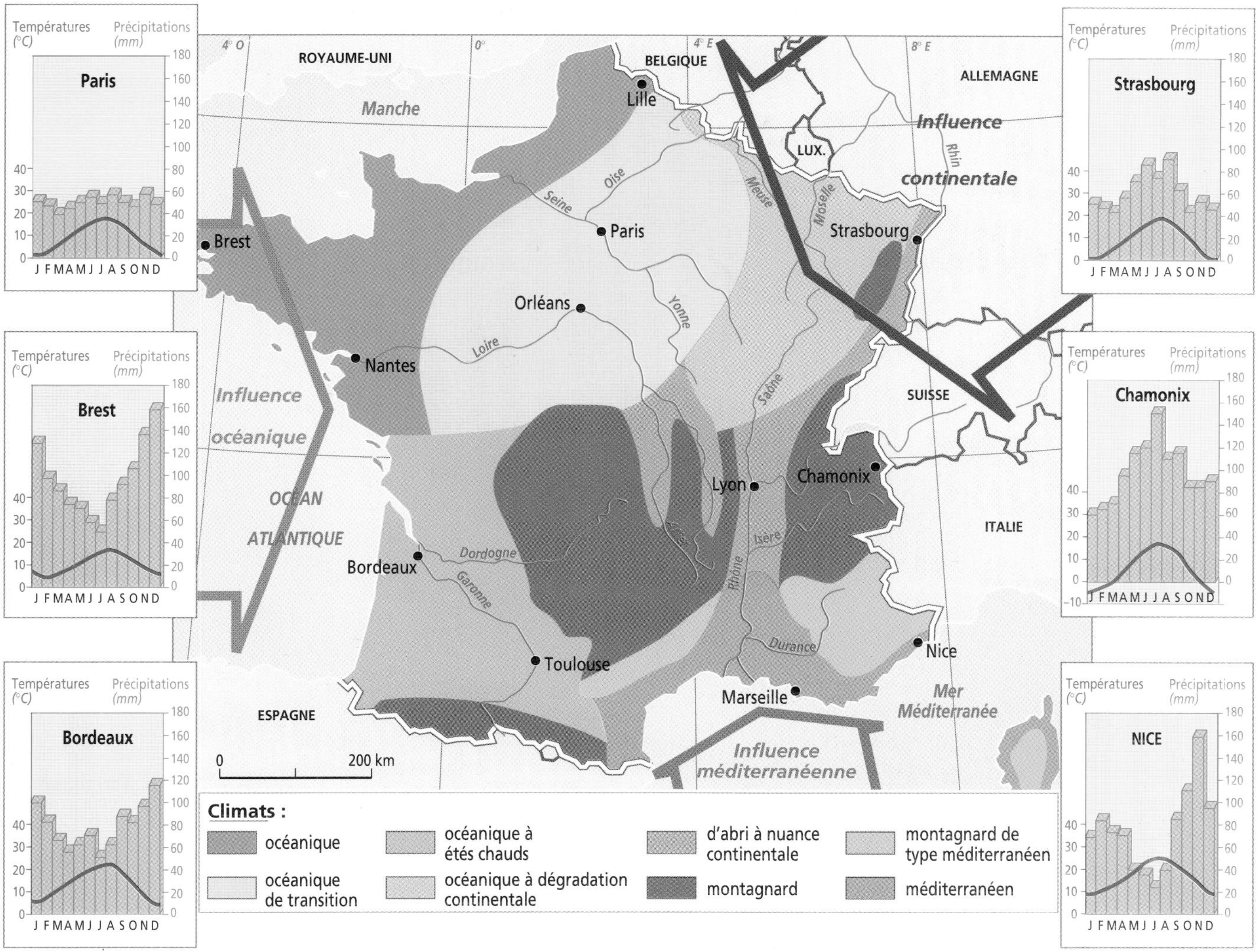

Températures (°C)
Précipitations (mm)
Paris
Brest
Bordeaux
Strasbourg
Chamonix
NICE
J F M A M J J A S O N D
4° O
0°
4° E
8° E
ROYAUME-UNI
BELGIQUE
ALLEMAGNE
LUX.
SUISSE
ITALIE
ESPAGNE
Manche
Influence continentale
Influence océanique
OCÉAN ATLANTIQUE
Mer Méditerranée
Influence méditerranéenne
Lille
Paris
Brest
Strasbourg
Orléans
Nantes
Lyon
Chamonix
Bordeaux
Toulouse
Marseille
Nice
Seine
Oise
Meuse
Moselle
Rhin
Yonne
Loire
Saône
Isère
Rhône
Dordogne
Garonne
Durance
0
200 km
Climats :
océanique
océanique de transition
océanique à étés chauds
océanique à dégradation continentale
d'abri à nuance continentale
montagnard
montagnard de type méditerranéen
méditerranéen

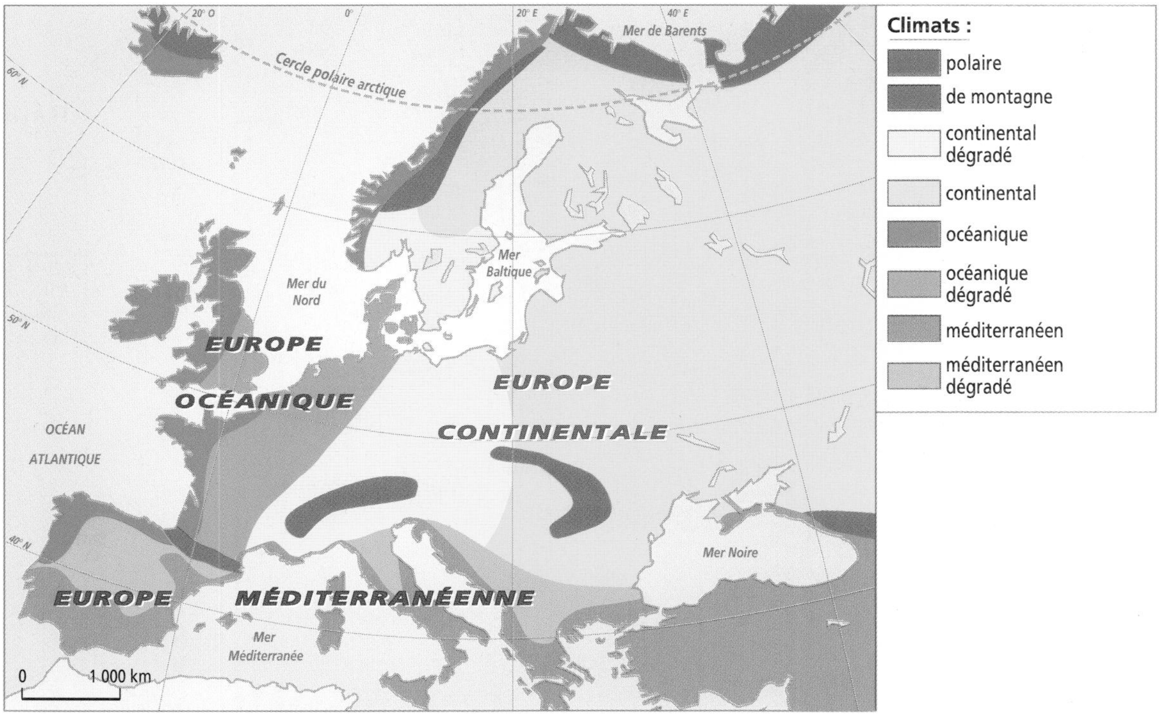

20° O
0°
20° E
40° E
60° N
50° N
40° N
Mer de Barents
Cercle polaire arctique
Mer du Nord
Mer Baltique
EUROPE OCÉANIQUE
EUROPE CONTINENTALE
EUROPE MÉDITERRANÉENNE
OCÉAN ATLANTIQUE
Mer Noire
Mer Méditerranée
0
1 000 km
Climats :
polaire
de montagne
continental dégradé
continental
océanique
océanique dégradé
méditerranéen
méditerranéen dégradé

# La France administrative

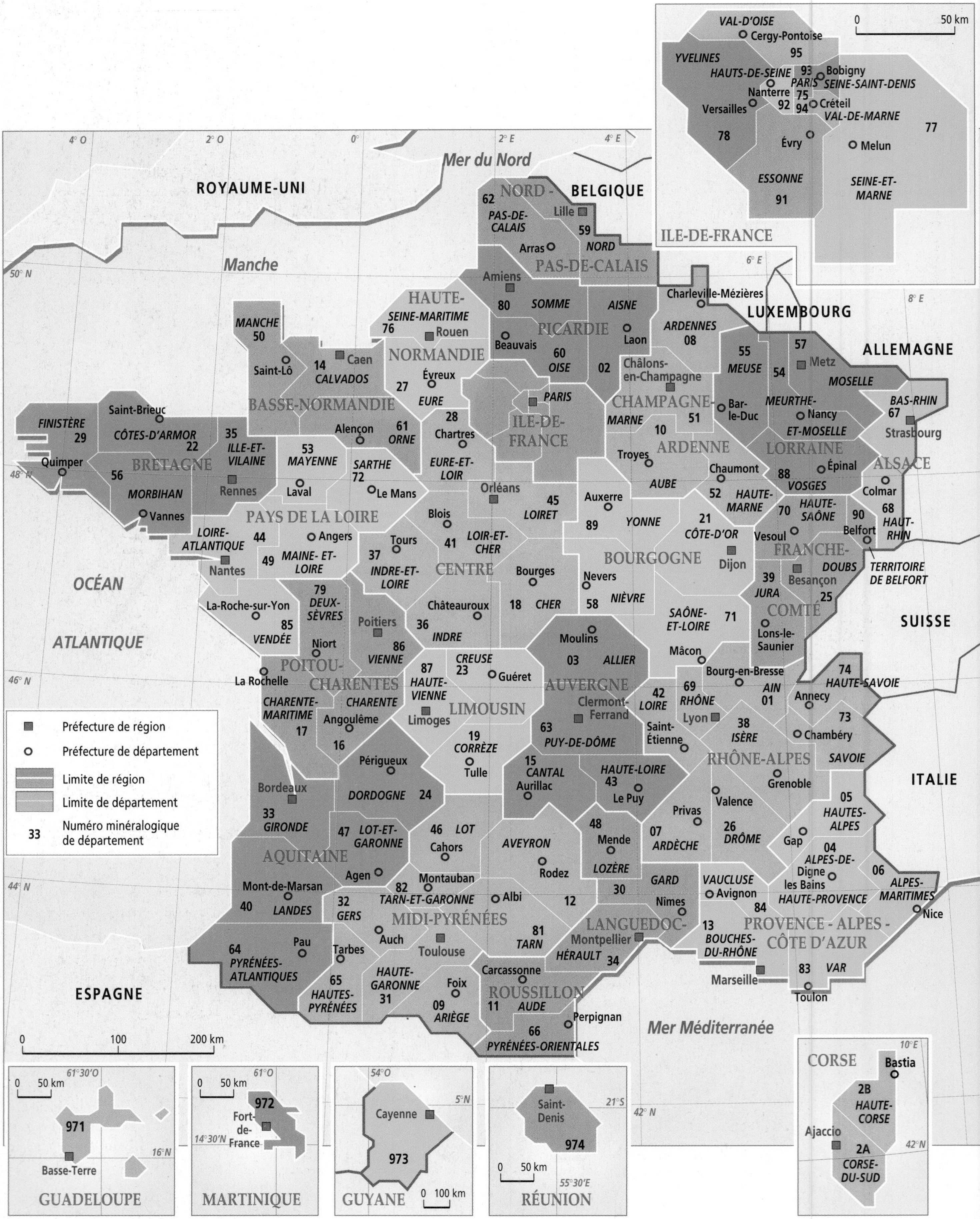